武術最高極意

野口一威斎 監修

武術最高極意

武術最高極意　総目次

禁他見譲渡

武術極意

天之巻

帝國尚武會藏版

天之巻　目次

天之巻　目次

天之巻　目次

自序

語あり。『笑中有刀』と、吾人求めて之を氣合術に得たり。抑も氣合術は神州武道の奥儀にして、又我が神州男兒獨特の妙技なり。卽ち世に英雄と呼ばれ偉人と稱せらるゝものは何れもこれ氣合術の妙を得たる人のみなり。然るに古來氣合術の修行は、言はずして之を行に得、書せずして躬に得しめ、其の一家をなせる者の如きもこれを世に公にせずして秘密を專らとしたるは何ぞや、これ强ち其の弘く世に行なはるゝを欲せざるのみにあらず、蘊奥の事に至りては、口得てこれを云ふ可らず、筆得てこれを書す可らず、從使什一を云ひ、萬一を記すも、其人に非ざれば之を行ふ能はず、之を得る能はず、啻に之を得る能はず、行ふ能はざるのみならず、動もすれば反つて其身に害を及ぼすことの之なきに非ざるを以てなり。古人用意の周到にして且つ愼重なる眞に故ありと云ふべし。

余未だ氣合術の妙域に達したるものに非ずといへども其修行に志す事多年、聊か闡明する所あり。本卷は卽ち其得たる所と古人の遺著を輯めたるものにして、説く處氣合術の全班に渉る。然れども其の秘奥たる固より口舌筆紙の能く盡す所にあらざるは言を須たず、願くはこれを修むる者に於て一言を覺り、一字を悟るの功を積まれむ事を……。

大正五年八月

編者

武術最高極意『天之卷』

野口一威齋監修
帝國尚武會編纂

氣《き》合《あひ》術《じゆつ》之《の》本《ほん》旨《し》

氣《き》合《あひ》術《じゆつ》の意《い》義《ぎ》

本《ほん》來《らい》之《の》目《もく》的《てき》　世《よ》に氣《き》合《あひ》術《じゆつ》なるものがある、至《し》微《び》至《し》妙《めう》、神《じん》變《へん》不《ふ》可《か》思《し》議《ぎ》の妙《めう》術《じゆつ》であつて、其《その》用《よう》の廣《くわう》大《だい》無《む》邊《へん》なる、實《じつ》に測《はか》る可《べか》らざるものがある。抑《そも》々氣《き》合《あひ》術《じゆつ》なるものは、名《な》を術《じゆつ》とは云《い》ふものゝ固《も》と心《こゝろ》と心《こゝろ》との感《かん》能《のう》作《さ》用《よう》であつて、其《その》意《い》味《み》非《ひ》常《じやう》に深《しん》遠《ゑん》であるから、簡《かん》單《たん》に之《これ》を説《せつ》明《めい》する事《こと》は却《なか》々困《こん》難《なん》である。併《しか》し乍《なが》ら其《その》本《ほん》來《らい》の目《もく》的《てき》は、我《われ》の已《き》發《はつ》を以《もつ》て敵《てき》の未《み》發《はつ》を制《せい》し、必《かなら》ず勝《しよう》利《り》を得《え》ん事《こと》を期《き》するにある。卽《すなは》ち『百戰百勝、非善之善者也。不戰而屈人之兵、善之善者也。』と云《い》ふ孫《そん》子《し》の言《げん》は、氣《き》合《あひ》術《じゆつ》本《ほん》來《らい》の目《もく》的《てき》を道《だう》破《は》せるものである。

發《はつ》達《たつ》之《の》徑《けい》路《ろ》　源《げん》平《ぺい》以《い》向《かう》、明《めい》治《ぢ》の初《しよ》年《ねん》に至《いた》る迄《まで》の凡《およ》そ七百年《ねん》間《かん》は、所謂《いはゆる》武《ぶ》門《もん》政《せい》治《ぢ》の跳《てう》梁《りやう》を專恣《ほしいまゝ》にした時《じ》代《だい》で、政《せい》治《ぢ》の實《じつ》權《けん》は悉《ことごと》く將《しやう》軍《ぐん》、執《しつ》權《けん》、大《だい》小《せう》名《みやう》等《ら》の手《しゆ》中《ちう》に掌《しやう》握《あく》されて居《ゐ》た。而《しか》して彼《かれ》等《ら》が能《よ》く其《その》政《せい》權《けん》を左《さ》右《いう》し得《え》た所以《ゆゑん》のものは、一に彼《かれ》等《ら》の武《ぶ》力《りよく》の强《きやう》弱《じやく》に存《そん》し、從《したが》つて當《たう》時《じ》最《もつと》も勢《せい》力《りよく》を把《は》持《ぢ》したものは武《ぶ》士《し》の階《かい》級《きふ》であつた。卽《すなは》ち武《ぶ》士《し》は何《いづ》れも武《ぶ》術《じゆつ》の鍊《れん》磨《ま》を專《せん》心《しん》に勉《つと》め、以《もつ》て其《その》强《きやう》を保《ほ》持《ぢ》せんとしたのである。就中《なかんづく》氣《き》合《あひ》術《じゆつ》は合《あひ》氣《き》術《じゆつ》なる名《めい》目《もく》の下《もと》に、何《なん》人《ぴと》にも必《ひつ》要《えう》なものであり、且《か》つ戰場《せんぢやう》に於《おい》てのみでなく、居《きよ》常《じやう》少時《しばらく》も缺《か》く可《べか》らざるものとして彼等《かれら》に最《もつと》も尊重《そんちやう》され且《か》つ研磨《けんま》されたものであつた。併《しか》し乍《なが》ら其《その》稍《や》や形式《けいしき》を具備《ぐび》するに到《いた》つたのは徳《とく》川《がは》初期《しよき》の事《こと》で、爾《じ》來《らい》有名《いうめい》なる武人《ぶじん》の手《て》に依《よ》つて研磨《けんま》鍛鍊《たんれん》された結果《けつくわ》、寛永《くわんえい》前後《ぜんご》に到《いた》つて殆《ほとん》ど完璧《くわんぺき》に近《ちか》き形式《けいしき》を具備《ぐび》するに到《いた》つた。殊《こと》に當時《たうじ》の武士《ぶし》が心膽《しんたん》の鍊《れん》磨法《まはふ》として尊重《そんちやう》した禪學《ぜんがく》、並《ならび》に明儒《めいじゆ》の唱導《しやうだう》した理氣《りき》の説《せつ》等《とう》の影響《えいきやう》を受《う》くるに到《いた》つて、氣合術《きあひじゆつ》は玆《こゝ》に全然《ぜんぜん》獨立《どくりつ》した武術《ぶじゆつ》として世《よ》に用《もち》ひらるゝ樣《やう》になつたのである。而《しか》も武《ぶ》術《じゆつ》に淵源《えんげん》を發《はつ》し、武術《ぶじゆつ》として其《その》發達《はつたつ》を遂《と》げ來《きた》つたゝめに、氣合術《きあひじゆつ》は武士《ぶし》の專有物《せんいうぶつ》で、武人《ぶじん》以外《いぐわい》の者《もの》の窺知《きち》するを許《ゆる》さない秘密《ひみつ》の門戸《もんこ》であるとせられて了《しま》つた。而《しか》して世人《せじん》も爾《し》か信《しん》じ、武人《ぶじん》亦《また》堅《かた》く口《くち》を緘《とざ》して其高弟《そのかうてい》に相傳《さうでん》するの外《ほか》、一切《さい》其《そ》の奧秘《あうひ》を世《よ》に公表《こうへう》する事《こと》をしなかつたのである。

意義《いぎ》の變遷《へんせん》

斯《かく》て世《よ》は明治《めいぢ》維新《ゐしん》を迎《むか》え、社會《しやくわい》の狀勢《じやうせい》は全《まつた》く一變《ぺん》して、從來《じうらい》政治《せいぢ》の實權《じつけん》を握《にぎ》り、或《あるひ》は四民《みん》の上《うへ》に位《くらゐ》して其威《そのゐ》を專《もつぱら》にした將軍《しやうぐん》、大小名《だいせうみやう》、武士《ぶし》等《とう》の階級《かいきふ》は悉《ことごと》く廢《はい》せられ、國民《こくみん》は何《いづ》れも平等《びやうとう》の權利《けんり》を有《いう》するに至《いた》つた。而《しか》して一方《はう》兵制《へいせい》の改革《かいかく》と武器《ぶき》の進步《しんぽ》とは、昔時《せきじ》の武術《ぶじゆつ》をして全然《ぜんぜん》其意義《そのいぎ》と價値《かち》とを失《うし》なはしめ、諸武術《しよぶじゆつ》は、新《あら》たなる意義《いぎ》――卽《すなは》ち單《たん》に運動《うんどう》、遊戲《いうぎ》に過《す》ぎないものとせられて了《しま》つたのである。從《したが》つて武術《ぶじゆつ》に淵源《えんげん》を發《はつ》し、武術《ぶじゆつ》として發達《はつたつ》を遂《と》げ來《きた》つた氣合術《あひじゆつ》は、玆《こゝ》に至《いた》つて全《まつた》く無價値《むかち》のものとせられ、僅《わづか》に少數《しやうすう》の催眠術者《さいみんじゆつしや》に試《こゝろ》みらるるの外《ほか》、殆《ほとん》ど國民《こくみん》に顧《かへり》みられざるものとなつて了《しま》つたのである。

人格修養《じんかくしうやう》の道《みち》　併《しか》し乍《なが》らこれは誤《あやま》れるの甚《はなは》だしき曲《きよく》説《せつ》である。思《おも》ふに武術《ぶじゆつ》の行《おこな》はれざる今日《こんにち》、或《あるひ》は氣合術《きあひじゆつ》の要《えう》なしとの考《かんがへ》が起《おこ》らぬでもないが、前述《ぜんじゆつ》した如《ごと》く氣合術《きあひじゆつ》は爾《しか》く淺薄《せんぱく》なるものではなく、もつともつと重大《ぢうだい》なるものである。卽《すなは》ち、氣合術《きあひじゆつ》は數《すう》百年《ねん》來《らい》武術《ぶじゆつ》の神髓《しんずゐ》として、將《は》た奥《あう》秘《ひ》として、研鑽《けんさん》と鍊磨《れんま》を重《かさ》ねられた結果《けつくわ》、單《たん》に心身《しんしん》の鍛鍊《たんれん》のみでなく、武士的人格修養《ぶしてきじんかくしうやう》の道《みち》としても極《きは》めて優秀適《いうしうてき》切《せつ》のものとせられて居《ゐ》たのである。玆《こゝ》に於《おい》てか最近尙武《さいきんしやうぶ》の氣風復興《きふうふくこう》の徵《ちよう》を見《み》るに至《いた》つて、氣合術《きあひじゆつ》も亦國民《またこくみん》の記憶《きおく》に喚起《くわんき》さるゝの機運《きうん》に到達《たうたつ》したのである。卽《すなは》ちこれを我《わ》が國《くに》將來《しやうらい》の發展《はつてん》に照《て》らし見《み》た時《とき》に、吾人《ごじん》は益々《ます〳〵》新《あらた》なる意《い》義《ぎ》と價値《かち》とを感《かん》ぜずに居《を》られないのである。

氣《き》合《あひ》術《じゆつ》の意《い》義《ぎ》

これを要《えう》するに氣《き》合《あひ》術《じゆつ》とは精《せい》神《しん》と精《せい》神《しん》との戰《たゝかひ》であり、氣《き》を以《もつ》て氣《き》を打《う》つの術《じゆつ》である。而《しか》して、これを字《じ》義《ぎ》から言《い》へば、精《せい》神《しん》と精《せい》神《しん》とが相對《あひたい》した時《とき》に、雙方《さうはう》の氣《き》を合《あは》せると云《い》ふ事《こと》で、其際《そのさい》一方《はう》の精《せい》神《しん》氣《き》力《りよく》が一方の精《せい》神《しん》氣《き》力《りよく》を牽《けい》制《せい》壓《あつ》迫《はく》して殺《さつ》活《くわつ》自《じ》在《ざい》にするとの謂《いひ》である。更《さら》にこれを心《しん》理《り》學《がく》上《じやう》から云《い》へば精《せい》神《しん》力《りよく》を一事《じ》に集《しふ》注《ちう》する事《こと》、卽《すなは》ち凡《すべ》ての能《のう》力《りよく》と云《い》ふ光《くわう》線《せん》を一焦《せう》點《てん》に集《あつ》むるを云《い》ふのである。而《しか》して哲《てつ》學《がく》上《じやう》からこれを云《い》へば虛《きよ》實《じつ》一體《たい》、動《どう》靜《せい》一致《ち》の法《はふ》であり、生《せい》理《り》上《じやう》から見《み》れば呼《こ》吸《きふ》の術《じゆつ》である。更《さら》に用《よう》から論《ろん》ずれば機《き》先《せん》を制《せい》すると云《い》ふ事《こと》である。

之《これ》を要《えう》するに氣《き》合《あひ》術《じゆつ》とは我《われ》の已《き》發《はつ》を以《もつ》て敵《てき》の未《み》發《はつ》を抑《おさ》ふることで、凡《すべ》て敵《てき》に向《むか》つた時《とき》、我《わ》れ一步《ほ》を先《さき》んじて以《もつ》て先《せん》の先《せん》にかゝるか、左《さ》もなければ敵《てき》から懸《か》る氣《き》を外《はつ》して以《もつ》て後《ご》の先《せん》をとるか、何《いづ》れにしても我《わ》れ敵《てき》より一步《ほ》を先《さき》んずるの術《じゆつ》、これ卽《すなは》ち氣《き》合《あひ》術《じゆつ》で、所謂《いはゆる》我《わ》が金《こん》剛《がう》不《ふ》壞《ゑ》の身《しん》心《しん》を以《もつ》て敵《てき》の事《じ》理《り》未《み》發《はつ》の以《い》前《ぜん》に全《ぜん》勝《しよう》すると云《い》ふのが氣《き》合《あひ》術《じゆつ》の眼《がん》目《もく》であり、本《ほん》領《りやう》である。

氣《き》合《あひ》術《じゆつ》と合《あひ》氣《き》術《じゆつ》との關《くわん》係《けい》　氣《き》合《あひ》術《じゆつ》は一に之《これ》を合《あひ》氣《き》術《じゆつ》と云《い》ふ。廣《くわう》義《ぎ》に解《かい》釋《しやく》すれば左《さ》して大《だい》なる軒《けん》輊《ち》を見《み》ないが、狹《けふ》義《ぎ》に解《かい》釋《しやく》すれば聊《いさゝ》か意《い》味《み》の相《さう》違《ゐ》がある。雖然《しかりといへども》、其《その》說《せつ》明《めい》甚《はなは》だ困《こん》難《なん》であつて、到《たう》底《てい》筆《ひつ》舌《ぜつ》を以《もつ》て盡《つく》す事《こと》が出《で》來《き》ない。但《たゞ》し簡《かん》單《たん》にこれを云《い》へば、合《あひ》氣《き》術《じゆつ》とは其《その》靜《せい》的《てき》方《はう》面《めん》(無《む》心《しん》氣《き》合《あひ》)を云《い》ひ、氣《き》合《あひ》術《じゆつ》とは其《その》動《どう》的《てき》方《はう》面《めん》（有《いう》心《しん》氣《き》合《あひ》）を指《さ》して云《い》つたものである。これを要《えう》するに合《あひ》氣《き》とは精《せい》神《しん》に何《なん》等《ら》の碍《さわ》滯《り》もなく、何《なん》等《ら》の恐《おそ》怖《れ》もなく、何《なん》等《ら》の邪《よこし》念《ま》もなく、虚《きよ》無《む》恬《てん》澹《たん》たる中《なか》に超《てう》然《ぜん》自《みづか》らを持《ぢ》し、而《しか》も隙《すき》なく、弛《ゆる》みなき場《ば》合《あひ》を指《さ》して云《い》つたものであり。氣《き》合《あひ》とは應《おう》事《じ》接《せつ》物《ぶつ》の際《さい》、少《すこ》しも遲《ち》疑《ぎ》逡《しゆん》巡《じゆん》することなく、勇《ゆう》往《わう》邁《まい》進《しん》する場《ば》合《あひ》を指《さ》して爾《し》か云《い》ふのである。斯《か》く云《い》へば氣《き》合《あひ》は實《じつ》に活《くわつ》動《どう》的《てき》で、合《あひ》氣《き》は全《まつた》くそれと背《はい》反《はん》した術《じゆつ》の樣《やう》に思《おも》はれるが、實《じつ》は決《けつ》してさうでなく、恰《ちやう》度《ど》顯《けん》熱《ねつ》に於《お》ける潛《せん》熱《ねつ》の如《ごと》き關《くわん》係《けい》を持《ぢ》して居《を》るに過《す》ぎないのである。

身《しん》心《しん》の鍛《たん》錬《れん》と氣《き》合《あひ》術《じゆつ》

心《しん》身《しん》の鍛《たん》錬《れん》

氣《き》合《あひ》術《じゆつ》が心《しん》身《しん》の鍛《たん》錬《れん》に必《ひつ》要《えう》である事《こと》は從《じう》來《らい》も之《これ》を說《と》く者《もの》少《すく》なくなかつたが、其《その》多《おほ》くは聲《こゑ》を大《だい》にして唱《しやう》導《だう》するに止《とゞま》り、其《その》然《しか》る所以《ゆゑん》の理《り》を愼《しん》重《ちやう》に考《かう》究《きう》したもの甚《はなは》だ稀《まれ》である。而《しか》して世《せ》人《じん》亦《また》之《これ》を以《もつ》て斯《し》道《だう》を癖《へき》愛《あい》するものゝ牽《けん》强《きやう》附《ふ》會《くわい》の言《げん》であるとして深《ふか》く注《ちう》意《い》しなかつたのみか、寧《むし》ろ看《かん》過《くわ》して怪《あや》しまない傾《かたむき》があつた。併《しか》し乍《なが》らこの事《こと》は氣《き》合《あひ》術《じゆつ》の意《い》義《ぎ》と價《か》値《ち》との關《かゝ》はる重《ぢう》要《えう》なことであるから、充《じう》分《ぶん》にこれを考《かう》究《きう》して置《お》く必《ひつ》要《えう》がある。

思《おも》ふに心《しん》身《しん》の發《はつ》育《いく》を助《たす》け、各《かく》機《き》官《くわん》の機《き》能《のう》を完《くわん》全《ぜん》ならしめ、健《けん》康《こう》を增《ぞう》進《しん》し、動《どう》作《さ》を敏《びん》活《くわつ》ならしむるのは現《げん》今《こん》に於《お》ける武《ぶ》術《じゆつ》の主《しゆ》眼《がん》とする處《ところ》であり、又《また》根《こん》本《ぽん》とする處《ところ》である。然《しか》るに多《おほ》くの武《ぶ》術《じゆつ》は或《あるひ》は興《きよう》味《み》に乏《とぼ》しく、或《あるひ》は人《ひと》と時《とき》と所《ところ》とに依《よ》つて之《これ》を行《おこな》ふ事《こと》至《し》難《なん》であつて、所《しよ》要《えう》の目《もく》的《てき》を達《たつ》し得《う》るもの稀《まれ》であるのは誠《まこと》に遺《ゐ》憾《かん》に堪《た》へない次《し》第《だい》である。

氣《き》合《あひ》術《じゆつ》の眞《しん》價《か》　然《しか》るに氣《き》合《あひ》術《じゆつ》は時《とき》と場《ば》所《しよ》とを論《ろん》ぜず、老《らう》少《せう》男《なん》女《によ》を問《と》はず、寒《かん》暑《しよ》晝《ちう》夜《や》を問《とは》ず、之《これ》を行《おこな》ふに甚《はなは》だ便《べん》である。殊《こと》に興《きよう》味《み》深《ふか》く、各《かく》機《き》官《くわん》の能《のう》力《りよく》を完《くわん》全《ぜん》にし體《たい》力《りよく》を强《きやう》健《けん》ならしめ、動《どう》作《さ》を機《き》敏《びん》にし、又《また》能《よ》く忍《にん》耐《たい》の心《こゝろ》を養《やしな》ひ、且《か》つ寒《かん》暑《しよ》に耐《た》へ、忍《しの》び難《がた》きを忍《しの》び、以《もつ》て勇《ゆう》猛《まう》なる意《い》氣《き》を生《しやう》ぜしむる等《とう》之《これ》を所《いは》謂《ゆる》昔《せき》時《じ》の武《ぶ》術《じゆつ》とせず、現《げん》今《こん》の武《ぶ》術《じゆつ》と云《い》ふ上《うへ》から見《み》てもそれに所《しよ》要《えう》なる凡《すべ》ての要《えう》點《てん》を具《ぐ》備《び》して居《ゐ》る。故に凡《およ》そ身《しん》心《しん》の鍛《たん》錬《れん》と云《い》ふ點《てん》から論《ろん》じたならば比《ひ》類《るゐ》なき効《かう》果《くわ》を擧《あ》ぐる事《こと》が出《で》來《き》るのである。而《しか》もそれが一時《じ》的《てき》でなくして永《えい》久《きう》的《てき》である。要《えう》するに氣《き》合《あひ》術《じゆつ》は身《しん》體《たい》の錬《れん》磨《ま》と、精神《せいしん》の鍛錬《たんれん》とが相俟《あひま》って初《はじ》めて完《まつた》きを得《う》る深遠《しんゑん》なる道《みち》なのであるから、之《これ》を研修《おさ》むれば研修《おさ》むる程《ほど》、益々《ます〳〵》興味《きようみ》を増《ま》し、生涯《しやうがい》之《これ》を續《つゞ》くとも少《すこ》しも倦《う》むが如《ごと》きことはないのである。殊《こと》に姿勢《しせい》を重《おも》んずるが故《ゆゑ》に、直接《ちよくせつ》にも間接《かんせつ》にも精神上《しんじやう》に好影響《かうえいきやう》を與《あた》ふる事《こと》尠少《せんせう》でない。加之《しかのみならず》氣合術《あひじゆつ》の根本《こんぽん》たる武士道《ぶしだう》の精神《せいしん》と、嚴格《げんかく》なる其修業法《そのしゆげふはふ》とは、能《よ》く快活《くわいくわつ》、剛毅《がうき》、忍耐《にんたい》、持久《ぢきう》、勤勉《きんべん》、質實《しつじつ》等《とう》の諸徳《しよとく》を養《やしな》ひ得《う》るが故《ゆゑ》に、禮儀作法《れいぎさはふ》を重《おも》んずる情操《じやうさう》を養《やしな》ふ上《うへ》に於《おい》ても利《り》する處《ところ》甚大《じんだい》である。

氣合術《きあひじゆつ》と禪《ぜん》及《および》其《その》他《た》の諸道《しよだう》

凡《およ》そ世《よ》に處《しよ》し、事《こと》に當《あた》っては常《つね》に至誠《しせい》を以《もつ》て一貫《くわん》する事《こと》が必要《ひつえう》である。夫《か》の孟子《まうし》の『自《みづか》ら反《かへ》りて縮《なほ》からざれば褐寛博《かつくわんひろ》しと雖《いへど》も吾《われ》惴《おそ》れざらんや、自《みづか》ら反《かへ》りて縮《なほ》ければ千萬《まん》人《にん》と雖《いへど》も吾《われ》行《ゆ》かん』との言《げん》こそは卽《すなは》ち今《いま》云《い》つた至《し》誠《せい》を指《さ》して云《い》つたもので、世《よ》に至《し》誠《せい》の力《ちから》ほど強《つよ》いものはないのである。氣《き》合《あひ》術《じゆつ》も亦《また》この根《こん》底《てい》に立《た》つて始《はじ》めて不《ふ》動《どう》の精《せい》神《しん》、精《せい》妙《めう》の術《じゆつ》に達《たつ》する事《こと》が出《で》來《き》るのである。殊《こと》に氣《き》合《あひ》術《じゆつ》は前《まへ》にも云《い》つた如《ごと》く、形《かたち》に現《あら》はるゝ技《ぎ》術《じゆつ》でなくして、無《む》形《けい》の精《せい》神《しん》が發《はつ》露《ろ》して形《かたち》に現《あら》はるるので、根《こん》本《ぽん》は精《せい》神《しん》に存《そん》するのである。從《したが》つて古《こ》來《らい》氣《き》合《あひ》術《じゆつ》の達《たつ》人《じん》であつて禪《ぜん》家《け》の所《しよ》說《せつ》に啓《けい》發《はつ》せられた結《けつ》果《くわ》、術《じゆつ》の蘊《うん》奧《あう》を極《きは》めたものも少《すく》なくない。これ蓋《けだ》し其《その》究《きう》極《きよく》に到《いた》つたならば二者《しや》の境《きやう》界《がい》はなくなるが故《ゆゑ》である。換《くわん》言《げん》すれば氣《き》合《あひ》術《じゆつ》なるものも玆《こゝ》に至《いた》らなければ未《いま》だ堂《だう》奧《あう》に達《たつ》したものと云《い》ふ事《こと》が出《で》來《き》ないのである。卽《すなは》ち一旦《たん》この境《さかひ》に至《いた》つたならば心《こゝろ》は明《めい》鏡《きやう》止《し》水《すゐ》の如《ごと》く、彼《ひ》我《が》なく、生《せい》死《し》なく、萬《はん》機《き》に應《おう》接《せつ》して靈《れい》活《くわつ》自《じ》在《ざい》、天《てん》下《か》又《また》敵《てき》なきに至《いた》るのである。併《しか》し乍《なが》ら其《その》茲《こゝ》に至《いた》り得《う》るのは多《た》年《ねん》の修《しう》錬《れん》に須《ま》つて始《はじ》めて得《え》られる事《こと》であつて、一朝《てう》一夕《せき》にして達《たつ》し得《え》らるゝものではない。さあれ半《はん》年《とし》の鍛《たん》錬《れん》は半《はん》年《とし》の効《かう》あり、一年《ねん》の研《けん》修《しう》は一年《ねん》の進《しん》境《きやう》あるのであるから、怠《おこた》らず勉《つと》めたならば必《かなら》ず之《これ》に相《さう》當《たう》した鍛《たん》錬《れん》の効《かう》果《くわ》を收《をさ》め得《え》られるのである。唯《たゞ》呉《くれ》々《ぐ》も忘《わす》れてならない事《こと》は、氣《き》合《あひ》術《じゆつ》の主《しゆ》眼《がん》が決《けつ》して技《ぎ》術《じゆつ》や勝《しよう》敗《はい》の末《すゑ》にあるのでなくして、術《じゆつ》の錬《れん》磨《ま》に依《よ》つて身《しん》心《しん》の鍛《たん》錬《れん》に資《し》するのであると云《い》ふ點《てん》である。

氣合術と武術

勝敗《しょうはい》の歸《き》する處《ところ》　柔《じう》術《じゆつ》と云《い》はず劍《けん》術《じゆつ》と云《い》はず、凡《およ》そ武《ぶ》術《じゆつ》と稱《しょう》するものに達《たつ》せんとするには先《ま》づ心《しん》術《じゆつ》を正《たゞ》しくすると云《い》ふ事《こと》が根《こん》本《ほん》である如《こと》く、氣《き》合《あひ》術《じゆつ》に於《おい》ても亦《また》然《しか》りで、心《しん》術《じゆつ》が正《たゞ》しくなかつたならば氣《き》合《あひ》術《じゆつ》は先《ま》づ絶《ぜつ》對《たい》に行《おこな》ふ事《こと》が出《で》來《き》ないと斷《だん》言《げん》しても可《よ》いのである。斯《か》く氣《き》合《あひ》術《じゆつ》と武《ぶ》術《じゆつ》とは根《こん》本《ほん》に於《おい》て其《その》要《えう》を等《ひと》しくして居《を》るのみでなく、柔《じう》術《じゆつ》と云《い》ひ劍《けん》術《じゆつ》と云《い》ひ、凡《およ》そ武《ぶ》術《じゆつ》と稱《しょう》するものは何《いづ》れも氣《き》合《あひ》術《じゆつ》が其《その》奥《おく》殿《でん》に潛《ひそ》んで居《ゐ》る。換《くわん》言《げん》すれば武《ぶ》術《じゆつ》に於《おい》て氣《き》合《あひ》術《じゆつ》を缺《か》いたならば、其《その》武《ぶ》術《じゆつ》は生《せい》命《めい》のない武《ぶ》術《じゆつ》であると云《い》つても可《い》い位《くらゐ》である。何《なん》となれば武《ぶ》術《じゆつ》の勝《しょう》利《り》は畢《ひつ》竟《きやう》氣《き》合《あひ》術《じゆつ》の勝《しょう》利《り》に他《ほか》ならないからである。

『勝《しょう》負《ぶ》一にありて二にあらず。勝《しょう》負《ぶ》は瞬《しゆん》間《かん》の間《あひだ》にあり手《て》を拍《う》ちて音生《おとしやう》ずるに似《に》たり。若《も》し夫《そ》れ武具《ぶぐ》を合《あは》せて後《のち》千變萬化《へんはんくわ》の働《はたらき》ありと言《い》はゞ世《よ》に云《い》ふ人形兵法《にんぎやうへいはふ》にて用《よう》に足《た》らざるなり。千變萬化《へんはんくわ》は發《はつ》せざる前《まへ》の心《こゝろ》を云《い》ふ。』

『凡《およ》そ勝負《しようぶ》は石《いし》を以《もつ》て水《みづ》を打《う》つが如《ごと》くすべし、石《いし》を以《もつ》て石《いし》を打《う》つが如《ごと》くすべからず。石《いし》を以《もつ》て水《みづ》を打《う》つとは氣《き》の位《くらゐ》（氣合術《きあひじゆつ》）を以《もつ》て敵《てき》を取《と》りひしぎて出《い》でしめざるを云《い》ふ。又《また》、先《せん》を取《と》るとは業《わざ》を以《もつ》て云《い》ふにあらず、懸《か》るにあらず、待《ま》つにあらず、氣《き》の位《くらゐ》を指《さ》して云《い》ふなり。』とは昔時《せきじ》の兵法《へいはふ》に説《と》ける處《ところ》の秘訓《ひくん》であるが、氣合術《きあひじゆつ》と武術《ぶじゆつ》との關係《くわんけい》を簡單《かんたん》明瞭《めいれう》に説破《せつぱ》せる無《む》二の至言《しげん》で、氣合術者《きあひじゆつしや》の正《まさ》に肝銘《かんめい》すべき要訣《えうけつ》である。

柔術《じうじゆつ》の極意《ごくい》と氣合術《きあひじゆつ》

氣合術《きあひじゆつ》が武術《ぶじゆつ》の堂奥《だうあう》であり根《こん》

本《ほん》要《えう》素《そ》である事《こと》は前《ぜん》述《じゆつ》の通《とほ》りであるが、我《わが》國《くに》武《ぶ》術《じゆつ》の精《せい》華《くわ》たる柔《じう》術《じゆつ》も亦《また》氣《き》合《あひ》術《じゆつ》の原《げん》理《り》に基《もとづ》いて其《その》業《わざ》を全《まつた》ふすべきものであつて、實《じつ》に氣《き》合《あひ》術《じゆつ》は柔《じう》術《じゆつ》の極《ごく》意《い》と云《い》ふも敢《あへ》て不《ふ》可《か》ないのである。

角力《すまふ》に四十八手《て》ある如《ごと》く柔《じう》術《じゆつ》にも亦《また》投《なげ》業《わざ》、固《かため》業《わざ》、立《たち》業《わざ》、捨《すて》身《み》業《わざ》、締《しめ》業《わざ》、抑《おさへ》業《わざ》、關《くわん》節《せつ》業《わざ》等《とう》があつて、其《その》術《じゆつ》千變《べん》萬《ばん》化《くわ》であるけれども、根《こん》底《てい》に至《いた》つては『柔《じう》能《よ》く剛《がう》を制《せい》す』の唯《たゞ》一語之《これ》あるのみである。卽《すなは》ち一人《ひとり》が敵手《あひて》に對《たい》して武《ぶ》器《き》を持《も》たざる場《ば》合《あひ》か、又《また》は之《これ》を持《も》つて居《ゐ》るとしても敵《てき》より優《やさ》しい武《ぶ》器《き》を以《もつ》て勝《から》を制《せい》し、或《あるひ》は敵手《あひて》が我《われ》よりも強《きやう》大《だい》なる場《ば》合《あひ》、我《われ》は力《ちから》を以《もつ》て彼《かれ》の力《ちから》に反《はん》對《たい》せずして、反《かへ》つて其《その》力《ちから》を利《り》用《よう》して勝《から》を得《う》るの法《はふ》である。既《すで》に柔《じう》を以《もつ》て剛《がう》を制《せい》せんとする以上《いじやう》敵《てき》の虚《きよ》を衝《つ》き實《じつ》を避《さ》けなければならない事《こと》は勿論《もちろん》である。彼《か》の柔術《じうじゆつ》の足掃《あしはら》ひをかける場合《ばあひ》の如《ごと》き、先《ま》づ雙方《さうはう》が取《と》り組《く》んで横《よこ》、或《あるひ》は横斜《よこなゝめ》に運動《うんどう》しつゝある内《うち》、其《そ》の運動《うんどう》の方向《はうかう》に伴《ともな》ふて足《あし》を拂《はら》ひ、以《もつ》て相手《あひて》を倒《たふ》すのであるが、この法《はふ》を行《おこな》ふの際《さい》、敵《てき》の體《たい》が沈《しづ》んで運動《うんどう》する時《とき》は決《けつ》して效《かう》を奏《そう》するものでない。是非《ぜひ》共《とも》相手《あひて》の體《たい》が浮《う》き上《あが》つて、其《その》一方《はう》の足《あし》が地《ち》を離《はな》れて他《た》の一方《はう》の足《あし》の方《はう》に向《むか》ふの時《とき》、この足《あし》の方《はう》にある我《わ》が足《あし》の掌《ひら》を以《もつ》て、他《た》の足《あし》の方《はう》に打《う》ち着《つ》ける様《やう》な心持《こゝろもち》を以《もつ》て此《この》足《あし》を拂《はら》ひ、同時《どうじ》に拂《はら》つた足《あし》の方《はう》の手《て》は袖《そで》を持《も》ち、他方《たはう》の手《て》は襟《えり》を持《も》つて斜《はす》に上《うへ》へ恰《あだか》も釣《つ》り上《あ》げる如《ごと》くし(卽《すなは》ち相手《あひて》の運動《うんどう》を助《たす》けるが様《やう》に)且《か》つ袖《そで》を持《も》てる方《はう》は確《しか》と摑《つか》んで居《ゐ》て之《これ》を助《たす》け、業《わざ》を施《ほど》こすのである。

今《いま》この法《はふ》に於《おい》て前《まへ》の場《ば》合《あひ》の樣《やう》に相《あひ》手《て》の體《たい》が沈《しづ》んで居《ゐ》て業《わざ》をかけても効《かう》がないのは、これを物《ぶつ》理《り》的《てき》に云《い》へば相《あひ》手《て》の體《たい》の重《ぢう》心《しん》の釣《つり》合《あひ》が能《よ》く保《たも》たれ、充《じう》分《ぶん》氣《き》が充《み》ちて居《ゐ》るから効《かう》を奏《そう》さないのである。然《しか》るに一方《はう》足《あし》の浮《う》いた時《とき》に業《わざ》をかけて効《かう》があつたのは敵《てき》の虚《きよ》をついたからである。而《しか》してこの虚《きよ》を衝《つ》き實《じつ》を避《さ》けると云《い》ふ事《こと》が氣《き》合《あひ》術《じゆつ》の極《ごく》意《い》なのである。これに依《よ》つてこれを見《み》ても、柔《じう》術《じゆつ》の極《ごく》意《い》が氣《き》合《あひ》術《じゆつ》の極《ごく》意《い》と一致《ち》して居《ゐ》る事《こと》は直《たゞち》に知《し》り得《え》られるのである。

大《おほ》水《みづ》の先《さき》に流《なが》るゝとちがらも
身《み》を捨《す》てゝこそ浮《うか》む瀬《せ》もあれ
何《なに》事《こと》もたくむ言《こと》の葉《は》僞《いつは》りぞ

不《ふ》圖《と》思《おも》ひ出《で》に誠《まこと》こそあれ

劍《けん》術《じゆつ》の極《ごく》意《い》と氣《き》合《あひ》術《じゆつ》　劍《けん》術《じゆつ》の極《ごく》意《い》は敵《てき》の身《み》構《がまへ》に心《こゝろ》を置《お》く事《こと》なく、己《おのれ》が身《み》構《がまへ》にも太《た》刀《ち》にも心《こゝろ》を置《お》くことなく、唯《たゞ》心《こゝろ》を丹《たん》田《でん》に置《お》いて、斬《き》らうとも斬《き》らるゝとも思《おも》はず、思《し》案《あん》分《ふん》別《べつ》を全《ぜん》然《ぜん》捨《す》て果《は》て、以《もつ》て敵《てき》が太《た》刀《ち》を振《ふ》り上《あ》ぐるや否《いな》や、其《そ》の儘《まゝ》直《たゞち》につけ入《い》つて勝《かち》を制《せい》するのである。この間《かん》一髪《はつ》の動《どう》作《さ》こそは實《じつ》に氣《き》合《あひ》のこもつた際《さい》に發《はつ》し得《う》る唯《ゆゐ》一無《む》二の精《せい》氣《き》の力《ちから》である。

身《み》を捨《す》てゝ又《また》身《み》をすくふ貝《かひ》杓《じやく》子《し》

馬《ば》術《じゆつ》の極《ごく》意《い》と氣《き》合《あひ》術《じゆつ》　乘《じよう》馬《ば》の秘《ひ》訣《けつ》は、丹《たん》田《でん》に氣《き》力《りよく》をはりつめ、以《もつ》て體《たい》を虛《きよ》無《む》にして置《お》く事《こと》が肝《かん》要《えう》である。斯《か》くすれば精《せい》神《しん》自《おのづか》ら兩《りやう》轆《ろく》四蹄《てい》を貫《ぬ》け通《とほ》つて、鞍《あん》下《か》馬《うま》なく鞍《あん》上《じやう》人《ひと》なきの妙《めう》機《き》を自《じ》得《とく》し、所謂《いはゆる》四肢《し》(鞍《くら》、轡《くつは》、鐙《あぶみ》、鞭《むち》)三術《じゆつ》(合《かつ》節《せつ》、知《ち》機《き》、處《しょ》分《ぶん》)を學《まな》ばずして、直《たゞち》に馭《ぎよ》馬《は》の妙《めう》所《しょ》に到《いた》ることが出來《でき》るのである。要《えう》するに凡《すべ》て臍《さい》下《か》の力《ちから》のみで馬《うま》を自《じ》在《ざい》に動《うご》かし、手《た》綱《づな》と、把《と》る手《て》とを共《とも》に忘《わす》るゝのが馬《は》術《じゆつ》最《さい》高《かう》の極《こく》意《い》であつて、同《どう》時《じ》に氣《き》合《あひ》術《じゆつ》の極《こく》意《い》なのである。

弓《きう》術《じゆつ》の極《こく》意《い》と氣《き》合《あひ》術《じゆつ》

勁《けい》弓《きう》を彎《ひ》くに當《あた》つて、能《よ》く百發《はつ》百中《ちう》の妙《めう》を得《う》るに至《いた》るのは敢《あへ》て指《し》頭《とう》の働《はたらき》でなく、又《また》臂《ひぢ》の力《ちから》でもない即《すなは》ち、身《しん》體《たい》の正《せい》中《ちう》である。丹《たん》田《でん》の樞《すう》軸《ぢく》から發《はつ》する氣《き》力《りよく》を以《もつ》て、其《その》未《いま》だ發《はつ》せざるに先《ま》づ金《ま》的《と》を貫《つらぬ》くのである。即《すなは》ち胸《むね》、肩《かた》を虚《きよ》にし、臍《さい》下《か》に滿《まん》身《しん》の氣《き》息《そく》をこめ、眼《め》を以《もつ》て的《まと》に向《むか》はず、心《こゝろ》を以《もつ》て的《まと》に向《むか》ふのが弓《きう》術《じゆつ》の極《こく》意《い》であり同《どう》時《じ》に氣《き》合《あひ》術《じゆつ》の極《こく》意《い》なのである。

うち送《おく》る弦《つる》の位《くらゐ》は知《し》らずして
放《はな》つ許《はか》りと思《おも》ふものうさ

弓《ゆみ》は射《い》よ唯《たゞ》射《い》る程《ほど》の師《し》はあらじ
ならはぬ事《こと》を我《われ》とこそ知《し》れ

槍《さう》術《じゆつ》の極《ごく》意《い》と氣《き》合《あひ》術《じゆつ》

槍《やり》の極《こく》意《い》は決《けつ》して人《ひと》を突《つ》かうと思《おも》はず、唯《たゞ》呼《こ》吸《きふ》を靜《しづか》に、氣《き》を丹《たん》田《でん》に据《す》え、水《すゐ》月《げつ》移《い》寫《しん》(合《あひ》氣《き》術《じゆつ》の極《こく》意《い》)の心《こゝろ》を取《と》り、うつ事《こと》もする事《こと》もなく、唯《たゞ》敵《てき》の虚《きよ》に乘《じよう》じて一氣《き》に體《たい》を以《もつ》て敵《てき》を突《つ》くのである。

たゞ槍《やり》は心《こゝろ》ばかりの浪《なみ》分《わけ》よ
うつ事《こと》もなくする事《こと》もなし

槍《やり》突《つ》くな引《ひ》いて繰《く》り出《だ》せ石《いし》づきに
心《こゝろ》を付《つ》けよ油《ゆ》斷《だん》大《たい》敵《てき》

相《す》撲《まふ》術《じゆつ》と氣《き》合《あひ》術《じゆつ》

角《す》力《まふ》の奥《おく》の手《て》と氣《き》合《あひ》術《じゆつ》　凡《およ》そ柔《やはらか》きを尊《たつと》ぶのは決《けつ》して柔《じう》術《じゆつ》ばかりでなく、角《す》力《まふ》の様《やう》な力《ちから》を主《しゆ》とする技《わざ》に於《おい》ても亦《また》柔《じう》を以《もつ》て主《しゆ》眼《がん》とする。夫《か》の角《す》力《まふ》四十八手《て》の中《うち》に『雪《ゆき》の下《した》』と云《い》ふ一手《て》がある。この手《て》は、竹《たけ》や柳《やなぎ》が降《ふ》る雪《ゆき》をフワリ〳〵と輕《かる》く受《う》け流《なが》して少《すこ》しも折《を》れない様《やう》に、敵《てき》が力《ちから》一杯《はい》に押《お》して來《く》るのを輕《かる》くフワリと受《うけ》、これを右《みぎ》なり左《ひだり》なりへ流《なが》して勝《しよう》利《り》を得《う》るのである。これを氣《き》合《あひ》術《じゆつ》上《じやう》から云《い》へば身《しん》體《たい》をシワリ〳〵と柔《やはらか》にして居《ゐ》ると云《い》ふ事《こと》は、卽《すなは》ち身《しん》體《たい》を虛《きよ》にして居《ゐ》るの謂《いひ》である。相《す》撲《まふ》寶《はう》鑑《かん》と云《い》ふ書《しよ》物《もつ》を見《み》ると次《つぎ》の様《やう》な事《こと》が記《しる》してあるが、何《いづ》れも氣《き》合《あひ》術《じゆつ》の極《ごく》意《い》ならざるはない。

相撲《すまふ》立合《たちあひ》の心得《こゝろえ》は本來《ほんらい》無一物《むぶつ》と思《おも》ふべし、心《こゝろ》を虚《きよ》にして敵手《あひて》を待《ま》つ、敵手《あひて》は實《じつ》なり、故《ゆゑ》に虚心《きよしん》を以《もつ》て敵《てき》を知《し》るべし。敵《てき》を知《し》るとは敵《てき》の得手《えて》不得手《ふえて》の處《ところ》、又《また》は強弱《きやうじやく》を知《し》ると云《い》ふ事《こと》なり。是《これ》を唯一《ゆゐいつ》に收《をさ》め忍《しの》びて立《た》つをいふ。譬《たと》へば業《わざ》は經外《きようぐわい》の別傳《べつでん》なり、業《わざ》を以《もつ》て勝《か》つ事《こと》を勤《つと》むるなかれ、只《たゞ》心《こゝろ》の一手《て》にあるものと知《し》るべし。譬《たと》へば經文《きやうもん》の外《ほか》に佛法《ぶつぽふ》あるが如《ごと》く氣《き》治《おさ》まらざれば其《その》業《わざ》も動搖《どうえう》して甚《はなは》だ危《あやふ》し、其《その》本《もと》亂《みだ》れて末《する》治《おさま》らざるは自然《しぜん》の理《り》なり、傳書《でんしよ》に多《おほ》く不動心《ふどうしん》といふ事《こと》を説《と》きたるは心《こゝろ》を動《うご》かさずして只《たゞ》一圖《づ》に忍《にん》といふ文字《もんじ》を忘《わす》るべからず、必《かなら》ず勝《か》たんと思《おも》ふ可《べか》らず、只《たゞ》負《まけ》まじと大事《だいじ》を取《と》り假初《かりそめ》にも派手《はで》なる取方《とりかた》をなすは大《だい》なる過《あやま》ちなりと知《し》るべし。

相撲《すまふ》道《だう》七體《たい》七足《そく》の虚《きよ》實《じつ》　本《ほん》傳《でん》は口《く》傳《でん》の事《こと》であつて容《よう》易《い》に人《ひと》に示《しめ》すべきものでないが、この道《みち》熱《ねつ》心《しん》の人《ひと》に傳《つた》へておけば終《しう》身《しん》益《えき》を得《う》ること尠《せん》少《せう》でないから特《とく》に本《ほん》傳《でん》授《じゆ》中《ちう》に加《くは》ふる事《こと》とした。

強弱虚《きやうじやくきよ》實《じつ》の體《たい》　強《つよ》きもの必《かなら》ず勝《か》つにあらず、又《また》弱《よわ》きものの必《かなら》ず負《ま》くるにあらず、虚《きよ》と見《み》える時《とき》は之《こ》れ實《じつ》なり、業《わざ》は總《すべ》て強弱虚《きやうじやくきよ》實《じつ》ともに必《かなら》ず時《とき》に臨《のぞ》み變《へん》化《くわ》するものなり、眞《しん》劍《けん》の勝《しよう》負《ぶ》は習《なら》ふとも得《う》ること能《あた》はず、思《おも》ふとも容《よう》易《い》に得《う》る事《こと》能《あた》はざるものなり、只《たゞ》稽《けい》古《こ》熟《じゆく》練《れん》の上《うへ》より自《し》然《ぜん》に生《しやう》ずるものと知《し》るべし。然《さ》れば一日《にち》片《かた》時《とき》も怠《おこた》りなく稽《けい》古《こ》する時《とき》は妙《めう》術《じゆつ》いで來《きた》り、其《その》場《ば》に臨《のぞ》む時《とき》は彼《ひ》我《が》の強弱《きやうじやく》自《おの》づと分《わか》るものなり、依《よつ》て是《これ》を一人《ひとり》自得《とく》の妙術《めうじゆつ》といふ。師匠《ししやう》たりといへども口《くち》又《また》は手《て》にて教授《けうじゆ》する能《あた》はざる事《こと》なり。

強弱柔剛《きやうじやくじうがう》の體力《たいりよく》　強《つよ》しと雖《いへど》も氣《き》柔《やは》らかにして力《ちから》を蘊《たくは》ふるものは弱《よわ》く見《み》ゆれども、心《こゝろ》は必《かなら》ず強《つよ》し、譬《たと》へば敵手《あひて》を見計《みはか》らひ其分《そのぶん》に應《おう》じて取組《とりく》む時《とき》は何程《なにほど》の變化《へんくわ》相手《あひて》にありと雖《いへど》も、本心《ほんしん》を失《うしな》はざれば驚《おどろ》く事《こと》なく、思《おも》ふまゝに立會《たちあ》はるゝものなり。然《しか》るを弱《よわ》きものと見《み》ては一《ひ》ト揉《もみ》に押《お》し倒《たふ》さんと思《おも》ひ、本心《ほんしん》を失《うし》なひ居《を》る時《とき》、敵手《あひて》の方《はう》に案外《あんぐわい》の變化《へんくわ》ありて仕掛《しかけ》られたる時《とき》は己《おのれ》より下《へ》手《た》の者《もの》にも負《まけ》る事《こと》あるものなり、爰《こゝ》の理《り》を會得《ゑとく》せざれば銘人《めいじん》の地位《ちゐ》に至《いた》ること能《あた》はず、是《これ》を強柔弱剛《きやうじうじやくがう》の心得《こゝろえ》と云《い》ふ。

有無《うむ》の體《たい》　變化《へんくわ》する其本《そのもと》を見知《みし》り敵手《あひて》の強弱《きやうじやく》を知《し》る

を肝要《かんえう》とす、有時《いうじ》は無心《むしん》にして無時《むじ》は有心《いうしん》と知《し》るべし、只《たゞ》一身《しん》を守《まも》る事《こと》を勤《つと》め敵手《あひて》を倒《たふ》す事《こと》を勤《つとむ》るなかれ、我《わ》が體《たい》に敵手《あひて》の取組《とりく》む時《とき》は無《む》にして勝《かつ》時《とき》は有《いう》とすべし。皆《みな》臍《さい》下《か》の一心《しん》にある妙手《めうしゆ》といふ是《これ》なり。

餘力《よりよく》の體《たい》　これは力《ちから》を遣《つか》ふ時《とき》は少《すこ》しく餘《あま》るやうに蘊《たくわ》へ遣《つか》はざる時《とき》は不足《ふそく》と心得《こゝろえ》、只《たゞ》自己《じこ》の分量《ぶんりやう》を知《し》つて内端《うちは》に心得《こゝろえ》、堅《かた》きもの柔《やは》らかに遣《つか》ふ心持《こゝろもち》にて敵手《あひて》と立會《たちあ》ふ時《とき》は必《かなら》ず勝《かつ》ものと知《し》るべし。

過不及《くわふきふ》の體《たい》　縦《たと》ひ敵手《あひて》は我《われ》より劣《おと》るものと雖《いへど》も、己《おの》れが力《ちから》にまかせ無理《むり》に勝《かつ》は不可《ふか》なり。若《も》し力《ちから》を一杯《はい》に出《だ》し倒《たふ》し損《そん》じたる時《とき》は、我《われ》より劣《おと》るものに負《まく》る事《こと》あり、古人《こじん》の謂《い》ふ過《すぎ》たるは及《およ》ばざるが如《ごと》しとは是《こ》れを云《い》ふなり。總《すべ》て氣《き》あせり、氣《き》短《みじ》かなるは斯《し》道《だう》の大《おほい》に忌《い》む所《ところ》なり。常《つね》に土《ど》俵《へう》に上《あが》りては氣《き》を鎭《しづ》め心《こゝろ》を平《たひら》かにして敵《あひ》手《て》に向《むか》ふを以《もつ》て第《だい》一とするなり。

九死《し》一生《しやう》の體《たい》　都《すべ》て取《とり》組《くみ》時《とき》は己《おの》れが業《わざ》を殘《のこ》さず十分《ぶん》に施《ほどこ》すを善《よし》とす、勝《しよう》負《ぶ》に臨《のぞ》み二心《しん》を抱《いだ》くは最《もつと》も嫌《きら》ふ所《ところ》なり、又《また》氣《き》の長《ちやう》短《たん》に場《ば》合《あひ》と時《とき》とあり能《よ》く此《こ》處を分《ふん》別《べつ》して今《いま》は此《この》身《み》彌《いよ》々〳〵危《あやう》しと見《み》る時《とき》は氣《き》を短《みじ》かく力《ちから》をも一杯《はい》に出《だ》す、是《これ》を九死《し》一生《しやう》の體《たい》といふなり。

一體《たい》一生《しやう》一の捻《ひねり》　一體《たい》とは心《しん》氣《き》手《しゆ》足《そく》とも兼《かね》て云《い》ふ、捻《ひね》りとは業《わざ》の名《な》にて總《すべ》て體《たい》には規《き》矩《く》なかるべからず、若《も》し此《この》心《こゝろ》得《え》なくして體《たい》にひずみの生《しやう》ずる時《とき》は縱《たと》ひいかなる妙《めう》手《しゆ》を出《だ》すも對《あい》手《て》に感《かん》ぜぬものなり、故《ゆゑ》に眞《しん》劍《けん》の勝《しよう》負《ぶ》をなす時《とき》は必《かな》らず己《おの》れが不《ふ》斷《だん》得《え》手《て》を施《ほどこ》すものなり。是《こ》れ不《ふ》斷《だん》得《え》手《て》なるを以《もつ》て一體《たい》にひずみなく、全《ぜん》身《しん》に精《せい》神《しん》と力量《りきりやう》と滿《み》ち渡《わた》るが故《ゆゑ》に勝《かち》を得《う》るなり。若《も》し之《これ》に反《はん》し不《ふ》得《え》手《て》を施《ほどこ》す時《とき》は手《しゆ》足《そく》心《しん》力《りよく》共《とも》に不《ふ》揃《そろひ》にして敵《あひ》手《て》を感《かん》ぜしむる事《こと》能《あた》はざるが故《ゆゑ》負《まけ》となるなり。是《こ》れ則《すなは》ち一體《たい》に規《き》矩《く》なきに依《よ》るなり。我《わ》が得《え》手《て》を以《もつ》て取《とり》組《く》む時《とき》は敵《あひ》手《て》方《かた》にては己《おの》れの得《え》手《て》を施《ほどこ》すこと能《あた》はず、自《おの》づと負《まけ》となるなり、故《ゆゑ》に一體《たい》一生《しやう》一の捻《ひね》りこれを三具《ぐ》揃《そろひ》といふ。

催《さい》眠《みん》術《じゆつ》と氣《き》合《あひ》術《じゆつ》

催《さい》眠《みん》術《じゆつ》の眞《しん》髓《ずゐ》　催《さい》眠《みん》術《じゆつ》は素《も》と氣《き》合《あひ》術《じゆつ》から岐《わか》れたもので催《さい》眠《みん》術《じゆつ》の神《しん》髓《ずゐ》は卽《すなは》ち氣《き》合《あひ》術《じゆつ》である。一體《たい》催《さい》眠《みん》術《じゆつ》の巧《こう》拙《せつ》は所謂《いはゆる》暗示《あんじ》使用法《しようはふ》の巧拙《こうせつ》如何《いかん》である。暗示《あんじ》使用法《しようはふ》の巧拙《こうせつ》如何《いかん》は、暗示《あんじ》の徹底《てつてい》するか否《いな》かと云《い》ふ事《こと》に歸着《きちやく》する。而《しか》して暗示《あんじ》の徹底《てつてい》すると徹底《てつてい》せざるとの如何《いかん》は、氣合術《きあひじゆつ》の妙《めう》に達《たつ》せると否《いな》とに依《よ》つて岐《わか》るゝのであるから、催眠術《さいみんじゆつ》に巧《たく》みならん事《こと》を願《ねが》ふ者《もの》は、先《ま》づ心身《しんしん》を鍛錬《たんれん》して氣合術《きあひじゆつ》の妙秘《めうひ》を了得《れうとく》することが何《なに》よりもの急務《きふむ》であり捷徑《せふけい》である。(尙催眠術《なほさいみんじゆつ》の奧秘《あうひ》に就《つい》ては本傳授書《ほんでんじゆしよ》水《みづ》の卷《まき》に於《おい》て其《その》極《こく》秘《ひ》を傳授《でんじゆ》すべし)

武士道《ぶしだう》と氣合術《きあひじゆつ》

國民道徳《こくみんだうとく》と武士道《ぶしだう》　武士道《ぶしだう》の精神《せいしん》が忠孝《ちうかう》を本《もと》とし、武勇《ゆう》を尙《たつと》び節義《せつぎ》を重《おも》んじ、廉恥《れんち》を貴《たつと》び、禮義《れいぎ》を正《たゞ》しくし、信義《しんぎ》に厚《あつ》く、質《しつ》素《そ》を旨《むね》とし、名《な》を惜《お》しみ、博《はく》愛《あい》を主《しゆ》とする等《とう》、我《わ》が國《こく》體《たい》及《およ》び國《こく》民《みん》性《せい》と離《はな》る可《べか》らざる我《わ》が國《くに》特《とく》有《いう》の道《だう》德《とく》である事《こと》は今《いま》更《さら》茲《こゝ》に述《の》べる迄《まで》もない。而《しか》して我《わ》が國《こく》民《みん》が從《じう》來《らい》この精《せい》神《しん》によつて進《しん》歩《ほ》發《はつ》達《たつ》し來《きた》つた如《ごと》く、將《しやう》來《らい》も亦《また》武《ぶ》士《し》道《だう》の精《せい》神《しん》は我《わ》が國《くに》の進《しん》運《うん》を扶《たす》けて永《えい》久《きう》に踰《かは》らないことも云《い》ふ迄《まで》もない。然《しか》らば如《い》何《か》なる方《はう》法《はふ》を以《もつ》て國《こく》民《みん》に武《ぶ》士《し》道《だう》教《けう》育《いく》を施《ほどこ》すのが最《もつと》も適《てき》して居《ゐ》るかと云《い》へば、其《その》手《しゆ》段《だん》は多《た》々あつて一《ひとつ》に限《かぎ》らないが、歷《れき》史《し》上《じやう》から見《み》ても、亦《また》其《その》効《かう》果《くわ》の多《おほ》い點《てん》から云《い》つても、嚴《げん》肅《しゆく》であり且《か》つ壯《さう》烈《れつ》である柔《じう》劍《けん》術《じゆつ》の神《しん》髓《ずゐ》である氣《き》合《あひ》術《じゆつ》に依《よ》る事《こと》は最《もつと》も適《てき》當《たう》であると云《い》はねばならぬ。

我《わが》國《くに》の將《しやう》來《らい》と氣《き》合《あひ》術《じゆつ》

我《わ》が國《くに》が世《せ》界《かい》列《れつ》強《きやう》に比《ひ》して凡《すべ》

ての點《てん》に劣《おと》つて居《ゐ》ると云《い》ふ事《こと》は度々《たび〳〵》世《よ》の識者《しきしや》の口《くち》に上《のぼ》る事《こと》であるが、歴史上《れきしじやう》から見《み》てこれは當然《たうぜん》の事《こと》であつて、少《すこ》しも怪《あや》しむに當《あた》らないと思《おも》ふ。否《いな》！日本國民《にほんこくみん》として努《つと》むべきは寧《むし》ろ今後《こんご》の發達《はつたつ》にあらうと思《おも》ふ。卽《すなは》ち一例《れい》を以《もつ》て之《これ》を云《い》へば、今茲《いまこゝ》に一人《ひとり》の天資《てんし》優《すぐ》れず、傳來《でんらい》の資産《しさん》もない人間《にんげん》があるとする、若《も》し彼《かれ》にしてこのまゝに終《をは》つたならば何等《なんら》名《な》を成《な》すに至《いた》らなかつたであらうが、彼《かれ》は不撓《ふたう》不屈《ふくつ》の大精神《だいせいしん》と強健《きやうけん》比類《ひるゐ》なき體軀《たいく》とを以《もつ》て努《つと》めた結果《けつくわ》、幾年《いくねん》ならずして、學問《がくもん》に於《おい》ても技藝《ぎげい》に於《おい》ても事業《じげふ》に於《おい》ても能《よ》く先輩《せんぱい》の優秀《いうしう》なる人物《じんぶつ》を凌駕《りようが》するに至《いた》つた。斯《かく》の如《ごと》く現代《げんだい》に於《おい》ては我《われ》の彼《かれ》に及《およ》ばない事《こと》遼遠《れうゑん》であらうが、國民《こくみん》の個《こ》々が不撓不屈《ふたうふくつ》の大勇猛心《だいゆうまうしん》を涵養《くわんやう》し、強健《きやうけん》の體軀《たいく》を鍛《きた》へ上《あ》げて、以《もつ》て勇《ゆう》往《わう》邁《まい》進《しん》したならば、各《かく》種《しゆ》の方《はう》面《めん》に於《おい》て我《われ》の彼《かれ》を凌《りよう》駕《が》するに至《いた》る事《こと》一點《てん》の疑《うたが》ふべき餘《よ》地《ち》もない。而《しか》して斯《かく》の如《ごと》き精《せい》神《しん》と身《しん》體《たい》とを鍛《たん》錬《れん》するには以《い》上《じやう》述《の》べ來《きた》つた如《ごと》く氣《き》合《あひ》術《じゆつ》が最《もつと》も適《てき》當《たう》であることは言《い》ふべくもない。

氣《き》合《あひ》術《じゆつ》の實《じつ》用《よう》的《てき》効《かう》果《くわ》

現《げん》今《こん》氣《き》合《あひ》術《じゆつ》を教《をし》ふる者《もの》も、修《をさ》むる者《もの》も奬《しやう》勵《れい》する者《もの》も、何《いづ》れも齊《ひと》しく身《しん》體《たい》の健《けん》全《ぜん》と精《せい》神《しん》の修《しう》養《やう》とを口《くち》にするが、其《その》實《じつ》用《よう》的《てき》効《かう》果《くわ》に論《ろん》及《きふ》せるもの甚《はなは》だ稀《まれ》である。而《しか》もそれは大《だい》なる誤《ご》解《かい》であつて、氣《き》合《あひ》術《じゆつ》は武《ぶ》道《だう》以《い》外《ぐわい》すべて如《い》何《か》なる藝《げい》道《だう》事《じ》業《げふ》に於《おい》ても其《その》必《ひつ》要《えう》と存《そん》在《ざい》を認《みと》むる事《こと》が出《で》來《き》るのである。卽《すなは》ちこれを大《だい》にしては驚《きやう》天《てん》動《どう》地《ち》一世《よ》を震《しん》撼《かん》する樣《やう》な事《じ》業《げふ》を始《はじ》め、小《せう》にしては生《いけ》花《はな》、茶《ちや》の湯《ゆ》等《とう》の末《まつ》技《ぎ》に至《いた》るまでも總《すべ》て氣《き》合《あひ》術《じゆつ》に依《よ》つて其《そ》の神《しん》技《ぎ》を表《あら》はし得《う》るのである。彼《か》の英《えい》雄《ゆう》偉《ゐ》人《じん》の雄《ゆう》圖《と》偉《ゐ》業《げふ》も全《まつた》く氣《き》合《あひ》術《じゆつ》の効《かう》果《くわ》である。軍《ぐん》人《じん》の勳《くん》功《こう》、政《せい》治《ぢ》家《か》の覇《は》業《げふ》乃《ない》至《し》は實《じつ》業《げふ》家《か》の成《せい》功《こう》も、藝《げい》術《じゆつ》家《か》の妙《めう》技《ぎ》も、何《いづ》れも皆《みな》氣《き》合《あひ》術《じゆつ》の効《かう》果《くわ》である。之《これ》を要《えう》するに人《じん》生《せい》の事《じ》業《げふ》にして若《も》し氣《き》合《あひ》術《じゆつ》を缺《か》いたならば、軍《いくさ》に戰《せん》勝《しよう》なく、美《び》術《じゆつ》に生《せい》命《めい》なく、音《おん》樂《がく》に神《しん》韻《ゐん》なく、著《ちよ》作《さく》に好《かう》著《ちよ》なく、發《はつ》明《めい》なく、發《はつ》見《けん》なく、世《せ》界《かい》の文《ぶん》明《めい》は光《ひかり》を失《しつ》し、人《じん》世《せい》は實《じつ》に闇《あん》黑《こく》と同《どう》樣《やう》になるであらう。蓋《けだ》し氣《き》合《あひ》術《じゆつ》は人《じん》世《せい》に缺《か》く可《べか》らざる實《じつ》用《よう》的《てき》効《かう》果《くわ》あるものである。

氣《き》合《あひ》術《じゆつ》之《の》基《き》礎《そ》

氣《き》合《あひ》術《じゆつ》と呼《こ》吸《きふ》

呼《こ》吸《きふ》の解《かい》　氣《き》合《あひ》術《じゆつ》が一種《しゆ》の呼《こ》吸《きふ》であると云《い》ふ事《こと》は前《ぜん》章《しやう》に於《おい》て述《の》べた通《とほ》りであるが、呼《こ》吸《きふ》とは息《いき》をすると云《い》ふ事《こと》で、息《いき》とは『いぶき』(奇《くし》魂《だま》)を略《りやく》して『いき』となつたのである。人《ひと》凡《およ》そ呼《こ》吸《きふ》を整《とゝの》ふる眞《しん》の法《はふ》を得《え》たならば、身《しん》心《しん》共《とも》に靈《れい》妙《めう》の神《しん》力《りよく》を得《え》て、刀《たう》劍《けん》も害《がい》することが出《で》來《き》ず、水《みづ》も溺《おぼら》することが出《で》來《き》ず、火《ひ》も亦《また》燒《や》く事《こと》が出《で》來《き》ない程《ほど》の堅《けん》固《こ》な心《こゝろ》を得《う》る事《こと》が出《で》來《き》るのである。卽《すなは》ち人《ひと》が息《いき》を吐《は》き出《だ》すときは筋《きん》骨《こつ》共《とも》に氣《き》力《りよく》が弛《ゆる》み、息《いき》を吸《す》ひ込《こ》んで下《した》腹《はら》に力《ちから》が這《は》入《い》ると筋《きん》骨《こつ》が締《しま》り、氣《き》力《りよく》がよく渾《こん》身《しん》に充《じう》實《じつ》するのである。

換《くわん》言《げん》すれば呼《こ》氣《き》の時《とき》は力《ちから》がなく、吸《きふ》氣《き》の時《どき》は力《ちから》が充《じう》實《じつ》するので、所謂《いはゆる》虚《きよ》實《じつ》茲《こゝ》に生《しやう》ずるのである。卽《すなは》ち我《われ》の實《じつ》を以《もつ》て敵《てき》の虚《きよ》を打《う》つと云《い》ふのは、我《われ》は下《した》腹《はら》に息《いき》を入《い》れて、敵《てき》が息《いき》を吐《は》いた所《ところ》を突《つ》くのであつて、氣《き》合《あひ》術《じゆつ》が呼《こ》吸《きふ》の術《じゆつ》であると云《い》ふ所以《ゆゑし》も全《まつた》く茲《こゝ》に存《そん》するのである。卽《すなは》ち氣《き》合《あひ》をかけると云《い》ふのはこの事《こと》で、我《われ》は息《いき》を吸《す》ひ込《こ》んで居《ゐ》て、敵《てき》が息《いき》を吐《は》いた其《そ》の瞬《しゆん》間《かん》刹《せつ》那《な》の機《き》一髪《はつ》にエイツと聲《こゑ》を掛《か》けて進《しん》撃《げき》するのである。立所《たちどころ》に敵《てき》の氣《き》を奪《うば》ひ去《さ》る事《こと》が出來《でき》、突《つ》くに應《おう》じて倒《たふ》れるのである。之《これ》を要《えう》するに氣《き》合《あひ》に勝《か》つといふことは、呼《こ》吸《きふ》に於《おい》て勝《か》つの謂《いひ》で調《てう》息《そく》術《じゆつ》の必《ひつ》要《えう》が茲《こゝ》に起《おこ》つて來《く》る。

調《てう》息《そく》術《じゆつ》　調《てう》息《そく》術《じゆつ》として最《いつと》も有《いう》効《かう》であり、且《か》つ誰《たれ》にでも出來《でき》易《やす》い法《はふ》を茲《こゝ》に傳《でん》授《じゆ》しやう。それは長《なが》さ五六尺《しやく》の木《も》綿《めん》を四つに摺《たゝ》んで、左《さ》右《いう》季肋端《アバラノヘシ》辛《しん》門《もん》（肋《あばら》骨《ほね》の最《さい》下《か》部《ぶ》）の處《ところ》を二重《ぢう》乃《ない》至《し》三重《ぢう》に紮《しば》り、力《ちから》を籠《こ》めて臍《さい》下《か》に大《たい》氣《き》を吸《す》ひ入《い》れるのである。度《ど》數《すう》は行《おこな》ふ人《ひと》の强弱《きやうじやく》に依《よ》つて一日《にち》三四百回《くわい》以《い》上《じやう》二三千回《くわい》の範《はん》圍《ゐ》で可《よ》い。之《これ》を行《おこな》ふには凡《すべ》て胸《むね》、腹《はら》、肩《かた》、臂《ひぢ》を虛《むな》しくして、たゞ臍《さい》下《か》に氣《き》息《そく》を充《み》たせば足《た》りるのである。言《い》ひ換《かへ》れば此《こ》の法《はふ》は强《あなが》ち脊《せ》骨《ほね》を眞《まつ》直《すぐ》にして趺《ふ》座《ざ》するに及《およ》ばず、たゞ其《その》禮《れい》を放胖《ゆつくり》として平《へい》座《ざ》し、面《おもて》を下《した》に向《む》けて臍《へ》中《そ》を覗《のぞ》くやうにして、鼻《はな》頭《がしら》と臍《へそ》とを對《むか》はしむるのである。且《か》つ行《ぎやう》住《ぢう》坐《ざ》臥《ぐわ》に其《そ》の意《い》を用《もち》ひて須《しゆ》臾《ゆ》も止《や》むことなく、大《たい》氣《き》をして常《つね》に臍《さい》下《か》に充《じう》實《じつ》せしむるのである。これ活《くわつ》用《よう》の法《はふ》であつて從《じう》來《らい》世《よ》に行《おこな》はれた調《てう》息《そく》法《はふ》に比《ひ》し、鼻《はな》と臍《へそ》とを對《たい》せしむるにたゞ内外《ないぐわい》の差別《さべつ》あるまでゝある。彼《か》の心下《むね》痞塞《つへ》、胸脇《むねわき》苦憊《こり》、又《また》は中脘《ちうくわん》臍傍《さいはう》などに『かたまり』があつて、如何《いか》に正座《せいざ》しても氣息《きそく》臍下《さいか》に至《いた》り難《がた》いものも、其胸腹《そのきようふく》を虚《むな》しうして、氣力《きりよく》を極《きは》めて臍下《さいか》へ肚納《どなふ》せしむるときは、如何《いか》なる人《ひと》にても至《いた》つて容易《ようい》に行《おこな》ひ得《う》るのである。而《しか》して座《ざ》して此法《このはふ》を行《おこな》ふ時《とき》には臀肉《しり》を以《もつ》て席上《せきじやう》を壓《お》す意持《こゝろもち》が必要《ひつえう》であり、歩行中《ほかうちう》これを行《おこな》なふには小腹《はら》を常《つね》に牽《ひ》き絮《し》める様《やう》にし、脚歩《あし》よりも小腹《はら》が先《ま》づ進《すゝ》むが如《ごと》くし、其面《そのおもて》、人《ひと》に對《たい》し眼《め》に物《もの》を視《み》る時《とき》にも、心《こゝろ》には必《かなら》ず臍下《さいか》を觀《み》るの念《ねん》を瞬時《しゆんじ》も忘失《はうしつ》することなかつたならば、其《そ》の外物《ぐわいぶつ》と交《まじは》る所《ところ》の妄心《はうしん》自《おのづか》らなくなり、心識《しんしき》安定《あんてい》、陰陽《いんやう》和適《わてき》する事《こと》至《いた》つて容易《ようい》である。

氣《き》合《あひ》術《じゆつ》と姿《し》勢《せい》

姿《し》勢《せい》の第《だい》一要《えう》件《けん》　體《たい》容《よう》卽《すなは》ち姿《し》勢《せい》の第《だい》一要《えう》件《けん》は、身《しん》體《たい》を胖《ゆるやか》にして決《けつ》して堅《かた》くならないやうにすることである。換《くわん》言《げん》すれば何《い》時《つ》も柔《やはらか》で、而《しか》も彈《だん》力《りよく》あること護《ゴ》謨《ム》鞠《まり》の如《ごと》く、倒《たふ》れかけても決《けつ》して轉《ころ》ばないこと夫《か》の不《ふ》倒《たう》翁《おう》の如《ごと》くするのが肝《かん》要《えう》である。澤《たく》庵《あん》禪《ぜん》師《じ》の言《げん》に『人《ひと》は身《み》を輕《かる》く持《も》つべし、身《み》に重《おも》荷《に》を負《お》はするは身《み》の船《ふね》を覆《くつがへ》す、車《くるま》は輪《わ》だちを折《を》り、馬《むま》は脚《あし》を折《を》る』と、思《おも》ふに體《たい》容《よう》をしてこの條《でう》件《けん》に適《かな》はしむるには、常《つね》に丹《たん》田《でん》に力《ちから》を集《あつ》め、胸《きよう》腹《ふく》を虛《きよ》にして居《ゐ》る事《こと》が必《ひつ》要《えう》である。從《したが》つて呼《こ》吸《きふ》と體《たい》容《よう》とは相《あひ》須《ま》つて調《とゝの》へる必《ひつ》要《えう》があるのである。

姿勢《しせい》の第《だい》二要件《えうけん》

姿勢《しせい》を正《たゞ》しくする第《だい》二要件《えうけん》としては、口《くち》を塞《ふさ》ぎ顎《あご》を引《ひき》寄《よ》せて居《ゐ》る事《こと》が肝要《かんえう》である。即《すなは》ち口《くち》を塞《ふさ》ぎ顎《あご》を引《ひき》寄《よ》せると、頸部《けいぶ》の兩側《りやうがは》にある胸左乳嘴筋《きようさにうしきん》と云《い》ふのが緊張《きんちやう》する。而《しか》して胸左乳嘴筋《きようさにうしきん》が緊張《きんちやう》する程《ほど》頸《くび》に力《ちから》を入《い》れると、脊骨《せほね》は期《き》せずして伸《の》びて來《く》る。脊骨《せほね》が伸《の》びて來《く》ると自然《しぜん》の結果《けつくわ》として勢《いきほ》ひ下腹《したはら》に力《ちから》が入《はい》る様《やう》になる。下腹《したはら》に力《ちから》が入《はい》れば今度《こんど》は腹直筋《ふくちよくきん》とか斜腹筋《しやふくきん》とかゞ自《おの》づと發達《はつたつ》して、其《その》結果《けつくわ》は身體上《しんたいじやう》にも精神上《せいしんじやう》にも多大《ただい》の好果《かうくわ》を與《あた》ふるのである。殊《こと》に姿勢《しせい》を整《とゝの》へて居《ゐ》ると、自然《しぜん》精神《せいしん》迄《まで》が整然《せいぜん》となつて、威儀《ゐぎ》を嚴《おごそ》かにする事《こと》が出來《でき》る。氣合術《きあひじゆつ》に於《おい》ては威儀《ゐぎ》を調《とゝ》へると云《い》ふ事《こと》が最《もつと》も大切《たいせつ》な事《こと》で、彼《か》の宮《みや》本《もと》武藏《むさし》が長髪《ちやうはつ》を蓄《たくは》へ、赤裏《あかうら》の着物《きもの》を著《き》たるなどもこの理《り》由《いう》にあるのである。又《また》姿《し》勢《せい》の端《たん》正《せい》を保《たも》つと云《い》ふ事《こと》は、大《おほい》に血《けつ》液《えき》の運《うん》行《かう》を增《ま》し、氣《き》の旺《わう》盛《せい》を致《いた》すと云《い》ふ多《た》大《だい》の利《り》益《えき》がある。之《これ》を要《えう》するに姿《し》勢《せい》を正《たゞ》しくすると云《い》ふ事《こと》は、氣《き》合《あひ》術《じゆつ》を行《おこな》ふに當《あた》つて最《もつと》も必《ひつ》要《えう》な條《でう》件《けん》である。

氣《き》合《あひ》術《じゆつ》と眼《がん》力《りき》

古《こ》來《らい》武《ぶ》道《だう》に於《おい》ては一眼《がん》、二左《さ》速《そく》、三膽《たん》、四力《りき》と云《い》つて、眼《め》に最《もつと》も重《おも》きを置《お》いたものであるが、氣《き》合《あひ》術《じゆつ》に於《おい》ては殊《こと》にさうであつて、眼《がん》力《りき》を最《もつと》も重《ぢう》要《えう》視《し》せねばならぬ。而《しか》してそれには二樣《やう》の意《い》味《み》がある卽《すなは》ち一には觀《くわん》察《さつ》力《りよく》の明《めい》敏《びん》聰《そう》慧《けい》なるを要《えう》とする意《い》味《み》に於《おい》て、二には所《いは》謂《ゆる》眼《がん》光《くわう》烱《けい》々くとして人《ひと》を射《い》る底《てい》の威《ゐ》容《よう》と莊《さう》嚴《ごん》を要《えう》とする意《い》味《み》に於《おい》て……。處《ところ》で眼《がん》力《りき》をして常《つね》に斯《かく》の如《ごと》き威《ゐ》容《よう》と莊《さう》嚴《ごん》とを保《たも》たしめやうとするには、平《へい》素《そ》物《もの》を正《せい》確《かく》に視《み》ると云《い》ふ練《れん》習《しふ》をする事《こと》と、又《また》常《つね》に心《しん》術《じゆつ》を正《たゞ》しく持《も》つと云《い》ふことゝが必《ひつ》要《えう》である。卽《すなは》ち『胸中《きようちう》正《たゞ》しからざれば眸《ほう》子《し》耗《くら》し』と孟《まう》子《し》も云《い》つた如《ごと》く、胸中《きようちう》に蟠《わだかま》りがあると眼《がん》力《りき》は自《おの》づと其《そ》光《ひかり》を失《うしな》ふて威《ゐ》嚴《げん》を失《うしな》ふに至《いた》るのである。故《ゆゑ》に眼《がん》光《くわう》に威《ゐ》容《よう》あらしめ樣《やう》とするには先《ま》づ胸中《きようちう》を正《たゞ》しう持《も》つと共《とも》に、物《もの》を見《み》詰《つ》めて瞬《まばた》きしない樣《やう》常々《つねぐ》練《れん》習《しふ》を積《つ》んで置《お》かねばならない。

氣《き》合《あひ》術《じゆつ》と握固《あくこ》　握固《あくこ》とは手《て》を握《にぎ》り固《かた》めると云《い》ふ事《こと》で其《そ》の方《はう》法《はふ》は拇《ぼ》指《し》を掌《しやう》中《ちう》に入《い》れ他《た》の四指《し》でこれを握《にぎ》り固《かた》めるのである。握固《あくこ》は身《しん》心《しん》を堅固《けんこ》ならしめ、又《また》渾《こん》身《しん》に勇《ゆう》氣《き》と膽《たん》力《りよく》とを生《しやう》ぜしむる効《かく》果《くわ》がある。

氣《き》合《あひ》術《じゆつ》と足《あし》及《および》腰《こし》　兵《へい》法《はふ》に『切《き》る手《て》なし』とか『手《て》に過《くわ》あ

り足《あし》に失《しつ》なし』など云《い》ふ言《こと》葉《は》がある。これは兵《へい》法《はふ》の第《だい》一要《えう》訣《けつ》が手《て》でなくして足《あし》である、手《て》に重《おも》きを置《お》けば心《こゝろ》が變《へん》動《どう》するが、足《あし》に重《おも》きを置《お》けば其《その》患《うれひ》がないとの事《こと》を簡《かん》單《たん》に敎《をし》えた言《こと》葉《は》なのである。氣《き》合《あひ》術《じゆつ》に於《おい》ても亦《また》然《しか》りで、足《あし》及《およ》び腰《こし》に力《ちから》を入《い》れると、血《けつ》液《えき》の運《うん》行《かう》が善《よ》くなつて下《しも》半《しん》身《しん》は溫《あたゝ》かになり、同《どう》時《じ》に上《かみ》半《はん》身《しん》が清《すが》涼《ゞ》しくなつて、夫《か》の武《ぶ》道《だう》の極《ごく》意《い》たる『凡《およ》そ生《せい》を養《やしな》ふの道《みち》、上《じやう》部《ぶ》は清《せい》涼《れう》ならん事《こと》を要《えう》し、下《か》部《ぶ》は溫《をん》暖《だん》ならんことを要《えう》す』と云《い》ふ條《でう》件《けん》と合《がふ》致《ち》する事《こと》が出《で》來《き》、從《したが》つて氣《き》力《りよく》の旺《わう》盛《せい》を致《いた》す事《こと》が出《で》來《き》るのである。又《また》古《こ》言《げん》に『眞《しん》人《じん》の息《いき》は息《いき》するに踵《かゝと》を以《もつ》てす』とあるが、氣《き》合《あひ》術《じゆつ》を行《おこな》ふには十分《ぶん》足《つま》先《さき》に力《ちから》を入《い》れ、踵《かゝと》を以《もつ》て息《いき》する事《こと》が必《ひつ》要《えう》である。踵《かゝと》で息《いき》すると云《い》ふと非《ひ》常《じやう》に六ケ敷《し》く聞《き》えるが、其《その》實《じつ》腹《ふく》式《しき》呼《こ》吸《きふ》を營《いとな》むの謂《いひ》で、腹《ふく》式《しき》呼《こ》吸《きふ》を營《いとな》めば自《おの》づと踵《かゝと》で息《いき》する樣《やう》になるのである。

以《い》上《じやう》述《の》べた三つの事《こと》は、いざ氣《き》合《あひ》をかけやうと云《い》ふ場《ば》合《あひ》に必《ひつ》要《えう》な事《こと》である。卽《すなは》ち臍《さい》下《か》丹《たん》田《でん》の力《ちから》、握《あく》固《こ》の力《ちから》、足《あし》指《ゆび》の力《ちから》、この三拍《びやう》子《し》が一致《ち》しなければ眞《しん》の氣《き》合《あひ》は發《はつ》する事《こと》が出《で》來《き》ないのである。而《しか》してこの際《さい》、腰《こし》の廻《まは》りに十分《ぶん》力《ちから》を充《じう》實《じつ》して置《お》かなくてならない事《こと》勿《もち》論《ろん》である。從《したが》つて氣《き》合《あひ》術《じゆつ》を學《まな》ばうとする者《もの》は、足《あし》腰《こし》を堅《けん》固《こ》ならしむるため平《へい》素《そ》に於《おい》て鍛《たん》錬《れん》をして置《お》かねばならない。それには庭《には》などに出《で》て前《ぜん》後《ご》左《さ》右《いう》へ一二尺《しやく》づゝ飛《と》ぶ事《こと》を習《なら》ふと可《よ》い。尙《な》ほ其《そ》の際《さい》は兩《りやう》手《て》で腰《こし》を押《おさ》へ、且《か》つこれをひつさげて飛《と》ぶ心《こゝろ》組《ぐみ》で飛《と》ぶのである。又《また》足《あし》の爪《つま》尖《さき》を前《ぜん》方《はう》に向《む》けず、横《よこ》に向《む》ける樣《やう》にして、常《つね》に一直線上《ちよくせんじやう》にある樣《やう》に修《をさ》め習《なら》ふ事《こと》が肝要《かんえう》である。

古《いにしへ》の名將勇士《めいしやうゆうし》が床几《しやうぎ》に腰《こし》を掛《か》けて居《ゐ》る圖《づ》を見《み》ると何《いづ》れも爪先《つまさき》が横《よこ》を向《む》いて一直線《ちよくせん》になつて居《ゐ》る。これは大《おほい》に理由《りいう》の存《そん》する事《こと》で、右述《みぎの》べた條件《でうけん》と一致《ち》するのである。氣《き》合《あひ》の妙術《めうじゆつ》を會得《ゑとく》せんと欲《ほつ》する者《もの》は、須《すべか》らく此《こ》の要領《えうりやう》を充《じう》分《ぶん》に呑込《のみこ》んで、横歩《よこある》きの練習《れんしふ》を積《つ》んで置《お》く事《こと》が必要《ひつえう》である。横歩《よこある》きの練習《れんしふ》をして置《お》けば身《み》が輕《かる》く足《あし》が疾《はや》くなつて、いざと云《い》ふ場合《ばあひ》に敏速《びんそく》な働《はたらき》をする事《こと》が出來《でき》るのである。又單《またたん》に横歩《よこあるき》の時《とき》のみでなく、通常《つうじやう》に歩行《ほかう》して居《ゐ》る時《とき》でも、爪先《つまさき》をなる可《べ》く外側《そとかは》に向《む》け、又踵《またかゝと》を地《ち》に付《つ》けない樣《やう》に、而《しか》も爪先《つまさき》を受《う》けて輕《かる》く歩《ある》く事《こと》が肝要《かんえう》である。

氣《き》合《あひ》術《じゆつ》と『ふぐり』

『閑《かん》居《きよ》歩《ほ》行《かう》も、心《こゝろ》を「ふぐり」の内《うち》に治《おさ》め、氣《き》を「ふぐり」の蓋《ふた》にする、蓋《ふた》にすると修《しう》し習《なら》ふべし』とは武《ぶ》術《じゆつ》者《しや》の寸《すん》時《じ》も忘《わす》るべからざる極《ごく》秘《ひ》の口《く》傳《でん》であるが氣《き》合《あひ》術《じゆつ》を研《けん》修《しう》する者《もの》は、寸《すん》時《じ》もこの心《こゝろ》掛《がけ》を忘《わす》れてはならない。卽《すなは》ち常《つね》に『ふぐり』（睾《かう》丸《ぐわん》）のチヂミ上《あが》らぬ練《れん》習《しふ》をする必《ひつ》要《えう》がある。要《えう》するに『ふぐり』（睾《かう》丸《ぐわん》）は常《つね》にブラリとして居《ゐ》ねばならぬのである。

氣《き》合《あひ》術《じゆつ》の極《ごく》意《い》

我《われ》に父《ふ》母《ぼ》なし。天《てん》地《ち》を以《もつ》て父《ふ》母《ぼ》となす。

天《てん》地《ち》一體《たい》＝心《しん》卽《そく》天《てん》の解《かい》　孔《こう》琴《きん》論《ろん》に曰《いは》く『毎《まい》朝《てう》平《へい》旦《たん》誦《しよう》經《きやう》天《てん》拜《はい》の節《せつ》は欲《よく》に動《うご》かず、物《もの》に滞《とどこほ》らざる時《とき》なり。此《こ》の時《とき》天《てん》と一般《はん》にして肌《はだ》の合《あ》ひたる位《くらゐ》を得《う》ることあり』と、この天《てん》と肌《はだ》の合《あ》うた所《ところ》が、實《じつ》に氣《き》合《あひ》術《じゆつ》の生《うま》れ出《いづ》る所《ところ》なのであつて、其《そ》の實《じつ》體《たい》はといへば所《いは》謂《ゆる》至《し》大《だい》至《し》剛《がう》天《てん》地《ち》に充《みた》して、虚《こ》空《くう》と共《とも》に法《はふ》界《かい》に遍《へん》滿《まん》して居《ゐ》るのである。卽《すなは》ち吾《ご》人《じん》種《しゆ》々《〲》の妄《まう》想《さう》雜《ざつ》念《ねん》を放《はう》下《か》して心《しん》源《げん》を清《せい》澄《ちやう》にし、所《いは》謂《ゆる》清《しやう》淨《じやう》無《む》垢《く》、純《じゆん》一無《む》雜《ざつ》、神《しん》明《めい》昭《せう》々《〲》、毫《がう》髪《はつ》だも倚《よ》る所《ところ》がなかつたならば、萬《ばん》物《ぶつ》玆《こゝ》に一體《たい》となり、物《ぶつ》我《が》の隔《へだ》てがなくなるのである。而《しか》して其《そ》處《こ》が心《しん》正《しやう》の本《ほん》體《たい》、氣《き》合《あひ》の實《じつ》體《たい》と云《い》ふものである。凡《およ》そ人《ひと》の心《こゝろ》は宛《あたか》も自《し》然《ぜん》現《げん》象《しやう》の如《ごと》きもので、其《その》喜《よろこ》びの情《じやう》は宛《あたか》も天《てん》に美《うつく》しい目《め》出《で》度《た》い雲《くも》が現《あら》はれるにも比《ひ》すべく、其《そ》の怒《いかり》の情《じやう》は、地《ち》震《しん》や、雷《かみなり》や、暴《ばう》風《ふう》雨《う》の變《へん》が其《その》猛《まう》威《ゐ》を振《ふる》ふにも比《ひ》すことが出《で》來《き》る。又《また》和《やは》らかき風《かぜ》、甘《あま》き露《つゆ》が草《さう》木《もく》を愛《め》で慈《いつく》しむの狀《じやう》は、人《ひと》に慈《じ》悲《ひ》愛《あい》着《ちやく》の情《じやう》あるに比《ひ》し得《う》べく、秋《しう》霜《さう》烈《れつ》日《じつ》の嚴《げん》俊《しゆん》は情《じやう》を制《せい》して嚴《げん》格《かく》を裝《よそほ》ふ人《にん》間《げん》の情《じやう》に比《ひ》する事《こと》が出《で》來《き》る。この喜《き》、この怒《ど》、この慈《じ》悲《ひ》、この嚴《げん》格《かく》、何《いづ》れも則《のり》を踰《こ》えない樣《やう》せねばならぬ事《こと》勿《もち》論《ろん》であるが、たゞこれ等《ら》の念《ねん》慮《りよ》も、從《したが》つて起《おこ》れば隨《したが》つて消《き》え去《さ》るといふ、眞《しん》に廓《くわく》然《ぜん》無《む》碍《げ》の境《きやう》地《ち》にまで至《いた》らうとするには卽《すなは》ちかの大《たい》空《くう》と其《そ》の體《たい》を同《おな》じふし、天《てん》地《ち》を以《もつ》て父《ふ》母《ぼ》とする事《こと》が必《ひつ》要《えう》なのである。

我《われ》に家《いへ》なし氣《き》海《かい》丹《たん》田《でん》を以《もつ》て家《いへ》となす。

氣《き》海《かい》丹《たん》田《でん》の解《かい》　呼《こ》吸《きふ》が生《せい》命《めい》並《ならび》に精《せい》神《しん》上《じやう》に影《えい》響《きやう》するの甚《じん》大《だい》である事《こと》は從《じう》前《ぜん》述《の》べた通《とほ》りであるが、更《さら》に呼《こ》吸《きふ》を整《とゝの》へるに就《つい》ては氣《き》海《かい》丹《たん》田《でん》を充《じう》實《じつ》する事《こと》が何《なに》よりもの要《えう》訣《けつ》である。凡《およ》そ百の藝《げい》術《じゆつ》總《すべ》てこの氣《き》海《かい》丹《たん》田《でん》の力《ちから》から運《はこ》び出《だ》されるのであつて、氣《き》合《あひ》の妙《めう》術《じゆつ》も亦《また》此《こ》處、より生《しやう》ずるのである。換《くわん》言《けん》すれば人《ひと》が一道《だう》に達《たつ》せんとするには、先《ま》づ心《こゝろ》を氣《き》海《かい》丹《たん》田《でん》に落《おち》つけなければならない。卽《すなは》ち氣《き》海《かい》丹《たん》田《でん》を心《こゝろ》の家《いへ》として、其《そ》處《こ》に凡《すべ》ての力《ちから》を蓄《たくは》へて居《を》らねばならないのである。然《しか》らば氣《き》海《かい》丹《たん》田《でん》とは那《な》邊《へん》を指《さ》して稱《しよう》するかと云《い》ふと、平《ひら》たく云《い》へば下《した》腹《はら》の事《こと》であるが。古《こ》來《らい》傳《つた》はる仙《せん》家《け》の秘書《ひしよ》に依《よ》つて詳《くは》しく云《い》へば左《さ》の通《とほ》りである。

『氣海《きかい》とは臍輪《へそまわり》の處《ところ》を稱《い》ひ、臍下《さいか》一寸《すん》五分《ぶ》の處《ところ》を丹田《たんでん》と云《い》ふ。丹田《たんでん》とは不老不死《ふらうふし》の仙藥《せんやく》たる大還丹《だいくわんたん》を作《つく》り出《いだ》すべき田地《でんぢ》と云《い》ふ意味《いみ》にて、氣海《きかい》とは總身《そうしん》の元氣《げんき》が集《つど》ひ滙《あつま》るべき大海《たいかい》ぞと云《い》ふ義《ぎ》なり。』

由來《ゆらい》臍《へそ》は母胎《ぼたい》にある時《とき》、既《すで》に母《はゝ》の血《ち》を受《う》け入《い》れ、又《また》送《おく》り出《だ》す最《もつと》も大切《たいせつ》な門戸《もんこ》であつて、人《ひと》として天地《てんち》の精氣《せいき》を受《う》け初《はじ》めた處《ところ》、卽《すなは》ち人身《じんしん》の根元《こんげん》、元氣《げんき》の本府《ほんぷ》たる處《ところ》である。更《さら》に之《これ》を位置《ゐち》から考察《かうさつ》しても、上下《じやうげ》の延長相等《えんちやうあひひと》しく、左右《さいう》の延長相等《えんちやうあひひと》しくして、氣《き》を全身《ぜんしん》に發送《はつそう》するに最《もつと》も便利《べんり》な處《ところ》に位《くらゐ》して居《ゐ》るのである。斯《か》く臍《へそ》は大《おほ》きく云《い》へば天地《てんち》精氣《せいき》の發動地《はつどうち》であり、小《ちい》さく云《い》へば人間《にんげん》元氣《げんき》の根元地《こんげんち》なのであるから、氣《き》を玆《こゝ》に湮《あつ》め、下《か》腹《ふく》部《ぶ》を充《じう》實《じつ》せしめて置《お》く事《こと》に依《よ》つて吾《ご》人《じん》の肉《にく》體《たい》は常《つね》に圓《ゑん》滿《まん》を保《たも》ち又《また》發《はつ》達《たつ》を期《き》し得《う》るのである。卽《すなは》ち人《ひと》は丹《たん》田《でん》を養《やしな》ふ事《こと》に依《よ》つて膽《たん》力《りよく》の大《だい》なる事《こと》を得《え》、膽《たん》力《りよく》大《だい》なるを得《え》て玆《こゝ》に氣《き》合《あひ》術《じゆつ》の妙《めう》技《ぎ》蘊《うん》奥《あう》に達《たつ》する事《こと》が出《で》來《き》るのである。之《これ》を要《えう》するに人《ひと》は氣《き》海《かい》丹《たん》田《でん》を以《もつ》て心《こゝろ》の家《いへ》として以《もつ》て死《し》生《せい》を超《てう》脫《だつ》し、水《すゐ》火《くわ》をも辭《じ》せざる底《てい》の膽《たん》力《りよく》を養《やし》なはねばならぬ。

我《われ》に神《かみ》なし正《しやう》直《じき》を以《もつ》て神《かみ》となす。

正《しやう》直《じき》心《しん》之《の》解《かい》　武《ぶ》士《し》訓《くん》に曰《いは》く『世《せ》俗《ぞく》の說《せつ》に正《しやう》直《じき》の頭《かうべ》に神《かみ》宿《やど》るといふを武《ぶ》術《じゆつ》になぞらへて云《い》へば、我《わ》が胸中《きやうちう》に高《たか》天《たか》原《はら》といふ廣《ひろ》地《ち》あり。其《そ》の地《ち》に固《こ》有《いう》の神《しん》明《めい》を宿《やど》し奉《たてまつ》る。其《そ》の神明《しんめい》に訴《うつた》へて邪穢《けがれ》を拂《はら》ひ、精明《せいめい》を致《いた》し、理《り》非《ひ》を決斷《けつだん》して善惡《ぜんあく》を差《さ》別《べつ》し、泰然《たいぜん》と立《た》ちて寂然《じやくぜん》と動《うご》かず、頭《かしら》より腰《こし》に至《いた》る迄《まで》直《たゞ》ちに少《すこ》しも曲《まが》らず、心眼《しんがん》を開《ひら》いて眸子《ひとみ》を逃《まじろ》がざる所《ところ》、正直《しやうじき》の頭《かうべ》に神《かみ》宿《やど》るの理《り》に比《ひ》すべし。儒書《じゆしよ》に頭容《とうよう》直《たゞし》ければ心《こゝろ》も亦《また》直《たゞ》しとあるに等《ひと》し。但《たゞ》し言句《げんく》にては曉《あか》しがたきものあり。つとめて學《まな》んで默識《もくしき》すべし。古歌《こか》に

奥山《おくやま》に心《こゝろ》を入《い》れて尋《たづ》ねずば
深《ふか》き紅葉《もみぢ》の色《いろ》を見《み》ましや

とある。思《おも》ふに正直《しやうじき》といふ事《こと》は前章《ぜんしやう》にも屢《しば》々〱述《の》べた如《ごと》く、實《じつ》に不動《ふどう》心《しん》を養《やしな》ふ唯一《ゆゐいつ》の肥料《ひれう》であり糧《かて》であつて、殊《こと》に武《ぶ》術家《じゆつか》は取《とり》わけ正直《しやうじき》なる心《こゝろ》が必要《ひつえう》である。

我《われ》に方《はう》便《べん》なし柔《にう》和《わ》を以《もつ》て方《はう》便《べん》となす。

柔《にう》和《わ》の解《かい》　木《き》々《ゞ》の枝《えだ》は折《を》るかとばかり吹《ふ》く風《かぜ》に
　堪《た》ふる力《ちから》を見《み》する青《あを》柳《やぎ》

思《おも》ふに柔《じう》克《よ》く剛《がう》を制《せい》すると云《い》ふ事《こと》は氣《き》合《あひ》術《じゆつ》の方《はう》便《べん》である。併《しか》し乍《なが》ら柔《にう》和《わ》謙《けん》譲《じやう》と云《い》ふ事《こと》は單《たん》に氣《き》合《あひ》術《じゆつ》のみでなく凡有《あらゆ》る武《ぶ》術《じゆつ》上《じやう》に必《ひつ》要《えう》な徳《とく》で、凡《およ》そ最《さい》後《ご》の勝《しよう》利《り》者《しや》たらん事《こと》を願《ねが》ふ者《もの》には缺《か》くべからざる最《さい》善《ぜん》の條《でう》件《けん》である。

我《われ》に魔《ま》力《りよく》なし。人《じん》格《かく》を以《もつ》て魔《ま》力《りよく》となす。

克《こく》己《き》心《しん》の解《かい》『山《さん》中《ちう》の賊《ぞく》を破《やぶ》るは易《やす》し、されど心《しん》中《ちう》の賊《ぞく》を破《やぶ》るは難《かた》し。』とは王《わう》陽《やう》明《めい》の言《げん》であるが、實《じつ》に至《し》言《げん》で、凡《およ》そ人《ひと》は心《しん》中《ちう》の悪《あく》魔《ま》、卽《すなは》ち外《そと》からの誘《いう》惑《わく》に打《うち》勝《か》つ事《こと》は却《なか》々《く》困《こん》難《なん》な事《こと》である。併《しか》し乍《な》ら苟《いやしく》も人《ひと》に勝《か》ちたいと云《い》ふ精《せい》神《しん》のものは、先《ま》づ己《おのれ》に打《う》ち克《か》つことから始《はじ》めねばならない。換《くわん》言《げん》すれば己《おのれ》の人《じん》格《かく》を高《たか》めなければならないのである。卽《すなは》ち人《じん》格《かく》高《たか》ければ己《おのれ》に打《うち》勝《か》つこと容《よう》易《い》であり、己《おのれ》に打《うち》勝《か》つことが出《で》來《き》る人《ひと》であれば、外《そと》からの悪《あく》魔《ま》なぞを打《うち》破《やぶ》ること實《じつ》に易《い》々たるものである。言《こと》葉《は》を換《か》えて云《い》へば、卽《すなは》ち自《じ》己《こ》の心《こゝろ》に少《すこ》しでも邪《じや》念《ねん》がなかつたならば、如《い》何《か》な誘《いう》惑《わく》が周《しう》圍《ゐ》に群《むら》がり集《あつま》つて來《き》ても如《い》何《かん》ともすることが出《で》來《き》ないで、反《かへ》つて其《その》惑《わく》誘《いう》――悪《あく》魔《ま》を降《かう》伏《ふく》せしめ、此《こち》方《ら》の意《い》志《し》通《どほ》りに感《かん》化《くわ》する事《こと》が出《で》來《き》るのである。殊《こと》に横《わう》暴《ばう》なる人《じん》物《ぶつ》を制《せい》馭《ぎよ》するには先《ま》づ自《じ》己《こ》の心《こゝろ》を平《へい》靜《せい》にして、血《けつ》氣《き》に驅《か》られぬ様《やう》努《つと》めねばならない。卽《すなは》ち自分《じぶん》の心《こゝろ》が平靜《へいせい》であれば如何《いか》に横暴《わうばう》なる人物《じんぶつ》でも爾《しか》く容易《ようい》に乘《じよう》ずべき隙《すき》を見出《みいだ》す事《こと》が出來《でき》ないものである。要《えう》するに克己《こくき》と云《い》ふ事《こと》は私《し》欲《よく》を働《はたら》かさぬ事《こと》である。孟子《まうし》が

『心《こゝろ》を養《やしな》ふは寡欲《くわよく》より善《よ》きはなし』と云《い》つたのは實《じつ》に此處《こゝ》の事《こと》である。己《おのれ》に克《か》つと云《い》ふ事《こと》を一面《めん》から云《い》ふと堪《かん》忍《にん》すると云《い》ふ事《こと》である。通常人《つうじやうひと》の堪《た》へ得《え》られない事《こと》を堪《た》へ忍《しの》ぶことである。卽《すなは》ち

『堪忍《かんにん》のなる堪忍《かんにん》は誰《たれ》もする
ならぬ堪忍《かんにん》するが堪忍《かんにん》』とか

『勝利《しようり》は最後《さいこ》の五分間《ふんかん》にあり』と云《い》つた那翁《なおう》の言《げん》は何《いづ》れも右《みぎ》述《の》べた堪忍《かんにん》を云《い》つたもので、この出來難《できがた》い堪忍《かんにん》を

堪忍《かんにん》するの堪忍《かんにん》がなかつたならば降魔《かうま》の機會《きくわい》は到底《たうてい》得《え》られるものでない。

箴言

矜高倨傲無シレ非ザルハ二客氣一ニ。
降二-伏シ-得テ客氣一ヲ下ツテ而後正氣伸。
情欲ノ意識ヘ盡ク屬ス二妄心一ニ。
消二-殺シ-得テ妄心一ヲ盡キテ而後眞心見ヘル。

我《われ》に生死《せいし》なし、阿吽《あうん》を以《もつ》て生死《せいし》となす。

無念無想《むねんむさう》の解《かい》　無念無想《むねんむさう》と云《い》ふ事《こと》は氣合術《きあひじゆつ》を行《おこな》ふ上《うへ》に最《もつと》も必要《ひつえう》な事《こと》で、若《も》しこの際《さい》術者《じゆつしや》の心《こゝろ》が散亂妄動《さんらんまうどう》して居《をつ》たならば氣合術《きあひじゆつ》は全然《ぜんぜん》行《おこな》ひ得《う》るものでない。卽《すなは》ち術《じゆつ》を行《おこな》はんとするに當《あた》つては、術者《じゆつしや》の精神《せいしん》は全《まつた》く無念無想《むねんむさう》、唯《たゞ》氣合《きあひ》のことにのみ全力《ぜんりよく》を傾《かたむ》け得《う》る狀態《じやうたい》であらねばならぬ。然《しか》らば無《む》念《ねん》無《む》想《さう》とは如《い》何《か》なる狀《じやう》態《たい》であるかと云《い》ふと心《こゝろ》に一點《てん》の曇《くも》りなく、動《どう》搖《えう》なく、落《おち》つき拂《はら》つた狀《じやう》態《たい》を指《さ》して云《い》ふのである。六ケ敷《しく》云《い》へば心《こゝろ》を明《めい》鏡《きやう》止《し》水《すゐ》の如《こと》くする事《こと》である。卽《すなは》ち心《こゝろ》が明《めい》鏡《きやう》止《し》水《すゐ》の如《こと》く澄《ちよう》明《めい》であれば明《めい》鏡《きやう》に物《もの》の映《えい》ずるが樣《やう》に敵《あひ》手《て》の虛《きよ》實《じつ》が明《めい》白《はく》に心《こゝろ》に映《えい》じ、臨《りん》機《き》應《おう》變《へん》の方《はう》策《さく》が恰《あだか》も影《かげ》の形《かたち》に從《したが》ひ、響《ひゞき》が聲《こゑ》に應《おう》ずる樣《やう》に浮《うか》び出《いづ》るのである。而《しか》して其《その》能《よ》く玆《こゝ》に至《いた》り得《う》るの道《みち》は呼《こ》吸《きふ》を調《とゝの》ふる事《こと》に依《よ》つてこれを得《う》ることが出《で》來《き》る。呼《こ》吸《きふ》を調《とゝの》へると云《い》ふ事《こと》は、心《こゝろ》に生《せい》とか死《し》とか云《い》ふ私《し》意《い》を毫《がう》も挾《さしはさ》むことなく、一切《さい》を天《てん》眞《しん》に任《まか》せて了《しま》ふ事《こと》である。心《しん》氣《き》を丹《たん》田《でん》に集《あつ》め、下《した》腹《はら》に力《ちから》を入《い》れて腹《ふく》式《しき》呼《こ》吸《きふ》を營《いとな》む事《こと》である。一切《さい》の生《せい》死《し》を捨《す》て、阿《あ》吽《うん》――呼《こ》吸《きふ》を以《もつ》て生《せい》死《し》とする事《こと》である。澤《たく》庵《あん》禪《ぜん》師《じ》は阿《あ》吽《うん》の呼《こ》吸《きふ》を次《つぎ》の如《ごと》く説《と》いて居《ゐ》る。『無《む》念《ねん》無《む》心《しん》が即《すなはち》佛《ほとけ》の御《おん》名《な》にて候《さふらふ》。口《くち》をあけて息《いき》をつけば、南《な》の字《じ》にあたり、つく息《いき》に口《くち》をふさげば無《む》の字《じ》にあたり、又《また》口《くち》をひらけば阿《あ》の字《じ》にあたり、又《また》口《くち》をふさげば彌《み》の字《じ》にあたり、又《また》口《くち》を開《ひら》けば陀《だ》の字《じ》にあたり又《また》口《くち》をふさげば佛《ぶ》の字《じ》にあたり、つく息《いき》に口《くち》を開《ひら》き、ひく息《いき》に口《くち》を防《ふさ》ぎ、斯《か》樣《やう》に三度《ど》候《さふら》へば南《な》無《む》阿《あ》彌《み》陀《だ》佛《ぶ》の名《みやう》號《がう》、されば南《な》無《む》阿《あ》彌《み》陀《だ》佛《ぶ》の六字《じ》は阿《あ》吽《うん》の二字《じ》を表《へう》したるものにて候《さふらふ》、阿《あ》吽《うん》と申《まをし》候《さふらふ》は、阿《あ》は口《くち》を開《ひら》きてアと言《い》ふにて候《さふらふ》、吽《うん》と申《まを》せば口《くち》をふさぐにて候《さふらふ》、心《こゝろ》さへ無《む》念《ねん》無《む》心《しん》に候《さふら》へば、南《な》無《む》阿《あ》彌《み》陀《だ》佛《ぶ》と申《まを》さずとも、自《みづか》ら彌《み》陀《だ》の名《みやう》號《がう》口《くち》に御《ご》入《じふ》來《らい》候《さふらふ》まゝ、常《つね》々《〲》は南《な》無《む》阿《あ》彌《み》陀《だ》佛《ぶ》と申《まを》される程《ほど》は申《まを》させ給《たま》へども、よく〱臨《りん》終《じう》の心《こゝろ》持《もち》が

此《こゝ》に心得《こゝろえ》候《さふらふ》て、正直《しやうじき》正路《しやうろ》の心《こゝろ》よく候《さふらふ》、一休《きう》和《お》尚《しやう》の歌《うた》に

我《われ》はたゞ後世《ごせ》のをしへを知《し》らぬなり

あうんの二字《じ》のあるにまかせて

要《えう》するに南《な》無《む》阿《あ》彌《み》陀《だ》佛《ぶ》と稱《しよう》するは畢竟《ひつきやう》呼《こ》吸《きふ》の方便《はうべん》である。無《む》念《ねん》無《む》心《しん》の誘導《いうだう》法《はふ》である。從《したが》つて呼《こ》吸《きふ》が其《そ》の眞《しん》を得《え》たならば、殊更《ことさら》南《な》無《む》阿《あ》彌《み》陀《だ》佛《ぶ》を口《くち》にせずとも可《よ》いのである。

我《われ》に體《たい》なし、無《む》我《が》を以《もつ》て體《たい》となす。

無《む》我《が》の解《かい》　無《む》我《が》とは自《じ》我《が》觀《くわん》念《ねん》の中《うち》から種々《しゆ〲》なる邪念《じやねん》妄《まう》想《さう》を無《な》くした狀《じやう》態《たい》を指《さ》して云《い》ふのである。語《ことば》を替《か》へて云《い》へば無《む》我《が》の我《が》は邪《じや》念《ねん》妄《まう》想《さう》の事《こと》で、これさへ拂《はら》つて了《しま》へ

ば其處《そこ》に無《む》色《しよく》透《とう》明《めい》なる自《じ》我《が》が發《ほつ》露《ろ》するのである。而《しか》してこの場合《ばあひ》に云《い》ふ邪《じや》念《ねん》妄《まう》想《さう》とは如《い》何《か》なる物《もの》であるかと云《い》ふと敵《てき》に對《たい》した時《とき》の恐《きよう》怖《ふ》とか、勝《か》たうとか云《い》ふ念《ねん》慮《りよ》を云《い》ふのである。この狀《じやう》態《たい》は心《しん》理《り》學《がく》上《じやう》から云《い》ふと非《ひ》意《い》注《ちう》意《い》と云《い》つて、注《ちう》意《い》して居《ゐ》乍《なが》ら反《かへ》つて注《ちう》意《い》しない結《けつ》果《くわ》を生《しやう》じ、思《おも》ひも寄《よ》らぬ不《ふ》覺《かく》を取《と》ることが多《おほ》い。之《これ》に反《はん》して一切《さい》の邪《じや》念《ねん》妄《まう》想《さう》卽《すなは》ち敵《てき》に對《たい》する恐《きよう》怖《ふ》とか勝《か》たうなど云《い》ふ樣《やう》な念《ねん》慮《りよ》が毛《まう》頭《とう》なく、平《へい》然《ぜん》と敵《てき》に對《たい》するのは、これを心《しん》理《り》學《がく》上《じやう》から云《い》ふと無《む》意《い》注《ちう》意《い》と云《い》つて、何《なん》等《ら》注《ちう》意《い》をして居《ゐ》ない樣《やう》であるが其《その》實《じつ》非《ひ》常《じやう》な注《ちう》意《い》を拂《はら》つて敵《あひ》手《て》の進《しん》退《たい》動《どう》作《さ》を觀《くわん》取《しゆ》洞《どう》察《さつ》し機《き》に臨《のぞ》み、變《へん》に應《おう》じて自《じ》在《ざい》の働《はたらき》が出《で》來《き》るのである。されば無《む》念《ねん》であつて而《しか》も大《だい》念《ねん》があり、力《ちから》を入《い》れずして實《じつ》は精神《せいしん》に大活力《だいくわつりよく》が完備《くわんび》して居《ゐ》るのである。言志録《げんしろく》を見《み》ると『賢者《けんしや》物《もの》に臨《のぞ》み、理《り》の當然《たうぜん》を見《み》以《もつ》て分《ぶん》となす。死《し》を畏《おそ》るるを恥《は》ぢて死《し》を安《やす》んずるを希《ねが》ふ。故《ゆゑ》に神氣《しんき》亂《みだ》れず』と書《か》いてある。『我《われ》に體《たい》なし、無《む》我《が》を以《もつ》て體《たい》となす』とはこれを云《い》つたもので、人《ひと》よく無《む》我《が》の境《さかひ》に入《い》り、死《し》生《せい》を觀《み》ること一如《いちによ》、而《しか》もよく死《し》生《せい》を忘《わす》れて毫《がう》も生《い》きたいとか死《し》にたくないとか勝《か》ちたいとか、敗《ま》けたくないとか云《い》ふ樣《やう》な念慮《ねんりよ》を起《おこ》さず、全《まつた》く生死《しやうし》の他《ほか》に超出《てうしゆつ》する事《こと》が出來《でき》る樣《やう》になれば、其處《そこ》に眞《しん》の自我《じが》と云《い》ふ大《だい》なる體《たい》が生《しやう》ずるのである。澤《たく》庵《あん》禪師《ぜんじ》は此《こ》の事《こと》を說《と》いて、

『智《ち》惠《ゑ》働《はたらき》の分《ぶん》は失《う》せて無《む》心《しん》無《む》念《ねん》の位《くらゐ》になり申候《まをしさふらふし》、至極《ごく》の位《くらゐ》に至《いた》り候《さふら》へば手《しゆ》足《そく》身《しん》が覺《おぼ》え候《さふらふ》て心《こゝろ》は一切《さい》入《い》らぬ位《くらゐ》に

なる物《もの》にて候《さふらふ》。鎌倉《かまくら》佛國《ぶつこく》々師《し》の歌《うた》にも

心《こゝろ》ありて守《も》るとなけれど小山田《をやまだ》に

いたづらならぬかゝしなりけり

皆《みな》この歌《うた》の如《ごと》くにて候《さふらふ》。山田《やまだ》のかゝしとて人形《にんぎやう》を作《つく》りて弓矢《ゆみや》を持《も》たせをく也《なり》。鳥獸《てうじう》は是《これ》を見《み》て逃《に》ぐるなり。この人形《にんぎやう》に一切《さい》心《こゝろ》なけれども鹿《しか》がおじて逃《に》ぐれば用《よう》が叶《かな》ふ程《ほど》にいたづらならぬ也《なり》。萬《よろづ》の道《みち》に至《いた》る人《ひと》のたとへ也《なり》。手《しゆ》足《そく》身《しん》の働計《はたらきばか》りにて心《こゝろ》がそつとも止《と》まらずして、心《こゝろ》がいづくにあるとも知《し》れずして、無《む》念《ねん》無《む》心《しん》にて山田《やまだ》のかゝし位《くらゐ》にゆくものなり』と、故《ゆゑ》に人《ひと》若《も》し眞《しん》に無《む》我《が》の境《さかひ》に達《たつ》したなれば、かの案《か》山子《し》が能《よ》く鳥《とり》おどしとなるが如《ごと》く、心《こゝろ》を働《はたら》かさずして働《はたら》くと云《い》ふ事《こと》が出《で》來《き》るのである。

我《われ》に眼《まなこ》なし、電《でん》光《くわう》石《せつ》火《くわ》を以《もつ》て眼《まなこ》となす。

電《でん》光《くわう》石《せき》火《くわ》の解《かい》　石《いし》を打《う》つと、打《う》つや否《いな》やパツと火《ひ》が出《で》る。電《でん》光《くわう》石《せき》火《くわ》と云《い》ふ言《こと》葉《は》はこれから起《お》きた言《こと》葉《は》で、間《ま》も透《すき》間《ま》もない事《こと》を云《い》つたものである。眼《め》の視《し》力《りよく》と云《い》ふものも可《か》成《なり》迅《はや》いものであるが、氣《き》合《あひ》術《じゆつ》に於《おい》ては尚《な》ほそれよりも速《はや》い事《こと》を尊《たつと》ぶのである。換《くわん》言《げん》すれば心《こゝろ》の中《うち》に眼《め》を開《ひら》いて、卽《すなは》ち心《こゝろ》をいつも張《は》り切《き》つて居《ゐ》て、何《い》時《つ》敵《てき》が打《ぶ》つかつて來《き》ても、恰《あだかも》石《せき》火《くわ》の機《き》の樣《やう》に直《たゞち》にそれに策《さく》應《おう》する用《よう》意《い》が必《ひつ》要《えう》なのである。要《えう》するに氣《き》合《あひ》術《じゆつ》に於《おい》ては速《はや》くして隙《すき》間《ま》のない事《こと》を尊《たつと》ぶのである。

我《われ》に耳《みゝ》なし感《かん》應《おう》を以《もつ》て耳《みゝ》となす。

心《しん》氣《き》力《りよく》一致《ち》(感《かん》應《おう》)の解《かい》　語《ご》に曰《いは》く『耳《じ》目《もく》手《しゆ》足《そく》都《すべ》て神《しん》帥《ひき》ひて氣《き》從《したが》ひ、氣《き》導《みちび》いて體《たい》動《うご》くを要《えう》す』と、又《また》劍《けん》法《はふ》秘《ひ》訣《けつ》に曰《いは》く『氣《き》は體《たい》の充《み》てるもので、譬《たと》へば心《こゝろ》の將《しやう》帥《すい》に隨《したが》つて速《すみやか》に動《うご》く士《し》卒《そつ》の如《ごと》し。心《こゝろ》の將《しやう》帥《すい》堅《けん》固《こ》なれば、滿《まん》體《たい》の士《し》卒《そつ》も號《がう》令《れい》に隨《したが》うて一同《どう》に動《うご》くものなり。又《また》將《しやう》棊《ぎ》指《さ》すは心《こゝろ》なれども、將《しやう》棊《ぎ》盤《ばん》の端《はし》を叩《たゝ》きながら『處《ところ》は九《こゝ》重《のへ》の……』と謠《うた》ふは氣《き》にして、卽《すなは》ち心《こゝろ》の餘《よ》なり、この氣《き》といふものは早《はや》移《うつ》りしてよけれども、心《こゝろ》に隨《したが》うて動《うご》くものと思《おも》ふべし。力《ちから》と云《い》ふものは氣《き》の通《かよ》ふ所《ところ》に隨《したが》うてあるものなれども、充《み》たざる時《とき》は弱《よわ》く、充《み》つる時《とき》は強《つよ》く、氣《き》息《そく》呼《こ》吸《きふ》の臍《さい》下《か》に滿《み》ち亘《わた》る時《とき》は、一毛髪《まうはつ》に至《いた》る迄《まで》力《ちから》の充《み》たずと云《い》ふ事《こと》なし。』と、これは何《いつ》れも心《しん》氣《き》力《りよく》の一致《ち》、感《かん》應《おう》の鋭《えい》敏《びん》が必《ひつ》要《えう》である事《こと》を説《と》いたものである。譬《たと》へば今《いま》茲《こゝ》に一《いち》物《ぶつ》がある。之《これ》を取《と》らうとする心《こゝろ》の起《おこ》るに從《したが》つて手《て》が前《まへ》に出《で》るのは、これ心《こゝろ》に從《したが》つて氣《き》が手《て》に通《かよ》ふが故《ゆゑ》である。而《しか》して其《そ》の物《もの》を取《と》り扱《あつか》ふのは卽《すなは》ち氣《き》に從《したが》うて力《ちから》が手《て》に集《あつま》るに由《よ》るからである。要《えう》するに力《ちから》の出《で》る所《ところ》には氣《き》が集《あつま》り、氣《き》の通《かよ》ふ所《ところ》には力《ちから》が集《あつま》るのは一定《てい》不《ふ》變《へん》の原《げん》則《そく》で、所謂《いはゆる》心《しん》、氣《き》、力《りよく》の一致《ち》(感《かん》能《のう》の鋭《えい》敏《びん》)と云《い》ふのはこの心《しん》、氣《き》、力《りよく》合《がふ》一不《ふ》二の妙《めう》處《しよ》を指《さ》して謂《い》ふのである。又《また》曰《いは》く『心《こゝろ》一にして分《わか》れずんば則《すなは》ち能《よ》く萬《ばん》慮《りよ》に應《おう》ず、これ君《くん》子《し》の心《こゝろ》を虛《むな》しうして動《うご》かざる所以《ゆゑん》なり』と、要《えう》するに氣《き》合《あひ》術《じゆつ》に於《おい》ては心《しん》、氣《き》、力《りよく》の合《がふ》一が何《なに》より必《ひつ》要《えう》な條《でう》件《けん》で、この感應《かんおう》が鋭敏《えいびん》であつて初《はじ》めて術《じゆつ》の妙味《めうみ》を發揮《はつき》する事《こと》が出來《でき》るのである。

我《われ》に手足《しゆそく》なし。神速《しんそく》を以《もつ》て手足《しゆそく》となす。

神速《しんそく》の解《かい》　氣《き》合《あひ》術《じゆつ》に神速《しんそく》の必要《ひつえう》なることは前章《ぜんしやう》にも述《の》べたから餘《あま》り重複《ぢうふく》するのも異《い》なものであるが、前《まへ》に述《の》べたのは心《こゝろ》の神速《しんそく》を云《い》つたのであつた。玆《こゝ》には技《わざ》の神速《しんそく》に就《つい》て一言《ごん》費《つひや》したいと思《おも》ふ。卽《すなは》ち鷹《たか》の立《た》つて居《ゐ》るのを見《み》ると、まるで睡《ねむ》つて居《ゐ》るのかと思《おも》ふ程《ほど》靜《しづ》かである。叉《また》虎《とら》の歩《ある》くのを見《み》ると、まるで病人《びやうにん》でゞもあるかの樣《やう》に、のそりのそり歩《ある》いて居《ゐ》る。併《しか》し乍《なが》らこれ何《いづ》れも其前《そのぜん》提《てい》であつて、軈《やが》て人《ひと》を噬《かみ》、人《ひと》をつかまんとする手段《しゆだん》ではないか、孫子《そんし》に曰《いは》く、能而示レ之不レ能。と、又《また》曰《いは》く、風《ふう》雨《ふ》將《まさ》に至《いた》らんとして風《かぜ》樓《ろう》に充《み》つと、卽《すなは》ち將《まさ》に動《どう》ならんとする靜《せい》である。勇《ゆう》ならんが爲《た》めの怯《けふ》である。强《つよ》からんがための弱《じやく》である。六韜《りくたう》に曰《いは》く『鷙鳥將レ擊卑飛歛レ翼、猛戰將レ博弭レ耳俯伏、聖人將レ動心有ニ愚色』と、又《また》新《あら》井《ゐ》白《はく》石《せき》の言《げん》に『逸《いち》物《もつ》の猫《ねこ》は、鼠《ねずみ》の未《いま》だ出《い》でざるほどは眠《ねむ》るが如《ごと》くにして、鼠《ねずみ》出《い》づれば急《きふ》に發《はつ》す。故《ゆゑ》に一發《はつ》にて得《え》ざる事《こと》なし。膽《たん》決《けつ》ある人《ひと》此《かく》の如《ごと》し。二物《もつ》の猫《ねこ》は常《つね》にやかましく啼《な》いて、鼠《ねずみ》を見《み》ると期《き》に後《おく》る、庸《よう》人《じん》多《おほ》く此《かく》の如《ごと》し。』

我《われ》に法《はふ》なし、護《ご》身《しん》を以《もつ》て法《はふ》となす。

注《ちう》意《い》力《りよく》の解《かい》『坐《ざ》しては立《た》つことを思《おも》ひ、閑《かん》にして動《うご》くの利《り》を思《おも》ふ、これ君《くん》子《し》の務《つと》めなり。』とは貝《かひ》原《はら》益《えき》軒《けん》の言《げん》であるが、これは油《ゆ》斷《だん》のない心《こゝろ》、卽《すなは》ち注《ちう》意《い》力《りよく》が大《たい》切《せつ》であることを教《をし》へたものである。換《くわん》言《げん》すれば人《ひと》は身《み》を護《まも》るに法《はふ》は要《い》らぬ。絕《た》えざる注《ちう》意《い》——油《ゆ》斷《だん》のない心《こゝろ》があればそれで可《よ》いと教《をし》えたものである。而《しか》してこれは消《せう》極《きよく》的《てき》に護《ご》身《しん》の秘《ひ》訣《けつ》を說《と》いたものであるが、東《とう》海《かい》夜《や》話《わ》にはこれを積《せき》極《きよく》的《てき》に說《と》いて居《ゐ》る。卽《すなは》ち『何《なに》物《もの》もせんと思《おも》ふことを、ずんと思《おも》ひ切《き》つてするは本《ほん》心《しん》なり。かうせうか、せまじきかと二途《と》にわたれるは血《けつ》氣《き》なり。二途《と》にわたりて分《ふん》別《べつ》不極《きまらざる》ことをすれば必《かなら》ず惡《わる》し、これ血《けつ》氣《き》に惑《まど》はさるゝなり。この事《こと》をせんと思《おも》はゞ、一道《だう》にしたがよし、二途《と》にわたるほどならばすべからず。初《しよ》一氣《き》は皆《みな》本《ほん》心《しん》なり、二つにわたるは血《けつ》氣《き》な

り、本心《ほんしん》ならば皆《みな》よし、血氣《けつき》は悪《わる》し。』と、

我《われ》に術《じゆつ》なし、殺活自在《さつくわつじざい》を以《もつ》て術《じゆつ》となす。

(一)調氣法《てうきはふ》の解《かい》　結縄集《けつじようしふ》に『氣《き》を調《とゝの》ふといふ事《こと》肝要《かんえう》なり、偏《ひとへ》に氣《き》を補《おぎな》ふにあらず、偏《ひとへ》に散《さん》ずるにも薬《くすり》を以《もつ》て調《とゝの》ふる事《こと》は醫《い》の工《たくみ》にあり、氣《き》を以《もつ》て氣《き》を調《とゝの》ふ事《こと》我《われ》に在《あ》り、然《しか》れども我《われ》と怒《いかり》を解《と》き、胸《むね》の鬱《うつ》を開《ひら》くことなり難《かた》きものなり。鬱《うつ》もを拂《はら》はんと思《おも》はゞ氣《き》を物《もの》に移《うつ》して、其《そ》の物《もの》に我《わが》怒《いかり》も鬱《うつ》も奪《うば》はすべし。花《はな》を折《を》つて瓶《びん》に入《い》れては花《はな》に奪《うば》はせ、香《かう》一炷《しゆ》焼《た》いては香《か》に氣《き》を奪《うば》はすべし。いたく腹《はら》の立《た》つことあらば、仰《あふ》いで月《つき》をも見《み》るべし、鳥獣《てうじう》にも心《こゝろ》を移《うつ》すべし、向《むか》ふ所《ところ》に氣《き》を奪《うば》はすれば、とかうする中《うち》に、とけて結《むす》ばれたる氣《き》

散《ちり》て、自《みづか》ら調《とゝの》ふるものなり。其《そ》の怒《いかり》にふみとまり、鬱《うつ》に閉《と》ぢらるれば、氣《き》の伸《の》びんやうなし。腹《はら》の立《た》つといふは、其《そ》の事《こと》に我《わ》が心《こゝろ》がついてのかぬなり。のけやうとずれば、いよいよのかぬ、ちやつとふりあげて、雲《くも》なりとも山《やま》なりとも見《み》るべし、腹《はら》の立《た》つ事《こと》についたる心《こゝろ》が、ちやつと雲《くも》に移《うつ》り山《やま》に移《うつ》りて、腹《はら》立《たち》たる事《こと》についたる心《こゝろ》がはなるゝなり。人《ひと》咬《かみ》馬《うま》をとるとて、馬《うま》に付《つ》く心《こゝろ》をはなさん爲《ため》に、花《はな》をさして之《これ》を見《み》れば、馬《うま》につく心《こゝろ》が離《はな》るれば、馬《うま》も無《む》心《しん》になつて居《ゐ》る故《ゆゑ》、何《なん》の造《ざう》作《さ》もなくとるなり。人《ひと》咬《かみ》犬《いぬ》の門《かど》へ入《はい》るにも、犬《いぬ》に心《しん》眼《がん》を離《はな》さんと思《おも》へども、恐《おそろ》しと思《おも》ふ心《こゝろ》離《はな》れず、軒《のき》の瓦《かはら》か棟《むね》の甍《いらか》にても、仰《あふ》いで見《み》るうちに、すら〳〵と門《もん》に入《はい》れば犬《いぬ》少《すこ》しもとがめず、是《こ》れ心《こゝろ》を物《もの》に奪《うは》はする方《はう》便《べん》なり。口《くち》に陀羅尼《だらに》を唱《とな》へて難《なん》をのがれ、邪氣《じやき》を轉《てん》じて正氣《しやうき》になす事《こと》も、散亂《さんらん》の心《こゝろ》を收《おさ》め、物《もの》に付《つ》いたる心《こゝろ》を離《はな》す道理《だうり》なり、まじないといふ事《こと》も仔細《しさい》ある儀《ぎ》なり。さる女《をんな》胸《むね》に氣《き》ありて冥《めい》冥《めい》と病《や》めり、或《ある》醫者《いしや》曰《いは》く、此《こ》の女戀慕《をんなれんぼ》の病《やまひ》なり、他《た》犯《はん》の人《ひと》なりと、此《こ》の女俄《をんなにはか》に怒《いか》り、我《われ》ゆめ〳〵左樣《さやう》の心《こゝろ》なし、この醫師《いし》我《われ》にあらぬ難《なん》をいひつくるとて、黑雲《くろくも》の起《おこ》る如《ごと》く怒《いか》りて胸《むね》の氣《き》一時《じ》に散《さん》じて病本復《やまひほんぷく》す。この醫《い》師《し》藥《くすり》を與《あた》へずして病《やまひ》を治《ぢ》す、一言《げん》にして胸鬱《きようう》を取《と》れるはかりごとなり』と、これ實《じつ》に虛實《きよじつ》の法《はふ》――殺活自在《さつくわつじざい》の法《はふ》であつて、氣合《きあひ》術者《じゆつしや》の正《まさ》に心得《こゝろえ》べき奧秘《あうひ》である。

(二)養氣法《やうきはふ》の解《かい》　養氣法《やうきはふ》とは字《じ》の如《ごと》く氣《き》を養《やしな》ふ法《はふ》である。澤庵禪師《たくあんぜんじ》これを說《と》いて『心《こゝろ》は氣《き》を乘《の》り物《もの》にして、氣《き》にのりてはたらく、心《こゝろ》はたらき過《す》ぐれば智《ち》つくるものなり。慮《りよ》過《す》ぐれば心《こゝろ》つくるものなり。心《こゝろ》は智《ち》慮《りよ》に減《げん》じ、氣《き》は動《どう》轉《てん》にへる者《もの》なり。心《こゝろ》を以《もつ》て氣《き》をとり靜《しづ》めて、氣《き》のつきざる樣《やう》にするが養《やう》生《じやう》也《なり》』と云《い》つて居《ゐ》る。又《また》孟《まう》子《し》は『夫《そ》れ志《こゝろざし》は氣《き》の帥《すい》なり、氣《き》は體《たい》の充《じう》なり』と云《い》ひ、更《さら》に『志《こゝろざし》一なれば氣《き》を動《うご》かし、氣《き》一なれば志《こゝろざし》を動《うご》かす』と説《と》いて居《ゐ》る。孟《まう》子《し》の云《い》へる志《こゝろざし》とは澤《たく》庵《あん》の云《い》へる心《こゝろ》と同《どう》一物《ぶつ》である。これに依《よつ》つてこれを見《み》るに、心《こゝろ》は氣《き》に依《よ》つて或《あるひ》は動《うご》き、或《あるひ》は止《とま》るものであるから、氣《き》合《あひ》術《じゆつ》を學《まな》ぶ者《もの》は能《よ》く此《こ》の邊《へん》を心《こゝろ》得《え》て、常《つね》に道《だう》徳《どく》を以《もつ》て是《これ》を養《やしな》ひ、以《もつ》て氣《き》を饑《う》えざらしむる事《こと》が肝《かん》要《えう》である。而《しか》して其《その》能《よ》く氣《き》を養《やしな》ひ得《え》た時《とき》こそは、孟《まう》子《し》の所《いは》謂《ゆる》浩《かう》然《ぜん》の氣《き》となつて、至《し》大《だい》至《し》剛《がう》よく萬《ばん》物《もつ》の上《うへ》に伸《の》び、物《もの》に屈《くつ》する事《こと》なきを得《う》るに至《いた》るのである。これ云《い》ふ處《ところ》の氣《き》合《あひ》の至《し》極《ごく》である。元《ぐわん》來《らい》氣《き》は心《こゝろ》に帥《ひき》ゐられるものであるが、時《とき》に其《その》反《はん》對《たい》現《げん》象《しやう》を顯《あら》はして氣《き》が心《こゝろ》を動《うご》かす場《ば》合《あひ》がある。從《したが》つて氣《き》能《よ》く靜《しづか》なるときは心《こゝろ》卽《すなは》ち靜《しづか》であり、氣《き》動《どう》ずれば從《したが》つて心《こゝろ》こゝに動《どう》ずることがある。これ心《しん》氣《き》は兩《りやう》樣《やう》のものでなく、更《さら》に隔《へだ》たる處《ところ》がないからである。要《えう》するに心《こゝろ》は内《うち》であつて、氣《き》は外《そと》に動《どう》ずるものであるから、先《ま》づ氣《き》を養《やしな》ひ調《とゝの》ふる事《こと》は氣《き》合《あひ》術《じゆつ》修《しう》養《やう》の根《こん》本《ぽん》義《ぎ》である。

(三)充《じう》氣《き》法《はふ》の解《かい》『充《じう》實《じつ》これを美《び》と云《い》ふ。充《じう》實《じつ》して光《くわう》輝《き》あるこれを大《だい》と謂《い》ふ。大《だい》にして之《これ》を化《くわ》す之《これ》を聖《せい》と謂《い》ふ。聖《せい》にしてこれを知《し》る可《べ》からざる之《これ》を神《かみ》と謂《い》ふ。』と、要《えう》するに氣《き》を充《み》つると云《い》ふことは、元《げん》氣《き》が渾《こん》身《しん》に充《じう》實《じつ》して居《ゐ》るの謂《いひ》である。孟子《まうし》が『氣《き》は體《たい》の充《じう》なり』と云《い》つた如《ごと》く、頭《かしら》の項《ちやう》天《てん》から爪先《つまさき》に至《いた》るまで、身《しん》體《たい》の何《いづ》れの部《ぶ》分《ぶん》にも氣《き》が横《わう》溢《いつ》して、尠《すこし》も弛《ゆる》み撓《たゆ》む事《こと》なく、恰《ちやう》度《ど》弓《ゆみ》を張《は》つた樣《やう》緊《きん》漲《ちやう》して居《ゐ》る狀《じやう》態《たい》を指《さ》して云《い》ふのである。『心《こゝろ》一つにして分《わか》れずんば、則《すなは》ち能《よ》く萬《ばん》變《へん》に應《おう》ず』と邵《せう》康《かう》節《せつ》が云《い》つた如《ごと》く、心《こゝろ》が一身《しん》に流《りう》行《かう》して止《とゞ》まらなかつたならば、決《けつ》して敵《てき》に致《いた》される樣《やう》な事《こと》はないのである。若《も》し氣《き》の滯《とゞこほ》る處《ところ》があればそれは死《し》物《ぶつ》(イツク)と云《い》つて武《ぶ》術《じゆつ》家《か》の最《もつと》も忌《い》むべき事《こと》である。

以《い》上《じやう》述《の》べた三つの法《はふ》は、氣《き》合《あひ》術《じゆつ》上《じやう》何《いづ》れも忽《ゆるがせ》にすべからざるものゝみで、この三法《はふ》が完《くわん》全《ぜん》に會《ゑ》得《とく》出《で》來《き》たならば、卽《すなは》ち『我《われ》に術《じゆつ》なし活《くわつ》殺《さつ》自《じ》在《ざい》を以《もつ》て術《じゆつ》となす』と云《い》ふ境《きやう》地《ち》に達《たつ》することが容《よう》易《い》に出《で》來《き》るのである。

我《われ》に工夫《くふう》なし機先《きせん》を以《もつ》て工夫《くふう》となす。

機先《きせん》の解《かい》　氣合術《きあひじゆつ》を學《まな》ぶ者《もの》は注意力《ちういりよく》の鍛錬《たんれん》をすると同時《どうじ》に、他人《たにん》の注意力《ちういりよく》を利用《りよう》し以《もつ》て機先《きせん》を制《せい》する事《こと》を心《こゝろ》懸《がけ》ねばならぬ。それには注意力《ちういりよく》の規則《きそく》と云《い》ふものを知《し》つて居《を》らねばならぬ。心理學《しんりがく》の示《しめ》す處《ところ》に依《よ》ると、注意力《ちういりよく》は律《りつ》動的《どうてき》に發《はつ》するものである。而《しか》して注意《ちうい》其《そ》の者《もの》は一直線《ちよくせん》に來《きた》るものでなくして、一高《かう》一低《てい》、恰《あだか》も波動《はどう》のそれの如《ごと》き有《あり》樣《さま》に來《きた》るものであるから、氣合術《きあひじゆつ》を以《もつ》て人《ひと》を制《せい》するには、其《その》波動《はどう》に應《おう》ずる樣《やう》仕向《しむ》け、以《もつ》て人《ひと》の注意《ちうい》を奪《うば》ふことが必《ひつ》要《えう》である。福來博士《ふくらいはかせ》はこの注意力《ちういりよく》の利用法《りようはふ》を左《さ》の五つに分《わか》つて其《そ》の著《ちよ》『催眠心理學《さいみんしんりがく》』中《ちう》に述《の》べて居《ゐ》る。

第《だい》一轉《てん》氣《き》法《はふ》、或《あ》る一定《てい》の方《はう》向《かう》に實《じつ》なる精《せい》神《しん》活《くわつ》動《どう》をして突《とつ》然《ぜん》他《た》方《はう》に轉《てん》向《かう》せしめ、其《そ》の刹《せつ》那《な》に於《お》ける虚《きよ》に乘《じよう》ずるの方《はう》法《はふ》を稱《しよう》して轉《てん》氣《き》法《はふ》と云《い》ふ。

第《だい》二挫《ざ》折《せつ》法《はふ》、或《あ》る一定《てい》の方《はう》向《かう》に活《くわつ》動《どう》しつゝある精《せい》神《しん》を引《ひ》き外《は》づして其《その》英《えい》氣《き》を挫《くじ》き以《もつ》て其《そ》の虚《きよ》に乘《じよう》ずるの術《じゆつ》を稱《しよう》して挫《ざ》折《せつ》法《はふ》と云《い》ふ。

第《だい》三誘《いう》念《ねん》法《はふ》、對《たい》者《しや》の精《せい》神《しん》が一定《てい》方《はう》向《かう》に活《くわつ》動《どう》する場《ば》合《あひ》に於《おい》て、之《これ》と抵《てい》觸《しよく》せざる方《はう》面《めん》より説《と》き起《おこ》し、不《し》知《ら》不《ず》識《く》の間《あひだ》に前《まへ》の精《せい》神《しん》と全《まつた》く反《はん》對《たい》なる精《せい》神《しん》狀《じやう》態《たい》に誘《いう》引《いん》する術《じゆつ》を稱《しよう》して誘《いう》念《ねん》法《はふ》と謂《い》ふ。

第《だい》四利《り》用《よう》法《はふ》、對《たい》者《しや》の精《せい》神《しん》傾《けい》向《かう》を其《そ》の儘《まゝ》に利《り》用《よう》し、以《もつ》て投《とう》與《よ》する暗《あん》示《じ》を有《いう》効《かう》ならしむるの資《し》に供《きよう》するの術《じゆつ》を利《り》用《よう》法《はふ》と云《い》ふ。

第《だい》五放任法《はうにんはふ》、人《ひと》の精神活動《せいしんくわつどう》を正面《しやうめん》より制止《せいし》せんと勤《つと》めずして、反《かへ》りて其《その》活動《くわつどう》する儘《まゝ》に放任《はうにん》し置《お》き、以《もつ》て其《そ》の進行《しんかう》をして自然《しぜん》に停止《ていし》するに至《いた》らしむるの法《はふ》を放任法《はうにんはふ》と云《い》ふ。

我《われ》に奇特《きとく》なし正法《せいはふ》を以《もつ》て奇特《きとく》となす。

無畏心《むいしん》の解《かい》　曾子《そうし》の言《げん》に『自《みづか》ら反《かへり》みて縮《なほ》からざれば褐寛博《かつくわんひろし》と雖《いへど》も吾《わ》れ惴《おそ》れざらんや、自《みづか》ら反《かへり》みて縮《なほ》ければ千萬人《まんにん》と雖《いへど》も吾《わ》れ行《ゆ》かん』と、凡《およ》そ人《ひと》にして心《こゝろ》さへ正《たゞ》しかつたならば世《よ》の中《なか》に恐《おそ》るべきものはないのである。澤庵《たくあん》禪師《ぜんじ》は此事《このこと》を戒《いまし》めて、『何事《なにごと》も恐《おづ》るな〳〵、おづれば仕損《しそこな》ふぞ、おづるは平生《へいぜい》の事《こと》、場《ば》へいでゝは恐《なづ》るな〱、溝《みぞ》をばづんと飛《と》べ、危《あやふ》しと思《おも》へばはまるぞ』と云《い》つて居《ゐ》る。

我《われ》に主義《しゆぎ》なし臨機應變《りんきおうへん》を以《もつ》て主義《しゆぎ》となす。

注《ちう》意《い》集《しふ》注《ちう》の解《かい》　氣《き》合《あひ》術《じゆつ》に於《おい》ては身《しん》心《しん》に隙間《すきま》がないと云《い》ふ事《こと》を最《もつと》も尊《そん》重《ちよう》するが、この隙間《すきま》のないと云《い》ふ事《こと》は注《ちう》意《い》を集《しふ》注《ちう》する事《こと》に依《よ》つて得《う》ることが出《で》來《き》る。即《すなは》ち注《ちう》意《い》を集《しふ》注《ちう》すると云《い》ふことは智《ち》情《じやう》意《い》の三要素《えうそ》を共《きよう》同《どう》動《どう》作《さ》せしむることであつて、種々《しゆじゆ》なる働《はたら》きの基《き》礎《そ》根《こん》底《てい》となるべきものである。而《しか》して氣《き》合《あひ》術《じゆつ》に於《おい》て最《もつと》も重《ちう》要《えう》な位《ゐ》置《ち》を占《し》めて居《ゐ》るものである。『百事《じ》決《けつ》定《てい》と注《ちう》意《い》とに依《よ》りてなる。小《せう》事《じ》と雖《いへど》も決《けつ》定《てい》することなく注《ちう》意《い》することなければ悉《ことごと》く破《やぶ》る』とは、注《ちう》意《い》力《りよく》の必《ひつ》要《えう》を説《と》いた用《よう》兵《へい》の極《ごく》意《い》であるが、實《じつ》に至《し》言《げん》である。何《なん》となれば臨《りん》機《き》應《おう》變《へん》とは隙《すき》なくして始《はじ》めて得《え》られる現《げん》象《しやう》であるからである。卽《すなは》ち隙《すき》なければこそ事《こと》に處《しよ》して當《たう》を得《え》た方《はう》法《はふ》をとることが出《で》來《き》るのである。

我《われ》に懸《かけ》引《ひき》なし虛《きよ》實《じつ》を以《もつ》て懸《かけ》引《ひき》となす。

虛《きよ》實《じつ》の解《かい》　言《げん》志《し》錄《ろく》に『心《こゝろ》虛《きよ》ならざる可《べか》らず、虛《きよ》なれば則《すなは》ち來《きた》り居《を》る。心《こゝろ》實《じつ》ならざる可《べか》らず、實《じつ》なれば則《すなは》ち物《ぶつ》欲《よく》入《い》らず』と、これ自《じ》己《こ》に對《たい》する虛《きよ》實《じつ》一體《たい》の妙《めう》處《しよ》を云《い》つたものである。

『兵《へい》を加《くは》ふる處《ところ》、石《いし》を以《もつ》て卵《たまご》に投《とう》ずるが如《ごと》きものは虛《きよ》實《じつ》これなり』と、これ敵《てき》に對《たい》する虚《きょ》實《じつ》の妙《めう》を說《と》いたものである。思《おも》ふに虚《きょ》とは用《よう》心《じん》せずして隙《すき》間《ま》あることを云《い》ひ、實《じつ》とは用《よう》心《じん》して隙《すき》間《ま》のない場《ば》合《あひ》を云《い》ふのである。故《ゆゑ》に我《われ》の實《じつ》を以《もつ》て敵《てき》の虚《きょ》を擊《う》てば、恰《あだか》も石《いし》を以《もつ》て卵《たまご》に投《とう》ずる樣《やう》なもので、敵《てき》を打《うち》敗《やぶ》る事《こと》實《じつ》に易《い》々たるものがある。卽《すなは》ち我《われ》の油《ゆ》斷《だん》のない心《こゝろ》を以《もつ》て、敵《てき》の油《ゆ》斷《だん》を打《う》つと云《い》ふ處《ところ》に勝《しょう》利《り》が件《ともな》ふので、氣《き》合《あひ》術《じゆつ》の極《ごく》意《い》は實《じつ》に此《こ》處にある、『我《われ》に懸《かけ》引《ひき》なし、虚《きょ》實《じつ》を以《もつ》て懸《かけ》引《ひき》となす』と云《い》ふ語《ことば》ある所《ゆ》以《ゑん》である。

我《われ》に才《さい》能《のう》なし當《たう》意《い》卽《そく》妙《めう》を以《もつ》て才《さい》能《のう》となす。

當《たう》意《い》卽《そく》妙《めう》の解《かい》　東《とう》海《かい》夜《や》話《わ》に曰《いは》く、『一切《さい》の事《こと》をなすに當《たう》意《い》卽《そく》妙《めう》也《なり》、豫《あらかじ》め設《まう》けてする事《こと》ある可《べか》らず、設《まう》けたること合《あ》ふ可《べ》からず、只《たゞ》虚《きよ》無《む》のみ、能《よ》く萬《はん》事《じ》に應《おう》じて長《ちやう》短《たん》方《はう》圓《ゑん》、あたらずと云《い》ふ事《こと》なし。我《わが》胸《むね》を虚《きよ》無《む》にして心《こゝろ》を無《ぶ》事《じ》に納《をさ》めて居《を》れば、何《なに》事《ごと》なりとも向《むか》ひ來《きた》る其《そ》の事《こと》に隨《したが》つて働《はたら》くべし。前《まへ》かどに設《まう》けて居《を》れば、設《まう》けたる事《こと》が心《こゝろ》を塞《ふさ》いで、座《ざ》取《ど》りをして居《ゐ》る故《ゆゑ》に、向《むか》ひ來《きた》る事《こと》をうけやうがないなり』

又《また》、『心《こゝろ》に物《もの》を置《お》かぬを虚《きよ》無《む》といふなり。心《こゝろ》に物《もの》があれば用《よう》が缺《か》くる程《ほど》に、心《こゝろ》に物《もの》を置《お》かぬを虚《きよ》無《む》といふなり。又《また》心《こゝろ》は萬《はん》事《じ》をなす役《やく》者《しや》なり、然《しか》れば心《こゝろ》に何《なん》なり共《とも》一役《やく》さすれば向《むか》ひ來《きた》る事《こと》をしやう樣《やう》がない程《ほど》に、無《む》役《やく》にして置《お》いて何《なん》なりとも向《むか》ひ來《きた》る事《こと》をさすべきなり。例之《たとへ》ば眼《め》は見《み》る役《やく》者《しや》、身《み》は物《もの》に觸《ふ》れて知《し》る役《やく》者《しや》、手《て》は取《と》る役《やく》者《しや》、足《あし》は踏《ふ》む役《やく》者《もの》なり。一役《やく》一役《やく》あれども、心《こゝろ》は其《そ》の諸《しよ》役《やく》を外《はづ》さず計《はから》ふものなれば、一役《やく》に心《こゝろ》をふさげば諸《しよ》役《やく》がかけぬる程《ほど》に、心《こゝろ》をば無《む》役《やく》にして置《お》くを虚《きよ》無《む》と云《い》ふ也《なり》。人《ひと》を召《め》し使《つか》はるべきに、弓《ゆみ》、鐵《てつ》砲《はう》、槍《やり》、長《なぎ》刀《なた》それ〴〵の一役《やく》をするは端《は》武《む》者《しや》なるべし。總《すべ》ての武《む》者《しや》をつかふべき大《たい》將《しやう》が何《なん》にても、弓《ゆみ》か鐵《てつ》砲《はう》にかゝつて居《ゐ》たらば、萬《はん》事《じ》が皆《みな》缺《か》くべき事《こと》なり。大《たい》將《しやう》は一役《やく》もせずして萬《はん》事《じ》をするものなり。一役《やく》にて塞《ふさ》がぬを虚《きよ》無《む》と云《い》ふなり』とある、味《あじ》はふべき至《し》言《げん》で、如《じ》何《か》に才《さい》能《のう》あるも當《たう》意《い》卽《そく》妙《めう》の才《さい》なくては到《たう》底《てい》氣《き》合《あひ》術《じゆつ》の堂《だう》に入《い》ることは難《かた》いのである。

世《よ》の中《なか》はたゞ何《なん》となく住《す》めばよし
心《こゝろ》一つをすなほにはして

とは白《はく》石《せき》の詠《よ》んだ歌《うた》であるが、實《じつ》に虚《きよ》無《む》の心《こゝろ》を云《い》ひ盡《つく》して餘蘊《ようん》のない名歌《めいか》である。

我《われ》に味方《みかた》なし、自信《じしん》を以《もつ》て味方《みかた》となす。

自信力《じしんりよく》の解《かい》『己《おのれ》の生命《せいめい》は人類《じんるゐ》一般《はん》に屬《ぞく》し、宇宙《うちう》の己《おのれ》に學《まな》ぶものは人類《じんるゐ》一般《はん》の爲《ため》なることを悟《さと》らざれば何人《なんびと》も眞《しん》に偉大《ゐだい》なる能《あた》はず』とは自信力《じしんりよく》の必要《ひつえう》を說《と》いたものであるが、凡《およ》そ氣合術《きあひじゆつ》を學《まな》ぶ者《もの》には自信力《じしんりよく》は最《もつと》も必要《ひつえう》で自信力《じしんりよく》なくして氣合術《きあひじゆつ》を行《おこな》ふ事《こと》は殆《ほとん》ど不可能《ふかのう》であると云《い》ふも差支《さしつか》えないのである。而《しか》して自信力《じしんりよく》は如何《いか》にしてこれを得《え》られるかと云《い》へば、身心《しんしん》を鍛鍊《たんれん》して得《え》たる金剛《こんがう》不壞《ふえ》の身《み》から生《うま》れ來《きた》るのである。

我《われ》に敵《てき》なし、油《ゆ》斷《だん》を以《もつ》て敵《てき》となす。

油《ゆ》斷《だん》の解《かい》　『天《てん》地《ち》は寂《じつ》然《ぜん》不《ふ》動《どう》にして氣《き》機《き》息《や》むことなし』とは菜《さい》根《こん》譚《だん》の一節《せつ》であるが實《じつ》に其《そ》の通《とほ》りで、打《うち》見《み》た處《ところ》、天《てん》地《ち》自《し》然《ぜん》はたゞ寂《じやく》然《ぜん》として動《うご》いて居《ゐ》さうにもないけれども、而《しか》も氣《き》を靜《しづか》にしてこれを見《み》ると、其《そ》處《こ》に整《せい》然《ぜん》たる一條《でう》の規《き》矩《く》があつて、少《すこし》の張《ちやう》弛《ち》なく活《くわつ》動《どう》して居《ゐ》る。卽《すなは》ち日《ひ》は朝《あさ》毎《ごと》に東《ひがし》から出《い》でゝ夕《ゆふべ》に西《にし》に沒《ぼつ》し、月《つき》は次《し》第《だい》に虧《か》けて次《し》第《だい》に盈《み》ち、斯《かく》て夜《よ》と晝《ひる》の世《せ》界《かい》を永《えい》劫《ごふ》から永《えい》劫《ごふ》に涉《わた》つて滿《まん》遍《べん》なく照《てら》して變《かは》ることを知《し》らない。氣《き》合《あひ》術《じゆつ》を修《をさ》めやうとする者《もの》は、この天《てん》地《ち》の氣《き》機《き》の如《ごと》く、如《い》何《か》に閑《ひま》な時《とき》でも心《こゝろ》をしつかりと引《ひ》きしめて居《ゐ》て、尠《すこし》の弛《ゆる》みもないと云《い》ふ有《あり》樣《さま》でなくてはならない。換《くわん》言《げん》すれば油《ゆ》斷《だん》のない心《こゝろ》と、同《どう》時《じ》に如《い》何《か》に忙《せは》しい時《とき》でも悠《ゆう》然《ぜん》迫《せま》らざる趣《おもむき》があつて物《もの》に動《どう》ぜぬと云《い》ふ確《かく》固《こ》不《ふ》拔《ばつ》、大《だい》磐《ばん》石《じやく》の心《こゝろ》がなくてはならぬ。要《えう》するに油《ゆ》斷《だん》は最《もつと》も大《たい》敵《てき》である。

我《われ》に甲《かつ》冑《ちう》なし、仁《じん》義《ぎ》を以《もつ》て甲《かつ》冑《ちう》となす。

心《しん》體《たい》淸《しやう》淨《じやう》の解《かい》　氣《き》合《あひ》術《じゆつ》を學《まな》ぶ者《もの》に於《おい》てのみでなく、凡《およ》そ人《ひと》たるの道《みち》は仁《じん》義《ぎ》を守《まも》り以《もつ》て心《こゝろ》の甲《かつ》冑《ちう》とする事《こと》である。而《しか》して仁《じん》義《ぎ》を以《もつ》て心《こゝろ》の甲《かつ》冑《ちう》とするには先《ま》づ氣《き》の淸《せい》淨《じやう》を計《はか》らねばならぬ。何《なに》故《ゆゑ》なれば人《ひと》は心《こゝろ》の中《うち》に複《ふく》雜《ざつ》な念《ねん》慮《りよ》があり氣《き》が曇《くも》つて居《ゐ》る時《とき》には、如《い》何《か》にするも心《こゝろ》の本《ほん》性《しやう》を見《み》る事《こと》が出《で》來《き》るものでないからである。卽《すなは》ちそれは水《みづ》に宿《やど》つて居《ゐ》る月《つき》を波《なみ》を撥《は》ねのけて取《と》らうとするのと同《おな》じで到底《たうてい》臨《のぞ》み得《う》る事《こと》でない。卽《すなは》ち氣《き》が清淨《しやうじやう》であればこそ、心《こゝろ》の全體《ぜんたい》も清《きよ》く澄《す》み渡《わた》るのであるから、氣《き》を清淨《しやうじやう》にしないで心《こゝろ》の清澄《せいちよう》を得《え》やうとしても、それは絶對《ぜつたい》に不可能《ふかのう》な事《こと》で、丁度《ちやうど》鏡《かゞみ》の明《あきらか》なるを索《もと》めて置《お》き乍《なが》ら、塵《ちり》を多《おほ》くして鏡面《きやうめん》を曇《くも》らす樣《やう》なものである。卽《すなは》ち到底《たうてい》其目的《そのもくてき》は達《たつ》する事《こと》が出來《でき》ない。總《そう》じて心《こゝろ》に物《もの》ある時《とき》は自《おのづか》ら體《からだ》が窮屈《きうくつ》であり、物《もの》の潛《ひそ》まない時《とき》は心廣《こゝろひろ》く、體《たい》又《また》胖《ゆたか》なることを得《え》、從《したが》つて仁義《じんぎ》の甲冑《かつちう》を身《み》につけることも出來《でき》るのである。

我《われ》に城廓《じやうくわく》なし、不動心《ふどうしん》を以《もつ》て城廓《じやうくわく》となす。

不動心《ふどうしん》の解《かい》 『不《ふ》動《どう》と申《まを》し候《さふらふ》ても木《き》か石《いし》の樣《やう》に無性《むせい》な

る義《ぎ》にてはこれなく、向《むか》ふへも左《ひだり》へも右《みぎ》へも、十方《はう》八方《はう》へ心《こゝろ》は動《うご》きたきやうに動《うご》き乍《なが》ら、卒《そつ》度《ど》も止《と》まらぬ心《こゝろ》を不《ふ》動《どう》智《ち》と申《まを》し候《さふらふ》』とは澤《たく》庵《あん》禪《ぜん》師《じ》の言《げん》であるが、氣《き》合《あひ》術《じゆつ》者《しや》にはこの不《ふ》動《どう》心《しん》が最《もつと》も肝《かん》要《えう》であることは云《い》ふまでもない。卽《すなは》ち不《ふ》動《どう》心《しん》を城《じやう》郭《くわく》として敵《てき》に對《たい》したならば、如《い》何《か》なる強《きやう》敵《てき》も遂《つひ》にこれを如《い》何《かん》ともするによしないのである。然《しか》し乍《なが》ら佛《ぶつ》祖《そ》錄《ろく》にも『止《し》動《どう》止《し》更《かう》彌《ひ》動《どう》』の語《ご》あるが樣《やう》に、凡《およ》そ心《こゝろ》の動《うご》かざることをやめんと思《おも》へば、やめんと思《おも》ふの念《ねん》亦《また》動《どう》じて、容《よう》易《い》に止《とゞ》め得《う》るものでない。卽《すなは》ち

おもはじとおもふも物《もの》を思《おも》ふなり
おもはじとだにおもはじや君《きみ》

の歌《うた》ある所《ゆゑ》以《ん》である。又《また》言《げん》志《し》錄《ろく》に

喜レ寂厭レ喧者、往々避レ人以來レ靜、不知意在レ無レ人便成二我相一心着於靜、便是動根、如何到二得人我一視、動靜兩忘的堺界一とある。勝《か》つことを思《おも》はずして勝《か》つも此《こ》れと同理《どうり》である。又《また》遊女《いうぢよ》高雄《たかを》の、『忘《わす》れねばこそ思《おも》ひ出《いだ》さず候かしく』と云《い》つた言葉《ことは》を動靜《どうせい》の沙汰《さた》から玩味《ぐわんみ》したならば實《じつ》に云《い》ふ可《べか》らざる妙味《めうみ》を其處《そこ》に味《あぢは》ふ事《こと》が出來《でき》る。

水流任レ急境常靜、　葉落雖レ頻竟自閒

我《われ》に刀劍《たうけん》なし、無心《むしん》を以《もつ》て刀劍《たうけん》となす。

動《どう》靜《せい》一致《ち》＝無《む》心《しん》の解《かい》　靜《しづ》かなる事《こと》林《はやし》の如《ごと》く、疾《はや》きこと風《かぜ》の如《ごと》しとは氣《き》合《あひ》術《じゆつ》極《ごく》意《い》中《ちう》の極《ごく》意《い》である。卽《すなは》ち眞《しん》の活動《くわつどう》は靜所《せいしよ》から來《く》るのであるから、事《こと》無《な》きの時《とき》は林《はやし》の如《ごと》く靜《しづか》にし、事《こと》あるの時《とき》は疾風迅雷《しつぷうじんらい》の勢《いきほひ》を以《もつ》て活動《くわつどう》すると云《い》ふ樣《やう》にならねばならぬ。彼《か》の無住心《むじうしん》と云《い》ふも、不動心《ふどうしん》と云《い》ふも、要《えう》はこの靜的方面《せいてきはうめん》を貴《たつと》んで居《ゐ》るのであるが、畢竟《ひつきやう》は此《こ》の靜中《せいちう》に動機《どうき》を貯《たくは》へて、いざと云《い》ふ場合《ばあひ》に縱橫無碍殺活《じうわうむげさつくわつ》自在《じざい》に大々的《だい〳〵てき》飛躍活動《ひやくくわつどう》を爲《な》すといふのが本旨《ほんし》である。故《ゆゑ》に氣合術家《きあひじゆつか》はかの自然界《しぜんかい》の空《そら》青《あを》く氣《き》澄《す》み、水《みづ》深《ふか》く碧《みどり》を湛《たゞ》へて靜《しづか》なるが中《なか》に、所謂《いはゆる》鳶《とび》高《たか》く飛《と》び、魚《うを》勇《いさ》ましく跳《おど》ると云《い》ふ、卽《すなは》ち靜中《せいちう》に動《どう》あり動中《どうちう》に靜《せい》ある動靜《どうせい》一致《ち》——無心《むしん》の理《り》を會得《ゑとく》せねばならぬ。菜根譚《さいこんたん》に、

風來二疎竹一風過而不レ留レ聲、雁度二寒潭一雁去而潭不レ留レ影、故君子事來而始現事去而心隨空。

と記《しる》されてあるが、實《じつ》に妙《めう》を穿《うが》つた言葉《ことは》である。卽《すなは》ち風《かぜ》が

吹《ふ》く、竹《たけ》が動《うご》いて鳴《な》る、風《かぜ》が過《す》ぎ去《さ》ると竹《たけ》は靜《しづ》まつて聲《こゑ》をも留《と》めぬ。雁《かり》が渡《わた》る。潭《ふち》に其《そ》の影《かげ》が映《うつ》る。雁《かり》が過《す》ぎ去《さ》ると、其《そ》のまゝ何《なん》の影《かげ》をも留《と》めぬ。卽《すなは》ち立《りつ》派《ぱ》な人《にん》間《げん》の精《せい》神《しん》は常《つね》に透《とう》明《めい》で何《なに》物《もの》もない。所《いは》謂《ゆる》無《む》心《しん》である。而《しか》して事《こと》が起《おこ》ると共《とも》に初《はじ》めて心《こゝろ》が動《うご》き、事《こと》が過《す》ぎれば又《また》元《もと》の通《とほ》り心《しん》中《ちう》林《はやし》の如《ごと》く靜《しづか》で、何《なん》の障《さは》る事《こと》もなく恰《ちやう》度《ど》かの靜《しづ》まれる竹《たけ》、澄《す》みわたれる淵《ふち》と等《ひと》しいのである。この無《む》心《しん》、この動《どう》靜《せい》一致《ち》あつてこそ、敢《あへ》て刀《たう》劍《けん》を要《えう》せず、以《もつ》て刀《たう》劍《けん》とする事《こと》が出《で》來《き》るのである。

武《たけ》田《だ》信《しん》玄《げん》の秘《ひ》訓《くん》

一、心《こゝろ》に物《もの》なき時《とき》は體《たい》泰《やすら》かなり

一心《こゝろ》に我《が》慢《まん》ある時《とき》は愛《あい》敬《けい》を失《うしな》ふ

一心《こゝろ》に欲《よく》なき時《とき》は義《ぎ》理《り》を行《おこな》ふ

一心《こゝろ》に私《わたくし》なき時《とき》は疑《うたが》ふ事《こと》なし

一心《こゝろ》に驕《おごり》なき時《とき》は人《ひと》を敬《うやま》ふ

一心《こゝろ》に誤《あやまり》なき時《とき》は人《ひと》を畏《おそ》れず

一心《こゝろ》に貧《ひん》なき時《とき》は人《ひと》に諂《へつら》はず

一心《こゝろ》に怒《いかり》なき時《とき》は言《こと》葉《は》和《やは》らかなり

一心《こゝろ》に堪《たい》忍《にん》ある時《とき》は事《こと》を調《てう》す

一心《こゝろ》に曇《くもり》なき時《とき》は靜《しづか》なり

一心《こゝろ》に勇《ゆう》ある時《とき》は悔《く》ゆる事《こと》なし

一心《こゝろ》に迷《まよひ》なき時《とき》は人《ひと》を咎《とが》めず

極《ごく》意《い》の秘《ひ》歌《か》

氣《き》合《あひ》とは物《もの》皆《みな》聞《き》くな寢《ね》な起《お》きな
泣《な》いて笑《わら》うた哺《ち》乳《のみ》兒《ご》に問《と》へ

氣《き》合《あひ》とは風《かぜ》を握《にぎ》つて其《その》まゝに
足《あし》を止《とゞ》めて鼻《はな》によく聞《き》け

それ其《そ》處《こ》だ勝《か》つな負《まけ》るな不《ふ》動《どう》心《しん》
己《おの》が進《しん》退《たい》自《じ》由《いう》自《じ》在《ざい》に

氣《き》合《あひ》術《じゆつ》の奧《あう》秘《ひ》

方《はう》圓《ゑん》三角《かく》の解《かい》　内《うち》柔《じう》であつて外《そと》剛《がう》なのは圓《ゑん》外《ぐわい》に三角《かく》のある形《かたち》(第《だい》一圖《づ》)であつて、これは似《え》而非《せ》勇《ゆう》者《しや》である。卽《すなは》ち

第一圖

第二圖

強《つよ》さうで其《そ》の實《じつ》臆《おく》病《びやう》の事《こと》である。內《うち》剛《がう》であつて外《そと》柔《じう》なのは圓《ゑん》內《ない》に三角《かく》のある形《かたち》(第《だい》二圖《づ》)であつてこれは眞《しん》の勇《ゆう》者《しや》である。卽《すなは》ち勇《ゆう》を內《うち》に含《ふく》んで外《そと》に顯《あら》はさない沈《ちん》勇《ゆう》の事《こと》である。故《ゆゑ》に一朝《てう》事《こと》あるの時《とき》は內《うち》に藏《かく》した三角《かく》の鋒《ほこ》が外《そと》に向《むか》つて大《おほい》に活《くわつ》動《どう》するのである。氣《き》合《あひ》術《じゆつ》にはこの心《しん》法《はふ》が肝《かん》要《えう》なのである。

四角《かく》八方《はう》の解《かい》　心《こゝろ》の本《ほん》體《たい》益《ます》々明《あきらか》であつて、氣《き》が八方《はう》へ充《じう》溢《いつ》し、決《けつ》して一方《はう》へ偏《へん》倚《き》することのない形《かたち》である。

兩《りやう》捨《しや》一用《よう》の解《かい》　敵《てき》もなく、我《われ》もなく、動《どう》もなく、靜《せい》もなく、唯《たゞ》一心《しん》の劍《けん》を用《もち》ふると云《い》ふ義《ぎ》である。

水《すゐ》月《げつ》移《い》寫《しや》の解《かい》　移《い》とは月《つき》が水《みづ》に移《うつ》るの象《かたち》である。これを捧《はう》心《しん》の位《くらゐ》と云《い》ふて、事《こと》に着《つ》くのである。寫《しや》とは水《みづ》が月《つき》を寫《うつ》すの象《かたち》である。これは殘《ざん》心《しん》の位《くらゐ》と云《い》ふて、離《はな》るゝの事《こと》である。卽《すなは》ち理《り》を以《もつ》てこれを說《せつ》明《めい》する時《とき》は水《すゐ》月《げつ》と云《い》ひ、事《こと》で傳《つた》へる時《とき》はこれを移《い》寫《しや》と云《い》ふのである。眼《め》を以《もつ》て見《み》る所《ところ》を目《め》附《つき》と云《い》ひ、心《こゝろ》を以《もつ》てこれを守《まも》るのを移《い》と云《い》ふ。而《しか》して事《こと》を以《もつ》て攻《せ》めるのを寫《しや》と云《い》ふのである。水《すゐ》月《げつ》に遠《ゑん》近《きん》の差《さ》別《べつ》はない、故《ゆゑ》に若《も》し遠《ゑん》近《きん》を攻《せ》めやうと欲《ほつ》する者《もの》は、却《かへ》つて移《い》を失《うしな》ふものである。これはその移《い》に心《こゝろ》を取《と》らるゝが故《ゆゑ》である。之《これ》を要《えう》するに月《つき》無《む》心《しん》であつて水《みづ》に移《うつ》り、水《みづ》無《む》念《ねん》であつて月《つき》を寫《うつ》すのである。故《ゆゑ》に內《うち》に一念《ねん》生《しやう》じなかつたならば事《こと》能《よ》く外《そと》に應《おう》ずる事《こと》が出《で》來《き》るから、邪念《じやねん》を生《しやう》じなかつた時《とき》は、能《よ》く水月《すゐげつ》の全《ぜん》體《たい》に至《いた》るべきものである。語《ご》に曰《いは》く、『一月《げつ》は一切《さい》の水《みづ》に現《げん》じ、一切《さい》の水《つき》は一月《げつ》に攝《せつ》す。』と、又《また》古《こ》歌《か》に

移《うつ》るとも月《つき》は思《おも》はず寫《うつ》すとも
水《みづ》も思《おも》はぬ猿澤《さるさは》の池《いけ》

心眼活力《しんがんくわつりよく》の解《かい》

何《なに》事《こと》も肉眼《にくがん》で見《み》ることなく、心《こゝろ》靜《しづか》に一體《たい》から見《み》る時《とき》は、自《し》然《ぜん》と能《よ》く見《み》ゆる事《こと》が出《で》來《き》るのである。

白隱禪師《はくいんぜんし》はこの事《こと》を警《いまし》めて、

『人《ひと》の心《こゝろ》の眼《め》は竪《たて》につき、横《よこ》につき、筋違《すぢかひ》につくが故《ゆゑ》にさまぐ\と迷《まよ》ひを見《み》出《いだ》す也《なり》。唯《たゞ》目《め》なしとならば、人《ひと》我《われ》の私案《しあん》なく、本心自性《ほんしんじせい》の光《ひか》り明《あきらか》にして、見《み》ずして一切《さい》の物《もの》を看《み》、學《まな》

ばずして萬《ばん》事《じ》に通《つう》ずべし。此《こ》處を一休《きう》和《お》尙《しやう》も、目《め》なしどち〳〵聲《こゑ》についてましませ、と申《まを》されけん。脚《きやく》下《か》に眼《め》を附《つけ》て目《め》なしになるべし。』

世《よ》の中《なか》は唯《たゞ》に座《ざ》頭《とう》の丸《まる》木《き》橋《はし》
わたる心《こゝろ》でわたるなるらん

目《め》にきゝて耳《みゝ》にてものを見《み》る人《ひと》は
萬《よろづ》の事《こと》は迷《まよ》はざりけり

必《ひつ》勝《しよう》の秘《ひ》訣《けつ》　單《たん》に氣《き》合《あひ》術《じゆつ》と云《い》はず、武《ぶ》術《じゆつ》に於《おい》て勝《か》つとか負《ま》けるとか云《い》ふ事《こと》を念《ねん》頭《とう》に置《お》いてはいけないのであるが、秀《ひで》吉《よし》はこの事《こと》を常《つね》に部《ぶ》下《か》に敎《をし》へて『負《ま》ける〳〵と思《おも》へば負《ま》け、勝《か》つ勝《か》つと思《おも》へば勝《かつ》なり、負《ま》けると思《おも》ひて勝《か》ち勝《か》つと思《おも》うて負《ま》けることあれども人《ひと》には勝《か》つものと聞《き》かすべし』と云《い》つて居《ゐ》る。卽《すなは》ち決《けつ》して勝《か》たうとは思《おも》はず負《ま》けぬ樣《やう》に勝負《しようぶ》したならば、必《かなら》ず勝《か》つ事《こと》が出來《でき》るのである。勝《か》たう勝《か》たうとするから負《ま》けるので、負《ま》けさへしなければ自《みづか》ら勝《か》つに違《ちが》ひないのである。

不《ふ》動《どう》智《ち》神《しん》妙《めう》錄《ろく》

無《ひ》明《みやう》住《じう》地《ち》の煩《ぼん》惱《なう》

無《む》明《みやう》住《じう》地《ち》の煩《ぼん》惱《なう》　無《む》明《みやう》とは明《あきらか》になしと申《まを》す文《も》字《じ》にて候《さふらふ》。迷《まよひ》を申《まを》し候《さふらふ》。住《じう》地《ち》とは止《とゞま》る位《くらゐ》と申《まを》す文《も》字《じ》にて候《さふらふ》。佛《ぶつ》法《ほふ》修《しゆ》行《ぎやう》に五十二位《ゐ》と申《まを》す事《こと》の候《さふらふ》。その五十二位《ゐ》の内《うち》に物《もの》毎《ごと》に心《こゝろ》の止《とゞま》る所《ところ》を住《じう》地《ち》と申候《まをしさふらふ》。住《じう》は止《とゞま》ると申《まを》す義《ぎ》理《り》にて候《さふらふ》。止《とゞま》ると申《まを》すは何《なに》事《こと》に付《つい》ても其《その》事《こと》に心《こゝろ》を止《とゞま》るを申《まを》し候《さふらふ》。貴《き》殿《でん》の兵法《へいはふ》にて申《まを》し候《さふら》はゞ、向《むかふ》より切《きる》太刀《たち》を一目《め》見《み》て、其儘《そのまゝ》にそこにて合《あ》はんと思《おも》へば、向《むか》ふの太刀《たち》に其心《そのこゝろ》が止《とま》りて、手《て》前《まへ》の働《はたらき》が抜《ぬ》け候《さふらふ》て、向《むか》ふの人《ひと》にきられ候《さふらふ》。是《こ》れを止《とま》ると申《まをし》候《さふらふ》。打太刀《うちたち》を見《み》る事《こと》は見《み》れども、そこに心《こゝろ》をとめず、向《むか》ふの打太刀《うちたち》に拍子《ひやうし》合《あは》せて、打《う》たうとも思《おも》はず、思案《しあん》分別《ふんべつ》を殘《のこ》さず、振上《ふりあげ》る太刀《たち》を見《み》るや否《いな》や、心《こゝろ》を卒度《そつと》も止《とゞ》めず、其《そ》まゝ付《つけ》入《いつ》て、向《むか》ふの太刀《たち》にとりつかば、我《われ》をきらんとする刀《かたな》を我《わ》が方《かた》へもぎとりて却《かへ》つて向《むか》ふを切《き》る刀《かたな》となるべく候《さふらふ》。禪《ぜん》宗《しう》には是《これ》を還把㆓鎗頭㆒倒㆓刺人㆒來《きた》ると申《まを》し候《さふらふ》。鎗《やり》はほこにて候《さふらふ》。人《ひと》の持《も》ちたる刀《かたな》を我《わ》が方《かた》へもぎとりて、還《かへつ》て相《あひ》手《て》を切《き》ると申《まを》す心《こゝろ》に候《さふらふ》。貴殿《きでん》の無刀《むたう》と仰《あふ》せられ候事《さふらふこと》にて候《さふらふ》。向《むか》ふから打《う》つとも吾《われ》から討《う》つとも、打《う》つ人《ひと》にも打《う》つ太刀《たち》にも程《ほど》にも拍子《ひやうし》にも、卒度《そつと》も心《こゝろ》を止《とゞ》めれば、手前《てまへ》の働《はたらき》は皆《みな》抜《ぬ》け候《さふらふ》て、人《ひと》にきられ可申候《まをすべくさふらふ》。敵《てき》に我《わが》身《み》を置《お》けば敵《てき》に心《こゝろ》をとられ候《さふらふ》間《あひだ》、我《わが》身《み》にも心《こゝろ》を置《お》くべからず。我《わ》が身《み》に心《こゝろ》を引《ひき》しめて置《お》くも、初心《しよしん》の間《あひだ》習《ならひ》入《い》り候《さふらふ》時《とき》の事《こと》なるべし。太刀《たち》に心《こゝろ》を取《と》られ、拍子《ひやうし》合《あひ》に心《こゝろ》を置《お》けば拍子《ひやうし》合《あひ》に心《こゝろ》をとられ候《さふらふ》。我《わが》太刀《たち》に心《こゝろ》を置《お》けば我《わが》太刀《たち》に心《こゝろ》をとられ候《さふらふ》。これ皆《みな》心《こゝろ》のとまりて、手前《てまへ》、抜殼《ぬけがら》になり申《まをし》候《さふらふ》。貴殿《きでん》御《お》覺《おほ》え可有《あるべく》候《さふらふ》。佛法《ぶつはふ》と引當《ひきあて》申《まを》すにて候《さふらふ》。佛法《ぶつはふ》には、此《この》止《とま》る心《こゝろ》を迷《まよひ》と申《まを》し候《さふらふ》。故《ゆゑ》に無明《むみやう》住地《じうち》煩惱《はんなう》と申《まを》すことにて候《さふらふ》。

諸佛《しよぶつ》不動《ふどう》の智《ち》

諸佛《しよぶつ》不動《ふどう》の智《ち》　と申《まを》す事《こと》、不動《ふどう》とは『うごかず』といふ文字《もんじ》にて候《さふらふ》。智《ち》は智慧《ちゑ》の智《ち》にて候《さふらふ》。不動《どう》と申候《まをしさふらふ》ても石《いし》か木《き》の様《やう》に無性《むせい》なる義理《ぎり》にてはなく候《さふらふ》。向《むか》ふへも左《ひだり》へも、右《みぎ》へも、十方《はう》八方《はう》へ心《こゝろ》は動《うご》き度《た》き様《やう》に動《うご》きながら、卒《そつ》度《と》も止《と》まらぬ心《こゝろ》を不動智《ふどうち》と申《まを》し候《さふらふ》。不動《どう》明王《みやうわう》と申《まを》して、右《みぎ》の手《て》に剣《けん》を握《にぎ》り、左《ひだり》の手《て》に繩《なは》を取《とり》て歯《は》を喰《はみ》出《だ》し目《め》を怒《いか》らし、佛法《ぶつはふ》を妨《さまた》げん悪魔《あくま》を降伏《かうふく》せんとて突《つゝ》立《たつ》て居《を》られ候《さふらふ》。姿《すがた》もあの様《やう》なるが、何國《なにくに》の世界《せかい》にも隠《かく》れて居《を》られ候《さふらふ》にてはなし、容《かたち》をば佛法守護《ぶつはふしゆご》の形《かたち》にてつくり、體《たい》をば此不動智《このふどうち》を體《たい》として衆生《しゆじやう》に見《み》せたるにて候《さふらふ》。一向《かう》の凡夫《ぼんぶ》は、怖《おそ》れをなして佛法《ぶつはふ》に仇《あだ》をなさじと思《おも》ひ、悟《さとり》に近《ちか》き人《ひと》は、不動智《ふどうち》を表《へう》したる所《ところ》を悟《さと》りて一切《さい》の迷《まよひ》を晴《は》らし、卽《すなは》ち不動智《ふどうち》を明《あきら》めて、此身《このみ》卽《すなは》ち不動明王《ふどうみやうわう》程《ほど》に此心法《このしんはふ》をよく執行《しつかう》したる人《ひと》は、悪魔《あくま》もいやまさぬぞと知《し》らせん爲《ため》の不《ふ》動《どう》明《みやう》王《わう》にて候《さふらふ》。然《しか》れば不《ふ》動《どう》明《みやう》王《わう》と申《まを》すも、人《ひと》の一心《しん》の動《うご》かぬ所《ところ》を申《まを》し候《さふらふ》。又《また》身《み》を動《どう》轉《てん》せぬことにて候《さふらふ》。動《どう》轉《てん》せぬとは、物《もの》毎《ごと》に留《とま》らぬ事《こと》にて候《さふらふ》。物《もの》一目《め》見《み》て其《その》心《こゝろ》を止《と》めぬを不《ふ》動《どう》と申《まを》し候《さふらふ》。なぜなれば物《もの》に心《こゝろ》が止《とま》り候《さふら》へば、いろ〳〵の分《ふん》別《べつ》が胸《むね》に候《さふらふ》間《あひだ》、胸《むね》のうちにいろ〳〵に動《うご》き候《さふらふ》。止《とめ》れば止《とま》る心《こゝろ》は動《うご》きても動《うご》かぬにて候《さふらふ》。譬《たと》へば十人《にん》して一《ひと》太《た》刀《ち》づゝ我《われ》へ太《た》刀《ち》入《い》るゝも、一《ひと》太《た》刀《ち》を受《うけ》流《なが》して、跡《あと》に心《こゝろ》を止《と》めず、跡《あと》を捨《す》て、跡《あと》を拾《ひろ》ひ候《さふら》はゞ、十人《にん》ながらへ働《はたらき》を缺《か》かさぬにて候《さふらふ》。十人《にん》十度《ど》心《こゝろ》は働《はたら》けども一人《ひとり》にも働《はたらき》を止《と》めずば、次《し》第《だい》に取《とり》合《あ》ひて働《はたらき》は缺《か》け申《まをす》間《ま》敷《じく》候《さふらふ》。若《も》し又《また》一人《ひとり》の前《まへ》に心《こゝろ》が止《とま》り候《さふら》はゞ、一人《ひとり》の打《うち》太《た》刀《ち》をば受《うけ》流《なが》すべけれども、二人《ふたり》めの時《とき》は、手《て》前《まへ》の働《はたらき》拔《ぬ》け可申《まをすべく》候《さふらふ》。千《せん》手《じゆ》觀《くわん》音《おん》とて手《て》が御入《おい》り候《さふら》はゞ弓《ゆみ》を取《と》る手《て》に心《こゝろ》が止《とま》らば九百九十九の手《て》は皆《みな》用《よう》に立《た》ち申《まを》す間敷《まじく》、一所《しよ》に心《こゝろ》を止《と》めぬにより、手《て》が皆《みな》用《よう》に立《た》つなり。觀音《くわんおん》とて身《み》一つに千の手《て》が何《なに》しに可有候《あるべくさふらふ》。不動《どう》智《ち》が開《ひら》け候《さふら》へば、身《み》に手《て》が千有《あ》りても、皆《みな》用《よう》に立《た》つと云《い》ふ事《こと》を、人《ひと》に示《しめ》さんが爲《た》めに作《つく》りたる容《かたち》にて候《さふらふ》。假令《たとへ》一本《ほん》の木《き》に向《むか》ふて、其《その》内《うち》の赤《あか》き葉《は》一つを見《み》て居《ゐ》れば、殘《のこ》りの葉《は》は見《み》えぬなり。葉《は》ひとつに目《め》をかけずして、一本《ほん》の木《き》に何心《なにこゝろ》もなく打向《うちむか》ひ候《さふら》へば、數多《あまた》の葉《は》殘《のこ》らず目《め》に見《み》え候《さふらふ》。葉《は》一つに心《こゝろ》をとられ候《さふら》はゞ、殘《のこ》りの葉《は》は見《み》えず。一つに心《こゝろ》を止《と》めねば、百千の葉《は》みな見《み》え申《まを》し候《さふらふ》。是《これ》を得心《とくしん》したる人《ひと》は、卽《すなは》ち千手《じゆ》千眼《がん》の觀音《くわんおん》にて候《さふらふ》。然《しか》るを一向《かふ》の凡夫《ぼんぷ》は、唯《たゞ》一筋《すぢ》に身《み》一つに千の手《て》、千の眼《まなこ》が御座《いま》して難《あり》有《がたし》と信《しん》じ候《さふらふ》。又《また》生物《なまもの》じりなる人《ひと》は、身《み》一つに千の眼《まなこ》が何《なに》しにあるらん、虚言《きよげん》よと破《やぶ》り譏《そし》る也《なり》。今《いま》少《すこ》し能《よ》く知《し》れば、凡夫《ぼんぶ》の信《しん》ずるにても破《やぶ》るにてもなく、道理《だうり》の上《うへ》にて尊信《そんしん》し、佛《ぶつ》法《はふ》はよく一物《いちぶつ》にして其理《そのり》を顯《あらは》す事《こと》にて候《さふらふ》。諸道具《しよだうぐ》共《とも》に斯《か》樣《やう》のものにて候《さふらふ》。神道《しんだう》は別《べつ》して其道《そのみち》と見《み》及《およ》び候《さふらふ》。有《あり》の儘《まゝ》に思《おも》ふも凡夫《ぼんぶ》、又《また》打破《うちやぶ》れば猶《なほ》惡《わろ》し。其内《そのうち》に道理《だうり》有《あ》る事《こと》にて候《さふらふ》。此道《このみち》彼道《かのみち》さま〴〵に候《さふら》へども、極所《きまるところ》は落着《おちつき》候《さふらふ》。扨《さて》初心《しよしん》の地《ち》より修行《しゆぎやう》して不動智《ふどうち》の位《くらゐ》に至《いた》れば、立歸《たちかへつ》て住地《じうち》の初心《しよしん》の位《くらゐ》へ落《お》つべき仔細《しさい》御入《おい》り候《さふらふ》。貴殿《きでん》の兵法《へいはふ》にて可申候《まをすべくさふらふ》。初心《しよしん》は身《み》に持《も》つ太刀《たち》の構《かまへ》も何《なに》も知《し》らぬものなれば、身《み》に心《こゝろ》の止《とま》る事《こと》もなし、人《ひと》が打《う》ち候《さふら》へば、つひ取合《とりあひ》にばかりにて、何《なん》の心《こゝろ》もなし。然《しか》る處《ところ》にさま〴〵の事《こと》を習《なら》ひ、身《み》に持《も》つ太刀《たち》の取《とり》様《やう》心《こゝろ》の置處《おきどころ》、いろ〳〵の事《こと》を教《をし》へぬれば、色々《いろ〳〵》の處《ところ》に心《こゝろ》が止《とま》り、人《ひと》を打《う》たんとすれば、兎《と》や角《かく》して殊《こと》の外《ほか》不自由《ふじいう》なる事《こと》、日《ひ》を重《かさ》ね年月《としつき》をかさね稽古《けいこ》をするに從《したが》ひ、後《のち》は身《み》

の構《かまへ》も太刀《たち》の取様《とりやう》も、皆《みな》心《こゝろ》のなくなりて、唯《たゞ》最初《さいしよ》の何《なに》も知《し》らず、習《なら》はぬ時《とき》の心《こゝろ》のやうになる也《なり》。是《こ》れ初《はじめ》と終《をはり》と同《おな》じ様《やう》になる心持《こゝろもち》にて、一から十まで數《かぞ》へまはせば、一と十と隣《となり》になり申《まを》し候《さふらふ》。調子《てうし》なども、一の

第三圖

初《はじめ》の低《ひく》き一をかぞへて、上無《かみむ》と申《まを》す高《たか》き調子《てうし》へ行《ゆ》き候《さふら》へば、一の下《げ》と一の上《じやう》とは隣《とな》りに候《さふらふ》。

づつと高《たか》きとづつと低《ひく》きは似《に》たるものになり申《まを》し候《さふらふ》。佛法《ぶつぽふ》もづつとたけ候《さふら》へば、佛《ぶつ》とも法《はふ》とも知《し》らぬ人《ひと》のやう

に人《ひと》の見《み》なす程《ほど》の錦《にしき》も何《なに》もなくなるものにて候《さふらふ》。故《ゆゑ》に初《はじめ》の住《ぢう》地《ち》の無《む》明《みやう》と煩《はん》惱《のう》と、後《のち》の不《ふ》動《どう》智《ち》とが一つになりて、智《ち》慧《ゑ》働《どう》の分《ぶん》は失《う》せて、無《む》心《しん》無《む》念《ねん》の位《くらゐ》に落《おち》着《つき》申《まを》し候《さふらふし》。至極《しごく》の位《くらゐ》に至《いた》り候《さふら》へば、手《しゆ》足《そく》身《しん》が覺《おぼ》え候《さふらふ》て、心《こゝろ》は一切《さい》入《い》らぬ位《くらゐ》になる物《もの》に候《さふらふ》。鎌《かま》倉《くら》の佛《ぶつ》國《こく》國《こく》師《し》の歌《うた》にも

心《こゝろ》ありて守《まも》るとなけれど小《を》山《やま》田《だ》に

いたづらならぬかゝしなりけり

皆《みな》此《この》歌《うた》の如《ごと》くにて候《さふらふ》。山《やま》田《だ》のかゝしとて人《にん》形《ぎやう》を作《つく》りて弓《ゆみ》矢《や》を持《も》たせおく也《なり》。鳥《てう》獸《ぢう》は是《これ》を見《み》て逃《にげ》る也《なり》。此《この》人《にん》形《ぎやう》に一切《さい》心《こゝろ》なけれども、鹿《しか》がおじてにぐれば、用《よう》が叶《かな》ふ程《ほど》に、いたづらならぬ也《なり》。萬《よろづ》の道《みち》に至《いた》り至《いた》る人《ひと》の所《しよ》作《さ》のたとへ也《なり》。手《しゆ》足《そく》身《しん》の働計《はたらきはかり》にて、心《こゝろ》がそつともとゞまらずして、心《こゝろ》がいづく

に有《あ》るとも知《し》れずして、無《む》念《ねん》無《む》心《しん》にて山田《やまだ》のかゝしの位《くらゐ》にゆくものなり。一向《かう》の愚《ぐ》痴《ち》の凡《ほん》夫《ぶ》は、初《はじめ》から智《ち》慧《ゑ》なき程《ほど》に萬《よろづ》に出《いで》ぬなり。又《また》づつとたけ至《いた》りたる智《ち》慧《ゑ》は、早《はや》ちかへ處入《ところいり》によりて一切《さい》出《いで》ぬなり。また物《もの》知《し》りなるによつて、智《ち》慧《ゑ》が頭《あたま》へ出《い》で申《まを》し候《さふらふ》てをかしく候《さふらふ》。今《いま》時《じ》分《ぶん》の出家《しゆつけ》の作《さ》法《はふ》ども嘸《さぞ》をかしく可思召候《おほしめすべくさふらふ》。御恥《はづ》かしく候《さふらふ》。

理《り》の修《しゆ》行《ぎやう》、事《こと》の修《しゆ》行《ぎやう》

理《り》の修《しゆ》行《ぎやう》、事《こと》の修《しゆ》行《ぎやう》と申《まを》す事《こと》の候《さふらふ》。理《り》とは右《みぎ》に申上候《まをしあげさふらふ》如《ごと》く、至《いた》りては何《なに》も取《とり》あはず、唯《たゞ》一心《しん》の捨《すて》やうにて候《さふらふ》。段《だん》々右《みぎ》に書付《かきつ》け候《さふらふ》如《ごと》くにて候《さふらふ》。然《しか》れども事《こと》の修《しゆ》行《ぎやう》を不仕候《つかまつらずさふら》へば、道《だう》理《り》ばかり胸《むね》にありて、身《み》も手《て》も不働候《はたらかずさふらふ》。事《こと》の修《しゆ》行《ぎやう》と申《まを》し候《さふらふ》は、貴《き》殿《でん》の兵《へい》法《はふ》にてなれば、身《み》構《がまへ》の五箇《こ》に一字《じ》のさまざまの習事《ならひごと》にて候《さふらふ》。理《り》を知《し》りても事《こと》の自由《じいう》に働《はたら》かねばならず候《さふらふ》。身《み》に持《も》つ太刀《たち》の取《とり》まはし能《よ》く候《さふらふ》ても、理《り》の極《きはま》り候《さふらふ》所《ところ》の闇《くら》く候《さふらふ》ては相成《あひなる》間敷《まじく》候《さふらふ》。事理《じり》の二つは、車《くるま》の輪《わ》の如《ごと》くなるべく候《さふらふ》。

間《かん》不《はつ》レ容《を》レ髪《いれず》

間不レ容レ髪　と申《まを》す事《こと》の候《さふらふ》。貴《き》殿《でん》の兵《へい》法《はふ》にたとへて可申《まをすべく》候《さふらふ》。間《かん》とは、物《もの》を二つかさね合《あ》ふたる間《あひだ》へは、髪《かみ》筋《すぢ》も入《はい》らぬと申《まを》す義《ぎ》にて候《さふらふ》。たとへば手《て》をはたと打《う》つに、其儘《そのまゝ》はつしと聲《こゑ》が出《い》で候《さふらふ》。打つ手《て》の間《あひだ》へ、髪筋《かみすぢ》の入《いる》程《ほど》の間《あひだ》もなく聲《こゑ》が出《い》で候《さふらふ》。手を打《う》つて後《のち》に、聲《こゑ》が思案《しあん》して間《あひだ》を置《お》いて出《い》で申《まを》すにては無《な》く候《さふらふ》。打《う》つと其《その》儘《まゝ》音《ね》が出《い》で候《さふらふ》。人《ひと》の打《う》ち申《まを》したる太刀《たち》に心《こゝろ》が止《とゞま》り候《さふら》へば、間《あひだ》が出來《でき》候《さふらふ》、其間《そのあひだ》に手前《てまへ》の働《はたらき》が拔《ぬ》け候《さふらふ》。向《むか》ふの打《う》つ太刀《たち》と我働《わがはたらき》との間《あひだ》へは、髪筋《かみすぢ》も入《はい》らず候程《さふらふほど》ならば、人《ひと》の太刀《たち》は我太刀《わがたち》たるべく候《さふらふ》。禪《ぜん》の問答《もんだふ》には此心《このこゝろ》ある事《こと》にて候《さふらふ》。佛《ぶつ》法《はふ》にては此止《このとゞま》りて物《もの》に心《こゝろ》の殘《のこ》ることを嫌《きら》ひ申《まを》し候《さふらふ》。故《ゆゑ》に止《とゞま》るを煩惱《ぼんなう》と申《まを》し候《さふらふ》。たてきつたる早川《はやかは》へも、玉《たま》を流《なが》す樣《やう》に乘《の》つて、どつと流《なが》れて少《すこ》しも止《とゞま》る心《こゝろ》なきを尊《たつと》び候《さふらふ》。

石火《せきくわ》の機《き》

石火《せきくわ》の機《き》と申《まを》す事《こと》の候《さふらふ》。是《これ》も前《まへ》の心持《こゝろもち》にて候《さふらふ》。石《いし》をハタと打《う》つや否《いな》や光《ひかり》が出《い》で、打《う》つと其儘《そのまゝ》出《で》る火《ひ》なれば、間《ま》も透《すき》間《ま》もなき事《こと》にて候《さふらふ》。是《これ》も心《こゝろ》の止《とゞま》るべき間《ま》のなき事《こと》を申《まを》し候《さふらふ》。早《はや》き事《こと》と許《はか》り心得《こゝろえ》候《さふら》へば悪敷《あしく》候《さふらふ》。心《こゝろ》を物《もの》に止《と》め間敷《まじく》と云《い》ふが詮《せん》にて候《さふらふ》。早《はや》きに心《こゝろ》の止《とゞま》らぬ所《ところ》を詮《せん》に申《まを》し候《さふらふ》。心《こゝろ》が止《とゞま》れば、我《わが》心《こゝろ》を人《ひと》にとられ申《まを》し候《さふらふ》。早《はや》くせんと思《おも》ひ設《まう》けて早《はや》くせば、思《おも》ひ設《まう》ける心《こゝろ》に又《また》心《こゝろ》を奪《うば》はれ候《さふらふ》西行《さいぎやう》の歌集《かしふ》に

世《よ》をいとふ人《ひと》とし聞《き》けばかりの宿《やど》に
心《こゝろ》止《と》めなと思《おも》ふばかりぞ

と申《まを》す歌《うた》は、江口《えぐち》の遊女《いうぢよ》のよみし歌《うた》なり。心《こゝろ》とめなと思《おも》ふばかりぞ、と云《い》ふ下句《しものく》の引合《ひきあひ》は、兵法《へいはふ》の至極《しごく》に當《あた》り可申候《まをすべくさふらふ》。心《こゝろ》をとゞめぬが肝要《かんえう》にて候《さふらふ》。禪宗《ぜんしう》にて如《によ》何《か》是《ぜ》佛《ぶつ》と問《と》ひ候《さふら》はゞ、拳《こぶし》をさしあぐべし。如《いか》何《なる》が佛法《ぶつはふ》の極意《ごくい》と問《と》はゞ、其聲《そのこゑ》

未《いま》だ絶《た》えざるに、一枝《し》の梅花《はいくわ》となりとも、庭前《ていぜん》の柏樹子《はくじゆし》となりとも答《こた》ふべし。其答話《そのたふわ》の善悪《ぜんあく》を選《えら》ぶにてはなし。止《とゞま》らぬ心《こゝろ》を尊《たつと》ぶなり。止《とゞま》らぬ心《こゝろ》は色《いろ》にも香《か》にも移《うつ》らぬ也《なり》。此《この》移《うつ》らぬ心《こゝろ》の體《たい》を、神《かみ》とも祝《いは》ひ、佛《ほとけ》とも尊《たつと》び、禪心《ぜんしん》とも極意《ごくい》とも申候《まをしさふら》へ共《ども》、思案《しあん》して後《のち》に云《い》ひ出《だ》し候《さふら》へば、金言妙句《きんげんめうく》にても住地煩悩《ぢうちはんなう》にて候《さふらふ》。石火《せきくわ》の機《き》と申《まを》すも、ぴかりとする電光《でんくわう》の早《はや》きを申《まを》し候《さふらふ》。例之《たとへ》ば『右衛門《うゑもん》』とよびかくると『あつ』と答《こた》ふるを不動智《ふどうち》と申《まを》し候《さふらふ》。『右衛門《うゑもん》』と呼《よ》びかけられて『何《なん》の用《よう》にてか有《あ》るべき』などゝ思案《しあん》して、跡《あと》に何《なん》の用《よう》か抔《など》いふ心《こゝろ》は住地煩悩《ぢうちはんなう》にて候《さふらふ》。止《とゞま》りて物《もの》に動《うご》かされ迷《まよ》はさるゝ心《こゝろ》を所住煩悩《しよぢうはんなう》とて、凡夫《ぼんぶ》にて候《さふらふ》。又《また》『右衛門《うゑもん》』と呼《よ》ばれて、『おツ』と答《こた》ふるは諸佛智《しよぶつち》なり。佛《ほとけ》と衆生《しゆじやう》と二つ無《な》く、神《かみ》と人《ひと》と二つ無《な》く候此《さふらふこ》の心《こゝろ》の如《ごと》くなるを神《かみ》とも佛《ほとけ》とも申《まを》候《さふらふ》。神《しん》道《だう》、歌《か》道《だう》、儒《じゆ》道《だう》とて道《みち》多《おほ》く候《さふら》へども、皆《みな》この一心《しん》の明《あきらか》なる所《ところ》を申《まを》し候《さふらふ》。言《こと》葉《は》にて心《こゝろ》を講《かう》釋《しやく》したぶんにては、この一心《しん》人《ひと》と我《わが》身《み》にありて、晝《ちう》夜《や》善《ぜん》事《じ》悪《あく》事《じ》とも、業《げふ》により、家《いへ》を離《はな》れ國《くに》を亡《ほろぼ》し、其《その》身《み》の程《ほど》々《く》に従《したが》ひ、善《よ》し悪《あ》し共《とも》に心《こゝろ》の業《わざ》にて候《さふら》へ共《ども》、此《この》心《こゝろ》を如《い》何《か》やうなるものぞと悟《さと》り明《あきら》むる人《ひと》なく候《さふらふ》て、皆《みな》心《こゝろ》に惑《まど》はされ候《さふらふ》。世《よ》の中《なか》に心《こゝろ》も知《し》らぬ人《ひと》は可《ある》有候《べくさぶらふ》能《よ》く明《あきら》め候人《さふらふひと》は稀《まれ》にも有《あ》り難《がた》く見《み》及《およ》び候《さふらふ》。たま〳〵明《あきら》め知《し》る事《こと》もまた行《おこな》ひ候事《さふらふこと》なり難《がた》く、此《この》一心《しん》を能《よ》く説《と》くとて、心《こゝろ》を明《あきら》めたるにてはあるまじく候《さふらふ》。水《みづ》の事《こと》を講《かう》釋《しやく》致《いた》し候《さふらふ》とても、口《くち》はぬれ不申候《まをさずさふらふ》。火《ひ》を能《よ》く説《と》くとも、口《くち》は熱《あつ》からず。誠《まこと》の水《みづ》誠《まこと》の火《ひ》に觸《ふ》れてならでは知《し》れぬものなり。書《しよ》を講《かう》釋《しやく》したるまでにては知《し》れ不申候《まをさずさふらふ》。食物《しよくもつ》をよく說《と》くとても、ひだるきことは直《なほ》り不申候《まをさずさふらふ》。說《と》く人《ひと》の分《ぶん》にては知《し》れ申《まを》す間《ま》數《じく》候《さふらふ》。世《よ》の中《なか》に佛道《ぶつだう》も儒道《じゆだう》も心《こゝろ》を說《と》き候得共《さふらへども》、其《そ》の說《と》く如《ごと》く其《そ》の人《ひと》の身《み》持《もち》なく候《さふらふ》。心《こゝろ》は、明《あきら》かに知《し》らぬ物《もの》にて候《さふらふ》。人《ひと》々《く》我身《わがみ》にある一心《しん》本來《ほんらい》を篤《とく》と極《きは》め悟《さと》り候《さふら》はねば不明《あかさず》候《さふらふ》。又《また》參學《さんがく》をしたる人《ひと》の心《こゝろ》が明《あきら》かならねば、參學《さんがく》する人《ひと》も多《おほ》く候《さふら》へども、それにもよらず候《さふらふ》。參學《さんがく》したる人《ひと》心持《こゝろもち》皆《みな》々《く》惡《あ》しく候《さふらふ》。此《こ》の一心《しん》の明《あきら》めやうは、深《ふか》く工夫《くふう》の上《うへ》より出《い》で可申《まをすべく》候《さふらふ》。

心《こゝろ》の置《お》き處《どころ》

心《こゝろ》の置《お》き處《どころ》　心《こゝろ》を何處《いづく》に置《お》かうぞ。敵《てき》の身《み》の働《はたらき》に心《こゝろ》を置《お》けば、敵《てき》の身《み》の働《はたらき》に心《こゝろ》を取《と》らるゝなり。敵《てき》の太刀《たち》に心《こゝろ》を置《お》けば、敵《てき》の太刀《たち》に心《こゝろ》を取《と》らるゝなり。敵《てき》を切《き》らんと思《おも》ふ所《ところ》に心《こゝろ》を置《お》けば、敵《てき》を切《き》らんと思《おも》ふ所《ところ》に心《こゝろ》を取《と》らるゝなり。我《わが》太刀《たち》に心《こゝろ》を置《お》けば、我《わが》太刀《たち》に心《こゝろ》を取《と》らるゝなり。われ切《き》られじと思《おも》ふ所《ところ》に心《こゝろ》を置《お》けば、切《き》られじと思《おも》ふ所《ところ》に心《こゝろ》を取《と》らるゝなり。人《ひと》の構《かまへ》に心《こゝろ》を置《お》けば、人《ひと》の構《かまへ》に心《こゝろ》を取《と》らるゝなり。兎《と》角《かく》心《こゝろ》の置所《おきどころ》はないといふ。或人《あるひと》問《と》ふ。我《わが》心《こゝろ》を兎《と》角《かく》餘所《よそ》へやれば、心《こゝろ》の行《ゆ》く所《ところ》に志《こゝろざし》を取止《とりと》めて敵《てき》に負《ま》ける程《ほど》に、我《わが》心《こゝろ》を臍《へそ》の下《した》に押込《おしこ》めて餘所《よそ》にやらずして、敵《てき》の働《はたらき》により轉化《てんくわ》せよと云《い》ふ。尤《もつと》も左《さ》もあるべき事《こと》なり。然《しか》れ共《ども》佛法《ぶつはふ》の向上《かうじやう》の段《だん》より見《み》れば、臍《へそ》の下《した》に押込《おしこ》めて餘所《よそ》へやらぬと云《い》ふは、段《だん》が卑《いや》しき向上《かうじやう》にあらず。修行《しゆぎやう》稽古《けいこ》の時《とき》の位《くらゐ》なり、敬《けい》の字《じ》の位《くらゐ》なり、又《また》は孟子《まうし》の放心《はうしん》を求《もと》めよと云《い》ひたる位《くらゐ》なり。上《のぼ》りたる向上《かうじやう》の段《だん》にてはなし、敬《けい》の字《じ》の心持《こゝろもち》なり。放心《はうしん》の事《こと》は別書《べつしよ》に記《しる》し進《しん》じ可有《あるべく》御覧《ごらん》候《さふらふ》。臍《へそ》の下《した》に押《おし》込《こ》んで餘所《よそ》へやるまじきとすれば、やるまじと思《おも》ふ心《こゝろ》に心《こゝろ》を取《と》られて、先《さき》の用《よう》かけ殊《こと》の外《ほか》不自《ふじ》由《いう》になるなり。或《あ》る人《ひと》問《と》ふて云《い》ふは、心《こゝろ》を臍《へそ》の下《した》に押込《おしこ》んで働《はたら》かぬも不自《ふじ》由《いう》にして用《よう》が缺《か》けば、我《わが》身《み》の内《うち》にして何處《いづこ》にか心《こゝろ》を可置《おくべき》ぞや。答《こた》へて曰《いは》く、右《みぎ》の手《て》に置《お》けば、右《みぎ》の手《て》に取《と》られて身《み》の用《よう》缺《か》ける也《なり》。心《こゝろ》を眼《め》に置《お》けば、眼《め》に取《と》られて身《み》の用《よう》缺《か》け申《まを》し候《さふらふ》。右《みぎ》の足《あし》に心《こゝろ》を置《お》けば右《みぎ》の足《あし》に心《こゝろ》を取《と》られて身《み》の用《よう》缺《か》けるなり。何處《いづこ》なりとも一《ひと》所《ところ》に心《こゝろ》を置《お》けば、餘《よ》の方《はう》の用《よう》は皆《みな》缺《か》ける也《なり》。然《しか》らば則《すなは》ち心《こゝろ》を何處《いづこ》に置《お》くべきぞ。我《われ》答《こた》へて曰《いは》く、何處《いづこ》にも置《お》かねば、我身《わがみ》に一ぱいに行《ゆ》きわたりて、全《ぜん》體《たい》に延《の》びひろごりてある程《ほど》に、手《て》の入《い》る時《とき》は手《て》の用《よう》を叶《かな》へ、足《あし》の入《い》る時《とき》は足《あし》の用《よう》を叶《かな》へ、目《め》の入《い》る時《とき》は目《め》の用《よう》を叶《かな》へ、其《そ》の入《い》る所々《ところどころ》に行《ゆ》きわたりてある程《ほど》に、其入《そのい》る所々《ところどころ》の用《よう》を叶《かな》ふるなり。萬《まん》一もし一所《ひとところ》に定《さだ》めて心《こころ》を置《お》くならば、一所《ひとところ》に取《と》られて用《よう》を缺《か》くべきなり。思案《しあん》すれば思案《しあん》に取《と》らるゝ程《ほど》に、思案《しあん》をも分別《ふんべつ》をも殘《のこ》さず、心《こころ》をば總身《そうしん》に捨《す》て置《お》き、所々《ところどころ》止《とゞ》めずして其所々《そのところどころ》に在《あつ》て用《よう》をば外《はづ》さず叶《かな》ふべし。心《こころ》を一所《ひとところ》に置《お》けば、偏《へん》に落《おつ》るといふなり。偏《へん》とは一方《はう》に片付《かたづ》きたる事《こと》を云《い》ふなり。正《しやう》とは何處《いづこ》へも行《ゆ》き渡《わた》つたる事《こと》なり。正心《しやうしん》とは總身《そうしん》へ心《こころ》を伸《の》べて一方《はう》へ付《つ》かぬを言《い》ふなり。心《こころ》の一所《ひとところ》に片付《かたづ》きて一方《はう》缺《か》けるを偏心《へんしん》と申《まを》すなり。

偏《へん》を嫌《きら》ひ申《まを》し候《さふらふ》。萬《ばん》事《じ》にかたまりたるは、偏《へん》に落《おつ》るとて道《みち》に嫌《きら》ひ申《まを》す事《こと》なり。何處《いづこ》に置《お》かうとて思《おも》ひなければ、心《こゝろ》は全《ぜん》體《たい》に伸《の》びひろごりて行《ゆ》き渡《わた》りて有《あ》るものなり。心《こゝろ》をば何處《いづこ》にも置《お》かずして敵《てき》の働《はたらき》によりて、當座《たうざ》々々心《こゝろ》を其所《そのところ》々々にて可二用心一歟。總《そう》身《しん》に渡《わたつ》てあれば、手《て》の入《い》る時《とき》には手《て》にある心《こゝろ》を遣《つか》ふべし。足《あし》に入《い》る時《とき》には足《あし》にある心《こゝろ》を遣《つか》ふべし。一《ひと》所《ところ》に定《さだ》めて置《お》きたらば、其《その》置《お》きたる所《ところ》より引《ひき》出《だ》し遣《や》らんとする程《ほど》に、其《そ》處《こ》に止《とゞま》りて用《よう》が拔《ぬ》け申候《まをしさふらふ》。心《こゝろ》を繋《つな》ぎ、猫《ねこ》のやうにして餘《よ》處《そ》にやるまいとて、我《わが》身《み》に引《ひき》止《と》めて置《お》けば、我《わが》身《み》に心《こゝろ》を取《と》らるゝなり。身《み》の内《うら》に捨《す》て置《お》けば餘《よ》所《そ》へは行《ゆ》かぬものなり。唯《たゞ》一《ひと》所《ところ》に止《とゞ》めぬ工《く》夫《ふう》是《こ》れ皆《みな》修《しゆ》業《げふ》なり。心《こゝろ》をば何處《いづこ》にも止《とゞ》めぬが眼《め》なり肝《かん》要《えう》なり。いづこにも置《お》かねばいづこにもあるぞ。心《こゝろ》を外《ほか》へやりたる時《とき》も、心《こゝろ》を一方《はう》に置《お》けば缺《か》けるなり。心《こゝろ》を一方《はう》に置《お》かざれば十分《ぶん》にあるぞ。

本《ほん》心《しん》妄《まう》心《しん》

本《ほん》心《しん》妄《まう》心《しん》　本《ほん》心《しん》妄《まう》心《しん》と申《まを》す事《こと》の候《さふらふ》。本《ほん》心《しん》と申《まを》すは一所《ひとところ》に留《とゞま》らず。全《ぜん》身《しん》全《ぜん》體《たい》に延《の》びひろごりたる心《こゝろ》にて候《さふらふ》。妄《まう》心《しん》とは何《なん》ぞ思《おも》ひつめて、一所《ひとところ》に固《かたま》り候《さふらふ》心《こゝろ》にて、本《ほん》心《しん》が一所《ひとところ》に固《かたま》り集《あつま》りて、妄《まう》心《しん》と申《まを》すものに成《な》り申《まを》し候《さふらふ》。本《ほん》心《しん》は失《う》せ候《さふらふ》と所々《ところどころ》の用《よう》が缺《か》ける程《ほど》に、失《うしな》はぬ樣《やう》にするが專《せん》一なり。譬《たと》へば本《ほん》心《しん》は水《みづ》の如《ごと》く一所《ひとところ》に留《とゞま》らず妄《まう》心《しん》は氷《こほり》の如《ごと》くにて、氷《こほり》にては手《て》も頭《かしら》も洗《あら》はれ不申《まをさず》候《さふらふ》。氷《こほり》を解《と》かして水《みづ》と爲《な》し、何《いづ》處《こ》へも流《なが》れるやうにして、手《て》足《あし》をも何《なに》をも洗《あら》ふべし。心《こゝろ》の一所《ひとところ》に固《かたま》り一事《じ》に當《あた》り候《さふら》へば、水《みづ》固《かたま》りて自《じ》由《いう》に使《つか》はれ申《まを》さず、氷《こほり》にて手《て》足《あし》の洗《あら》はれぬ如《ごと》くにて候《さふらふ》。心《こゝろ》を溶《と》かして總《そう》身《しん》へ水《みづ》の延《の》びるやうに用《もち》ゐ、其《そ》所《こ》に遣《や》りたるまゝに遣《や》り使《つか》ひ候《さふらふ》。是《これ》を本《ほん》心《しん》と申候《まをしさふらふ》。

有《う》心《しん》無《む》心《しん》

有《う》心《しん》無《む》心《しん》　有《う》心《しん》の心《こゝろ》無《む》心《しん》の心《こゝろ》と申《まを》す事《こと》の候《さふらふ》。有《う》心《しん》の心《こゝろ》と申《まを》すは、妄《まう》心《しん》と同《どう》事《じ》にて、有《う》心《しん》とは「あるこころ」と讀《よ》む文《も》字《じ》にて、何《なに》事《ごと》にても一方《はう》へ思《おも》ひ詰《つま》る所《ところ》なり。心《こゝろ》思《おも》ふ事《こと》ありて分《ふん》別《べつ》思《し》案《あん》が生《しやう》ずる程《ほど》に、有《う》心《しん》の心《こゝろ》と申《まを》し候《さふらふ》。無《む》心《しん》の心《こゝろ》と申《まを》すは、右《みぎ》の本《ほん》心《しん》と同《どう》事《じ》にて、固《もと》より定《さだ》まりたる事《こと》なく、分《ふん》別《べつ》も思《し》案《あん》も何《なに》も無《な》き時《とき》の心《こゝろ》、總《そう》身《しん》にのび廣《ひろ》ごりて全《ぜん》體《たい》に行《ゆ》き渡《わた》る心《こゝろ》を無《む》心《しん》と申《まを》す也《なり》。どつこにも置《お》かぬ心《こゝろ》なり。石《いし》か木《き》の樣《やう》にては無《な》し、留《とゞま》る所《ところ》なきを無《む》心《しん》と申《まを》すなり。留《とゞま》れば心《こゝろ》に物《もの》があり、留《とゞま》る所《ところ》なければ心《こゝろ》に何《なに》も無《な》し。心《こゝろ》に何《なに》も無《な》きを無《む》心《しん》の心《こゝろ》と申《まを》し、又《また》は無《む》心《しん》無《む》念《ねん》とも申《まをし》候《さふらふ》。此《この》無《む》心《しん》の心《こゝろ》に能《よ》くなりぬれば、一事《じ》に止《とゞま》らず一事《じ》に缺《か》かず、常《つね》に水《みづ》の湛《たゝ》へたるやうにして、此《この》身《み》にありて用《よう》の向《むか》ふ時《とき》出《い》で叶《かな》ふなり、一《ひと》所《ところ》に定《さだま》り留《とゞま》りたる心《こゝろ》は、自《じ》由《いう》に働《はたら》かぬなり。車《くるま》の輪《わ》も堅《かた》からぬにより廻《まは》るなり、一《ひと》所《ところ》につまりたれば廻《まは》る間《ま》敷《じき》なり。心《こゝろ》も一時《じ》に定《さだま》れば働《はたら》かぬものなり。心《しん》中《ちう》に何《なん》ぞ思《おも》ふ事《こと》あれば、人《ひと》の事《こと》をも聞《き》きながら聞《きこ》えざるなり、思《おも》ふ事《こと》に心《こゝろ》が止《とゞま》る故《ゆゑ》なり。心《こゝろ》が其《その》思《おも》ふ事《こと》に在《あ》りて一方《はう》へかたより、一方《はう》へかたよれば、物《もの》を聞《き》けども聞《きこ》えず見《み》れども見《み》えざるなり。是《こ》れ心《こゝろ》に物《もの》ある故《ゆゑ》なり。あるとは、思《おも》ふ事《こと》があるなり。此《この》有《あ》る物《もの》を去《さ》りぬれば、心《こゝろ》無《む》心《しん》にして唯《たゞ》用《よう》の時《とき》ばかり働《はたら》きて其《その》用《よう》に當《あた》る。此《この》心《こゝろ》にある物《もの》を去《さ》らんと思《おも》ふ心《こゝろ》が又《また》心《しん》中《ちう》に有《あ》る物《もの》になる。思《おも》はざれば獨《ひと》り去《さ》りて自《みづか》ら無《む》心《しん》となるなり。常《つね》に心《こゝろ》にかくれば、何《い》時《つ》となく後《のち》は、獨《ひと》り其《その》位《くらゐ》へ行《ゆ》くなり。急《きふ》にならんとすれば行《ゆ》かぬものなり。古《こ》歌《か》に

思《おも》はじと思《おも》ふも物《もの》を思《おも》ふなり
思《おも》はじとだに思《おも》はじやきみ

水《すゐ》上《じやう》打《うつ》二胡《こ》蘆《ろ》子《し》一

水《すゐ》上《じやう》打《うつ》二胡《こ》蘆《ろ》子《し》一　水上打二胡蘆子一捺着即轉。胡《こ》蘆《ろ》子《し》を捺《なつ》着《ちやく》するとは、手《て》を以《もつ》て押《お》すなり。瓢《ひさご》を水《みづ》へ投《な》げて押《お》せばひよつと脇《わき》へ退《の》き、何《なん》としても一《ひと》所《ところ》に止《とゞま》らぬものなり。至《いた》りたる人《ひと》の心《こゝろ》は、卒《そつ》度《と》も物《もの》に止《とゞま》らぬ事《こと》なり、水《みづ》の上《うへ》の瓢《ひさご》を押《お》すが如《ごと》くなり。

應無レ所レ住而生二其心一

應無レ所レ住而生二其心一《まさにぢうするところなくしてそのこゝろをしやうず》　此《この》文《もん》字《じ》を訓《くん》に讀《よ》み候《さふら》へば「當《まさ》に住《ぢう》する所《ところ》なくして而《しか》も其《そ》の心《こゝろ》を生《しやう》ず」と讀《よ》み候《さふらふ》。萬《よろづ》の業《わざ》をするに、せうと思《おも》ふ心《こゝろ》が生《しやう》ずれば、其《そ》のする事《こと》に心《こゝろ》が止《とゞま》るなり。然《しか》る間《あひだ》止《とゞま》る所《ところ》なくして心《こゝろ》を生《しやう》ずべしとなり。心《こゝろ》の生《しやう》ずる所《ところ》に生《しやう》ぜざれば手《て》も行《ゆ》かず、行《ゆ》けばそこに止《とゞま》る心《こゝろ》を生《しやう》じて、其《そ》の事《こと》をしながら止《とゞま》る事《こと》なきを、諸《しよ》道《だう》の名《めい》人《じん》と申《まを》すなり。此《こ》の止《とゞま》る心《こゝろ》から執《しふ》着《ちやく》の心《こゝろ》起《おこ》り、輪《りん》廻《ゑ》も是《これ》より起《おこ》り、此《この》止《とゞま》る心《こゝろ》生《せい》死《し》のきづなと成《な》り申《まを》し候《さふらふ》、花《はな》紅《もみ》葉《ぢ》を見《み》て花《はな》、紅《もみ》葉《ぢ》を見《み》る心《こゝろ》は生《しやう》じながら、其《そ》所《こ》に止《とゞま》らぬを詮《せん》と致《いた》し候《さふらふ》。慈《じ》圓《ゑん》の歌《うた》に。

柴《しば》の戸《と》に匂《にほ》はん花《はな》もさもあらばあれ
ながめにけりな恨《うら》めしの世《よ》や

花《はな》は無《む》心《しん》に匂《にほ》ひぬるを、我《われ》は心《こゝろ》を花《はな》にとゞめてながめけるよと、身《み》の是《こ》れにそみたる心《こゝろ》が恨《うら》めしとなり。見《み》るとも聞《き》くとも、一《ひと》所《ところ》に心《こゝろ》を止《と》ゞめぬを至《し》極《ごく》とする事《こと》にて候《さふらふ》。敬《けい》の字《じ》をば主《しゆ》一無《む》適《てき》と詮《せん》を致《いた》し候《さふらふ》て、心《こゝろ》を一《ひと》所《ところ》に取《とり》定《さだ》めて餘《よ》所《そ》へ心《こゝろ》をやらず、後《うしろ》より抜《ぬ》いて切《き》るとも切《き》る方《はう》へ心《こゝろ》をやらぬが肝要《かんえう》の事《こと》に候《さふらふ》。殊《こと》に主君《しうくん》抔《など》に御意《ぎよい》を承《うけたまは》る事《こと》、敬《けい》の字《じ》の心眼《しんがん》たるべし。佛法《ぶつはふ》にも敬《けい》の字《じ》の心《こゝろ》あり、敬白《けいはく》の鐘《かね》とて、鐘《かね》を三つ鳴《なら》して手《て》を合《あは》せて敬白《けいはく》す。先《ま》づ佛《ほとけ》と唱《とな》へ上《あ》げる此《この》敬白《けいはく》の心主《こゝろしゆ》一無《む》適《てき》、一心《しん》不《ふ》亂《らん》同義《どうぎ》にて候《さふらふ》。然《しか》れども佛《ぶつ》法《はふ》にては、敬《けい》の字《じ》の心《こゝろ》は至極《しごく》の所《ところ》にては無《な》く候《さふらふ》。我《わが》心《こゝろ》をとられて亂《みだ》さぬ樣《やう》にとて習《なら》ひ入《い》る修行《しゆぎやう》稽古《けいこ》の法《はふ》にて候《さふらふ》。此《この》稽古《けいこ》年月《ねんげつ》つもりぬれば、心《こゝろ》を何方《いづかた》へ追放《つひはう》しやりても、自由《じいう》なる位《くらゐ》に行《ゆ》く事《こと》にて候《さふらふ》。右《みぎ》の應ニ無レ所レ住の住《ぢう》は向上《かうじやう》至極《しごく》の位《くらゐ》にて候《さふらふ》。敬《けい》の字《じ》の心《こゝろ》は心《こゝろ》の餘所《よそ》へ行《ゆ》くを引《ひ》き留《と》めて遣《や》るまい、遣《や》れば亂《みだ》ると思《おも》ひて、卒度《そつと》も油斷《ゆだん》なく心《こゝろ》を引きつめて置《お》く位《くらゐ》にて候《さふらふ》。是《これ》は當座《たうざ》心《こゝろ》を散《ち》らさぬ一旦《たん》の事《こと》なり。常《つね》に如《この》レ是《ごとく》ありては、不自由《ふじゆう》なる義《ぎ》なり。たとへば雀《すゞめ》の子《こ》を捕《とら》へられ候《さふらふ》て、猫《ねこ》の縄《なは》を常《つね》に引《ひ》きつめておいて、放《はな》さぬ位《くらゐ》にて、我心《わがこゝろ》を猫《ねこ》をつれたるやうにして不自由《ふじいう》にしては、用《よう》が心《こゝろ》のまゝに成《な》る間敷《まじく》候《さふらふ》。猫《ねこ》によく仕付《しつけ》をして置《お》いて、縄《なは》を追放《つひはう》して行度《ゆきた》き方《かた》へ遣《や》り候《さふらふ》て、雀《すゞめ》と一つ居《ゐ》ても、捕《とら》へぬやうにするが、應無所住而生其心の文《ぶん》の心《こゝろ》にて候《さふらふ》。我心《わがこゝろ》を放捨《うちす》て猫《ねこ》のやうに打捨《うちす》て、行度《ゆきた》き方《かた》へ行《ゆ》きても心《こゝろ》の止《とゞま》らぬやうに心《こゝろ》を用《もち》ひ候《さふらふ》。貴《き》殿《でん》の兵法《へいはふ》に當《あ》て申《まを》し候《さふら》はゞ、太刀《たち》を打《う》つ手《て》に心《こゝろ》を止《とゞ》めず、一切《さい》打《う》つ手《て》を忘《わす》れて人《ひと》を切《き》れ、人《ひと》に心《こゝろ》を置《お》くな、人《ひと》も空《くう》、我《われ》も空《くう》、打《う》つ手《て》も打《う》つ太刀《たち》も空《くう》と心《こゝろ》得《え》、空《くう》に心《こゝろ》を取《と》られまいぞ、鎌倉《かまくら》の無學《むがく》禪師《ぜんじ》、大唐《だいたう》の亂《らん》に捕《とら》へられて切《き》らるゝ時《とき》に、電光影裡斬春風といふ偈《げ》を作《つく》りたれば、太刀《たち》を捨《す》てゝ走《はし》りたると也《なり》。無學《むがく》の心《こゝろ》は、太刀《たち》を振《ふり》上《あ》げたるは、稲《いな》妻《づま》の如《ごと》く電《でん》光《くわう》のびかりとする間《あひだ》、何《なん》の心《こゝろ》も何《なん》の念《ねん》もないぞ、打《う》つ刀《かたな》も心《こゝろ》はなし、切《き》る人《ひと》も心《こゝろ》はなし、切《き》らるゝ我《われ》も心《こゝろ》はなし、切《き》る人《ひと》も空《くう》、太《た》刀《ち》も空《くう》、打《う》たるゝ我《われ》も空《くう》なれば、打《う》つ人《ひと》も人《ひと》にあらず、打《う》つ太《た》刀《ち》も太《た》刀《ち》にあらず、打《う》たるゝ我《われ》も稲《いな》妻《づま》のびかりとする内《うち》に、春《はる》の空《そら》を吹《ふ》く風《かぜ》を切《き》る如《ごと》くなり。一切《さい》止《とゞま》らぬなり。風《かぜ》を切《き》つたのは、太《た》刀《ち》に覚《おぼ》えもあるまいぞ、かやうに心《こゝろ》を忘《わす》れ切《き》つて、萬《よろづ》のことをする上《じやう》手《ず》の位《くらゐ》なり。舞《まひ》を舞《ま》へば手《て》に、扇《あふぎ》を取《と》り足《あし》を踏《ふ》む、其《その》手《て》足《あし》をよくせむ、舞《まひ》を能《よ》く舞《ま》はむと思《おも》ひて、忘《わす》れきらねば上《じやう》手《ず》とは申《まを》されず候《さふらふ》。未《いま》だ手《しゆ》足《そく》に止《とゞま》らば、業《わざ》は皆《みな》面《おも》白《しろ》かるまじ悉《しつ》皆《かい》心《こゝろ》を捨《す》てきらずしてする所《しよ》作《さ》は皆《みな》悪《あし》敷《く》候《さふらふ》。

覓《ム》放心心要《ヘ》放《スツテ》

覓《ム》放心心要《ヘ》放《ス》 覓《ム》放心《ヲ》と申《まを》すは、孟子《まうし》が申《まを》したるにて候《さふらふ》。放《はな》れたる心《こゝろ》を尋《たづ》ね求《もと》めて、我身《わがみ》へ返《かへ》せと申《まを》す心《こゝろ》にて候《さふらふ》。たとへば犬《いぬ》猫《ねこ》鶏《とり》など放《はな》れて餘所《よそ》へ行《ゆ》けば、尋《たづ》ね求《もと》めて我《わが》家《や》に返《かへ》す如《ごと》く、心《こゝろ》は身《み》の主《しゆ》なるを、悪敷《あしき》道《みち》へ行《ゆ》く心《こゝろ》が逃《にげ》るを、何《なに》とて求《もと》めて返《かへ》さぬぞと也《なり》。尤《もつと》も斯《か》くなるべき義《ぎ》なり。然《しか》るに又《また》邵康節《せうかうせつ》と云《い》ふものは、心要放と申《まを》し候《さふらふ》はらりと替《かは》り申候《まをしさふらふか》。斯く申《まを》したる心持《こゝろもち》は、心《こゝろ》を執《とら》へつめて置《お》いては勞《つか》れ猫《ねこ》のやうにて、身《み》が働《はたら》かれねば、物《もの》に心《こゝろ》が止《とゞま》らず染《そま》ぬやうに能《よ》く使《つか》ひなして、捨置《すてお》いて何所《いづこ》へなりとも追放《おひはな》せと云《い》ふ義《ぎ》なり物《もの》に心《こゝろ》が染《そ》み止《とゞま》るによつて、染《そま》すな止《とゞま》らすな我身《わがみ》へ求《もと》め返《かへ》せと云《い》ふは、初心《しよしん》稽古《けいこ》の位《くらゐ》なり。蓮《はす》の泥《どろ》に染《そま》ぬが如《ごと》くなれ、泥《どろ》にありても苦《くる》しからず。よく磨《みが》きたる水晶《すゐしやう》の玉《たま》は泥《どろ》の内《うち》に入《はい》つても染《そま》ぬやうに心《こゝろ》をなして、行《ゆ》き度《た》き所《ところ》にやれ、心《こゝろ》を引《ひ》きつめては不自由《ふじいう》なるぞ、心《こゝろ》を引《ひ》きしめて置《お》くも、初心《しよしん》の時《とき》の事《こと》よ、一朝《てう》其分《そのぶん》では、上段《じやうだん》は終《つひ》に取《と》られずして、下段《げだん》にて果《はて》るなり。稽古《けいこ》の時《とき》は、孟子《まうし》が謂《い》ふ求㆓其放心㆒と申《まを》す心持《こゝろもち》能《よ》く候《さふらふ》。至《し》極《こく》の時《とき》は、邵康節《せうかうせつ》が心要㆑放と申《まを》すにて候《さふらふ》。中《ちう》峯《ほう》和尚《おしやう》の語《こ》に、具放心とあり。此意《このい》即《すなは》ち邵康節《せうかうせつ》が、心《こゝろ》をば放《はな》さんことを要《えう》せよと云《い》ひたると一《ひと》つにて、放心《はうしん》を求《もと》めよ引《ひ》きとゞめて一所《ひとところ》に置《お》くなと申《まを》す義《ぎ》にて候《さふらふ》。又《また》具《ぐ》不《ふ》退轉《たいてん》と云《い》ふ、是《これ》も中峯《ちうほう》和尚《おしやう》の言葉《ことは》なり。退轉《たいてん》せずに替《か》はらぬ心《こゝろ》を持《も》てと云《い》ふ義《ぎ》なり。人《ひと》だゝ一度《ど》二度《ど》は能《よ》く行《ゆ》けども、又《また》つかれて常《つね》に無《な》い裡《うち》に退轉《たいてい》せぬやうなる心《こゝろ》を持《も》てと申《まを》す事《こと》にて候《さふらふ》。急水上打二毬子一念々不二停留一。と申《まを》す事《こと》の候《さふらふ》。急《きふ》にたぎつて流《なが》るゝ水《みづ》の上《うへ》へ手《て》毬《まり》を投《とう》ぜば、浪《なみ》にのつてばつばと止《とゞま》らぬ事《こと》を申《まを》す義《ぎ》なり。

前《ぜん》後《ご》際《さい》斷《だん》

前《ぜん》後《ご》際《さい》斷《だん》　と申《まを》す事《こと》の候《さふらふ》。前《まへ》の心《こゝろ》をすてず、又《また》今《いま》の心《こゝろ》を跡《あと》へ殘《のこ》すが悪敷《あしく》候《さふらふ》なり。前《まへ》と今《いま》との間《あひだ》をはぎつてのけよと云《い》ふ心《こゝろ》なり。是《こ》れ前《ぜん》後《ご》の際《きは》を切《き》つて放《はな》せと云《い》ふ義《ぎ》なり。心《こゝろ》をとゞめぬ義《ぎ》なり。

水焦上、火洒雲

水焦上《すゐせうじやう》、火洒雲《くわしやうん》　「武藏野《むさしの》はけふはなやきて若草《わかくさ》の妻《つま》もこもれり我《われ》もこもれり」此歌《このうた》の心《こゝみ》を誰《たれ》か「白雲《しらくも》のむすばゝ消《き》えん朝顔《あさがほ》の花《はな》」

内《ない》々く存寄《ぞんじより》候事《さふらふこと》、御《お》諫申《いさめまをし》入《いれ》候由《さふらふよし》、愚《ぐ》案《あん》如何《いかゞ》に存候《ぞんじさふら》へ共《ども》折節《をりふし》と存《ぞん》じ及見《およびみ》候處《さふらふところ》あらまし書付《かきつけ》進《しん》じ申候《まをしさふらふ》。

貴殿《きでん》事《こと》、兵法《へいはふ》に於《おい》て今古《こんこ》無雙《ぶさう》の達人《たつじん》故《ゆゑ》、當時《たうじ》官位《くわんゐ》俸祿《ほうろく》世《よ》の聞《きこ》えも美《び》々敷《しく》候《さふらふ》。此《この》大厚恩《だいこうおん》を寢《ね》ても覺《さ》めても忘《わす》るゝことなく、旦夕《たんせき》恩《おん》を報《はう》じ忠《ちう》を盡《つく》さん事《こと》をのみ思《おも》ひたまふべし。忠《ちう》を盡《つく》すといふは、先《ま》づ我心《わがこゝろ》を正《たゞし》くし身《み》を治《おさ》め、毛頭《まうとう》君《きみ》に二心《しん》なく、人《ひと》を恨《うら》み、咎《とが》めず、日《ひ》々出仕《しゆつし》怠《おこた》らず、一家《か》に於《おい》ては父《ふ》母《は》に能《よ》く孝《かう》を盡《つく》し、夫《ふう》婦《ふ》の間少《あひだすこ》しも猥《みだら》になく、禮《れい》儀《ぎ》正《たゞ》しく妾《せう》婦《ふ》を愛《あい》せず、色《いろ》の道《みち》を絶《た》ち、父《ふ》母《ほ》の間《あひだ》おごそかに道《みち》を以《もつ》てし、下《しも》を使《つか》ふに私《わたくし》のへだてなく、善《ぜん》人《にん》を用《もち》ゐ近《ちか》付《づ》け、我《われ》足《た》らざる所《ところ》を諫《いさ》め御《み》國《くに》の政《まつりごと》を正《たゞ》敷《しく》し、不《ふ》善《ぜん》人《にん》を遠《とほ》ざくる様《やう》にするときは、善《ぜん》人《にん》は日《ひ》々《ゞ》に進《すゝ》み、不《ふ》善《ぜん》人《にん》もおのづから主《しゆ》人《じん》の好《この》む所《ところ》に化《くわ》せられ、悪《あく》を去《さ》り善《ぜん》に遷《うつ》るなり。如此《かくのごとく》君《くん》臣《しん》上《じやう》下《げ》善《ぜん》人《にん》にして欲《よく》薄《うす》く奢《をごり》を止《とゞ》むる時《とき》は、國《くに》に寶《たから》満《み》ちて民《たみ》豊《ゆたか》に治《おさま》り、子《こ》の親《おや》をしたしみ、手《て》足《あし》の上《うへ》を救《すく》ふが如《ごと》くならば國《くに》は自《おのづか》ら平《たひら》に成《な》るべし。是《こ》れ忠《ちう》の初《はじめ》なり。この金《きん》鐵《てつ》の二心《しん》なき兵《へい》を、以《い》下《か》様《さま》々《ぐ》の御《お》時《とき》御《ご》用《よう》に立《た》てたらば、千萬《まん》人《にん》を遣《つか》ふとも心《こゝろ》のまゝなるべし。則《すなは》ち先《さき》に云《い》ふ所《ところ》の千手《じゆ》観《くわん》音《おん》の一心《しん》正《たゞ》しければ、千の手《て》皆《みな》用《よう》に立《た》つが如《ごと》く、貴《き》殿《でん》の兵《へい》術《じゆつ》の心《こゝろ》正《たゞ》しければ、一心《しん》の働《はたらき》自在《ざい》にして、數《すう》千人《にん》の敵《てき》をも一劍《けん》に随《したが》へるが如《ごと》し。是《こ》れ大《だい》忠《ちう》にあらずや。其《その》心《こゝろ》正《たゞ》しき時《とき》は、外《はか》より人《ひと》の知《し》る事《こと》もあらず、一念《ねん》發《おこ》る所《ところ》に善《ぜん》と惡《あく》との二《ふた》つあり、其《その》善《ぜん》惡《あく》二つの本《もと》を考《かんが》へて、善《ぜん》をなし惡《あく》をせざれば、心自《こゝろおのづか》ら正直《しやうじき》なり。惡《あく》と知《し》り止《とゞ》めざるは、我《わが》好《この》む所《ところ》の痛《いたみ》あるゆゑなり。我《われ》は色《いろ》を好《この》むか、奢氣《をごりき》隨《づゐ》にするか、いかさま心《こゝろ》に好《この》む所《ところ》の働《はたら》きある故《ゆゑ》に、善《ぜん》人《にん》ありとも我《わが》氣《き》に會《あ》はざれば善《ぜん》事《じ》を用《もち》ゐず、無《む》智《ち》なれども、一旦《たん》我《わが》氣《き》に會《あ》へば登《のぼ》し用《もち》ゐ好《この》むゆゑに、善《ぜん》人《にん》はありても用《もち》ゐざれば無《な》きが如《ごと》し。然《しか》れば幾《いく》千人《にん》ありとても自《し》然《ぜん》の時《とき》主《しゆ》人《じん》の用《よう》に立《た》つ物《もの》は一人《ひとり》も不レ可レ有レ之《これあるべからず》。彼《か》の一旦《たん》氣《き》に入《い》りたる無《む》智《ち》若《じやく》輩《はい》の惡《あく》人《にん》は元《もと》より心正《こゝろたゞ》しからざる者《もの》故《ゆゑ》、事《こと》に臨《のぞ》んで一命《めい》を捨《す》てんと思《おも》ふ事《こと》、努々《ゆめゆめ》不レ可レ有《あるべかず》。心正《こゝろたゞ》しからざるものゝ主《あるじ》の用《よう》に立《た》ちたる事《こと》は、往昔《むかし》より不二承及一《うけたまはりおよばざる》ところなり。貴《き》殿《でん》の弟子《でし》を御《お》取《とり》立《た》て被《な》成《さる》にも、箇《か》様《やう》の事《こと》有《これ》之《ある》由《よし》、苦《にが》々《〳〵》敷《しく》存《ぞん》じ候《さふらふ》。是《こ》れ皆《みな》一片《ぺん》の数《す》奇《き》好《この》む處《ところ》より其《その》病《やまひ》にひかれ、悪《あく》に落《おち》入《い》るを知《し》らざるなり。人《ひと》は知《し》らぬと思《おも》へども微《び》より明《あきら》かなるなしとて、我《わが》心《こころ》に知《し》れば、天《てん》地《ち》鬼《き》神《じん》神《かみ》萬《ばん》民《みん》も知《し》るなり。如是《かくのごとく》して國《くに》を保《たも》つ、誠《まこと》に危《あやふ》き事《こと》にあらずや。然《しか》らば大《だい》不《ふ》忠《ちう》なりとこそ存《ぞん》じ候《さふら》へ。たとへば我《われ》一《ひ》人《とり》いかに矢《や》猛《たけ》に主《しゆ》人《じん》に忠《ちう》を盡《つく》さんと思《おも》ふとも、一家《か》の人《ひと》利《り》せず、柳《やぎ》生《ふが》谷《やつ》一郷《がう》の民《たみ》背《そむ》きなば何《なに》事《こと》も皆《みな》相《さう》違《ゐ》仕《つかまつ》るべし。總《すべ》て人《ひと》の善《よ》し悪《あ》しきを知《し》らんと思《おも》はゞ、其《その》愛《あい》し用《もち》ゐらるゝ臣《しん》下《か》、又《また》は親《した》しみ交《まじ》はる友《とも》達《だち》を以《もつ》て知《し》ると云《い》へり。主《しゆ》人《じん》善《ぜん》なれば其《その》近《きん》臣《しん》皆《みな》善《ぜん》人《にん》也《なり》。主《しゆ》人《じん》正《たゞ》しからざれば臣《しん》下《か》友《とも》達《だち》皆《みな》正《たゞ》しからず、然《し》からば諸《しよ》人《にん》みな〳〵隣《りん》國《こく》是《これ》を侮《あなど》るなり。善《ぜん》なるときは、諸《しよ》人《にん》親《した》しむとは此《これ》等《ら》の事《こと》なり。國《くに》は善《ぜん》人《にん》を以《もつ》て寶《たから》とすと云《い》へり。よく〳〵御《ご》體《たい》認《にん》なさるべし。人《ひと》の知《し》る所《ところ》に於《おい》て、私《わたくし》の不《ふ》義《ぎ》を去《さ》り、小《せう》人《じん》を遠《とほざ》け賢《けん》を好《この》む事《こと》を急《きふ》になされ候《さふら》はゞ、いよ〳〵國《くに》の政《まつりごと》正《たゞ》しく御《ご》忠《ちう》臣《しん》第《だい》一たるべく候《さふらふ》。就中《なかんづく》御《ご》賢《けん》息《そく》御《お》行《ぎやう》跡《せき》の事《こと》、親《おや》の身《み》正《たゞ》しからずして、子《こ》の悪《あ》しきを責《せ》むこと逆《ぎやく》なり。先《ま》づ貴《き》殿《でん》の身《み》を正《たゞ》しく成《な》され、其《その》上《うへ》に御《ご》異《い》見《けん》も成《な》され候《さふら》はゞ、自《おのづか》ら正《たゞ》しくなり、御《ご》舍《しや》弟《てい》内《うち》殿《どの》も兄《あに》の行《ぎやう》跡《せき》にならひ正《たゞ》しかるべければなり。父《ふ》子《し》ともに善《ぜん》人《にん》となり、目《め》出《で》度《たく》かるべし。取《と》ると捨《す》つるとは、義《ぎ》を以《もつ》てすると云《い》へり、唯《たゞ》今《いま》寵《ちよう》臣《しん》たるにより、諸《しよ》大《だい》名《みやう》より賄《まいなひ》を厚《あつ》くし、欲《よく》に義《ぎ》を忘《わす》れ候《さふらふ》事《こと》、努《ゆめ》々《〳〵》不《ある》可《べか》有《らず》候《さふらふ》。貴《き》殿《でん》亂《らん》舞《ぶ》を好《この》み、自《じ》身《しん》の能《のう》に奢《をご》り、諸《しよ》大《だい》名《みやう》衆《しう》へ押《を》して參《まゐ》られ、能《のう》を勸《すゝ》められ候《さふらふ》事《こと》、偏《ひとへ》に病《やまひ》と存《ぞん》じ候《さふらふ》なり。上《かみ》の唱《となへ》は猿《さる》

樂《がく》の樣《やう》に申《まを》し候由《さふらふよし》、また挨拶《あいさつ》のよき大名《だいみやう》をば、御前《ごぜん》に於《おい》てもつよく御取成《おとりな》しなさるゝ由《よし》、重《かさ》ねて能《よ》く〳〵御思案《ごしあん》可然歟《しかるべきか》。歌《うた》に

心《こゝろ》こそ心《こゝろ》迷《まよ》はす心《こゝろ》なれ
心《こゝろ》に心《こゝろ》こゝろゆるすな

附言《ふげん》　本不動智神妙錄《ほんふどうちしんめうろく》は澤庵禪師《たくあんぜんじ》が柳生但馬守《やぎふたじまのかみ》に與《あた》えた劍禪《けんぜん》一致《ち》の極意《ごくい》である。一字《じ》一句《く》も忽《ゆるがせ》にすべからざる至極《しごく》のみであるから會員《くわいゐん》諸子《しよし》は熟讀玩味《じゆくどくぐわんみ》以《もつ》て斯術《しじゆつ》の蘊奥《うんおう》を察知《さつち》せられたい。思《おも》ふに但馬守《たじまのかみ》が能《よ》く天下無敵《てんかむてき》の達人《たつじん》になつた所以《ゆゑん》のものは、其《そ》の天稟非凡《てんぴんひぼん》の技能《ぎのう》と、鍛錬修業《たんれんしゆげふ》の功《こう》にある事《こと》勿論《もちろん》であるが、澤庵和尙《たくあんおしやう》の敎傳《けうでん》に依《よ》つて得《え》た事《こと》も亦《また》極《きは》めて尠《すくな》くはあるまいと思《おも》ふ。

妙術《めうじゆつ》猫《ねこ》の氣合《きあひ》

勝軒《しやうけん》と云《い》ふ劍術者《けんじゆつしや》あり、其家《そのいへ》に大《だい》なる鼠《ねづみ》出《い》で白晝《はくちう》に驅《か》け廻《まは》りける、勝軒《しやうけん》其間《そのへや》をたてきり、手飼《てがひ》の猫《ねこ》に捕《と》らしめんとす、彼鼠《かのねづみ》猫《ねこ》の面《かほ》へ飛《と》びかゝり喰付《くひつき》ければ、猫《ねこ》聲《こゑ》を立《た》て逃《にげ》去《さ》りぬ、此分《このぶん》にては叶《かな》ふまじとて、それより近邊《きんぺん》にて逸物《いちもつ》の名《な》を得《え》たる猫《ねこ》どもあまた狩《か》りよせ、彼《か》の一間《ま》へ追入《おひい》れければ、鼠《ねづみ》は床《とこ》のすみにすまひ居《ゐ》て、猫來《ねこきた》れば飛《と》びかゝり喰《くら》ひつき、其《その》氣《き》色《しけ》すさまじく見《み》えければ、猫《ねこ》ども皆《みな》尻《しり》込《こみ》して進《すゝ》まず、勝軒《しやうけん》腹《はら》を立《た》て自《みづか》ら木刀《ぼくたう》をさげ、打殺《うちころ》さんと追《お》ひ廻《まは》しけれども、手元《てもと》よりぬけ出《い》で木刀《ぼくたう》にあたらず、そこら戸障子《としやうじ》からかみたゝき破《やぶ》れども鼠《ねづみ》は宙《ちう》を飛《とん》で、其疾《そのはや》きこと電光《でんくわう》の移《うつ》るが如《ごと》し、やゝもすれば勝軒《しやうけん》の面《かほ》に飛《と》び懸《かゝ》り喰《くら》ひ付《つ》くべき勢《いきほひ》あり、勝軒《しやうけん》大汗《おほあせ》を流《なが》し、僕《ぼく》を呼《よ》びて云《い》ふ、それより六七町《ちやう》さきに無《む》類《るゐ》逸《いち》物《もつ》の猫《ねこ》ありと聞《き》く、かりて來《きた》れとて、乃《すなは》ち人《ひと》を遣《つかは》し、彼《かの》猫《ねこ》をつれよせて見《み》るに、形《なり》がらにもなくさのみはき〱とも見《み》えず、それともに先《ま》づ追《おひ》入《い》れて見《み》よとて、少《すこ》し戸《と》をあけ、彼《かの》猫《ねこ》を入《い》れければ、鼠《ねずみ》すくみて動《うごか》ず、猫《ねこ》何《なん》の事《こと》もなくのろ〱と行《ゆ》き引《ひ》きくはへて來《きた》りけり、其《その》夜《よ》件《くだん》の猫《ねこ》ども彼《かの》家《いへ》に集《あつ》まり、彼《かの》古《ふる》猫《ねこ》を座《ざ》上《じやう》に請《しやう》じ、いづれも前《まへ》に跪《ひざまづ》き我《われ》ら逸《いち》物《もつ》の名《な》を呼《よは》れ、其《その》道《みち》に修《しう》練《れん》し鼠《ねずみ》とだにいはず、鼬獺《てん》なりとも取《と》りひしがんと、爪《つめ》を研《と》ぎ罷在《まかりあり》候處《さふらふところ》、未《いま》だかゝる強《きやう》鼠《そ》ある事《こと》を不知《しらず》、御《おん》身《み》何《なん》の術《じゆつ》を以《もつ》てか容易《たやす》く是《これ》を打《う》ち給《たま》ふ、願《ねが》はくば惜《をし》む事《こと》なく、公《こう》の妙《めう》術《じゆつ》を傳《つた》へ給《たまへ》とて、謹而《つゝしんで》申《まを》しける、古《ふる》猫《ねこ》笑《わら》ふていふ、何《いづ》れも若《わか》き猫《ねこ》達《たち》隨《づゐ》分《ぶん》達《たつ》者《しや》に働《はたら》き給《たま》へども、未《いま》だ正《しやう》直《じき》の手《て》筋《すぢ》を聞《き》きたまはざること故《ゆゑ》に、思《おも》ひの外《ほか》のことに逢《あつ》て不《ふ》覺《かく》をとりたまふ、然《しか》し乍《なが》ら先《ま》づ各々《おの〳〵》の修《しゆ》行《ぎやう》の程《ほど》を承《うけたま》はらんといふ、其《その》中《なか》に鋭《するど》き黒《くろ》猫《ねこ》一匹《びき》進《すゝ》み出《い》で、我《われ》鼠《ねづみ》を捕《とらへ》るの家《いへ》に生《うま》れ、其《その》道《みち》に心《こゝろ》がけ七尺《しやく》の屏《びやう》風《ぶ》を飛《と》び越《こ》え、小《ちい》さき穴《あな》をくゞり兒《こ》猫《ねこ》の時《とき》より早《はや》業《わざ》輕《かる》業《わざ》に至《いた》らずといふ所《ところ》なし、或《あるひ》は眠《ねむ》りて表《へう》裏《り》をくれ、或《あるひ》は不《ふ》意《い》に起《お》き桁《けた》梁《はり》を走《はし》る鼠《ねづみ》と雖《いへど》も捕《と》り損《そん》じたることなし、然《しか》るに今《こん》日《にち》思《おも》ひの外《ほか》なる强《きやう》鼠《そ》に出《で》合《あ》ひ、一生《しやう》のおくれを取《と》り心《しん》外《ぐわい》の至《いた》りに侍《はべ》る。古《ふる》猫《ねこ》のいふ吁《あゝ》汝《なんぢ》の修《しゆ》行《ぎやう》する所《ところ》は所《しよ》作《さ》のみ、故《ゆゑ》に未《いま》だねらふ心《こゝろ》あることを免《まぬか》れず、古《こ》人《じん》の所《しよ》作《さ》を敎《をし》ふるは其《その》道《みち》筋《すぢ》を知《し》らしめんが爲《た》めなり、故《ゆゑ》に其《その》所《しよ》作《さ》簡《かん》易《い》にして其《その》中《なか》に至《し》理《り》を含《ふく》めり、後《こう》世《せい》所《しよ》作《さ》を專《もつぱ》らとして左《ひだり》すれば右《みぎ》すると色々《いろ〳〵》の業《わざ》を拵《こしら》へ、功《こう》を極《きは》め古《こ》人《じん》を不《ふ》足《そく》とし、才《さい》覺《かく》を用《もち》ゐはては所《しよ》作《さ》くらべといふものになり、功《こう》盡《つき》て如何《いかん》ともする事《こと》なし、小《せう》人《じん》の功《こう》を極《きはむ》る、才《さい》覺《かく》を專《もつは》らとする時《とき》は僞《いつはり》の端《はし》となり、向《むか》ふときの才《さい》覺《かく》却《かへつ》て害《がい》に成《な》ること多《おほ》し、是《これ》を以《もつ》て顧《かへり》み能《よ》く工《く》夫《ふう》すべし。

又《また》虎《とら》毛《げ》の大《おほ》猫《ねこ》一匹《びき》罷《まかり》出《い》で、我《われ》思《おも》ふに武《ぶ》術《じゆつ》は氣《き》合《あひ》を貴《たつと》ぶ、故《ゆゑ》に氣《き》を練《ね》ること久《ひさ》し、今《いま》其《その》氣《き》豁《くわつ》達《たつ》至《し》強《きやう》にして天《てん》地《ち》に充《みつ》るが如《ごと》し、敵《てき》を脚《きやく》下《か》に蹈《ふ》み、先《ま》づ勝《かつ》て然《しか》して後《のち》進《すゝ》む、聲《こゑ》に從《したが》ひ、響《ひゞき》に應《おう》じて、鼠《ねづみ》を左《さ》右《いう》につけ變《へん》に應《おう》ぜずといふことなし、所《しよ》作《さ》を用《もち》ひるに心《こゝろ》なくして所《しよ》作《さ》自《おのづか》ら湧《わき》出《い》づ、桁《けた》梁《はり》を走《はし》る鼠《ねづみ》を睨《にら》み落《おと》して之《これ》を取《と》る。然《しか》る所《ところ》彼《かの》強《きやう》鼠《そ》來《きた》るに形《かたち》なく往《ゆ》くに跡《あと》なし、是《こ》れ如《い》何《か》なるものにや、古《ふる》猫《ねこ》のいふ汝《なんぢ》の修《しゆ》練《れん》する所《ところ》は是《こ》れ氣《き》の勢《いきほひ》に乘《の》りて働《はたら》くものなり、我《われ》に恃《たの》む所《ところ》有《あつ》て然《しか》り。善《ぜん》の善《ぜん》なるものに非《あら》ず、我《われ》やぶりて行《ゆか》んとすれば、敵《てき》も又《また》破《やぶ》りて來《きた》る、又《また》やぶるに破《やぶ》れざるもののある時《とき》は如何《いかん》、我《われ》覆《おほ》ふて挫《くじ》かんとすれば敵《てき》も亦《また》覆《かぶ》つて來《く》る。覆《おほ》ふに覆《おほ》はれざるもののある時《とき》は如何《いかん》、豈《あに》我《われ》のみ力《ちから》剛《がう》にして覺《おぼ》ゆるものは、皆《みな》氣《き》の象《かたち》なり。孟《まう》子《し》の浩《こう》然《ぜん》の氣《き》に似《に》て實《じつ》は異《こと》なり、彼《かれ》は明《めい》を截《たつ》て剛《がう》健《けん》なり、此《こ》は勢《いきほひ》に乘《しよう》じて剛《がう》健《けん》なり、故《ゆゑ》に其《その》用《よう》も亦《また》同《おな》じからず、江《こう》河《が》の常《じやう》流《りう》と、一夜《や》の洪《こう》水《すゐ》と勢《いきほひ》との如《ごと》し、但《たゞし》氣《き》勢《せい》に屈《くつ》せざるもののある時《とき》は如何《いかん》、窮《きう》鼠《そ》却《かへつ》て猫《ねこ》を嚙《か》むと云《い》ふことあり、彼《か》れは必《かなら》ず死《し》に迫《せまつ》て恃《たの》む所《ところ》なし、生《せい》を忘《わす》れ、慾《よく》を忘《わす》れ、勝《しよう》負《ぶ》を必《かならず》とせず、身《み》を全《まつたふ》する心《こゝろ》なき故《ゆゑ》に、其《その》志《こゝろざし》金《きん》鐵《てつ》の如《ごと》し、此《かく》の如《ごと》きものは豈《あき》氣《き》勢《せい》を以《もつ》て服《ふく》すべけんや。

又《また》灰《はい》色《いろ》の少《すこ》し年《とし》たけたる猫《ねこ》、靜《しづか》に進《すゝ》みて云《い》ふ、仰《おほせ》の如《ごと》く氣《き》は旺《さかん》なりと雖《いへど》も象《かたち》あり、象《かたち》あるものは微《び》なりと雖《いへど》も見《み》つべし、我《われ》心《こゝろ》を練《ね》ること久《ひさ》し、勢《いきほひ》をなさず物《もの》と爭《あらそ》はず、相《あひ》和《わ》して戻《もど》らず、彼《かれ》強《つよ》き時《とき》は和《わ》して彼《かれ》に添《そ》ふ、我《わが》術《じゆつ》は帷《ゐ》幕《まく》を以《もつ》て礫《こいし》を受《う》くるが如《ごと》し、強《きやう》鼠《そ》ありと雖《いへど》も我《われ》に敵《てき》せんとして據《よ》るべき所《ところ》なし、然《しか》るに今《こん》日《にち》の鼠《ねずみ》勢《いきほひ》にも屈《くつ》せず、和《わ》に應《おう》ぜず、來《らい》往《わう》神《かみ》の如《ごと》し、我《われ》未《いま》だ此《かく》の如《ごと》き物《もの》を見《み》ず、古《ふる》猫《ねこ》の云《い》ふ、汝《なんぢ》の和《わ》と云《い》ふものは自《し》然《ぜん》の和《わ》に非《あら》ず、思《おも》ふて和《わ》をなすものなり、敵《てき》の鋭《えい》氣《き》をはづれんとすれども、僅《わづ》かに念《ねん》に渉《わた》れば敵《てき》其《その》氣《き》を知《し》る、心《こゝろ》を和《わ》すれば氣《き》濁《にご》りて惰《だ》に近《ちか》し、思《おも》ふてなす時《とき》は、自《し》然《ぜん》の感《かん》をふさぐ、自《し》然《ぜん》の感《かん》をふさぐ時《とき》は、妙《めう》用《よう》我《わ》れより生《しやう》ぜんや只《たゞ》思《おも》ふことなく爲《な》すこともなく、感《かん》に隨《したがつ》て動《うご》く時《とき》は我《われ》は象《かたち》なし、象《かたち》なき時《とき》は天下《てんか》和《わ》に敵《てき》すべきものなし。

然《しか》りと雖《いへど》も、各《おの〳〵》の修《しう》する所《ところ》悉《こと〴〵》く無《む》用《よう》の事《こと》なりといふに非《あら》ず、道《だう》器《き》一貫《くわん》の儀《ぎ》なれば、所作《しよさ》の中《うち》に至理《しり》を含《ふく》めり、氣《き》は一心《しん》の用《よう》をなすものなり、其《その》氣《き》豁達《くわつたつ》なる時《とき》は物《もの》に應《おう》ずる事《こと》極《きはま》りなく、和《わ》する時《とき》は力《ちから》を闘《たゝか》はしめず、金《きん》石《せき》にありても能《よ》く折《を》ることなし、然《しか》りと雖《いへど》も僅《わづ》かに念慮《ねんりよ》に至《いた》れば皆《みな》作《さく》意《い》とす、道《だう》體《たい》の自《し》然《ぜん》にあらず、故《ゆゑ》に向《むか》ふもの心《こゝろ》服《ふく》せずして、我《われ》に敵《てき》するの心《こゝろ》あり、我《われ》何《なん》の術《じゆつ》をか用《もち》ひんや、無《む》心《しん》にして自《し》然《ぜん》に應《おう》ずるのみ、然《しか》りと雖《いへど》も道《みち》極《きはま》りなし、我《か》が云《い》ふ所《ところ》を以《もつ》て至《し》極《ごく》と思《おも》ふべからず、昔《むかし》我《わが》隣郷《りんがう》に猫《ねこ》あり、終《ひね》日《もす》眠《ねむ》り居《ゐ》るて氣《き》勢《せい》なし、木《き》にて作《つく》りたる猫《ねこ》の如《ごと》し、人《ひと》その鼠《ねづみ》を捕《とらへ》たるを見《み》ず、然《しか》れども彼《かの》猫《ねこ》の至《いた》る處《ところ》近邊《きんぺん》に鼠《ねずみ》なし、處《ところ》を替《か》へても然《しか》り、我《われ》行《ゆ》きて其《その》故《ゆゑ》を問《と》ふ、彼《かの》猫《ねこ》答《こた》へざるに非《あら》ず、答《こた》ふる所《ところ》を知《し》らざるなり。是《これ》を以《もつ》て知《し》る、知《し》るものは言《い》はず、いふものは知《し》らざる事《こと》を、彼《かの》猫《ねこ》は己《おのれ》を忘《わす》れて物《もの》なきに歸《き》す、神《しん》武《ぶ》にして殺《ころ》さずといふものなり、我《われ》も亦《また》彼《かれ》に及《およ》ばざること遠《とほ》しと。

勝《しよう》軒《けん》夢《ゆめ》の如《ごと》くに此《この》言《げん》を聞《きい》て出《い》でゝ、古《ふる》猫《ねこ》を揖《いう》して曰《いは》く我《われ》劍《けん》術《じゆつ》を修《しう》すること久《ひさ》し、未《いま》だ其《その》道《みち》を極《きは》めず、今《こ》宵《よひ》各《おの〳〵》の論《ろん》を聞《きい》て吾《わが》道《みち》の極《きよく》所《しよ》を得《え》たり、願《ねがは》くは猶《なほ》其《その》奥《おく》儀《ぎ》を示《しめ》したまへ、猫《ねこ》云《い》ふ否《いな》吾《われ》は獸《じう》なり、鼠《ねずみ》は我《わ》が食《しよく》なり、吾《われ》何《なん》ぞ人《ひと》のすることを知《し》らんや、夫《それ》劍《けん》術《じゆつ》は専《もつは》ら人《ひと》に勝《か》つことを務《つと》むるにあらず、大《たい》變《へん》に臨《のぞ》みて生《せい》死《し》を明《あきらか》にする術《じゆつ》なり、士《し》たるものは常《つね》に此心《このこゝろ》を養《やしな》ひて、其術《そのじゆつ》を修《をさ》めずんばあるべからず。故《ゆゑ》に先《ま》づ死《し》の理《り》に徹《てつ》し、此心《このこゝろ》偏曲《へんきよく》なく、不疑《うたがはず》、不惑《まどはず》、才覺《さいかく》思慮《しりよ》を用《もち》ゆることなく、心氣《しんき》和平《わへい》にして物《もの》なく潭然《たんぜん》として常《つね》ならば變《へん》に應《おう》ずること自在《じざい》なるべし、此心《このこゝろ》僅《わづか》に物《もの》ある時《とき》は狀《じやう》あり、狀《じやう》ある時《とき》は敵《てき》あり我《われ》あり、相對《あひたい》して角《あらそ》ふ、此《かく》の如《ごと》きは變化《へんくわ》の妙用《めうよう》自在《じざい》ならず、我心《わがこゝろ》先《ま》づ死地《しち》に落入《おちいつ》て靈明《れいめい》を失《うしな》ふ、何《なん》ぞ快《こゝろよ》く立《たつ》て明《あきら》かに勝負《しようぶ》を決《けつ》せん、假令《たとへ》勝《か》ちたりとも盲勝《めくらがち》といふものなり、劍術《けんじゆつ》の本旨《ほんし》にあらず。無物《むぶつ》とて頑《ぐわん》空《くう》をいふにはあらず、心《こゝろ》もと形《かたち》なし、物《もの》を蓄《たくはへ》る時《とき》は氣《き》も亦《また》其處《そこ》に倚《よ》る、此氣《このき》僅《わづか》に倚《よ》る時《とき》は融通《いうつう》豁達《くわつたつ》なること能《あた》はず、向《むか》ふ所《ところ》は過《あやまる》にして向《むか》はざる所《ところ》は不及《およばざる》なり、過《あやまち》なるときは氣《き》溢《あふ》れて止《や》むべからず、不及《ふきふ》なる時《とき》は餒《うえ》て用《よう》をなさず、共《とも》に變《へん》ずべからず、我《われ》所謂《いはゆる》無理《むり》といふは不蓄《たくはへず》、不倚《よらず》、敵《てき》もなく、我《われ》もなく、物《もの》來《きた》るに隨《したが》うて應《おう》じ、跡《あと》なきのみ、易曰無思無爲寂然不動而遂通於天下之故。と此理《このり》を知《しつ》て劍術《けんじゆつ》を學《まな》ぶ者《もの》は道《みち》に近《ちか》し、勝軒《しようけん》云《い》ふ何《なに》をか敵《てき》なく我《われ》なしといふ、猫《ねこ》云《い》ふ我《われ》あるが故《ゆゑ》に敵《てき》あり、我《われ》なければ敵《てき》なし、敵《てき》と云《い》ふはもと對峙《たんじ》の名《な》なり、陰陽《いんよう》水火《すゐくわ》の類《るゐ》の如《ごと》し、凡《すべて》形象《けいしやう》ある者《もの》は必《かなら》ず對《たい》するものあり、我心《わがこゝろ》に象《かたち》なければ對《たい》するものなき時《とき》は角《あらそ》ふものなし、是《これ》を敵《てき》もなく我《われ》もなしといふ、物《もの》と我《われ》と共《とも》に忘《わす》れて、潭然《たんぜん》として無事《ぶじ》なる時《とき》は和《わ》して一なり。敵《てき》の形《かたち》を敗《やぶ》ると雖《いへど》も我《われ》も知《し》らず、知《し》らざるにあらず、此《こゝ》に念《ねん》なく感《かん》の儘《まゝ》に動《うご》くのみ、此《この》潭然《たんぜん》として無事《ぶじ》なる時《とき》は、世界《せかい》は我《わ》が世界《せかい》なり、是非《ぜひ》好惡《かうあく》執滯《しうたい》なきの謂《いひ》なり。皆《みな》心《こゝろ》より苦樂《くらく》得《とく》失《しつ》の境界《きやうがい》をなす、天地《てんち》廣《ひろ》しと雖《いへど》も我心《わがこゝろ》より外《ほか》に求《もと》むべきものなし、古人《こじん》曰《いは》く眼裡有ㇾ塵三界窄、心頭無ㇾ塵時者一生寛也、眼中《がんちう》儘《ま》々塵砂《ぢんさ》の入《い》る時《とき》は、眼開《まなこひら》くこと能《あた》はず、元來物《ぐわんらいもの》なくして明《あきらか》なる處《ところ》へ、物《もの》を入《い》るが故《ゆゑ》に此《かく》の如《こと》し、是《こ》れ心《こゝろ》の譬《たとへ》なり。又曰《またいは》く、千萬《まん》人《にん》の敵《てき》の中《なか》に在《あつ》て此形《このかたち》は微塵《みぢん》になるとも、此心《このこゝろ》は我心《わがこゝろ》なり、大敵《たいてき》と雖《いへど》も是《これ》を如何《いかん》ともすること能《あた》はず、孔子《こうし》曰《いは》く匹夫不ㇾ可ㇾ奪ㇾ志と、若《も》し迷《まよ》ふ時《とき》は此心《このこゝろ》却《かへつ》て敵《てき》の物《もの》となる、我《わが》云《い》ふ所《ところ》は此《こゝ》に止《とゞま》る、只《たゞ》自反《みづからはん》して我《われ》に求《もと》むべし、師《し》は其事《そのこと》を傳《つた》へ其理《そのり》を曉《あきらか》にするのみ、其眞《そのしん》を誤《あやま》る事《こと》は我《われ》に在《あ》り、是《これ》を自得《じとく》と云《い》ふ、以心傳心《いしんでんしん》とも云《い》ふべし、敎外別傳《けうぐわいべつでん》とも云《い》ふべし、敎《をしへ》を背《そむ》くといふにあらず、聖人《せいじん》の心法《しんはふ》より藝術《げいじゆつ》の末《する》に至《いた》るまで、自得《じとく》の所《ところ》は皆《みな》以心傳心《いしんでんしん》也《なり》、敎外別傳《けうぐわいべつでん》也《なり》、教《をしへ》と云《い》ふは其《その》己《おのれ》に在《あつ》て自《みづか》ら見《み》ること能《あた》はざる所《ところ》を指《さ》して知《し》らしむるのみ、師《し》より是《こた》を授《さづく》るにはあらず、教《をし》ふることも安《やす》く、教《をしへ》を聞《き》くことも安《やす》く、只《たゞ》己《おのれ》にある物《もの》を確《たしか》に見《み》付《つけ》て、我《わが》物《もの》にすること難《かた》し、是《これ》を見《けん》性《せい》と云《い》ふ、悟《さとり》とは妄《まう》想《さう》の夢《ゆめ》の悟《さ》めたるなり、覺《おぼえ》といふも同《おな》じ、かはりたることにはあらずと。

氣《き》合《あひ》術《じゆつ》の應《おう》用《よう》

氣《き》合《あひ》術《じゆつ》實《じつ》行《かう》の際《さい》の必《ひつ》要《えう》條《でう》件《けん》

氣《き》合《あひ》術《じゆつ》を行《おこな》ふに際《さい》して自《じ》信《しん》力《りよく》が必《ひつ》要《えう》であることは前《ぜん》述《じゆつ》の通《とほ》りで、自《じ》信《しん》力《りよく》なくして之《これ》を行《おこな》つても効《かう》のない事《こと》は當《たう》然《ぜん》である。故《ゆゑ》に施《し》術《じゆつ》に際《さい》しては如《い》何《か》なる難《なん》事《じ》、如《い》何《か》なる強敵《きやうてき》に會《くわい》しても非常《ひじやう》なる勇氣《ゆうき》と大確信《だいかくしん》を以《もつ》てこれに向《むか》はねばならぬ。

動物《どうぶつ》に對《たい》する氣合《きあひ》

氣合術《きあひじゆつ》は唯《たゞ》に人間《にんげん》に行《おこな》ふ許《ばか》りでなく、動物《どうぶつ》に對《たい》してもこれを行《おこな》ふ事《こと》が出來《でき》るのである。卽《すなは》ち人《ひと》は氣合術《きあひじゆつ》に依《よ》つて動物《どうぶつ》をも自由《じいう》自在《じざい》にする事《こと》が出來《でき》るのである。例之《たとへ》ば空《そら》を飛《と》びまはつて居《ゐ》る鳥《とり》を飛《と》べなくして了《しま》ふとか、荒《あ》れ廻《まは》る悍馬《かんば》を馭《ぎよ》して柔順《じうじゆん》にして了《しま》ふとか、猛獸《まうじう》を柔順《じうじゆん》にして少《すこ》しも人《ひと》に危害《きがい》など加《くは》へない樣《やう》にして了《しま》ふとか云《い》ふ事《こと》が出來《でき》るのである。

牝鷄《めんどり》を自由《じいう》自在《じざい》にする氣合《きあひ》

氣合術《きあひじゆつ》を以《もつ》て牝鷄《めんどり》を自由《じいう》自在《じざい》に少《すこ》しも動《うご》けなくして

了《しま》ふ事《こと》が出《で》來《き》る。併《しか》し此《この》法《はふ》も最《さい》初《しよ》から誰《だれ》にでも出《で》來《き》るかと云《い》ふと、それは聊《いさゝ》か無《む》理《り》な次《し》第《だい》で如《い》何《か》に氣《き》合《あひ》術《じゆつ》の極《ごく》意《い》を傳《でん》授《じゆ》されたかと云《い》つて爾《し》かく容《よう》易《い》に行《おこな》ひ得《う》るものではないのである。それで茲《こゝ》には最《もつと》も簡《かん》單《たん》に、又《また》誰《たれ》にでも出《で》來《き》る便《べん》法《はふ》を傳《でん》授《じゆ》しやう。

第四圖

牝《めん》鷄《どり》に氣《き》合《あひ》術《じゆつ》をかけるには、先《ま》づ牝《めん》鷄《どり》の兩《りやう》足《あし》を一所《しよ》に縛《しば》りつけ、これを地《ち》面《めん》か、又《また》は臺《だい》の上《うへ》に横《わう》臥《ぐわ》させる。而《しか》して其《その》十分《ぶん》に落《おち》ついて靜《しづ》かになるのを

待《ま》つて眼《め》の處《ところ》から白墨《はくはく》を以《もつ》て眞直《まつすぐ》の線《せん》を引《ひ》くのである。線《せん》を引《ひ》き終《をは》つたら、術者《じゆつしや》は氣《き》海丹田《かいたんでん》に渾身《こんしん》の氣力《きりよく》を罩《こ》め、無念無想《むねんむさう》となつて靜《しづ》かに牝鷄《めんどり》の足《あし》を縛《しば》つた紐《ひも》を解《と》いて自由《じいう》にして遣《や》るのである。術者《じゆつしや》の氣合《きあひ》が充分《じうぶん》籠《こも》りさへすれば牝鷄《めんどり》は決《けつ》して逃《に》げないのみならず、始《はじ》め置《お》かれたまま少《すこ》しも動《うご》かない。（第《だい》四圖《づ》參《さん》照《せう》）此《こ》法《はふ》が完全《くわんぜん》に行《おこな》へる樣《やう》になれば、次《つぎ》は牝鷄《めんどり》の足《あし》を縛《しば》らず、又《また》白墨《はく》で線《せん》を引《ひ》かないで、唯《たゞ》牝鷄《めんどり》を臺《だい》の上《うへ》に壓《おさ》へつける丈《たけ》で前《まへ》と同《おな》じ狀態《じやうたい》に至《いた》らしめる事《こと》が出來《でき》る。これが容易《ようい》に行《おこ》なへる樣《やう》になれば次《つぎ》は空《そら》飛《と》ぶ鳥《とり》を落《おと》すことも、荒《あ》れ狂《くる》ふ駻馬《かんば》を馭《ぎよ》す事《こと》も、容易《ようい》に行《おこな》ふ事《こと》が出來《でき》る樣《やう》になる。この法《はふ》は遠當《とほあて》の氣合《きあひ》と云《い》つて、柳生飛驒守《やぎふひだのかみ》が雀《すゞめ》を落《おと》したなど云《い》ふのはこの應用《おうよう》である。

吠《ほ》え付《つ》く犬《いぬ》を止《とゞ》むる氣《き》合《あひ》

吠《ほ》え付《つ》く犬《いぬ》を止《とゞ》むるには

我《われ》は虎《とら》いかになくとも犬《いぬ》はいぬ
しゝのはがみをおそれざらめや

この歌《うた》を三度《ど》口《くち》の中《うち》にて唱《とな》へ、次《つぎ》に戌《いぬ》亥《ゐ》子《ね》丑《うし》寅《とら》と口《くち》に呪《じゆ》しつゝ拇《おや》指《ゆび》より五つの指《ゆび》を握《にぎ》り(卽《すなは》ち前《まへ》に説《と》いた握《あく》固《こ》の法《はふ》)で犬《いぬ》を睨《にら》みつくるのである。此《この》際《さい》渾《こん》身《しん》に氣《き》を滿《み》たしむることの必《ひつ》要《えう》なるは言《げん》をまたない。

猛《まう》獸《じう》を退《しりぞ》ける無《む》心《しん》の氣《き》合《あひ》

昔《むかし》の話《はなし》にある山《やま》本《もと》勘《かん》介《すけ》が狼《おほかみ》を退《しりぞ》けたとか、毘《び》沙《しや》門《もん》天《てん》が虎《とら》を追《お》つたとか云《い》ふのは、何《いづ》れも無《む》心《しん》氣《き》合《あひ》の應《おう》用《よう》である。

即《すなは》ちこの場《ば》合《あひ》は少《すこ》しも虎《とら》や狼《おほかみ》の事《こと》を思《おも》はず犬《いぬ》と猫《ねこ》が仲《なか》よく遊《あそ》んで居《ゐ》る位《くらゐ》に思《おも》つて、否《いな》！それさへも考《かんが》へずに平《へい》然《ぜん》と進《すゝ》んで行《い》つたなら、虎《とら》や狼《おほかみ》は其《その》氣《き》合《あひ》に壓《お》されて敢《あへ》て近《ちか》寄《よ》つて來《く》るものでない。

動《どう》物《ぶつ》以《い》外《ぐわい》に對《たい》する氣《き》合《あひ》術《じゆつ》

吃《しや》逆《くり》止《ど》めの氣《き》合《あひ》

吃《しや》逆《くり》止《ど》めの氣《き》合《あひ》は他《た》人《にん》に對《たい》して行《おこな》つても可《よ》く、自《じ》分《ぶん》が吃《しや》逆《くり》で困《こま》る場《ば》合《あひ》にも應《おう》用《よう》して効《かう》がある。即《すなは》ち自《じ》分《ぶん》が吃《しや》逆《くり》で困《こま》つて居《ゐ》る際《さい》には、本《ほん》傳《でん》授《じゆ》の最《さい》初《しよ》に述《の》べた調《てう》息《そく》術《じゆつ》を應《おう》用《よう》すれば可《よ》いのである。他《た》人《にん》に施《ほどこ》す際《さい》には術《じゆつ》を受《う》ける者《もの》を靜《せい》座《ざ》させて置《お》いて、自《じ》分《ぶん》(術《じゆつ》者《しや》)の呼《こ》吸《きふ》と術《じゆつ》を受《う》ける者《もの》(被《ひ》術者《じゆつしや》)との呼吸《こきふ》がピッタリ合致《がふち》した時《とき》、大喝《だいかつ》一聲《せい》、エイと許《はか》り渾身《こんしん》の氣力《きりよく》を籠《こ》めた氣合《あひ》を發《はつ》したならば吃逆《しやくり》は忽《たちま》ちにして癒《い》ゆるのである。

指頭《しとう》より絲《いと》を出《だ》す氣《き》合《あひ》(疳《かん》の蟲取術《むしとりじゆつ》)

この法《はふ》は古來《こらい》疳《かん》の蟲取《むしと》り術《じゆつ》と稱《しよう》して、俗間《ぞくかん》に於《おい》ては僧《そう》侶等《りよら》かこれを應用《おうよう》して金儲《かねまうけ》の種《たね》にしたものである。これを行《おこな》ふには被術者《ひじゆつしや》(術《じゆつ》を受《う》ける者《もの》)の兩手《りやうて》を先《ま》づ清淨《せいじやう》ならしめるため、鹽《しほ》を以《もつ》てこれを

第五圖

洗滌《せんでき》せしめ、清潔《せいけつ》な白木綿《しろもめん》を以《もつ》て之《これ》を拭《ぬぐ》はせるのである。用意《ようい》が出來《でき》たらば、術者《じゆつしや》は被術者《ひじゆつしや》の兩手《りやうこ》を合掌《がつしやう》させ、更《さら》に其上《そのうへ》を自分《じぶん》の兩手《りやうて》で押《おさ》へ（第《だい》五圖《づ》參照《さんせう》）氣海《きかい》丹田《たんでん》に氣力《きりよく》をこめ、無念無想《むねんむさう》となつて暝目《めいもく》數分《すうふん》したならば、忽《たちま》ちにして被術者《ひじゆつしや》の指頭《しとう》又《また》は指《ゆび》の叉《また》から毛《け》の樣《やう》な纖絲《せんし》が生《は》へ出《て》るのである。

熱湯中《ねつたうちう》より物《もの》を取《と》り出《だ》す氣合《きあひ》

この法《はふ》は直徑《ちよくけい》八寸《すん》位《くらゐ》の釜《かま》に湯《ゆ》を沸騰《ふつたう》させ、其中《そのなか》へ皿《さら》とか茶碗《ちやわん》とかを入《い》れてそれを取出《とりだ》すのであるが、これも無《む》心氣合《しんきあひ》の應用《おうよう》に過《す》ぎないのである卽《すなは》ち湯《ゆ》は熱《あつ》いものであるとの念《ねん》が人《ひと》にあるから、熱《あつ》いので、氣力《きりよく》を丹田《たんでん》にこめ、無念無想《ひねんむさう》となつて、これは熱湯《ねつたう》である、熱湯《ねつたう》は熱《あつ》いものであるとの觀念《くわんねん》を毛頭《もうとう》持《も》たなかつたならば、熱湯《ねつたう》の中《なか》へも平氣《へいき》で手《て》を入《い》れる事《こと》が出來《でき》るのみでなく、又《また》少《すこ》しも熱《あつ》さを感《かん》ずる事《こと》がないのである。尙《なほ》此術《このじゆつ》を行《おこな》ふ際《さい》棒《ぼう》を以《もつ》て湯《ゆ》に氷《こほり》と云《い》ふ字《じ》を書《か》くと可《よ》い。これは一《ひと》つに氷《こほり》は冷《つめ》たいものであると云《い》ふ觀念《くわんねん》に依《よ》つて熱湯《ねつたう》は熱《あつ》いものであると云《い》ふ觀念《くわんねん》を薄《うす》らげる事《こと》が出來《でき》、又《また》一つには湯《ゆ》を冷《さ》ます効《かう》果《くわ》がある。何故《なにゆゑ》なれば湯《ゆ》は上部《じやうぶ》から沸騰《ふつとう》するもので、上部《じやうぶ》が沸騰《ふつとう》して居《ゐ》ても、下部《かぶ》は案外《あんぐわい》冷《つめ》たいものであるから、これを攪拌《かくはん》すれば卽《すなは》ち湯《ゆ》が冷《さ》める利益《りえき》があるのである。

火《ひ》を渡《わた》るの氣合《きあひ》

古來《こらい》俗間《ぞくかん》に於《おい》て祈禱者《きたうしや》が火渡術《ひわたりじゆつ》と云《い》ふ事《こと》を行《おこな》ふ。これも氣合術《きあひじゆつ》の應用《おうよう》で、ある。卽《すなは》ち術者《じゆつしや》は神《かみ》の加護《かご》があるから決《けつ》して火傷《やけど》しないと云《い》ふ確信《かくしん》を以《も》つて行《や》るから、少《すこ》しも熱《あつ》くないのである。尚《なほ》此際《このさい》鹽《しほ》を撒《ま》くとか、足《あし》にニガリを塗《ぬ》るとか、澁《しぶ》を塗《ぬ》るとか、味《み》噌《そ》をぬつて置《お》けば一層《そう》熱《あつ》さを感《かん》ずる事《こと》が少《すく》ない。併《しか》し非《ひ》常《じやう》に危《き》險《けん》な術《じゆつ》であるから萬《まん》一の場《ば》合《あひ》でなければ行《おこな》つてはならない。

劍《つるぎ》の刄《は》を渡《わた》る氣《き》合《あひ》

第六圖

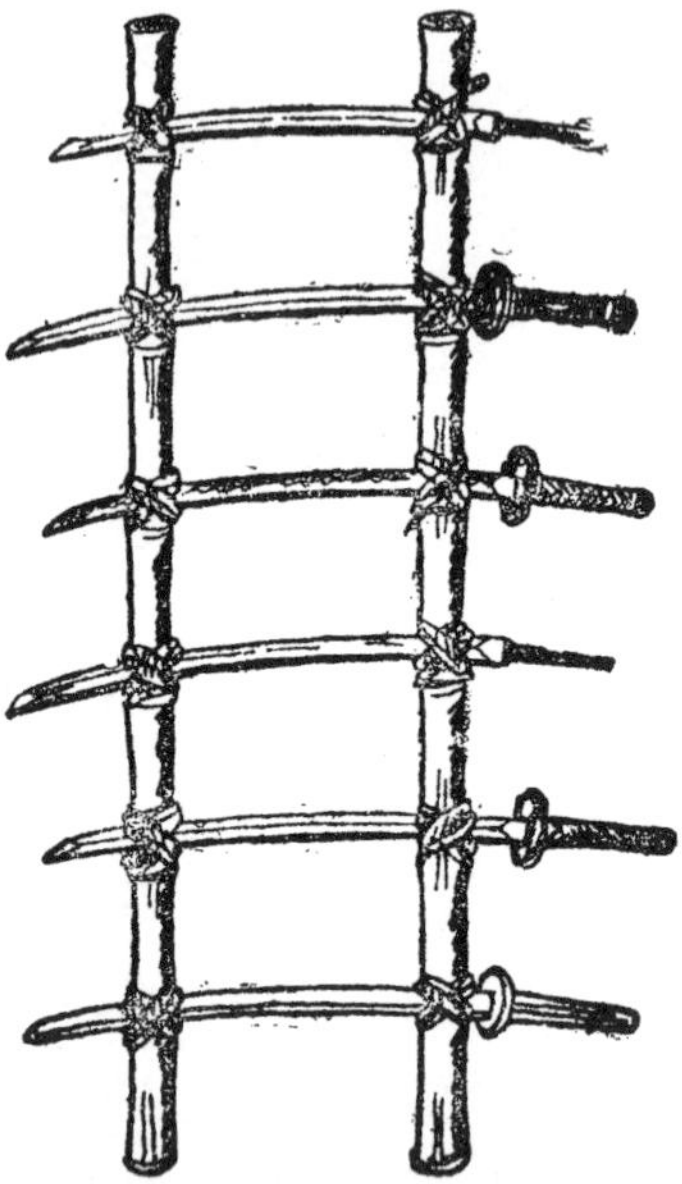

この術《じゆつ》は最《もつと》も危《き》險《けん》な術《じゆつ》で、氣《き》合《あひ》が餘《よ》程《ほど》籠《こも》つて居《ゐ》ないと足《あし》を切《せつ》斷《だん》する恐《おそ》れがあるから、決《けつ》して好《かう》奇《き》心《しん》にかられて行《おこな》つてはならぬ。扨《さ》てこの術《じゆつ》

を行《おこな》ふには第《だい》六圖《づ》の如《ごと》く刀《かたな》を以《もつ》て梯子《はしこ》を作《つく》るのである。これを丹田《たんぶん》に氣合《きあひ》をこめつゝ、一段《だん》々々に上《のぼ》つて行《ゆ》くのであるが、下《した》の一段《だん》丈《だけ》は木刀《ぼくたう》を用《もち》ひる必要《ひつえう》がある。何故《なにゆゑ》かと云《い》ふと、第《だい》一段《だん》へ上《のぼ》る時《とき》は非常《ひじやう》に重力《ちうりよく》がかゝつて、ともすれば餘程《よほど》熟練《じゆくれん》した者《もの》でも怪我《けが》する事《こと》が多《おほ》いからである。尚《なほ》これに用《もち》ふる刀《かたな》は全部《ぜんぶ》齒引《はびき》をして置《お》かねばならぬ。

手刀《しゆたう》を以《もつ》て水瓜《すゐくわ》を切《き》るの氣合《きあひ》

これは少《すこ》しく練習《れんしふ》すれば誰《たれ》にでも出來《でき》る。先《ま》づこれを行《おこな》ふには板間《いたのま》に於《おい》てするが可《よ》い。卽《すなは》ち四五間《けん》離《はな》れた處《ところ》から人《ひと》をして水瓜《すゐくわ》を轉《ころ》ばさせるのである。術者《じゆつしや》は水瓜《すゐくわ》の轉《ころ》んで來《く》るのを待《まつ》て、エイと一聲《せい》、手刀《しゆたう》又《また》は小撚《こより》を以《もつ》てこれを切《き》るのであるが、此際《このさい》水瓜《すゐくわ》を切《き》るなど毛頭《もうとう》も心《こゝろ》に思《おも》つてはならない。尚《なほ》注《ちう》意《い》すべき事《こと》は、轉《ころ》げて來《く》る水《すゐ》瓜《くわ》を迎《むか》へて切《き》らずに寧《むし》ろ第《だい》七圖《づ》の如《ごと》く後《うし》ろ向《むき》になつて、水《すゐ》瓜《くわ》が將《さ》に術《じゆつ》者《しや》の身《しん》邊《べん》を通《とほ》り過《す》ぎ樣《やう》とする一刹《せつ》那《な》、少《すこ》しく追《おひ》すがり氣《ぎ》味《み》に切《き》ると最《もつと》も見《み》事《こと》に切《きる》事《こと》が出《で》來《き》る。

第七圖

蠟《ろふ》燭《そく》の火《ひ》を滅《めつ》する氣《き》合《あひ》

此《この》法《はふ》も少《すこ》しく練《れん》習《しふ》すれば誰《たれ》にでも出《で》來《き》る。即《すなは》ち最《さい》初《しよ》は一尺位《しやくぐらゐ》離《はな》れて蠟燭《らふそく》をたて、火《ひ》を點《てん》じ、エイと一聲《せい》大《だい》喝《かつ》すれば火《ひ》は忽《たちま》ちに滅《めつ》するのである。併《しか》し最初《さいしよ》は却々《なかく》消《きえ》るものでないから、極《ご》く近距離《きんきより》から初《はじ》め、滅《めつ》する事《こと》が出《で》來《き》るに從《したが》つて一尺《しやく》を二尺《しやく》、二尺《しやく》を三尺《じやく》と遠距離《ゑんきより》に離《はな》すのである。但《たゞ》し此《この》法《はふ》は最《もつと》も丹田《たんでん》に氣《き》力《りよく》を籠《こ》める事《こと》が必要《ひつえう》である。尚《なほ》注《ちう》意《い》すべき事《こと》が一箇《か》條《でう》ある、それは燭火《しよくくわ》が横《よこ》に動《うご》いて居《ゐ》る時《とき》は決《けつ》して消《き》へるものでないから、氣《き》合《あひ》を懸《か》ける時《とき》は必《かなら》ず燭火《しよくくわ》が眞直《まつすぐ》に上《うへ》へ立昇《たちのぼ》つて居《ゐ》る時《とき》(第《だい》八圖《づ》參照《さんせう》)を擇《えら》む事《こと》である。何故《なにゆゑ》かと云《い》ふと火《ひ》が横《よこ》に動《うご》いて居《ゐ》る時《とき》は、人《ひと》にたとへて云《い》へば實《じつ》に當《あた》るからである。而《しか》して火《ひ》が眞直《まつすぐ》に立昇《たちのぼ》つて居《ゐ》る際《さい》は人《ひと》で云《い》へ

第八圖

ば虚《きよ》に相當《さうたう》する狀態《じやうたい》なのであるから、其《その》刹那《せつな》に於《おい》て大喝《だいかつ》一聲《せい》したならば火《ひ》は忽《たちま》ちにして滅《めつ》する事《こと》が出來《でき》る。

火《ひ》箸《はし》折《をり》の氣《き》合《あひ》

此《こ》の方法《はうはふ》は左手《ひだりのて》に火箸《ひはし》の一端《たん》を握《にぎ》り、一端《たん》を右手《みぎのて》の小《こ》指《ゆび》にかけ（第《だい》九圖《づ》參照《さんせう》）之《これ》は杉箸《すぎはし》か何《なに》かである。自由自在《じいうじざい》に折《を》り曲《まげ》げる事《こと》が出來《でき》ると確《かく》信《しん》し、氣力《きりよく》を丹田《たんでん》に籠《こ》むると共《とも》に胸中《きようちう》の雜念《ざつねん》を一切去《さいさ》つて氣力《きりよく》が渾身《こんしん》に充渡《みちわた》つた時《とき》エイと全身《ぜんしん》の力《ちから》を込《こ》めると、火《ひ》箸《はし》は容易《たやす》く曲《まが》つて了《しま》ふ。

第九圖

棒《はう》折《をり》の氣《き》合《あひ》

此《こ》の方法《はうはふ》は二尺高位《しやくたかくらゐ》の臺《だい》を兩側《りやうがは》に置《お》いて、其上《そのうへ》へ水《みづ》を入《い》れたコップを置《お》き、一方《はう》のコップの縁《ふち》から一方《はう》のコッ

第十圖

プの縁《ふち》へかけて直徑《ちよくけい》一寸位《すんくらゐ》の青竹《あをだけ》を乘《の》せ、術者《じゆつしや》は木劍《ぼくけん》を以《もつ》て口《くち》に神劍斷風《しんけんだんぷう》と三度唱《どとな》へ、氣合《きあひ》を丹田《たんでん》に籠《こ》めて、エイと一聲《せい》竹《たけ》の中《ちう》央《わう》を一撃《げき》すると、コップの水《みづ》を一滴《てき》もこぼす事《こと》なく、竹《たけ》は中央《ちうわう》から折《を》れるのである。コップの代《かは》りに幅《はゞ》一寸位《すんくらゐ》の白紙《はくし》を二

つに割《さ》いて、それに竹棒《たけぼう》の尖《さき》をかけても可《よ》い。但《たゞ》し何《いづ》れにしても竹《たけ》の兩端《りやうたん》は一二分《ぶ》よりかけてはならない。（第《だい》十圖《づ》參照《さんせう》）

武術最高極意「天之卷」終

禁他見讓渡

武術極意

地之巻

全

帝國尚武會藏版

地之巻　目次

『地之巻』附録 …… 三六丁

第一圖

最も實行容易なる安臥呼吸法の形式

（第三十三丁就寢の際の心得並に第三十四丁延命長壽帶の項參照）

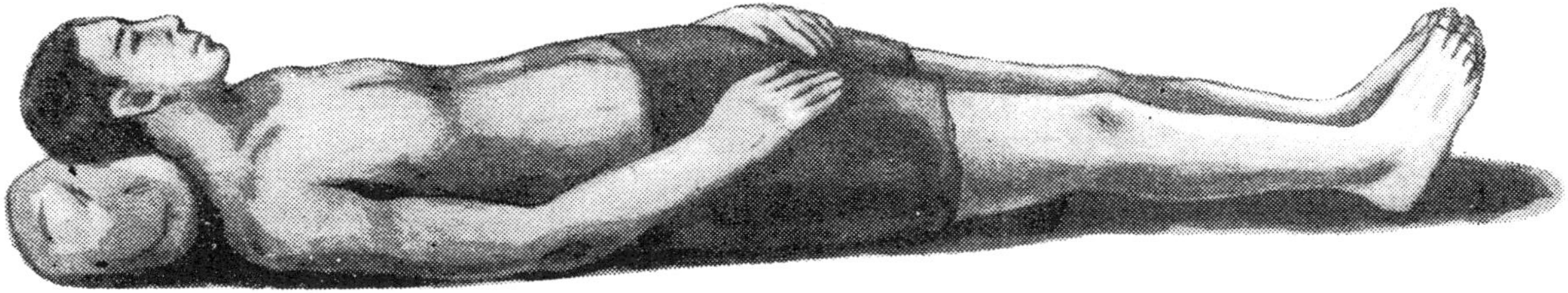

（一）兩の掌を揃へ靜臥せる狀

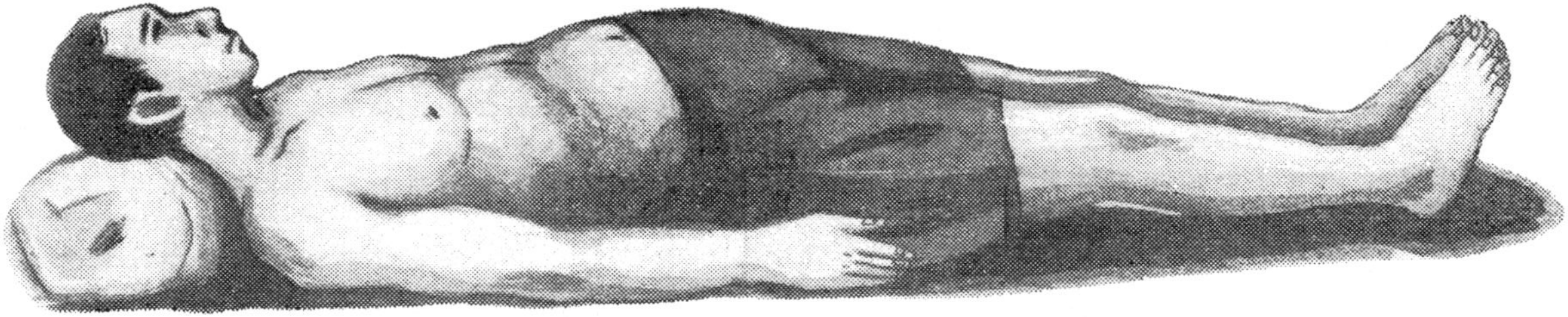

（二）呼息を鼻より臍下に至らしめ心窩寬ぎ下腹に氣の充ち滿てる狀

第二圖

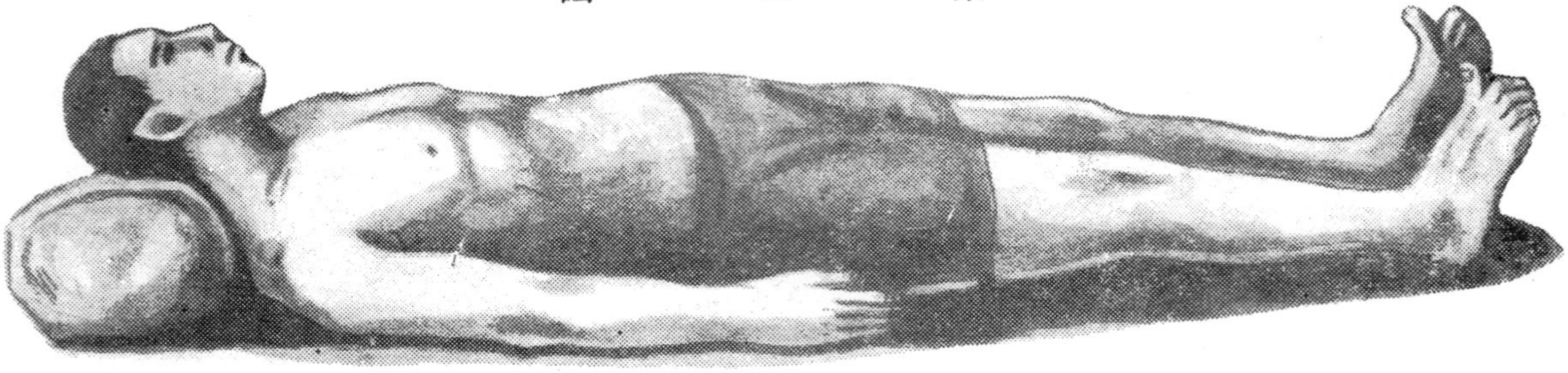

(三) 兩足の蹈趾をたてゝ左右一同に動かしつゝある狀

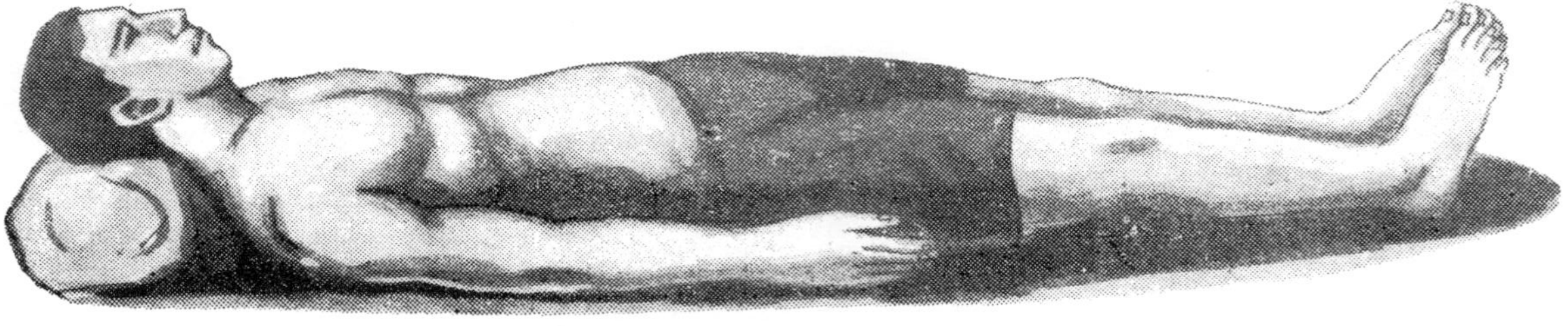

(四) 靜かに頭を枕上に安じ頸と肩を寛げ居る狀

第三圖

最も實行容易なる靜座法の形式

（第三十四丁延命長壽帶の項參照）

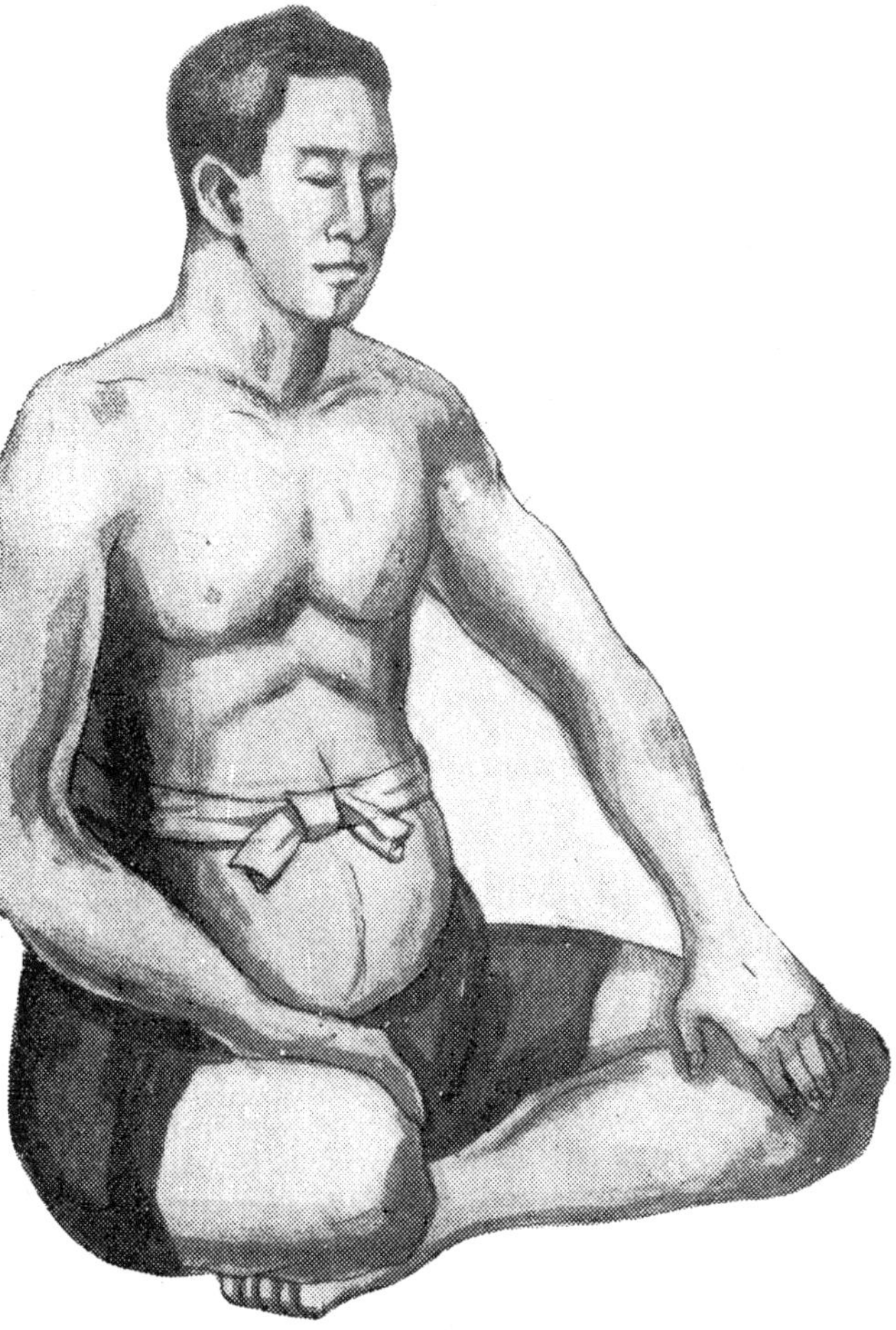

胸下を延壽帶にて括り肩及び並に四肢を虛にし、臍下丹田に渾身の力氣を充實せしめ、眉間を臍と相對せしめ眼を細く開き清氣を鼻より靜に吐納せる處である

第四圖

最も病に犯され易き姿勢

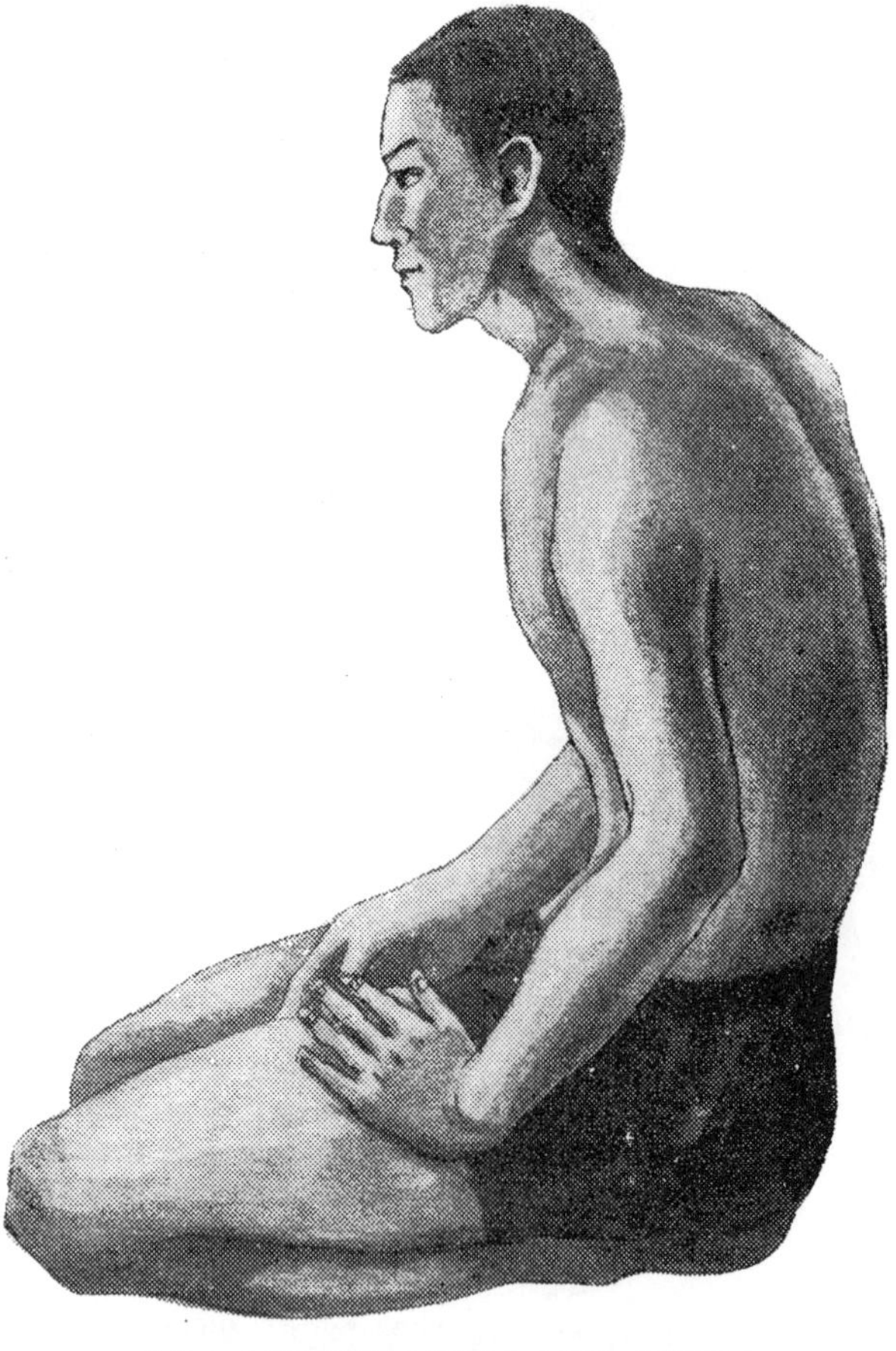

脊部凝り胸張り心下悶え下腹空虚となれる狀であつて諸病これより生ずるのである。

例言

一、本卷は東洋殊に我國に於て古來數千年の間、冥暗の裡に云ひ傳へ書き傳へられた心身鍛錬の秘訣を蒐集し、加ふるに現代に於ける膽力錬養法を以てし、渾融して一丸となし、以て今日の所謂心身練磨上に補益せんとしたものである。

一、本卷は以上の目的の下に之を完成したものであるから、說く所又參考として引用した所、往々にして今日の學理に副はないものがあらうと思ふ。併し乍らこれ皆心身鍛錬の秘訣を探らんが爲めの方法に過ぎないのであるから、一概に之を陳腐の言として排斥してはならない。

一、本卷は上述の主旨に基き、材料蒐集の如きも廣くこれを古今に求めたから、時に順序のあやまれるものがこれあると思ふ。併し乍ら可成的編輯の順序には意を用ひ、先づ膽力なる語の由來を極め、次で古今東西の勇德養成法を縷述し、最後に現今の氣力鍊養法を說述し、以て具體的に大膽力の養成法を明らかならしめたのである。

一、附錄として瑜珈行法の一端を錄した。同法は印度に源を發し、現今北米に於て大に隆盛を極めつゝある最新の思想である。心身鍛鍊上利益する所甚だ多きを以て特に本卷に錄する事とした。

武術 最高極意「地之卷」

野口一威齋監修
帝國尚武會編纂

大《だい》膽《たん》力《りよく》錬《れん》養《やう》法《はふ》

古《こ》人《じん》の膽《たん》力《りよく》說《せつ》

膽《たん》とは何《なん》ぞや　古來《こらい》物《もの》に動《どう》ぜぬ人《ひと》、事《こと》に動《うご》かぬ人《ひと》を稱《しよう》して、膽《たん》力《りよく》ある人《ひと》とか、或《あるひ》は單《たん》に大《だい》膽《たん》な人《ひと》とか云《い》つて居《ゐ》るが、然《しか》らば膽《たん》とは何《なん》であるか……？と云《い》ふと、古《こ》人《じん》はこれを五臟《ざう》六腑《ふ》（心《しん》臟《ざう》、肝《かん》臟《ざう》、腎《じん》臟《ざう》、肺《はい》臟《ざう》、脾《ひ》臟《ざう》、小《せう》腸《ちやう》腑《ふ》、膽《たん》腑《ふ》、膀《はう》胱《くわう》腑《ふ》、胃《ゐ》腑《ふ》、三焦《せう》腑《ふ》）の一なりと稱《しよう》して居《ゐ》る。併《しか》し乍《なが》らこれは今《こん》日《にち》の所謂《いはゆる》解剖《かいばう》學《がく》や、生理學《せいりがく》に準據《じゆんきよ》して科學的《くわがくてき》に組織《そしき》したと云《い》ふ譯《わけ》でなく、精神的治療法《せいしんてきちれうはふ》に基《もと》づいた氣血循環《きけつじゆんくわん》の經路《けいろ》を、夫《か》の陰陽五行說《をんやうぎやうせつ》に都合《がふ》よく配《はい》して組立《くみた》てたのであるから、說《と》く處自《ところおのづか》ら荒唐無稽《くわうたうむけい》に流《なが》れて居《を》るのは云《い》ふ迄《まで》もない。併《しか》し乍《なが》ら其精神的《そのせいしんてき》に言《げん》をたてゝ居《を》る點《てん》に於《おい》て、聊《いさゝ》か吾人《ごじん》の參考《さんかう》とすべきものがこれあると思《おも》ふ。

膽《たん》の形狀及所在《けいじやうおよびしよざい》　然《しか》らば膽《たん》の形狀及所在《けいじやうおよびしよざい》は何《ど》うかと云《い》ふと、古人《こじん》はこれを說《と》いて『膽《たん》の形《かたち》は懸瓢《けんぺう》の如《ごと》く、肝《かん》の短葉《たんえふ》の間《あひだ》に居《を》り、水色金精《すゐしよくきんせい》、出入《しゆつにふ》の竅《かく》なし、六腑《ふ》の傳化《でんくわ》して清淨《せいじやう》の腑《ふ》たるに同《おな》じからず、水《みづ》の氣《き》を受《う》け、坎《かん》と同位《どうゐ》、甲《かふ》の木《ぼく》に屬《ぞく》し、東方《とうはう》の瘞《えい》たり』と云《い》ひ、又《また》『膽《たん》の腑《ふ》は肝《かん》の腑《ふ》なり、肝《かん》の氣《き》を膽《たん》に合《がつ》す、中精《ちうせい》の腑《ふ》なり』と云《い》つて居《ゐ》る。是《これ》に由《よ》つて之《これ》を觀《み》れば、膽《たん》は德《とく》利《り》の樣《やう》なもので、肝《かん》臟《ざう》の中《うち》に潛《せん》在《ざい》して居《ゐ》るものと古《こ》人《じん》は信《しん》じて居《ゐ》たのである。

膽《たん》の實《じつ》質《しつ》及《およ》び功《こう》用《よう》　古《こ》人《じん》は更《さら》に膽《たん》の實《じつ》質《しつ》及《およ》びその內《ない》容《よう》を述《の》べて曰《いは》く『膽《たん》は精《せい》汁《じふ》を包《つゝ》むこと三合《がふ》、重《おも》さ三兩《りやう》三銖《しゆ》に懸《か》る、長《なが》さ三寸《ずん》三分《ぶ》なり、水《すゐ》精《せい》の汁《しる》一斗《と》二合《がふ》を中《なか》に納《をさ》む』と、卽《すなは》ち古《こ》人《じん》は膽《たん》を目《もく》して、他《た》の血《ち》に關《くわん》係《けい》ある臟《ざう》腑《ふ》とは少《すこ》しく特《とく》種《しゆ》な、水《すゐ》氣《き》のものと思《し》惟《ゐ》して居《ゐ》たのである。而《しか》して古《こ》人《じん》は更《さら》に膽《たん》の功《こう》用《よう》に推《すゐ》究《きう》の步《ほ》を進《すゝ》めて曰《いは》く『膽《たん》は淸《せい》淨《じやう》の府《ふ》、中《ちう》正《せい》の官《くわん》、決《けつ》斷《だん》出《い》づ、藏《ざう》を主《つかさど》りて瀉《しや》せず、凡《およ》そ他《た》の十一臟《ざう》は皆《みな》決《けつ》を膽《たん》に取《と》るなり、肝《かん》膽《たん》の二者《しや》は勇《ゆう》あるを司《つかさど》る』と、卽《すなは》ち肝《かん》と膽《たん》とは吾《ご》人《じん》の勇《ゆう》氣《き》の生《しやう》ずる根《こん》源《げん》であつて、就《なかん》中《づく》膽《たん》は決《けつ》斷《だん》の生《しやう》ずる中《ちう》央《あう》政《せい》府《ふ》と看《み》做《な》されて居《ゐ》たのである。

肝《かん》の功《こう》用《よう》　膽《たん》の說《せつ》明《めい》は以《い》上《じやう》で略《ほゞ》終《をは》つたのであるが、然《しか》らば膽《たん》を宿《やど》して居《ゐ》る肝《かん》とは如《い》何《か》なるものであるか、古《こ》人《じん》の言《げん》に依《よ》れば『凡《およ》そ人《ひと》夜《よる》寢《い》ぬる時《とき》は、血《けつ》肝《かん》の臟《ざう》に納《をさ》めて歸《かへ》る、晝《ひる》は則《すなは》ち遍《へん》身《しん》に散《さん》ず、此《これ》を以《もつ》て眼《まなこ》は血《ち》を受《う》けて能《よ》く見《み》る、足《あし》は血《ち》を受《う》けて能《よ》く步《あゆ》む、手《て》は血《ち》を受《う》けて能《よ》く擧《あが》る、指《ゆび》は血《ち》を受《う》けて能《よ》く拳《にぎ》る、故《ゆゑ》に血《ち》は一《いつ》身《しん》の重《ぢう》寶《ほう》、肝《かん》は諸《しよ》臟《ざう》の所以《ゆゑん》なり又《また》諸《もろ〳〵》の筋《すぢ》は皆《みな》肝《かん》に屬《ぞく》す』と、之《これ》に依《よ》つてこれを觀《み》れば、古《こ》人《じん》は肝《かん》を目《もく》して運《うん》動《どう》の中《ちう》樞《すう》であると信《しん》じて居《ゐ》たのである。換《くわん》言《げん》すれば凡《およ》そ人《ひと》は肝《かん》臟《ざう》あつて初《はじ》めて人《ひと》たるの機《き》能《のう》を發《はつ》揮《き》し得《う》るものと古《こ》人《じん》は思《し》惟《ゐ》して居《ゐ》たのである。併《しか》し乍《なが》ら肝《かん》の力《ちから》は單《たん》に凡《すべ》ての事《こと》を指《し》示《じ》するに止《とゞ》まつて、それに決《けつ》斷《だん》を與《あた》へ、更《さら》に進《す》んでこれを吾《ご》人《じん》の實《じつ》行《かう》に上《のぼ》らしむるものは、夫《か》の淸《せい》淨《じやう》の腑《ふ》たり。中《ちう》正《せい》の官《くわん》たる膽《たん》の力《ちから》であると解《かい》して居《ゐ》たのである。

處《ところ》で以《い》上《じやう》述《の》べ來《きた》つた膽《たん》力《りよく》說《せつ》は、前《まへ》にも述《の》べた如《ごと》く、古《こ》來《らい》儒《じゆ》醫《い》兩《りやう》家《か》の稱《とな》へた七情《じやう》說《せつ》や、陰《をん》陽《やう》五行《ぎやう》說《せつ》に配《はい》して都《つ》合《がふ》よく組《くみ》立《た》てたものであつて、これを今《こん》日《にち》の解《かい》剖《ぼう》學《がく》や生《せい》理《り》學《がく》、並《ならび》に組《そ》織《しき》學《がく》上《じやう》の智《ち》識《しき》から見《み》たならば、其《その》幼《えう》稚《ち》さは寧《むし》ろ滑《こつ》稽《けい》に類《るゐ》するものがあつて存《そん》するのである。併《しか》し乍《なが》ら精《せい》神《しん》的《てき》にこれを攻《こう》究《きう》したならば、大《おほい》に參《さん》考《かう》とすべき點《てん》がこれあると思《おも》ふ。況《いは》んや本《ほん》傳《でん》授《じゆ》は、必《かなら》ずしも生《せい》理《り》學《がく》や解《かい》剖《ぼう》學《がく》的《てき》に膽《たん》力《りよく》なるものを攻《こう》究《きう》せんとするのでなくして、大《だい》膽《たん》力《りよく》を鍊《れん》養《やう》するには如《い》何《か》なる方《はう》法《はふ》を用《もち》ふるのが可《い》いか、又《また》古《こ》來《らい》の英《えい》雄《ゆう》豪《がう》傑《けつ》は如《い》何《か》なる方《はう》法《はふ》を用《もち》ひてその膽《たん》力《りよく》を錬《れん》養《やう》したかを究《きは》めんとするのであるから、よし古《こ》人《じん》の稱《とな》へた七情《じやう》說《せつ》や陰《をん》陽《やう》五行《ぎやう》說《せつ》上《じやう》の所《しよ》見《けん》が、今《こん》日《にち》の進《しん》步《ほ》した醫《い》學《がく》上《じやう》の所《しよ》說《せつ》に合《がふ》致《ち》して居《ゐ》やうが居《ゐ》まいが、それは更《さら》に吾《ご》人《じん》の關《くわん》知《ち》する所《ところ》でないのである。併《しか》し乍《なが》ら膽《たん》力《りよく》を以《もつ》て膽《たん》より發《はつ》するの力《ちから》なりと解《かい》し、膽《たん》を以《もつ》て五臟《ざう》六腑《ぷ》の一なりと斷《だん》定《てい》するの愚《ぐ》は、吾《ご》人《じん》蒙《もう》昧《まい》なりと雖《いへど》も亦《また》これを繰《くり》返《かへ》す事《こと》はしない、然《しか》らば大《だい》膽《たん》力《りよく》とは如《い》何《か》なるものであるか……？。乞《こ》ふ次《じ》章《しやう》にこれをきけ……。

大《だい》膽《たん》力《りよく》の實《じつ》相《さう》

大《だい》膽《たん》力《りよく》と勇《ゆう》氣《き》の別《べつ》　世《せ》上《じやう》往《わう》々《〳〵》にして膽《たん》力《りよく》は勇《ゆう》氣《き》の別《べつ》

名《めい》であるかの如《ごと》く説《と》くものがあるが、勇《ゆう》氣《き》を以《もつ》て膽《たん》力《りよく》なりと斷《だん》ずる事《こと》は、未《いま》だ出《で》來《き》ないのであつて、勇《ゆう》氣《き》は寧《むし》ろ外《ぐわい》部《ぶ》に向《むか》つて現《あら》はれんとする膽《たん》力《りよく》の一部《ぶ》であると云《い》ふのが至《し》當《たう》の見《けん》解《かい》だと思《おも》ふ。然《しか》らば眞《しん》の大《だい》膽《たん》力《りよく》とは如《い》何《か》なるものであるか……？。吾《ご》人《じん》をしてこれを云《い》はしむれば、眞《しん》の大《だい》勇《ゆう》者《しや》たり大《だい》膽《たん》力《りよく》者《しや》たるものは、剛《がう》毅《き》と堅《けん》忍《にん》の二要《えう》素《そ》を完《くわん》全《ぜん》に具《ぐ》備《び》したものであらねばならぬと思《おも》ふ。然《しか》らば剛《がう》毅《き》とは何《なん》であるか……？。

剛《がう》氣《き》の解《かい》　孔《こう》子《し》の曰《いは》く『士《し》以《もつ》て弘《こう》毅《き》ならざる可《べか》らず、任《にん》重《おも》くして道《みち》遠《とほ》し、仁《じん》以《もつ》て己《おのれ》が仁《じん》となす、亦《また》重《おも》からずや、死《し》して後《のち》止《や》む、亦《また》遠《とほ》からずや』と、又《また》禮《れい》記《き》に曰《いは》く『儒《じゆ》は親《したし》むべくして劫《おびやか》すべからず、近《ちか》づくべくして迫《せま》る可《べか》らざるなり、殺《ころ》すべくして辱《はづかし》むべからず、其《その》居《きよ》處《しよ》淫《いん》せず、其《その》飲《いん》食《しよく》溽《おは》れず、其《その》過《くわ》失《しつ》微《すこ》しく辨《わきま》ふべくして而《しか》も數《しば〳〵》す可《べか》らざるものなり、其《その》剛《がう》毅《き》なること斯《かく》の如《ごと》きものあり。』と、剛《がう》毅《き》の本《ほん》體《たい》は實《じつ》に斯《かく》の如《ごと》きものであつて、吾《ご》人《じん》の心《しん》裡《り》に健《けん》在《ざい》して、毛《まう》頭《とう》も他《た》よりの干《かん》犯《はん》を許《ゆる》さゞる慨《がい》あるものである。然《しか》らば堅《けん》忍《にん》の實《じつ》相《さう》は如《い》何《かん》……？。

堅《けん》忍《にん》の解《かい》　孟《まう》子《し》の曰《いは》く『天《てん》の將《まさ》に大《たい》任《にん》をこの人《ひと》に降《くだ》さんとするや、必《かなら》ず先《まづ》其《その》心《しん》志《し》を苦《くる》しましめ、其《その》筋《きん》骨《こつ》を勞《つか》らしめ、其《その》體《たい》膚《ふ》を餓《う》へしめ、其《その》身《み》を空《くう》乏《はふ》し、其《その》爲《な》す處《ところ》を拂《ふつ》亂《らん》す。心《こゝろ》を動《うご》かし、性《せい》を忍《しの》んで其《その》能《あた》はざる所《ところ》を增《ぞう》益《えき》する所以《ゆゑん》なり』と、蘇《そ》東《とう》坡《は》曰《いは》く『匹《ひつ》夫《ぷ》の辱《はづか》めらるゝや劍《けん》を拔《ぬ》いて起《た》ち、身《み》を挺《てい》して鬪《たゝか》ふ、これ勇《ゆう》となすに足《た》らざるなり、天《てん》下《か》に大《だい》勇《ゆう》者《しゃ》あり、卒《そつ》然《ぜん》之《これ》に臨《のぞ》むも驚《おどろ》かず、故《ゆゑ》なくして之《これ》に加《くは》ふるも怒《いか》らず、これ其《その》挾《けふ》持《ぢ》する所《ところ》の者《もの》甚《はなは》だ大《だい》にして、其志《そのこゝろざし》甚《はなは》だ遠《とほ》ければ也《なり》』と、思《おも》ふに大《だい》膽《たん》力《りよく》とはこの二形《けい》相《さう》を具《ぐ》備《び》したるものゝ謂《いひ》であつて、換《くわん》言《げん》すれば勇《ゆう》德《とく》あるの稱《しよう》である。卽《すなは》ち義《ぎ》理《り》好《かう》惡《を》をわきまへた道《だう》德《とく》的《てき》の勇《ゆう》氣《き》を指《さ》して云《い》ふのである。夫《か》の阪《さか》田《たの》金《きん》時《とき》が勇《ゆう》士《し》になる工《く》夫《ふう》を人《ひと》から問《と》はれた時《とき》『勇《ゆう》士《し》になるには憶《おく》病《びやう》になる稽《けい》古《こ》をするのが一番《はん》だ』と答《こた》へたと云《い》ふが、實《じつ》に至《し》言《げん》だと思《おも》ふ。左《さ》に掲《かゝ》ぐる一文《ぶん》は安《あ》積《さか》艮《こん》齊《さい》が昔《むかし》の武《ぶ》士《し》に與《あた》へたものであるが、これなども明《あき》らかに剛《がう》毅《き》堅《けん》忍《にん》なれと諷《ふう》し敎《をし》えて居《ゐ》る。其《その》言《げん》に曰《いは》く、

『凡《およ》そ勇《ゆう》士《し》といふは愼《つゝし》み深《ぶか》き者《もの》にて、能《よ》く事《じ》理《り》の輕《けい》重《ちよう》を

辨《べん》じ、危《あやふ》き處《ところ》に近《ちか》寄《よ》らず、人《ひと》立《だち》多《おほ》き所《ところ》に行《ゆ》かず、堪《かん》忍《にん》を第《だい》一として喧《けん》嘩《くわ》口《こう》論《ろん》をなさず、人《ひと》に對《たい》して無《ぶ》禮《れい》を行《おこな》はず、人《ひと》無《ぶ》禮《れい》なることありても敢《あへ》て怒《いか》り取《とり》合《あ》はず、此《かく》の如《ごと》く身《み》を大《たい》切《せつ》に守《まも》るは吾《わが》身《み》は君《きみ》へ奉《たてまつ》りし者《もの》にて、我《わが》自《じ》由《いう》にならざる故《ゆゑ》、君《きみ》の用《よう》に立《た》つべき爲《ため》なり、且《か》つ愼《つゝし》みなきものは油《ゆ》斷《だん》多《おほ》く、人《ひと》その透《すき》間《ま》に乘《じよう》ずることあれども、此《かく》の如《ごと》く堅《けん》固《ご》に身《み》を守《まも》る故《ゆゑ》、金《きん》城《じやう》湯《たう》池《ち》の如《ごと》く攻《せめ》入《い》る所《ところ》なし、一《いつ》旦《たん》君《きみ》の爲《ため》に勇《ゆう》を發《はつ》する時《とき》は、其《その》忠《ちう》誠《せい》純《じゆん》一《いつ》の氣《き》、金《きん》石《せき》を貫《つらぬ》き、鐵《てつ》壁《ぺき》を摧《くだ》くべし、之《これ》を眞《しん》の勇《ゆう》士《し》と稱《しよう》するなり、血《けつ》氣《き》の勇《ゆう》を好《この》み、爭《さう》鬪《とう》を喜《よろこ》ぶものは下《げ》郎《らう》の勇《ゆう》にして、犬《いぬ》死《じに》する事《こと》あるべし。』と、之《これ》を要《えう》するに大《だい》膽《たん》力《りよく》錬《れん》養《やう》の眞《しん》意《い》は、吾《ご》人《じん》の眞《しん》勇《ゆう》を養《やしな》ひ、且《かつ》は勇《ゆう》徳《とく》を發《はつ》揮《き》して之《これ》を事《じ》業《げふ》の上《うへ》に及《およ》ぼし令《れい》命《めい》を馳《は》せ、一大《だい》成《せい》功《こう》を圖《はか》らしめんとするにある。然《しか》らば大《だい》膽《たん》力《りよく》は如《い》何《か》にしてこれを鍊《れん》養《やう》すべきか乞《か》ふ刮《くわつ》目《もく》して次《じ》章《しやう》を見《み》よ。

膽《たん》力《りよく》と氣《き》力《りよく》との關《くわん》係《けい》

氣《き》血《けつ》の關《くわん》係《けい》　本《ほん》論《ろん》に入《い》るに先《さき》だつて、尙《なほ》少《すこ》しく述《の》べて置《お》かねばならぬことは、膽《たん》力《りよく》と氣《き》力《りよく》との關《くわん》係《けい》であるが、それには氣《き》血《けつ》二者《しや》の關《くわん》係《けい》を前《まへ》以《もつ》て明《あき》らかにして置《お》く必《ひつ》要《えう》がある。凡《およ》そ吾《ご》人《じん》の生《せい》命《めい》は一《いつ》方《ぱう》に大《だい》氣《き》を呼《こ》吸《きふ》すると同《どう》時《じ》に、一《いつ》方《ぱう》に飲《いん》食《しよく》を資《と》るが故《ゆゑ》に能《よ》く血《けつ》液《えき》が周《しう》流《りう》して體《たい》溫《をん》を保《たも》ち生《せい》命《めい》を續《つゞ》け得《う》るのであつて、何《いづ》れの一《いつ》方《ぱう》が缺《か》けても人《ひと》は絕《ぜつ》對《たい》に命《いのち》を保《たも》つ事《こと》が出《で》來《き》ないのである。殊《こと》に氣《き》を養《やしな》ふ根《こん》源《げん》たる大《たい》氣《き》を呼《こ》吸《きふ》すると云《い》ふ事《こと》は、最《もつと》も大《たい》切《せつ》なる事《こと》であるから、吾人《ごじん》は氣《き》を能《よ》く全身《せんしん》に周遍《しうへん》して、滯《とゞこほ》る處《ところ》なからしむるやう心懸《こゝろがけ》ると同時《どうじ》に、而《しか》も其《その》氣《き》を能《よ》く氣《き》海丹田《かいたんでん》に收《をさ》めしめ、以《もつ》て氣力養成《きりよくやうせい》の一助《じよ》たらしめねばならぬのである。處《ところ》でこゝに一言《ごん》氣《き》と云《い》ふもの〻說明《せつめい》を加《くは》へて置《お》かねばならぬ。卽《すなは》ち氣《き》とは何《なん》ぞやと云《い》ふ問題《もんだい》が起《おこ》つて來《く》るのである。

氣《き》とは何《なん》ぞや　氣《き》とは物《もの》より發《はつ》する所《ところ》の希《き》微《び》であつて、見《み》る可《べか》らず、捉《とら》ふ可《べか》らざるものである。卽《すなは》ち其物《そのもの》の氣《き》は其物《そのもの》の本體《ほんたい》と同一《どういつ》であつて、恰《あだか》も本體《ほんたい》の微分子《びぶんし》なるが如《ごと》く一にして二、二にして而《しか》も一、卽《すなは》ち氣《き》あれば必《かなら》ず物《もの》あり、物《もの》あれば必《かなら》ず氣《き》あり、氣《き》と物《もの》と相離《あひはな》れたならば卽《すなは》ち物《もの》既《すで》に物《もの》たらず、物《もの》と氣《き》と相失《あひうしな》へば則《すなは》ち氣《き》既《すで》に氣《き》たらずと云《い》ふ事《こと》が出《で》來《き》る程《ほど》、二者《しや》は密《みつ》接《せつ》なる關《くわん》係《けい》があるのである。更《さら》に詳《くは》しく云《い》へば氣《き》は卽《すなは》ち物《もの》より生《しやう》ずるの物《もの》であつて、物《もの》は卽《すなは》ち氣《き》の本《もと》づく處《ところ》の氣《き》である。故《ゆゑ》に靜《しづ》かに就《つい》て之《これ》を云《い》へば物《もの》と云《い》ひ、動《どう》に就《つい》てこれを云《い》へば氣《き》と云《い》ふ事《こと》が出《で》來《き》るのである。又《また》本《もと》に著《つ》いて之《これ》を云《い》へば物《もの》と云《い》ひ、末《すゑ》に著《つ》いてこれを云《い》へば氣《き》と云《い》ふ事《こと》が出《で》來《き》るのである。卽《すなは》ち水《みづ》を以《もつ》てこれを云《い》へば、水《みづ》はこれ物《もの》であつて、水《すゐ》上《じやう》の濕《しつ》潤《じゆん》はこれ水《みづ》の氣《き》である。更《さら》に火《ひ》を以《もつ》てこれを云《い》へば、火《ひ》はこれ物《もの》であつて、火《くわ》邊《へん》の燥《さう》熱《ねつ》はこれ火《ひ》の氣《き》である。故《ゆゑ》に水《みづ》あれば自《おのづか》ら濕《しつ》潤《じゆん》、火《ひ》あれば自《おのづか》ら燥《さう》熱《ねつ》、而《しか》してこの濕《しつ》潤《じゆん》は正《まさ》に水《みづ》より發《はつ》し、この燥《さう》熱《ねつ》は正《まさ》に火《ひ》より發《はつ》するのである。而《しか》もこの濕《しつ》潤《じゆつ》、この燥《さう》熱《ねつ》は、手《て》これを捉《とら》ふ可《べか》らず、眼《め》これを觀《み》る可《べか》らざる希《き》微《び》であるけれども、二者《しや》の本《ほん》體《たい》に於《お》ける關《くわん》係《けい》は二にして一、一にして二、氣《き》は宛《さな》然《がら》本《ほん》體《たい》の微《び》分《ぶん》子《し》なるが如《ごと》き觀《くわん》がある。故《ゆゑ》に若《も》し水《すゐ》氣《き》竭《つ》き、濕《しつ》潤《じゆん》の作《さ》用《よう》が乏《とぼ》しきに至《いた》つたなれば、其《その》時《とき》は水《みづ》既《すで》に涸《こ》渇《かつ》して居《ゐ》るの證《しよう》左《さ》であり、火《くわ》氣《き》盡《つ》き、燥《さう》熱《ねつ》の作《さ》用《よう》が衰《おとろ》ふるに至《いた》つたならば、其《その》時《とき》は火《ひ》既《すで》に消《せう》燼《じん》して居《ゐ》るの證《しよう》左《さ》なのであつて、要《えう》するに水《すゐ》火《くわ》の體《たい》なければ、濕《しつ》燥《さう》の氣《き》、亦《また》自《おのづか》らないのである。

氣《き》はにほひに通《つう》ず　斯《か》く物《もの》には物《もの》の氣《き》があるが、氣《き》は又《また》にほひに通《つう》じて居《ゐ》る。卽《すなは》ち蘭《らん》氣《き》新《しん》酌《しやく》に添《そ》ひとか、菊《きく》氣《き》新《しん》秋《しう》に入《い》るとか云《い》ふのはそれであつて、この他《ほか》神《かみ》を祭《まつ》る鬱《うつ》鬯《ちやう》の氣《き》、卽《すなは》ち鬯《ちやう》氣《き》であるとか、又《また》梅《うめ》の梅《ばい》氣《き》、竹《たけ》の竹《ちく》氣《き》、松《まつ》の松《しよう》氣《き》、茶《ちや》の茶《さ》氣《き》、藥《くすり》の藥《やく》氣《き》、酒《さけ》の酒《しゆ》氣《き》、或《あるひ》は毒《どく》氣《き》、蟒《ばう》氣《き》、霜《さう》氣《き》、雲《うん》氣《き》等《とう》、一《いつ》切《さい》種《しゆ》々《〳〵》の物《もの》に一《いつ》切《さい》種《しゆ》々《〳〵》の氣《き》があるのである。而《しか》してこれは何《いづ》れも『にほひ』の事《こと》を云《い》ふものであるから、『にほひ』なる語《ご》は現《げん》今《こん》に於《おい》ては香《かう》臭《しう》の事《こと》にのみ用《もち》ひられて居《ゐ》るものゝ、實《じつ》は氣《き》と同《どう》一《いつ》の意《い》味《み》をも有《も》つて居《ゐ》るのである。現《げん》に吾《ご》人《じん》は日《にち》常《じやう》色《いろ》の澤《つや》、聲《こゑ》の韵《ゐん》、劍《つるぎ》の光《ひかり》、人《ひと》の容《かたち》等《とう》を氣《き》に通《つう》じ『にほひ』に通《つう》じ用《もち》ひて居《ゐ》る。

水《みづ》を熱《ねつ》すると『ゆげ』が立《たち》騰《のぼ》るを見《み》る事《こと》が出《で》來《き》る。而《しか》して『ゆげ』は湯《ゆ》の氣《き》であつて、甑《そ》上《じやう》の氣《き》といふのは即《すなは》ちこれ湯《ゆ》氣《げ》である。凡《およ》そ斯《かく》の如《ごと》く、其《そ》の物《もの》より立《たち》騰《のぼ》り、横迸《ほとばし》り、若《も》しくは遊《いう》離《り》するもので、あるが如《ごと》く、又《また》なきが如《ごと》く見《み》るが如《ごと》く、見《み》る可《べか》らざるが如《ごと》きもの、これらの凡《すべ》てを名《な》づけて氣《き》と云《い》ふ事《こと》が出《で》來《き》るのであつて、夫《か》の海《かい》潮《てう》の氣《き》を潮《てう》氣《き》と云《い》ひ、山岳《さんがく》の氣《き》を山氣《さんき》と云《い》ふ樣《やう》に、河氣《かき》、澤氣《たくき》、野氣《やき》、景氣《けいき》、虹氣《こうき》、暈氣《うんき》、塵氣《ぢんき》、雲氣《うんき》、珥氣《じき》(日輪《にちりん》の四傍《はう》にあるもの)など何《いづ》れも其體《そのたい》から發《はつ》する微《び》分子《ぶんし》の如《ごと》きものと解《かい》して差支《さしつか》へないのである。

氣《き》は氣《き》息《そく》に通《つう》ず　以上《いじやう》で氣《き》と云《い》ふもの丶實相《じつさう》が略《ほゞ》推察《すゐさつ》し得《え》られたと思《おも》ふが、右《みぎ》の他《ほか》、氣《き》に氣《き》息《そく》の義《ぎ》、卽《すなは》ち『いき』の義《ぎ》のあることをも知《し》つて居《を》らねば氣《き》血《けつ》の關係《くわんけい》を了得《れうとく》する事《こと》が出來《でき》ない。卽《すなは》ち前述《ぜんじゆつ》した『にほひ』の義《ぎ》の如《ごと》きもこれに通《つう》ずる事《こと》で、物《もの》の香《にほひ》は卽《すなは》ち物《もの》の吐《は》くところの『いき』である。呼氣《こき》、吸氣《きふき》、出氣《しゆつき》、入氣《にふき》は卽《すなは》ち『いき』で、仙人《せんにん》の餐芝《さんし》服氣《ふくき》と云《い》ひ、道家《だうけ》の道氣《たうき》養性《やうせい》と云《い》ひ、亢倉子《かうさうし》の氣《き》を噏《の》み神《しん》を谷《やしな》ひ、思《し》を宰《さい》し慮《りよ》を損《そん》し、逍遙《せうえう》輕擧《けいきよ》すと云《い》つて居《ゐ》るのも、氣《き》を吸《きふ》して以《もつ》て精《せい》を養《やしな》ふと云《い》つた關尹子《くわんいんし》の言《げん》も、彭祖《はうそ》が閉氣《へいき》して内息《ないそく》すると云《い》つたのも、氣《き》を食《くら》ふと云《い》つたのも、氣《き》を呑《の》むと云《い》つたのも、皆《みな》これ氣《き》を『いき』とのみ麤解《そかい》しては妙味《めうみ》を殺《そ》ぐが、而《しか》も大略《たいりやく》『いき』と解《かい》して差支《さしつか》へ無《な》い。卽《すなは》ち人《ひと》の氣《き》の存《そん》するものは、人《ひと》の生《せい》の存《そん》する所以《ゆゑん》で、氣《き》絶《た》ゆれば卽《すなは》ち生《せい》絶《た》ゆるのである。この點《てん》に於《おい》て、邦語《はうご》は言《こと》靈《たま》の幸《さち》はふ國《くに》の語《ことば》だけに、甚《はなは》だ面白《おもしろ》い成立《なりた》ちを有《も》つて居《ゐ》る。卽《すなは》ち氣《き》の『いき』は直《たゞち》に生《いき》の『いき』であり、生命《いのち》の『いのち』は『氣《い》のうち』である。氣息《きそく》の古邦語《こはうご》は『い』で、『いぶき』は氣噴《いぶき》であり、病療《やまひい》ゆの『いゆ』は氣延《いは》ゆの約《やく》、休憩《きうけい》の『いこふ』は氣生《いきは》ふである。物《もの》を言《い》ふの『いふ』は氣經《いふ》であり、鼾聲《かんせい》の『いびき』は、氣響《いひゞ》きの約《やく》である。萎頓困敝《ゐとんこんへい》の

『いきつく』は氣盡《いきつ》くで、奮發努力《ふんはつどりよく》せんとするの『いきごむ』は氣籠《いきごむ》である。現《げん》に『生《い》き』は『いき』にして『生命《いのち》』は氣《い》の內《うち》であるから、氣《き》の『いき』の義《ぎ》は一轉《いつてん》して人《ひと》の精神《せいしん》情意《じやうい》と其《そ》の威《ゐ》燄《えん》光彩《くわうさい》の義《ぎ》となる。人《ひと》の氣《き》の盛《さか》んに騰《のぼ》るを『いきる』といひ、物《もの》の氣《き》の騰《のぼ》るのも酩《いき》るといふ。『いきり立《た》つ』は卽《すなは》ち人《ひと》の意《い》氣《き》壯烈《さうれつ》なるを云《い》ふので、いきまくは卽《すなは》ち人《ひと》の氣《き》の風動《ふうどう》火《くわ》燃《ねん》せんとするを云《い》ふ。『いきざし』は心《こゝろ》の向《むか》ひ指《さ》すところあるを心《こゝろ》ざしと云《い》ふに同《おな》じく、人《ひと》の意《い》氣《き》の向《むか》ふ處《ところ》あるを云《い》ふのである。『いきほひ』は氣暢《いきほひ》、若《も》しくは氣榮《いきはえ》の義《ぎ》であつて、いかるは氣上《いきあか》るの義《ぎ》である。これは古《こ》書《しよ》の擧《きよ》痛《つう》論《ろん》に怒《いか》るときは則《すなは》ち氣《き》上《あが》るとあるに吻合《ふんがふ》して居《ゐ》るのを見《み》ても、地《ち》に彼《ひ》此《し》の別《べつ》あつて、人《ひと》に東西《とうざい》の差《さ》なきを思《おも》はずに居《を》られない。憂悒《いういふ》の義《ぎ》の『いぶせし』は氣《い》噴《ぶ》せしの意《い》であつて、憂《うれ》ふる者《もの》の氣《い》噴《ぶき》は暢《ちやう》達《たつ》寛《くわん》大《だい》なる能《あた》はざるの實《じつ》に副《そ》ふて居《ゐ》る。これも悲《かなし》むときは則《すなは》ち心《しん》系《けい》急《きふ》に、肺《はい》布《し》き氣《き》擧《あが》つて上《じやう》焦《せう》通《つう》せずと擧《きよ》痛《つう》論《ろん》に説《と》いてあるのと相《あひ》應《おう》じて居《ゐ》る。『いきどほり』はいかりて發《はつ》する能《あた》はず、氣《いき》の屯《ちゆん》塞《そく》して徘《も》徊《とほ》りて已《や》まざる『いきもとほり』の義《ぎ》と推《すゐ》測《そく》される。其《その》他《た》嚴《いか》し、嚴《いか》めし、睚《い》眦《がむ》等《とう》の語《ことは》も、深《ふか》く本《もと》づく處《ところ》を考《かんが》へたならば凡《すべ》て氣《い》息《き》に關《くわん》して居《ゐ》るやうである。而《しか》してこれ等《ら》の諸《しよ》語《ご》は氣《き》の『いき』の義《ぎ》であることを意《い》味《み》すると共《とも》に、氣《い》息《き》に係《か》けて人《ひと》の心《しん》身《しん》狀《じやう》態《たい》を表《あら》はして居《ゐ》るのであつて、これに依《よ》つて見《み》ても氣《い》息《き》が人《ひと》の心《しん》理《り》や身《しん》狀《じやう》と離《はな》る可《べか》らざる關《くわん》係《けい》のある事《こと》を知《し》る事《こと》が出《で》來《き》る。之《これ》を要《えう》するに氣《き》あるは卽《すなは》ち生《せい》あるので、氣《き》を失《うしな》へば卽《すなは》ち死《し》するといふ事《こと》は、韓《かん》嬰《えい》の儒《じゆ》を待《ま》たずして自《おのづか》ら明《あき》らかである。斯《か》ゝる次《し》第《だい》で、人《ひと》の心《しん》身《しん》にかゝるある意《い》味《み》を表《あら》はす事《こと》に於《おい》て、漢《かん》字《じ》の氣《き》の字《じ》も、邦《はう》語《ご》の『いき』といふ語《ご》も、氣《き》息《そく》の義《ぎ》から一《いつ》轉《てん》再《さい》轉《てん》三轉《てん》して、甚《はなは》だ包《はう》含《がん》量《りやう》の多《おほ》い字《じ》となり語《ご》となつて居《ゐ》る。而《しか》して色《いろ》、酒《さけ》、財《ざい》、氣《き》と連《つら》ねて云《い》ふときは氣《き》一字《じ》でも氣《き》息《そく》の義《ぎ》ではなく、威《ゐ》張《は》つたり、怒《いか》つたりすることの方《はう》になつて居《ゐ》るし、いきの荒《あら》いといふ時《とき》は、氣《き》息《そく》の荒《あら》いといふよりは威《ゐ》燄《えん》の烈《はげ》しいといふことになつて居《ゐ》る。醉《ゑ》ふて兇《きよう》暴《ばう》になるを古《ふる》い語《ことは》に酗《さかごり》といふが、これは酒《さか》氣《いき》騰《あが》りの約《やく》である。神《しん》氣《き》、血《けつ》氣《き》、才《さい》氣《き》、眞《しん》氣《き》など云《い》ふ語《ご》は姑《しば》らく擱《お》くとしても、老《らう》子《し》の氣《き》を專《もつぱ》らにして氣《き》を致《いた》すと云《い》ひ、萬《はん》物《ぶつ》陰《いん》を負《お》ひて陽《やう》を抱《いだ》く、沖《ちう》氣《き》以《もつ》て和《くわ》をなすと云《い》ひ、孫《そん》子《し》の氣《き》を併《あは》せ力《ちから》を積《つ》むと云《い》ひ、張《ちやう》耳《じ》の客《きやく》等《ら》が生《せい》平《へい》氣《き》をなすと云《い》ひ、關《くわん》尹《いん》子《し》の豆《うつは》の中《なか》に鬼《おに》を攝《せつ》し、柳《やなぎ》の中《なか》に魚《うを》を釣《つ》り、畫《ぐわ》門《もん》開《ひら》く可《べ》く、土《ど》鬼《き》語《かた》るべし、皆《みな》純《じゆん》氣《き》の爲《な》す所《ところ》なりと云《い》ひ、莊《さう》子《し》の座《ざ》を安《やす》くし、氣《き》を定《さだ》むと云《い》ひ、靜《しづ》かならんと欲《ほつ》すれば則《すなは》ち氣《き》を平《たひらか》にし、神《しん》ならんと欲《ほつ》すれば則《すなは》ち心《こゝろ》を順《じゆん》にすといひ、管《くわん》仲《ちう》の人《ひと》足《た》らざれば則《すなは》ち逆《ぎやく》氣《き》生《しやう》ず、逆《ぎやく》氣《き》生《しやう》じて而《しか》して命《めい》行《おこな》はれずなど云《い》つたのは、皆《みな》何《いづ》れも氣《き》息《そく》の義《ぎ》から出《で》たにせよ、氣《き》息《そく》の義《ぎ》卽《すなは》ち氣《き》なりとしては意《い》を失《うしな》ふので、それらの氣《き》の義《ぎ》は、人《ひと》の心《こゝろ》の或《ある》作《さ》用《よう》をなすものと見《み》、包《はう》含《がん》量《りやう》の甚《はなは》だ多《おほ》い語《ことば》として見《み》るが至《し》當《たう》である。少《すこ》しく說《せつ》明《めい》が長《なが》すぎたが、斯《か》く氣《き》は二樣《やう》の意《い》味《み》がある。處《ところ》で前《まへ》にも述《の》べた如《ごと》く人《ひと》の生《せい》命《めい》は一《いつ》方《ほう》に氣《き》を呼《こ》吸《きふ》すると共《とも》に食物《しよくもつ》を攝《と》り、以《もつ》て繼續《けいぞく》されて居《ゐ》るのであつて、其《その》何《いづ》れを缺《か》いても生命《いのち》はなくなるのである。卽《すなは》ち氣《き》は素《も》と『いき』の氣《き》に相違《さうゐ》ないが、而《しか》も血《ち》の氣《き》であると云《い》ふ事《こと》も出來《でき》るのである。卽《すなは》ち氣《き》なくして血《ち》なく、血《ち》なくして氣《き》は素《もと》よりない。換言《くわんげん》すれば血《ち》は氣《き》の本體《ほんたい》である。故《ゆゑ》に血《ち》は氣《き》を牽《ひき》ひもすれば、血《ち》は氣《き》に隨《したが》ひもする。之《これ》を要《えう》するに血《ち》と氣《き》は相《あひ》附《ふ》隨《ずゐ》して居《ゐ》るものであつて、兩《りやう》者《しや》相《あひ》離《はな》れぬ間《あひだ》は生《せい》であり、相《あひ》別《わか》るゝの時《とき》は死《し》なのである。而《しか》してこの意《い》味《み》を擴張《くわくちやう》して行《ゆ》けば、氣《き》の旺盛《わうせい》と云《い》ふ事《こと》は、卽《すなは》ち血《けつ》行《かう》の雄《ゆう》健《けん》と云《い》ふ事《こと》で、血《けつ》行《かう》の萎《ゐ》靡《び》は卽《すなは》ち氣力《きりよく》の消《せう》衰《すゐ》といふことになるのである。こゝに於《おい》てか吾人《ごじん》は左《さ》の定義《ていぎ》を下《くだ》すことが出來《でき》る。卽《すなは》ち『汝《なんぢ》の氣力《きりよく》を盛《さか》んにせんとならば汝《なんぢ》の血行《けつかう》を盛《さかん》にせよ、さらば汝《なんぢ》は眞《しん》に自己《じこ》の氣《き》力《りよく》の盛《さかん》になりし事《こと》を自覺《じかく》し得《う》るであらう』と、以上《いじやう》の諸《しよ》説《せつ》は手近《てぢか》な例《れい》で、容易《ようい》にこれを知《し》ることが出來《でき》る。卽《すなは》ち人《ひと》試《こゝろ》みに直立《ちよくりつ》して胸《むね》を張《は》り、拳《こぶし》を固《かた》め、頭《かしら》を擡《もた》げ、視《し》を正《たゞ》しくして、宛然《さながら》横綱《よこづな》が土俵入《どへういり》をする樣《やう》な雄姿《ゆうし》を取《と》り、然《しか》して兩《りやう》手《て》を動《うご》かす事《こと》數分時《すうふんじ》、或《あるひ》は上下《じやうげ》し、或《あるひ》は屈伸《くつしん》し、或《あるひ》は擊《う》つが如《ごと》くし、或《あるひ》は攫《くわく》するが如《ごと》くして、任意《にんい》に力《ちから》を用《もち》ひたならば、忽《たちまち》に身《み》暖《あたゝか》く、筋《すぢ》張《は》り精神《せいしん》亦《また》自《おのづか》ら爽快《さうくわい》を覺《おぼ》ゆるであらう。これ卽《すなは》ち血行《けつかう》並《ならび》に氣力《きりよく》の盛《さか》んなる證左《しようさ》である。更《さら》に吾人《ごじん》が日常《にちじやう》行《おこな》ひつゝある溫浴《をんよく》又《また》は冷浴《れいよく》後《ご》、精神《せいしん》の爽快《さうくわい》を感《かん》ずるのは、萬人《ばんじん》周知《しうち》の事實《じじつ》である。而《しか》も其《その》重《おも》なる原因《げんいん》が、血行《けつかう》增《ぞう》進《しん》のため自《おのづか》ら氣《き》の暢和《ちやうわ》を致《いた》すのである事《こと》を吾人《ごじん》は先《ま》づ知《し》らねばならぬ。卽《すなは》ち血《ち》が動《うご》けば氣《き》が動《うご》き、氣《き》が動《うご》けば血《ち》が動《うご》くと云《い》ふ工《ぐ》合《あひ》に、血《ち》と氣《き》とは生《せい》ある間《あひだ》、常《つね》に相離《あひはな》るゝことがないのである。換言《くわんげん》すれば血《ち》が動《うご》いて居《ゐ》る間《あひだ》は氣《き》があるので、氣《き》がある間《あひだ》は生命《せいめい》絶《た》ゆる事《こと》はないのである。以上《いじや》で氣血《きけつ》の關係《くわんけい》が生命上《せいめいじやう》に重大《ぢうだい》な意味《いみ》ある事《こと》が明《あき》らかになつた。就《つい》ては更《さら》に一歩《いつぽ》を進《す》めて、今度《こんど》は心氣血《しんきけつ》の關《くわん》係《けい》を明《あき》らかにしやうと思《おも》ふ。

心氣血《しんきけつ》の關係《くわんけい》

心氣血《しんきけつ》の關係《くわんけい》と云《い》ふと、氣血《きけつ》の關係《くわんけい》を根底《こんてい》にした精神《せいしん》の應用法《おうようはふ》である。と云《い》ふのは他《ほか》ではないが、元來《ぐわんらい》氣《き》は心《こゝろ》の發《はつ》したるもので、心《こゝろ》は氣《き》の體《たい》であるから、心《こゝろ》に斯《か》くしたいと思《おも》つた事《こと》は、直《たゞち》に氣《き》となつてこれを血《ち》に傳《つた》へる、而《しか》して血《ち》はこれを身《み》に傳《つた》へるから、今《いま》自分《じぶん》が健《けん》脚《きやく》になりたいと思《おも》へば、其《その》一念《ねん》は直《たゞち》に氣《き》となつて發《はつ》し、以《もつ》てこれを血《ち》に傳《つた》へ、血《ち》は直《たゞち》にこれを身《からだ》に傳《つた》へるから、健《けん》脚《きやく》になりたいと思《おも》ふ一念《ねん》は、直《たゞち》に脚《あし》に向《むか》ふ事《こと》が出來《でき》、こゝに心《しん》氣《き》血《けつ》の一致《いつち》を見《み》ることが出來《でき》る譯《わけ》である。處《ところ》で健《けん》脚《きやく》法《はふ》の練《れん》習《しふ》と云《い》ふ段《だん》になると、只《たゞ》ぶら〳〵歩《ある》いて居《ゐ》る丈《だけ》では駄《だ》目《め》であつて、卽《すなは》ち一《いつ》歩《ほ》毎《ごと》に心《こゝろ》を入《い》れて歩《あゆ》まねばならぬのである。斯《か》くすれば心《こゝろ》に從《したが》つて自《おの》づと氣《き》が足《あし》にそゝがれ、それにつれて血《ち》が髀《はい》部《ぶ》の筋《きん》肉《にく》に充《み》ち滿《み》ちて來《く》る。髀《はい》部《ぶ》の筋《きん》肉《にく》に血《ち》が充《み》ち渡《わた》つて來《く》るとこゝに血《けつ》管《くわん》の末《まつ》梢《せう》が膨《ほう》張《ちやう》して、神《しん》經《けい》の末《まつ》梢《せう》を壓《あつ》迫《ぱく》し、髀《はい》部《ぶ》や、大《だい》腿《たい》部《ぶ》や、足《そく》踝《くわ》部《ぶ》やが病《や》んで來《き》て、手《て》を以《もつ》て押《お》せば大《おほい》に疼《とう》痛《つう》を感《かん》ずる樣《やう》になる。これは遠《とほ》道《みち》をした際《さい》にも能《よ》く起《お》きて來《く》る現《げん》象《しやう》で、諸《しよ》子《し》も定《さだ》めし經驗《けいけん》された事《こと》と思《おも》ふ。處《ところ》でこの疼痛《とうつう》に辟易《へきえき》して了《しま》へばそれまでゝ、何等《なんら》効《かう》を奏《そう》さないが、更《さら》に一層《いつそう》健脚《けんきやく》を欲《ほつ》する勇猛心《ゆうまうしん》を發揮《はつき》して氣《き》を率《ひき》ひ、氣《き》を以《もつ》て功《こう》を積《つ》んだならば、血《ち》の働《はたらき》のために足《あし》の痛《いたみ》は毎日《まいにち》甚《はなは》だしくなるが、軈《やが》て心《こゝろ》が氣《き》を率《ひき》ひ、氣《き》が血《ち》を率《ひき》ひ、卽《すなは》ち心氣血《しんきけつ》一致《いつち》の極致《きよくち》に達《たつ》して、血《ち》が身《からだ》を率《ひき》ひて了《しま》ふやうになると、玆《こゝ》に健脚《けんきやく》の望《のぞみ》は達《たつ》せられるのである。卽《すなは》ち血《ち》がその局部《きよくぶ》に餘分《よぶん》に供給《きようきふ》され、供給《きようきふ》された結果《けつくわ》、筋肉組織《きんにくそしき》が緊密《きんみつ》になり、卽《すなは》ち筋《すぢ》が鍛《きた》へられて、常人《じやうじん》に卓越《たくえつ》した健脚《けんきやく》となる事《こと》が出來《でき》るのである。併《しか》し乍《なが》らこれは未《ま》だ眞《しん》の健脚《けんきやく》になつたのでなくして、夫《か》の一日《にち》に三十里《り》乃至《ないし》四十里《り》を突破《とつぱ》し得《う》る樣《やう》になる迄《まで》には、更《さら》に一層《いつそう》の鍛錬《たんれん》を經《へ》なければならない。而《しか》もそれは決《けつ》して困《こん》難《なん》な事《こと》でなくして、前《ぜん》述《じゆつ》の方《はう》法《はふ》を稍《やゝ》進《すゝ》めて繰《くり》返《かへ》す丈《だけ》の事《こと》である。卽《すなは》ち前《ぜん》述《じゆつ》の方《はう》法《はふ》に慣《な》れたならば、今《こん》度《ど》は一貫《くわん》目《め》なり二貫《くわん》目《め》の重《ぢう》量《りやう》を身《み》につけ、一《いつ》心《しん》一《いつ》氣《き》を用《もち》ひて前《まへ》と同《どう》樣《やう》の步《ほ》法《はふ》を繰《くり》返《かへ》す、再《ふた》び脚《あし》が痛《いた》んで來《く》る。併《しか》し痛《いた》むのは前《まへ》にも述《の》べた如《ごと》く血《ち》の所《せ》爲《い》で、少《すこ》しも恐《おそ》るゝ事《こと》はないのであるから、これを我《が》慢《まん》して遣《やり》遂《と》げれば可《い》いのであつて、軈《やが》て時《じ》日《じつ》を經《ふ》れば其《その》痛《いたみ》はなくなつて、脚《あし》の健《けん》强《きやう》は愈《いよ/\》、加《くは》はつて來《く》るのである。而《しか》してこれに馴《な》れたならば今《こん》度《ど》は三四貫《くわん》目《め》の物《もの》を身《み》につけて、又《また》前《まへ》と同《どう》一《いつ》の方《はう》法《はふ》を繰《くり》返《かへ》す。亦《また》痛《いた》む。亦《また》馴《な》れて痛《いた》まなくなる。脚《あし》は愈《いよ/\》、强《つよ》くなる。と云《い》ふ具《ぐ》合《あひ》に幾《いく》度《たび》かこの方《はう》法《はふ》を繰《くり》返《かへ》し/\て行《おこな》つたならば、メキ/\目《め》に見《み》えて健《けん》脚《きやく》となる事《こと》必《ひつ》定《ちやう》である。併《しか》し人《ひと》には先《せん》天《てん》的《てき》に健《けん》脚《きやく》な人《ひと》と、足《あし》弱《よわ》な人《ひと》とがあつて、健《けん》脚《きやく》法《はふ》を行《おこな》はなくとも容《よう》易《い》に數《すう》十里《り》を突《とつ》破《は》し得《う》る人《ひと》もあれば、如《い》何《か》に健《けん》脚《きやく》法《はふ》を實《じつ》行《かう》しても二三十里《り》以《い》上《じやう》を突《とつ》破《は》する事《こと》の出《で》來《き》ない人《ひと》もあつて、決《けつ》して各《かく》人《じん》一様《やう》には行《い》かぬものである。但《たゞ》し各《かく》人《じん》の與《あた》へられたる限《げん》度《ど》迄《まで》には、誰《だれ》でも右《みぎ》述《の》べた方《はう》法《はふ》に依《よ》つて後《こう》天《てん》的《てき》に健《けん》脚《きやく》家《か》たる事《こと》が出《で》來《き》るのである。

體《たい》力《りよく》然《しか》り能《のう》力《りよく》又《また》然《しか》り　心《しん》氣《き》血《けつ》の一《いつ》致《ち》を計《はか》る事《こと》に依《よ》つて健《けん》脚《きやく》家《か》たり得《う》る事《こと》は右《みぎ》述《の》べた通《とほ》りであるが、それは單《たん》に脚《きやく》力《りよく》のみでなく、體《たい》力《りよく》然《しか》り腦《なう》力《りよく》亦《また》然《しか》りで凡《すべ》ての事《こと》は何《なに》事《こと》に依《よ》らず後《こう》天《てん》的《てき》に發《はつ》達《たつ》する事《こと》が出《で》來《き》るのである。卽《すなは》ち柔《じう》劍《けん》術《じゆつ》を盛《さかん》に遣《や》る者《もの》が自《し》然《ぜん》と立《りつ》派《は》な身《から》體《だ》になるのも、勉《べん》强《きやう》する者《もの》が愈〻《いよ〱》透《たう》明《めい》敏《びん》慧《えい》な頭《づ》腦《なう》になつて行《ゆ》くのも毫《がう》も怪《あやし》む處《ところ》はないのである。卽《すなは》ち心《こゝろ》が氣《き》を牽《ひき》ひ、氣《き》が血《ち》を牽《ひき》ひれば、血《ち》は遂《つひ》に身《み》を牽《ひき》ひる樣《やう》になるのであつて、腦《なう》其《その》物《もの》も、脚《あし》其《その》物《もの》も、身《しん》體《たい》其《その》物《もの》も、凡《すべ》てこれ意《い》志《し》の力《ちから》に依《よ》り限《げん》度《ど》迄《まで》は器《き》質《しつ》を變《へん》化《くわ》し得《う》るのである。心《しん》氣《き》血《けつ》の關《くわん》係《けい》はこれで會《ゑ》得《とく》が行《い》つたと思《おも》ふ。で鍊《れん》膽《たん》法《はふ》の如《ごと》きも、これと同《どう》一《いつ》の筆《ひつ》法《はふ》で、大《だい》膽《たん》力《りよく》者《しや》たらんとするの確《かく》信《しん》を先《ま》づ心《こゝろ》に抱《いだ》くと共《とも》に、大《おほい》に心《しん》膽《たん》を鍊《ね》るの方《はう》法《はふ》を講《かう》じるのである。卽《すなは》ち深《しん》夜《や》深《しん》山《ざん》に分《わけ》上《のぼ》るもよく、或《あるひ》は物《もの》凄《すご》い神《しん》前《ぜん》などに叩《こう》頭《とう》して瞑《めい》目《もく》跪《き》坐《ざ》するなども可《い》い。同《どう》時《じ》に大《おほい》に勵《はげ》まなければならないのは、柔《じう》劍《けん》道《だう》の鍊《れん》磨《ま》は勿《もち》論《ろん》握《あく》拳《けん》集《しふ》力《りき》法《はふ》、後《こう》腦《なう》集《しふ》力《りよく》法《はふ》、丹《たん》田《でん》集《しふ》力《りよく》法《はふ》、靜《せい》坐《ざ》法《はふ》、安《あん》臥《ぐわ》呼《こ》吸《きふ》法《はふ》、養《やう》氣《き》法《はふ》等《とう》を行《おこな》つて大《おほい》に氣《き》を養《やしな》ふ事《こと》である。

膽力《たんりよく》錬養法《れんやうはふ》と古人《こじん》の說《せつ》

膽力《たんりよく》錬養法《れんやうはふ》としての二方面《はうめん》　大膽力《だいたんりよく》の錬養法《れんやうはふ》には內《ない》外《ぐわい》の二方面《はうめん》がある事《こと》を知《し》らねばならぬ。卽《すなは》ち一方《いつぱう》には精《せい》神的《しんてき》に其力《そのちから》の由《よ》つて生《しやう》ずる根源《こんげん》を培養《ばいやう》すると共《とも》に、一方《いつぱう》に身體上《しんたいじやう》から其力《そのちから》を助長《じよちやう》せしむる所《ところ》の運動方法《うんどうはうはふ》がなければならぬのである。而《しか》して內的方面《ないてきはうめん》卽《すなは》ち精神的修養法《せいしんてきしうやうはふ》としては第《だい》一が人格《じんかく》を尊重《そんちよう》する事《こと》、第《だい》二が志氣《しき》の興奮《こうふん》をはかる事《こと》、第《だい》三が日常《にちじやう》の用意《ようい》に怠《おこた》りなき事《こと》、第《だい》四が事變《じへん》に際《さい》して果斷《くわだん》なる事《こと》、第《だい》五が天命《てんめい》を知《し》り人事《じんじ》を盡《つく》す事《こと》等《とう》であつて、外的方面《ぐわいてきはうめん》、卽《すなは》ち肉體的錬養法《にくたいてきれんやうはふ》としては第《だい》一が欲望《よくばう》を節制《せつせい》する事《こと》、第《だい》二が氣力充實《きりよくじうじつ》をはかる事《こと》、第《だい》三が身體《しんたい》を强健《きやうけん》にする事《こと》、第《だい》四が身《しん》心《しん》の精進《しやうしん》を守《まも》る事《こと》、第《だい》五が士《し》道《だう》を重《おも》んずる事《こと》等《とう》である。處《ところ》で以《い》上《じやう》の凡《すべ》てを茲《こゝ》に羅《ら》致《ち》する事《こと》は困《こん》難《なん》であるのみならず、反《かへ》つて複《ふく》雜《ざつ》に陷《おちい》つて明《めい》晰《せき》を缺《か》く恐《おそれ》があるから、本《ほん》傳《でん》授《じゆ》では古《こ》人《じん》が平《へい》素《そ》自《みづか》ら實《じつ》行《かう》し、又《また》子《し》弟《てい》に敎《をし》へた肝《かん》要《えう》な事《こと》のみを揭《かゝ》げる事《こと》にした。從《したが》つて全《ぜん》體《たい》の統《とう》一《いつ》がとれず、又《また》順《じゆん》序《じよ》が紊《みだ》れる事《こと》と考《かんが》へる。併《しか》し乍《なが》らこれは古《こ》來《らい》の傳《でん》授《じゆ》書《しよ》や口《く》傳《でん》を各《かく》方《はう》面《めん》から寄《よせ》あつめた爲《た》め、自《し》然《ぜん》かくなつたのであつて、止《や》むを得《え》ない現《げん》象《しやう》なのであるから、其《その》點《てん》は會《くわい》員《ゐん》諸《しよ》子《し》もあらかじめ諒《りやう》恕《じよ》して頂《いたゞ》きたい。

山《やま》鹿《が》素《そ》行《かう》の說《せつ》　浩《こう》然《ぜん》の氣《き》とは、孟《まう》子《し》も言《い》ひ難《がた》しと述《の》べられたるが故《ゆゑ》に、今《いま》以《もつ》て此《かく》の如《ごと》しといふに處《ところ》なし、唯《た》だ心《こゝろ》は氣《き》に因《よ》つて或《あるひ》は動《どう》搖《えう》し、或《あるひ》は困《こん》苦《く》するものなれば、此《こ》處《こ》をよく心《こゝろ》得《え》て、常《つね》に道《だう》義《ぎ》を以《もつ》て之《これ》を養《やしな》ひ、氣《き》の餓《う》ゑざるが如《ごと》くならしむるにありと知《し》るべし。此《こ》の氣《き》を養《やしな》ひ得《う》るときは至《し》大《だい》至《し》剛《がう》にして、能《よ》く萬《ばん》物《ぶつ》の上《うへ》に伸《の》びて物《もの》に屈《くつ》する處《ところ》ある可《べか》らざる也《なり》。心《こゝろ》は氣《き》に依《よ》るが故《ゆゑ》に、氣《き》能《よ》く靜《しづか》なる時《とき》は心《こゝろ》則《すなは》ち靜《しづか》なり、氣《き》動《どう》ずる時《とき》は、心《こゝろ》こゝに動《どう》ず、これ心《しん》氣《き》兩《りやう》樣《やう》ならざるを以《もつ》て更《さら》に隔《へだ》たる所《ところ》なし、心《こゝろ》は内《うち》にして氣《き》は外《そと》に動《どう》ずるものなれば、先《ま》づ氣《き》を養《やしな》ひ得《う》るを、修《しう》身《しん》存《そん》心《しん》の本《もと》とすべきなり。養《やう》といふは、我《わ》が天《てん》然《ねん》の氣《き》の過《くわ》不《ふ》及《きふ》を考《かんが》へはかつて、其《その》過《すぎ》たるを存《そん》し、其《その》及《およ》ばざるをそだて、事《じ》物《ぶつ》の間《あひだ》に於《おい》て、動《どう》靜《せい》宜《よろ》しきに相《あひ》叶《かな》ふが如《ごと》く仕《つかまつ》るべき也《なり》。これ日《にち》用《よう》の工《く》夫《ふう》なり。

一《いち》溪《たに》道《だう》三《ざう》翁《をう》の說《せつ》　氣《き》をウツカリ持《も》つは氣《き》拔《ぬけ》の元《もと》ぢや

ぞ、天《てん》の行《おこな》ふこと健《すこやか》なり、其《その》氣《き》を受《う》けて居《を》る人間《にんげん》、うつかりせぬものぢや、老人《らうじん》は尙《なほ》以《もつ》てぢやぞ、是《これ》は氣《き》を張《は》ることではない、張《は》ればあとが拔《ぬ》け殼《がら》になり、くたびれるなり、氣《き》のつかれぬやうにすることぢや、欲心《よくしん》あるゆゑ、氣《き》がつかゆるぞ、能《よ》く工夫《くふう》すべし、浩然《かうぜん》の氣《き》を養《やしな》ふと云《い》ふこと、肝要《かんえう》ぢや、是《これ》は耻《はづか》しめと云《い》ふことをせぬ事《こと》ぢや、恥《は》づることあれば、氣《き》がひけて浩然《かうぜん》とならぬなり。浩然《かうぜん》なれば頭上《づじやう》より手《て》足《あし》のさきまで、一倍《はい》に氣《き》が充《み》ちてあるなり。卽《すなは》ち、

（一）殿中《でんちう》途中《とちう》にて寒暑《かんしよ》にあはゞ、まけぬ樣《やう》にすべし、いかにも氣《き》を張《は》りかけ〳〵丹田《たんでん》へおさめ、必《かなら》ず、すくむべからず、肩《かた》をゆるりともちて、腰《こし》に力《ちから》を入《い》れて、かゝとをふみつけ、寒風《かんぷう》ほど靜《しづ》かに歩《あゆ》むべし、少《すこ》しもまくると、氣《き》がひけて、暑《あつ》

さにも寒《さむ》さにもあたる、さて宿《やど》へ歸《かへ》りては、早速《さつそく》寒暑《かんしよ》を拂《はら》ふ藥《くすり》を呑《の》むべし。

(二)勇氣《ゆうき》を養《やしな》ふべし、若《わか》き時《とき》は血氣《けつき》の勇《ゆう》もあるが、年《よし》寄《と》れば、それも衰《おとろ》へるなり、このときこそ千萬人《せんまんにん》にも我《わが》ゆかんの眞勇《しんゆう》を養《やしな》ふべし、それは和漢《わかん》の古戰《こせん》の記錄《きろく》をもてあそぶべし、うか〳〵見《み》ることなかれ、心《こゝろ》をとめて、我《わ》れ此時《このとき》に當《あた》らば、かくすべしと、ウンといふ氣《き》に、張《は》りかけ〳〵工夫《くふう》すべし、腹《はら》のへる程《ほど》。

(三)閑居《かんきよ》の時《とき》、雜念《ざつねん》雜感《ざつかん》を拂《はら》ふべし、さいへば、うかりとする、うかりとするは氣《き》ぬけてあしゝ、調息《てうそく》三昧《ざんまい》か、詩歌《しいか》三昧《ざんまい》か、佛名《ぶつみやう》三昧《ざんまい》か、何《なん》ぞ箇樣《かやう》の事《こと》あるべし。

(四)義理《ぎり》話《はな》しを好《この》み、義理《ぎり》の書《しよ》を讀《よ》むべし、年寄《としより》ほど愚痴《ぐち》になれば氣《き》くらくなる、氣《き》がくらくなれば主人公《しゆじんこう》の居所《ゐどころ》を失《うしな》ふ、主人留主《しゆじんるす》なれば病《やまひ》入《い》ることはやし、内《うち》に居《ゐ》ても、うつけたる主人《しゆじん》なれば、邪病《じやびやう》たぶらかすなり、養生《やうじやう》の第《だい》一なり。

武人《ぶじん》が膽力《たんりよく》錬養《れんやう》に資《し》せし調息法《てうそくはふ》　(一)調息《てうそく》は諸事《しよじ》に入《い》る事《こと》なり、常《つね》にすれば、つかへの病《やまひ》をも治《なを》す、其仕《そのし》やうは入《はひ》る息《いき》を臍《へそ》の下《した》へおさめ、とくと氣海《きかい》へ渡《わた》らせて後《のち》、ほつと息《いき》を出《だ》す、度々《たびたび》斯《かく》の如《ごと》くすれば、必《かなら》ず氣《き》落付《おちつ》き、上《うは》づる事《こと》なし、初《はじめ》の程《ほど》は致《いた》しにくし、晝夜《ちうや》致候《いたしさふら》へば、自由《じいう》になるなり、いそがしき時《とき》猶更《なほさら》利《り》あり。

(二)いかほど、いそがしく噪《さわ》がしく共《とも》、我心《わがこゝろ》は臍《へそ》の下《した》へ息《いき》をいれて、落付《おちつ》いて、物《もの》を見《み》、物《もの》を聞《き》きて、言《い》ふ事《こと》も靜《しづ》かに、爲《な》

すことも落《おち》付《つ》いて爲《な》すべし。(以上盛正記所載)

(一)昔《むかし》ある禪僧《ぜんそう》、小童《せうどう》に教《をし》へて曰《いは》く、怖《おそ》ろしき所《ところ》を通《とほ》るときは、腹《はら》を張《は》りて往《ゆ》き過《すぐ》べし、おそろしき事《こと》はなきものなり、といひし、よき方便《はうべん》なり、腹《はら》を張《は》る時《とき》は、氣《き》を引下《ひきさ》げて、下《した》にあつまり、暫《しばら》くは氣内《きうち》にみちて、つよくなるものなり、氣虚缺《ききよけつ》にして上《うへ》にあるゆゑに、おどろき恐《おそ》るゝことあり。

(二)亦《また》歩行《ほかう》する者《もの》を見《み》るに、常人《じやうじん》多《おほ》くは上《うは》づりなる故《ゆゑ》に、頭《あたま》とつり合《あ》つて歩行《ほかう》し、或《あるひ》は五體《たい》揉《も》みてあるく、善《よ》く歩行《ほかう》する者《もの》は、腰《こし》より上《うへ》は動《うご》く事《こと》なく、足《あし》を以《もつ》て歩行《ほかう》する故《ゆゑ》に、體靜《たいしづ》かにして臟腑《ざうふ》を揉《も》むことなく、形疲《かたちつか》れざるものなり、駕輿丁《かごかき》の歩行《ほかう》するを見《み》て知《し》るべし。(以上藝術論所載)

佐久間象山《さくましやうざん》の說《せつ》　外邪人《ぐわいじやひと》を襲《おそ》ふは多《おほ》くは睡眠《すゐみん》の時《とき》に

あり。故《ゆゑ》に中夜《ちうや》寝《しん》に就《つ》き、熟眠《じゆくみん》を得《え》ざる時《とき》は、爲《ため》に速《すみや》かに寤《めざ》めし、常《つね》に當《ま》さに意《い》を係《か》けて醒《せい》にあらしむべし。若《も》し支體《したい》安《やす》んぜざる所《ところ》あれば、或《あるひ》は手《て》を以《もつ》て之《これ》を摩《な》で、或《あるひ》は意《い》に隨《したが》ふて轉則《てんそく》し、務《つと》めて血氣《けつき》をして停滞《ていたい》する所《ところ》なからしめよ、若《も》し咽喉《いんこう》滑《なめら》かならずば、或《あるひ》は舌《した》を運《めぐ》らし津《つは》を嚥《の》み、或《あるひ》は息《いき》を深《ふか》うして氣《き》を閉《と》ぢ少焉《しばらく》して之《これ》を放《はな》て、是《かく》の如《ごと》く行《おこな》はゞ外邪《ぐわいじや》亦《また》侵《をか》すことを得《え》ず。

內《うち》、心志《しんし》を定《さだ》め、外《そと》、血氣《けつき》を運《めぐ》らし、晝《ひる》、飲食《いんしよく》を節《せつ》し、夜《よる》睡眠《すゐみん》を少《すくな》くせよ、修養《しうやう》の妙訣《めうけつ》、果《はた》して多子《たし》なけん。（以上省醫錄所載）

大鹽後素《おほしほこうそ》の說《せつ》　血氣《けつき》の氣《き》は、血《ち》盛《さか》んなれば則《すなは》ち亦《また》盛《さか》んに、血《ち》衰《おとろ》ふれば則《すなは》ち亦《また》衰《おとろ》ふ、故《ゆゑ》に恃《たの》むに足《た》らず、浩然《こうぜん》の氣《き》は則《すなは》ち血《ち》の盛衰《せいすゐ》に因《よつ》て盛衰《せいすゐ》を爲《な》さず、而《しか》して常《つね》に身心《しんしん》に充《じう》塞《そく》し、死《し》に至《いた》るまで、衰《おとろ》へず變《へん》ぜず、曾子《そうし》の簀《さく》を易《か》へ、子路《しろ》の纓《えい》を結《むす》びしの類《たぐひ》の如《ごと》きなり、集義《しふぎ》の功《こう》を積《つ》むを心《こゝろ》に慊《あき》る者《もの》にあらざるよりは、之《これ》を得《う》ること能《あた》はず、凡《およ》そ勇士《ゆうし》は氣《き》を養《やしな》ふて理《り》を明《あきら》かにせず、儒者《じゆしや》は理《り》を明《あきら》かにして氣《き》を養《やしな》はず、常人《じやうじん》は卽《すなは》ち氣《き》を養《やしな》はず、亦《また》理《り》を明《あきらか》にせず、榮辱禍福《えいじよくくわふく》、唯《た》だ是《こ》れ趨避《すうひ》するのみ、理氣合一《りきがふいつ》、天地《てんち》の德《とく》を同《おなじ》うし、陰陽功《いんやうこう》を同《おなじ》うするもの、其《そ》れ唯《た》だ聖賢《せいけん》か……。

程子《ていし》の說《せつ》　人欲《ひとよく》なきこと能《あた》はざるなし、然《しか》も當《ま》さに以《もつ》て之《これ》を制《せい》するあるべし。以《もつ》て之《これ》を制《せい》するなく、而《しか》も唯《た》だ欲《よく》に之《こ》れ從《したが》ふときは則《すなは》ち人道《じんだう》廢《すた》れて禽獸《きんじう》に入《い》らん、道《みち》を以《もつ》て欲《よく》を制《せい》すれば則《すなは》ち能《よ》く命《めい》に順《したが》はん。

豐太閤《ほうたいかふ》の言《げん》　第《だい》一に欲《よく》を離《はな》れよ、第《だい》二に女《をんな》に心《こゝろ》ゆるすな。

加《か》藤《とう》清《きよ》正《まさ》の言《げん》 衣《い》類《るゐ》に金《きん》銀《ぎん》を費《つひや》して、手《て》前《まへ》成《な》らざる者《もの》曲《きよく》事《じ》たり、食《しよく》は黒《くろ》米《ごめ》飯《めし》、入《い》らざる事《こと》に美《び》麗《れい》を好《この》むも亦《また》曲《きよく》事《じ》、亂《らん》舞《ぶ》一圓《ゑん》堅《かた》く停《ちやう》止《じ》、詩《し》聯《れん》句《く》歌《か》をよむ事《こと》すら停《ちやう》止《じ》。

上《うへ》杉《すぎ》謙《けん》信《しん》の言《げん》 武《ぶ》士《し》たる者《もの》は女《をんな》に向《むか》ひ笑《わら》へる面《かほ》、假《かり》初《そめ》にも見《み》すべからず、女《によ》人《にん》の姿《すがた》をつく〴〵と見《み》る事《こと》なかれ、目《め》耳《み》鼻《はな》より心《しん》肝《かん》に通《つう》じ、色《いろ》に出《い》づるものなり、深《ふか》く愼《つゝし》むべし、五尺《しやく》の體《たい》を破《やぶ》るは唯《たゞ》此《この》一《ひと》つにあり禁《きん》ずべきなり。老《らう》若《にやく》共《とも》に婬《いん》亂《らん》の咄《はな》し、人《ひと》の噂《うはさ》など語《かた》るならば、人《ひと》の目《め》に立《た》たざる樣《やう》に退《たい》座《ざ》すべし。稚《ち》兒《ご》、若《わか》衆《しゆう》、女《によ》人《にん》に假《かり》初《そめ》にも戯《たはふ》れ事《ごと》を言《い》ふ可《べか》らず、淺《あさ》々しく見《み》ゆるものなり。

織田信長《おだのぶなが》の言《げん》　身《み》をたのしみの地《ち》に置《お》くものは武道《ぶだう》に用《もち》ふることなかれ、用《もち》ふる時《とき》三《みつ》の失《しつ》あり、一に節義《せつぎ》の合《かつ》戰《せん》に油斷《ゆだん》ある事《こと》、二に傍輩《はうはい》に功《こう》を進《す》めず、大《おほい》にたのしみを敎《をし》へて失《しつ》あり。三にみやびやかなる心《こゝろ》あるゆゑに、見《み》る事《こと》のみにふしをつけて、一首《いつしゆ》の腰折《こしをれ》よみたがり、傍輩《はうはい》を引入《ひきい》れ、心《こゝろ》ならず臆病者《おくびやうもの》にしなすなり。

山鹿素行《やまがそかう》の志氣解《しきかい》　志氣《しき》といふは、大丈夫《だいぢやうぶ》の志《こゝろざ》す所《ところ》の氣象《きしやう》を云《い》へり、大丈夫《だいぢやうふ》たらんものの、少《すこ》しき所《ところ》に志《こゝろざし》を置《お》くときは、其《その》爲《な》す處《ところ》、其《その》學《まな》ぶ處《ところ》、皆《みな》至《いた》つて微《び》にして大《だい》なる器《うつは》にあらざるなり。道《みち》に志《こゝろざ》すときは、管仲《くわんちう》、晏子《あんし》が輩《やから》の功烈《こうれつ》猶《な》ほなすに足《た》らずと思《おも》ふは、曾子《そうし》、孟子《まうし》の志氣《しき》なり、若《も》し小成《せうせい》に安《やす》んじて氣節《きせつ》の全《まつた》き處《ところ》を得《え》ざるときは、器《き》常《つね》に瑣細《ささい》にして、器識《きしき》の大用《たいよう》を知《し》らざるなり。後漢《こうかん》の趙温《てうをん》は大丈夫《だいぢやうふ》當《まさ》に雄飛《ゆうひ》すべし、安《いづく》んぞ能《よ》く雌伏《しふく》せんやと云《い》ひ、陳蕃《ちんはん》は大丈夫《だいぢやうふ》の世《よ》に處《しよ》する、當《まさ》に天下《てんか》を掃除《さうぢよ》すべし、安《いづく》んぞ一室《いつしつ》を事《こと》とせんといへり、梁竦《りやうしよう》は大丈夫《だいぢやうふ》生《うま》れて當《まさ》に封侯《ほうこう》たるべし、死《し》して當《ま》さに廟食《べうしよく》すべしといひ、班超《はんてう》は大丈夫《だいぢやうふ》、功《こう》を異域《ゐき》に立《たて》て、以《もつ》て封侯《ほうこう》を取《と》れ、安《いづく》んぞ能《よ》く又《また》筆硯《ひつけん》の間《かん》を事《こと》とせんやと云《い》ふ。唐《たう》の李靖《りせい》、常《つね》に曰《いは》く、大丈夫《だいぢやうふ》の遭遇《さうぐう》の要《えう》は、當《ま》さに功名《こうみやう》を以《もつ》て富貴《ふうき》を取《と》るべし、何《なん》ぞ章句《しやうく》の儒《じゆ》を作《な》すに至《いた》らんやと。馬燧《はすゐ》は云《い》ふ、天下事《てんかこと》あらば丈夫《ぢやうふ》は當《ま》さに功《こう》を以《もつ》て四海《かい》を濟《すく》ふべし、かの一儒《じゆ》に老《お》ひんやと。北朝《ほくてう》の高昂《かうこう》は毎《つね》にいへり、男兒《だんじ》當《ま》さに天下《てんか》を横行《わうかう》して自《みづか》ら富貴《ふうき》を取《と》るべし、誰《たれ》か能《よ》く端坐《たんざ》書《しよ》を讀《よ》み、老博士《らうはかせ》とならんやと。是等《これら》の言《げん》文《ぶん》其《その》趣《しゆ》向《かう》に弊《へい》あつて格《かく》言《げん》といふべからざれども、大《だい》丈《ぢやう》夫《ふ》の氣《き》節《せつ》其《その》高《かう》尙《しやう》ならんことは、此《かく》の如《ごと》くに、すゝぎ上《あ》げたるが如《ごと》くあらざれば、必《かなら》ず小《せう》事《じ》に屈《くつ》して一大《だい》事《じ》を成《な》すことを得《え》ざるなり。

安《あ》積《さか》艮《こん》齋《さい》の立《りつ》志《し》解《かい》　凡《およ》そ士《し》たる者《もの》は戰《せん》場《ぢやう》に臨《のぞ》み、忠《ちう》義《ぎ》の爲《ため》に死《し》するを本《ほん》意《い》とす、安《あん》逸《いつ》に耽《ふけ》り、酒《しゆ》色《しよく》貨《くわ》財《ざい》に心《こゝろ》を溺《おぼら》すは小《せう》人《じん》の事《こと》なり、泰《たい》平《へい》の時《とき》に在《あ》りても戰《せん》場《ぢやう》の心《こゝろ》持《もち》にて、物《もの》事《ごと》に油《ゆ》斷《だん》すべからず、孔《こう》子《し》の語《ご》に溝《こう》壑《がく》に在《あ》るを忘《わす》れず、勇《ゆう》士《し》は其《その》元《かうべ》を喪《うしな》ふを忘《わす》れずとあり、後《こう》漢《かん》の馬《ば》援《ゑん》は我《わが》身《み》を馬《ば》革《かく》に裹《つゝ》み、郊《かう》野《や》に棄《す》てられんといふ。梁《りやう》の王《わう》參《さん》章《しやう》は豹《へう》は死《し》して皮《かは》を留《とゞ》め、人《ひと》は死《し》して名《な》を留《とゞ》むといふ、豪《がう》傑《けつ》の士《し》の志《こゝろざし》を立《た》つる思《おも》ふべし。

北條《ほうでう》時政《ときまさ》の士《し》道論《だうろん》　凡《およ》そ士《し》たらんものは、たとへばおところへ邊鄙《へんぴ》に住居《ぢうきよ》すとも、やみ〳〵と光陰《くわういん》を送《おく》るべからず、志《こゝろざし》を天地《てんち》にひとしくして、志《こゝろざ》す所《ところ》の佛神《ぶつしん》に武命《ぶめい》を專《もつぱ》らに祈《いの》るべし、其《その》祈《いの》ること、一命《めい》を道場《だうぢやう》に失《うしな》はんと思《おも》へば、罪《ざい》障《しやう》うたゝ亡《ほろ》びて忽《たちま》ち所願《しよぐわん》成就《じやうじゆ》す、行者《ぎやうじや》の心《こゝろ》つよければ、守《しゆ》護《ご》神《じん》も力《ちから》を增《ま》す、士《し》たる者《もの》の佛神《ぶつしん》に祈《いの》ることの甚《はなは》だしからぬ者《もの》は、大《たい》義《ぎ》もならず、勇《ゆう》にもなし、必《かなら》ず臆《おく》病《びやう》の癖《くせ》として不信心《ふしんじん》なるものなり、子孫《しそん》長《なが》く不信《ふしん》なるべからず。

大鹽後素《おほしほこうそ》の立志解《りつしかい》　或人《あるひと》立志《りつし》の義《ぎ》を問《と》ふ、曰《いは》く、先《ま》づ志《し》の字《じ》を知《し》れば可《か》なり、曰《いは》く、心《こゝろ》の之《ゆ》く所之《ところこれ》を志《こゝろざし》といふ是《ぜ》歟《か》。曰《いは》く否《ひ》、此《こ》れ立志《りつし》の志《し》の義《ぎ》にあらざるなり、夫《そ》れ志《し》の字《じ》は士《し》に從《したが》ひ心《こゝろ》に從《したが》ふ、是《これ》に由《よつ》て之《これ》を觀《み》れば、則《すなは》ち士《し》の心《こゝろ》を立《た》つるのみ、士《し》の心《こゝろ》は則《すなは》ち孟子《まうし》の所謂《いはゆる》恒産《こうさん》なくして恒心《こうしん》ある者《もの》惟《た》だ士《し》能《よ》く爲《な》すなり、其《その》恒心《こうしん》とは何《なん》ぞや、貧賤《ひんせん》禍害《くわがい》を以《もつ》て善《ぜん》を爲《な》すの心《こゝろ》を易《か》へざるなり。故《ゆゑ》に學者《がくしや》先《ま》づ其志《そのこゝろざし》を立《たて》て以《もつ》て、事《こと》に聖學《せいがく》に從《したが》ふ則《すなは》ち種子《しゆし》を下《くだ》して成實《せいじつ》を望《のぞ》むが如《ごと》し、因《よつ》て不息《ふそく》の功《こう》を用《もち》ふれば、乃《すなは》ち質《ち》たり聖《せい》たる、其《そ》れ亦《また》是《これ》に由《よつ》て臻《いた》らんのみ。

源頼朝《みなもとのよりとも》の言《げん》　大義《たいぎ》を思《おも》はん者《もの》は、萬事《はんじ》を捨《すて》て此《この》一事《じ》を思《おも》ふべし、萬事《はんじ》を捨《すて》るといふ中《うち》に、士《し》たるものゝ忍《しの》ぶべきは恥《はぢ》なり、貧窮《ひんきう》なり、此《この》二道《だう》萬《よろ》づの中《うち》に堪《た》へ難《がた》きものなり、此《こ》の堪《た》へ難《がた》きを克《よ》く堪《た》へ忍《しの》ぶは一の大義《たいぎ》をよく思《おも》ふ也《なり》、能《よ》く此大義《このたいぎ》を思《おも》へば、旦夕《たんせき》外《ほか》の思《おも》ひ苦《くるし》みはなきものなり、人此事萬《ひとこのことよろ》づにあるべし、此境《このさかひ》をよく辨《わきま》へ知《し》らぬ者《もの》は取《と》るに用《よう》なし。

佐《さ》久《く》間《ま》象《しやう》山《ざん》の克《こく》己《き》論《ろん》

目《め》に見《み》る所《ところ》に奪《うは》はれて悦《よろこ》ぶべからず、耳《みゝ》に入《い》る所《ところ》に取《と》られてあわつべからず、口《くち》にあふ所《ところ》に引《ひ》かされて親《した》しむべからず、鼻《はな》にかぐ所《ところ》にだまされて、迷《まよ》ふべからず、人《ひと》の譽《ほ》むるは、そしるの基《もとゐ》、其《その》誠《まこと》をよく知《しつ》て、我《わ》があやまち癖《くせ》を聞《き》き、心《こゝろ》に覺《おぼ》えて人《ひと》のそしりを聞《き》くべし。人《ひと》は假《かり》初《そめ》にも心《しん》氣《き》を治《をさ》むるを第《だい》一とす、例《たと》へば常《つね》に色《いろ》の話《はなし》を聞《き》きて、其《その》事《こと》に氣《き》移《うつ》り差《さし》起《おこ》る時《とき》は、早《はや》く心《しん》氣《き》に立《たち》歸《かへ》り、眼《め》をふさぎ、其《その》おこる氣《き》を引《ひ》き、息《いき》にて臍《へそ》の下《した》へ氣《き》を收《をさ》め、靜《しづか》に氣《き》を治《をさ》め、固《もと》より欲《よく》も人《ひと》々《ぐ》好《この》む事《こと》なれば、其《その》欲《よく》氣《き》に移《うつ》る時《とき》は右《みぎ》の如《ごと》くに取《とり》收《をさ》め、朝《てう》夕《せき》共《とき》に氣《き》をおさむる時《とき》は、怒《いかり》も無《な》く、色《しき》慾《よく》にも溺《おぼ》れず、天《てん》命《めい》の儘《まゝ》ならん。

貝《かひ》原《はら》益《えき》軒《けん》の武《ぶ》訓《くん》　或《ある》武《ぶ》人《じん》、敵《てき》と我《われ》、兩人《りやうにん》戰《たゝか》ふ時《とき》の心《こゝろ》をよめる歌《うた》あり、『身《み》はすてつ、心《こゝろ》ばかりははふらさじ、人《ひと》の動《うご》きを待《ま》ちてぞ打《う》つべき』といふ意《い》は、敵《てき》と戰《たゝか》ふに臨《のぞ》まば、身《み》はすつべし、身《み》をのがれんと思《おも》へば、心《こゝろ》亂《みだ》れ、おそれひるみて、敵《てき》に勝《か》つべき力《ちから》なし、されど心《こゝろ》一《ひと》つは失《うしな》ふべからず、敵《てき》と戰《たゝか》ふ時《とき》に、つねの如《ごと》くにして、心《こゝろ》を動《うご》かすべからず、我《わ》が方《かた》よりみだりにかゝらず、こらへて早《はや》くうつべからず、人《ひと》の動《うご》きを待《ま》ちて、其《その》すき間《ま》を見《み》て早《はや》くうつべし、是《こ》れ敵《てき》にかつの道《みち》なりといへり。

孟《まう》子《し》の天《てん》命《めい》解《かい》　之《これ》を爲《な》すなくして爲《な》すものは天《てん》なり、之《これ》を致《いた》すなくして至《いた》る者《もの》は命《めい》なり。

山《やま》鹿《が》素《そ》行《かう》の天《てん》命《めい》解《かい》　人《ひと》の苦《くるし》む所《ところ》は、死《し》亡《ばう》、禍《くわ》難《なん》、貧《ひん》賤《せん》、孤《こ》獨《どく》なり、人《ひと》の樂《たのし》む所《ところ》は此《この》うらなり、苦《くるし》むときは、之《これ》が爲《ため》に心《こゝろ》安《やす》んぜず、樂《たのし》む時《とき》は、之《これ》が爲《ため》に又《また》心《こゝろ》變《へん》ず、故《ゆゑ》に憂《いう》喜《き》に當《あたつ》て、其志《そのこゝろざし》す所《ところ》變《へん》じ、心《こゝろ》こゝに存《そん》せざるは尋常《じんじやう》の情《じやう》なり、大丈夫《だいぢやうふ》此《こ》の時《とき》に於《おい》て心《こゝろ》を存《そん》する。これ富貴《ふうき》貧賤《ひんせん》にうつらざるの謂《いひ》なり、易《えき》に曰《いは》く、澤《たく》水《みづ》なき困《こん》なり、君子《くんし》以《もつ》て命《めい》を致《いた》して志《こゝろざし》を遂《と》ぐ。又《また》曰《いは》く、山《さん》上《じやう》水《みづ》ある、蹇《けん》なり、君子《くんし》以《もつ》て身《み》に反《はん》して德《とく》を修《をさ》むと云《い》へる、これ困窮《こんきう》の時《とき》にあたり、艱難《かんなん》の事《こと》に遇《あ》ふて、君《くん》子《し》心《こゝろ》を安《やす》んずるの心得《こゝろえ》なり、凡《およ》そ命《めい》と指《さ》す所《ところ》は、人《ひと》の造爲《ざうゐ》して叶《かな》はず、天《てん》自然《しぜん》に其形《そのかたち》をなし、其理《そのり》、其事《そのこと》あらしむる、是《これ》を命《めい》といへり、天《てん》蒸民《じようみん》を生《しやう》ずる、物《もの》ありといふは、是《こ》れ物《もの》に各《おの〳〵》其命《そのめい》あることをいへるにも叶《かな》ふべき也《なり》、されば命《めい》は朱《しゆ》子《し》之《これ》を註《ちう》して天命《てんめい》と號《がう》す、命《めい》は猶《な》ほ令《れい》の如《ごと》しといへり、程《てい》子《し》曰《いは》く、君《くん》子《し》困《こん》窮《きう》の時《とき》に當《あた》り、其《その》防《はう》慮《りよ》の道《みち》を盡《つく》し、而《し》かも免《まぬが》るゝを得《え》ず、則《すなは》ち命《めい》なりといへる、各《おの〳〵》天《てん》の爲《な》す所《ところ》にして、人《ひと》の能《あた》はざる所以《ゆゑん》なり、孔《こう》子《し》曰《いは》く、五十にして天《てん》命《めい》を知《し》る、と。又《また》曰《いは》く、命《めい》を知《し》らざれば以《もつ》て君《くん》子《し》と爲《な》すなきなり、孟《まう》子《し》曰《いは》く、命《めい》にあらざるなし、順《じゆん》に其正《そのたゞしき》を受《う》く、とある事《こと》、人《ひと》として天《てん》命《めい》に安《やす》んずる所《ところ》あらざれば、此《この》妄《まう》動《どう》妄《まう》作《さ》して、實《じつ》地《ち》を踏《ふ》むこと能《あた》はざるをいへる也《なり》。

山鹿《やまが》素《そ》行《かう》の士《し》勇《ゆう》論《ろん》　士《し》は以《もつ》て剛《がう》毅《き》ならざるべからず、任《にん》重《おも》うして道《みち》遠《とほ》し、仁《じん》以《もつ》て己《おの》れが任《にん》を爲《な》す、亦《また》重《おも》からずや、死《し》して後《のち》已《や》む、亦《また》遠《とほ》からずや、と云《い》へり。士《し》は其《と》の器《うつは》最《もつと》も廣《ひろ》く、能《よ》く忍《しの》ぶ所《ところ》あらずしては、重《おも》きに堪《た》へ、遠《とほ》きを致《いた》すこと叶《かな》ふべからざるなり。職《しよく》分《ぶん》を知《し》り、其《その》道《みち》に志《こゝろざ》すといふとも、つとめて其《そ》の志《こゝろざ》す所《ところ》を行《おこな》ふにあらずしては、言《い》ふばかりにして、其《その》實《じつ》あらざるなり。行《おこな》ふといふとも、一《いつ》生《しやう》之《これ》をつとめて、死《し》して後《のち》已《や》むにあらざれば中《ちう》道《だう》にして廢《はい》す、道《みち》の遂《と》ぐべき所《ところ》なし、故《ゆゑ》に勤《ごん》行《ぎやう》を以《もつ》て士《し》の勇《ゆう》とするなり。

上《うへ》杉《すぎ》謙《けん》信《しん》の鍛《たん》錬《れん》談《だん》　鍛《たん》は備《そな》への揃《そは》きを亂《みだ》し、士《し》卒《そつ》をして弓《きう》馬《ば》鎗《やり》太《た》刀《ち》、驅《かけ》引《ひき》の達《たつ》者《しや》を慣《なら》はしめ、己《おの》れが働《はたらき》を危《あや》うからざるやうに、其《その》勤《つと》めて失《うしな》はざれば、人《にん》數《ず》手《て》に附《つ》かん、是《こ》れ武《む》者《しや》の鍛《たん》にして、勝《しやう》負《ぶ》の根《こん》元《げん》なり。錬《れん》は故《ふるき》を溫《たづ》ね絶《た》えたるを繼《つ》ぎ、廢《すた》れたるを起《おこ》し、時《とき》には是《これ》を改《あらた》め、日《ひ》々《ゞ》に衆《しう》を勸《すゝ》む、吝《やぶさか》なるを芟《そ》ぎ、闕《か》けたるを補《おぎな》ふ、これ兵《へい》の琢《たく》にして武《む》者《しや》の餘《よ》威《ゐ》を養《やしな》ふ所《ところ》なり。

熊《くま》澤《ざは》蕃《はん》山《ざん》の身《しん》體《たい》鍛《たん》錬《れん》法《はふ》　愚《ぐ》拙《せつ》十六七ばかりの時《とき》、すでに太《ふと》りなんとせしに、他人《たにん》のふとりて、進退《しんたい》の不自由《ふじいう》なるを見《み》て存《ぞん》じ候《さふらふ》は、かく身《み》重《おも》くては武士《ぶし》の達者《たつしや》は成《な》り難《がた》からん、如何《いか》にもして太《ふと》らぬやうにと思《おも》ひ立《た》ち、それより帯《おび》をときて寢《ね》ず、美味《びみ》を食《く》はず、酒《さけ》をのまず、男女《なんによ》の人道《じんだう》を絶《た》つこと十年《ねん》なりき、江戸《えど》詰《づめ》にて山野《さんや》のつとめならぬ所《ところ》にては、鎗《やり》をつかひ、太刀《たち》をならひ、とのゐの所《ところ》にも、ねつゝらの中《なか》に、木刀《ぼくたう》と草履《ざうり》を入《い》れ、人《ひと》しづまりたる後《のち》に、廣庭《ひろには》の人《ひと》氣《け》なき處《ところ》に出《い》で、闇《やみ》に獨《ひと》り兵法《へいはふ》をつかひ、火事《くわじ》の時《とき》にも見《み》苦《ぐる》しからじと、人《みと》遠《とほ》き屋《やね》の上《うへ》をかけり候《さふら》へば、まれに見付《みつ》けたる者《もの》は天狗《てんぐ》や誘《いざな》はんと申《まを》したるげに候《さふらふ》、是《これ》は二十《はたち》より内《うち》のことにて、あまりに過《す》ぎたるにて候《さふらふ》、其《その》以後《いご》も、鷹《たか》をもたねば、夏《なつ》の暑氣《しよき》にも、日中《につちう》に鐵砲《てつぱう》を持《も》ち、野《の》に出《いで》て雲雀《ひばり》をうち、霜《しも》月《つき》極《ごく》月《げつ》の雪《せつ》霜《さう》を分《わ》けて、山《さん》中《ちう》に入《い》り候《さふら》へども、夜《よ》衣《ぎ》、蒲《ふ》團《とん》持《もた》せたることなし、うす綿《わた》のはだ衣《ぎ》の上《うへ》に木《も》綿《めん》袷《あはせ》かさねたるばかりにて、挾《はさみ》筥《はこ》一《ひと》つ持《も》たせたるも、半《なか》ば硯《けん》紙《し》書《しよ》物《もつ》にて、小《こ》袖《そで》二《ふた》つばかり入《い》れたるまでにて、民《たみ》の家《や》のあばらなるに、行《ゆき》かゝりに泊《とま》り候《さふら》ひき、其《その》外《ほか》のつとめは、くはしく申《まを》すに及《およ》ばず候《さふらふ》、三十七八歳《さい》まで、此《かく》の如《ごと》く勉《つと》め候《さふらふ》故《ゆゑ》に、終《つひ》にふとり申《まを》さず候《さふらふ》、(中略)緩《ゆる》々《〱》として何《なん》の心《こゝろ》掛《がけ》もなく、夏《なつ》は日《ひ》にもあたらず、冬《ふゆ》は火《こ》燵《たつ》をはなれず、晝《ちう》夜《や》あたゝかにあつ着《ぎ》し、厚《こう》味《み》を好《この》み酒《さけ》をのみ候《さふら》へば、たとへ一《いつ》心《しん》はたけくも、軍《ぐん》陣《ぢん》にて寒《かん》暑《しよ》にあたり候《さふら》はゞ、其《その》まゝ病《やまひ》出《いだ》して、何《なん》の用《よう》にもたち申《まを》されまじく候《さふらふ》、天《てん》照《せう》神《しん》武《ぶ》の御《おん》掟《おきて》にあらず、日《に》本《ほん》の武《ぶ》士《し》にあらず、勇《ゆう》不《ふ》勇《ゆう》は生《うま》れ付《つき》にて候《さふら》へども、強《きやう》弱《じやく》は習《なら》ひにて候《さふらふ》、日本《にほん》を武國《ぶこく》と申《まを》し候《さふらふ》は、神武帝《じんむてい》よりの御《おん》ならはしにて御座《ござ》候《さふらふ》、生《うま》れ付《つい》て日本《にほん》の者《もの》の強《きやう》なるにはあらず候《さふらふ》、公家《こうけ》武家《ぶけ》、源《みなもと》は同《おな》じ流《ながれ》にて御座《ござ》候《さふら》へ共《ども》、ならはしにて強弱《きやうじやく》はるかに違《ちが》ひ候《さふらふ》。

鈴木正三《すゞきしやうざう》の説法《せつはふ》　(一)生死《しやうし》を強《つよ》く守《まもり》て、奥歯《おくは》を咬合《かみあは》せ、眼《まなこ》をすえて忽《たちま》ち死《し》すべき心《こゝろ》を以《もつ》て、一陣《ぢん》に進《すゝ》むべし。

(二)強《つよ》き馬《うま》に乗《の》りたる時《とき》の機《き》を持《もつ》て、心《こゝろ》を張掛《はりか》け、勇猛精《ゆうまうしやう》進《じん》の機《き》を常住守《じやうぢうまも》るべし。

(三)此《この》臭皮袋《にほひ》、更《さら》に詮《せん》なき理《り》に眼《まなこ》を付《つ》けて、一切《いつさい》の執着《しふちやく》を捨《す》つべし。

小幡勘兵衛《をはたかんべゑ》の士道論《しだうろん》　武士《ぶし》は常《つね》に武道《ぶだう》にさびの付《つ》かざるやうに心掛《こゝろが》くべし、刀脇差《かたなわきざし》もさび付《つ》けば、必《かなら》ずそれより折《をれ》が入《いり》て、いかなる名《めい》作《さく》なりとも用《よう》に立《た》ち難《がた》し、武《ぶ》士《し》もたとへ筋《すぢ》目《め》よく、或《ある》ひは用《よう》に立《た》ちたる事《こと》ありとも、打《うち》捨《す》て置《お》く時《とき》は、心《しん》意《い》にさびが出《で》來《き》て、次《し》第《だい》に朽《くち》目《め》入《い》りて、自《おのづか》ら色《いろ》汚《きた》なくなりて用《よう》に立《た》つことなし、二六時《じ》中《ちう》、武《ぶ》士《し》は心《しん》氣《き》にさびの付《つ》かぬやうに嗜《たしな》むべし。

寺《てら》澤《ざは》志《し》摩《まの》守《かみ》の士《し》道《だう》論《ろん》　武《ぶ》士《し》たらん者《もの》は、一《いつ》戰《せん》の時《とき》、人《ひと》にすぐれてかせぐは珍《めづ》らしからざる事《こと》なり、平《へい》常《じやう》、疊《たゝみ》の上《うへ》の忠《ちう》功《こう》を仕《つかまつ》らんと思《おも》はゞ、己《おのれ》が好《す》きを止《や》めよ、物《もの》にすき過《す》ぐれば奉《ほう》公《こう》もうとし、われ秀《ひで》頼《より》公《こう》の御《おん》時《とき》まで、茶《ちや》の湯《ゆ》をすきしかども、心《こゝろ》付《づ》いてやめし也《なり》、かくいへばとて、武《ぶ》士《し》武《ぶ》道《だう》の方《はう》をやめよとにはあらず、常《つね》に武《ぶ》をすかぬは戰《せん》國《ごく》の用《よう》薄《うす》し、たゞ我《わ》が業《なりはひ》の外《ほか》なる道《みち》を求《もと》めて過《すご》すべからずといふ事《こと》なり、亂《らん》舞《ぶ》、圍《ゐ》碁《ご》、雙《すご》六《ろく》、俳《はい》諧《かい》、茶《ちや》の湯《ゆ》の類《るゐ》知《し》り過《す》ぎて上手《じやうず》になつて何《なん》の益《えき》がある。

現今《げんこん》行《おこな》はれつゝある膽《たん》力《りよく》錬《れん》養《やう》法《はふ》

腹《ふく》式《しき》呼《こ》吸《きふ》法《はふ》　大《だい》膽《たん》力《りよく》錬《れん》養《やう》に呼《こ》吸《きふ》法《はふ》の効《かう》ある事《こと》は前《ぜん》述《じゆつ》せる古《こ》人《じん》の説《せつ》話《わ》に徵《ちよう》しても明《あき》らかであるが、然《しか》らば如《い》何《か》なる形《けい》式《しき》に依《よ》つて深《しん》呼《こ》吸《きふ》を行《おこな》ふのが最《もつと》も可《よ》いかと云《い》ふと、現《げん》今《こん》我《わが》國《くに》で行《おこな》はれつゝあるのは二《ふた》木《ぎ》式《しき》、藤《ふぢ》田《た》式《しき》、岡《をか》田《だ》式《しき》、川《かは》面《も》式《しき》（いぶきの説《せつ》）等《とう》である。今《いま》其《その》四《し》式《き》の方《はう》法《はふ》を茲《こゝ》に掲《かゝ》げ次《つぎ》に坐《ざ》禪《ぜん》及《およ》び瑜《ゆ》珈《か》行《ぎやう》法《はふ》の形《けい》式《しき》を掲《かゝ》げ、最《さい》後《ご》に最《もつと》も適《てき》當《たう》なりと信《しん》ずる方《はう》法《はふ》形《けい》式《しき》を掲《かゝ》げて本《ほん》卷《くわん》を終《をは》らうと思《おも》ふ。

二《ふた》木《ぎ》式《しき》呼《こ》吸《きふ》法《はふ》の仕《し》方《かた》　立《た》つてしても坐《すわ》つてしてもよ

いのであるが、坐《すわ》つて居《ゐ》てやるには、男子《だんし》は兩膝《りやうひざ》を開《ひら》いて坐《すわ》り、足《あし》を合《あは》せ尻《しり》を其上《そのうへ》に安置《あんち》する、尻《しり》を少《すこ》し後《うしろ》へやる位《くらゐ》にすると眞直《まつすぐ》に坐《すわ》れる、夫《そ》れから脊骨《せぼね》を眞直《まつすぐ》にし、頭《かしら》は脊骨《せぼね》の上《うへ》に安置《あんち》し、腕《うで》は肩《かた》から下《さ》げて膝《ひざ》の上《うへ》に置《お》く、而《さう》して置《お》いて身體《からだ》を少《すこ》し動《うご》かし、自然《しぜん》に落着《おちつ》く處《ところ》に全身《ぜんしん》を自然《しぜん》に落付《おちつ》かせる、次《つぎ》に肩《かた》を後《うしろ》に遣《や》り、胸《むね》を張《は》り開《ひら》き、腹《はら》を前《まへ》に出《だ》して呼吸《こきふ》を始《はじ》める、息《いき》を吸《す》ふ時《とき》は腹《はら》の膨《ふく》れる樣《やう》にし、腹《はら》の外《そと》から押《お》して見《み》て少《すこ》しく固《かた》くなる樣《やう》に息《いき》を吸《す》ひ、餘《あま》りイキまんでも少《すこ》し堪《こら》へて精神《せいしん》を落着《おちつけ》て、靜《しづ》かに吐《は》き出《だ》す。息《いき》を出《だ》す時《とき》には、少《すこ》し腹《はら》がへコンで、腹《はら》にある空氣《くうき》が胸《むね》を通《とほ》つて外《そと》へ出《い》で、下腹《したはら》に少々《せう／＼》殘《のこ》る樣《やう》に吐《は》き出《だ》すのである。吐《は》き出《だ》した處《ところ》で、やはり腹《はら》を固《かた》くし、少《すこ》し精神《せいしん》を落付《おちつけ》て、夫《そ》れから又《また》吸《す》ふ。吸《す》ふと前《まへ》の如《ごと》く腹《はら》が少《すこ》し出《で》て固《かた》くなる。暫《しばら》く落付《おちつけ》て置《お》いて又《また》出《だ》す。吸《す》ふ時《とき》より吐《は》く時《とき》に注意《ちうい》して力《ちから》を入《い》れ、且《か》つ長《なが》くソロ〱と出《だ》すことが肝腎《かんじん》である。此《こ》の呼吸《こきふ》は極端《きよくたん》までやらぬとも宜《よ》い、大抵物《たいていもの》は八分《ぶ》、八分《ぶ》入《い》れ八分《ぶ》出《だ》す、之《これ》を数回《すうくわい》繰返《くりかへ》すのである。呼吸《こきふ》は凡《すべ》て鼻《はな》からすべきであるのは云《い》ふまでもない。

立《た》つて呼吸《こきふ》する時《とき》は先《ま》づ姿勢《しせい》が大事《だいじ》である。柱《はしら》などに倚《よ》つて立《た》つて見《み》て、各自《かくじ》の姿勢《しせい》を正《たゞ》すが宜《よ》い、即《すなは》ち頭《あたま》から、脊《せ》から、足《あし》からスツカリ柱《はしら》について成《な》るべく離《はな》れた所《ところ》のない様《やう》に身體《からだ》を眞直《まつすぐ》にする。唯《たゞ》腹《はら》の後《うしろ》即《すなは》ち腰《こし》の處丈《ところだけ》が、指《ゆび》二本《ほん》重《かさ》ねて入《はひ》る位《くらゐ》柱《はしら》より離《はな》るゝ様《やう》にする、其他《そのた》の心得《こゝろえ》は坐《すわ》つてする場合《ばあひ》と同《おな》じである。海濱《かいひん》とか、山野《さんや》とかを散歩《さんぽ》しながらするもよろしく、其《その》やり方《かた》は立《た》つてする場《ば》合《あひ》と同《おな》じである。

藤《ふぢ》田《た》式《しき》息《そく》心《しん》調《てう》和《わ》法《はふ》　この調《てう》和《わ》法《はふ》を實《じつ》行《かう》する姿《し》勢《せい》は略《ほゞ》次《つぎ》の様《やう》である。

(一)擱《かく》座《ざ》してゞも、椅《き》座《ざ》してゞも、安《あん》座《ざ》してゞも、又《また》仰《ぎやう》臥《ぐわ》してゞも、直《ちよく》立《りつ》してゞも、それは各《かく》人《じん》の隨《ずゐ》意《い》である。

(二)脊《せ》骨《ほね》を眞《まつ》直《すぐ》にし、下《した》腹《はら》を前《まへ》へ張《は》り出《だ》し氣《ぎ》味《み》に、臍《へそ》の上《うへ》を少《すこ》しく折《を》り、そこを凹《へこ》ますやうにする事《こと》である。

(三)頭《あたま》は眞《まつ》直《すぐ》に、鼻《はな》と臍《へそ》とが直《ちよく》線《せん》になり、肩《かた》は少《すこ》しく垂《た》れ氣《ぎ》味《み》に、兩《りやう》の手《て》は膝《ひざ》の上《うへ》で組《くみ》合《あは》せる事《こと》である。

(四)眼《め》は輕《かる》く閉《と》ぢて腹《はら》の中《なか》を見《み》る心《こゝ》地《ち》にする事《こと》である。

(五)先《ま》づ鼻《はな》からそろ〳〵息《いき》を呼《は》き出《だ》す事《こと》、この時《とき》最《さい》初《しよ》は腹《はら》を張《はり》出《だ》ず心持《こゝろもち》でやるのであるが、追々《おひ〳〵》には腹《はら》が凹《へこ》んで來《く》る。斯《かく》して息《いき》を充分《じうぶん》呼《は》いて了《しま》ふと、今度《こんど》は吸氣《きふき》に移《うつ》るのであるが、吸氣《きふき》も勿論《もちろん》鼻《はな》からするのである。而《さう》して充分《じうぶん》息《いき》を吸《す》ふて下腹《したはら》が膨《ふく》れた所《ところ》で、暫《しば》らく息《いき》を切《き》つて一段《だん》と腹《はら》に力《ちから》を入《い》れ、ソレから又《また》呼氣《こき》へ移《うつ》り、又《また》吸氣《きふき》へ移《うつ》り、同《どう》一《いつ》事《じ》を繰返《くりかへ》すのである。

(六)時間《じかん》には制限《せいげん》がないが、先《ま》づ三十分《ぶん》前後《ぜんご》が標準《へうじゆん》である。

藤田式《ふぢたしき》息心調和法《そくしんてうわはふ》と云《い》ふのは以上《いじやう》の行爲《かうゐ》を行《おこな》ひつゝ心《こゝろ》に種々《しゆ〴〵》な觀念法《くわんねんはふ》を伴《ともな》はしめるのであつて、一例《れい》を上《あ》げると『今《いま》この吸氣《きふき》に依《よ》つて空氣中《くうきちう》に充滿《じうまん》して居《ゐ》る不思《ふし》議《ぎ》の靈藥《れいやく》がはいつて來《く》る。而《さう》して其靈藥《それいやく》は病所《びやうしよ》へ循《めぐ》つて現《げん》に自分《じぶん》の病氣《びやうき》を癒《いや》しつゝあるのだ、卽《すなは》ち其病氣《そのびやうき》は既《すで》に全治《ぜんぢ》して、今此《いまこの》呼吸《こきふ》と倶《とも》に其病毒《そのびやうどく》を吐《は》き出《いだ》しつゝあるのだ』と云《い》ふ風《ふう》に、呼氣《こき》、吸氣《きふき》に應《おう》じてそれ〴〵の觀念《くわんねん》を心《こゝろ》に描《ゑが》きつゝ同一事《どういつじ》を繰《く》り返《かへ》すのである。併《しか》し以上《いじやう》の方法《はうはふ》は勿論《もちろん》無意識《むいしき》に之《これ》を行《おこな》ひ得《う》る様《やう》にまで練磨《れんま》せねばならぬのである。

岡田式靜座法《をかだしきせいざはふ》

岡田式靜座法《をかだしきせいざはふ》の特長《とくちやう》は靜座《せいざ》の姿勢《しせい》と、逆呼吸《ぎやくこきふ》と、身體《しんたい》の動搖《どうえう》とである。要點《えうてん》を擧《あぐ》ると、

(一)膝頭《ひざがしら》を少《すこ》しく割《わ》つて坐《すわ》ること。

(二)右下《みぎした》でも、左下《ひだりした》でも足《あし》の甲《かふ》をなるべく深《ふか》く高《たか》く重《かさ》ねる事《こと》である。

(三)尻《しり》はなるべく後《うしろ》へ出《だ》す心持《こゝろもち》で坐《すわ》る事《こと》である。

(四)下腹《したはら》は成《な》るべく前《まへ》へ出《だ》す事《こと》である。
(五)鳩尾《みづおち》(みづ落《おち》)の處《ところ》を落《おと》すことである。
(六)肩《かた》を怒《いか》らさず、下《さ》げ氣《ぎ》味《み》にして脊《せ》を少《すこ》し丸《まる》くする事《こと》である。
(七)手《て》は一《いつ》方《ぱう》の五指《し》で他《た》の拇《ぼ》指《し》を握《にぎ》り、膝《ひざ》の上《うへ》に置《お》く事《こと》である。
(八)口《くち》は輕《かる》く閉《と》ぢ、息《いき》は出《しゆつ》入《にふ》ともに長《なが》く靜《しづ》かに鼻《はな》でする事《こと》である。
(九)目《め》は輕《かる》く閉《と》づる事《こと》である。
(十)頭《あたま》は眞《まつ》直《すぐ》に保《たも》つ事《こと》である。
以《い》上《じやう》は岡《をか》田《だ》式《しき》の姿《し》勢《せい》であるが、次《つぎ》に一言《ごん》逆《ぎやく》呼《こ》吸《きふ》の事《こと》を云《い》はねばならぬ。逆《ぎやく》呼《こ》吸《きふ》と云《い》ふのは、息《いき》を吸《す》ふ時《とき》に下腹《したはら》を少《すこ》し引《ひ》く氣《き》味《み》にし、息《いき》を吐《は》く時《とき》に下《した》腹《はら》に力《ちから》を入《い》れよと云《い》ふのである。卽《すなは》ち藤《ふぢ》田《た》式《しき》や二《ふた》木《ぎ》式《しき》と恰《ちやう》度《ど》反《はん》對《たい》に說《と》いて居《ゐ》るのである。それから動《どう》搖《えう》の事《こと》であるが、これは身《から》體《だ》に力《ちから》を入《い》れないで居《ゐ》ると、呼《こ》吸《きふ》につれ自《おの》づと身《から》體《だ》が動《うご》くのと同《どう》理《り》で、動《うご》くのが當《たう》然《ぜん》だと思《おも》ふ。唯《たゞ》岡《をか》田《だ》式《しき》は藤《ふぢ》田《た》式《しき》に反《はん》して全《ぜん》然《ぜん》無《む》念《ねん》無《む》想《さう》を主《しゆ》張《ちやう》して居《ゐ》る事《こと》である。

川《かは》面《も》式《しき》靜《せい》座《ざ》法《はふ》　これは神《しん》道《だう》から出《しゆつ》發《はつ》したもので、今《こん》日《にち》の言《こと》葉《は》から云《い》へば潛《せん》在《ざい》意《い》識《しき》を呼《よ》び起《おこ》して來《き》て、全《ぜん》身《しん》を統《とう》一《いつ》支《し》配《はい》せしめよと云《い》ふのが重《おも》なる主《しゆ》張《ちやう》で、岡《をか》田《だ》式《しき》靜《せい》座《ざ》法《はふ》よりも活《くわつ》動《どう》的《てき》である。

普《ふ》勸《け》坐《ざ》禪《ぜん》儀《ぎ》　尋《じん》常《じやう》坐《ざ》處《しよ》には厚《あつ》く坐《ざ》物《ぶつ》を敷《し》き、上《うへ》に蒲《ふ》團《とん》を用《もち》ゆ、或《あるひ》は結《けつ》跏《か》趺《ふ》坐《ざ》、或《あるひ》は半《はん》跏《か》趺《ふ》坐《ざ》、謂《いは》く結《けつ》跏《か》趺《ふ》坐《ざ》とは先《ま》づ右《みぎ》の足《あし》を以《もつ》て左《ひだり》の股《もゝ》の上《うへ》に安《やす》んじ、左《ひだり》の足《あし》は右《みぎ》の股《もゝ》の上《うへ》に安《やす》んじ、半《はん》跏《か》趺《ふ》座《ざ》とは但《た》だ左《ひだり》の足《あし》を以《もつ》て右《みぎ》の股《もゝ》を壓《あつ》す。寛《ゆる》く衣《い》帶《たい》を繫《か》け、齊《せい》整《せい》ならしむべく、次《つぎ》に右《みぎ》の手《て》を左《ひだり》の足《あし》の上《うへ》に安《やす》んじ、左《ひだり》の掌《てのひら》を右《みぎ》の掌《てのひら》の上《うへ》に安《やす》んじ、兩《りやう》の大《だい》拇《ぼ》指《し》、面《かほ》と相《あひ》拄《さゝ》ふ、乃《すなは》ち正《しやう》身《しん》端《たん》座《ざ》して、左《ひだり》に側《そばだ》ち右《みぎ》に傾《かたぶ》き、前《まへ》に躬《かゞま》り後《うしろ》に仰《あふ》ぐことを得《え》ざれ、耳《みゝ》と肩《かた》と對《たい》し、鼻《はな》と臍《へそ》と對《たい》せしめんことを要《えう》す。舌《した》は上《うへ》の顎《あご》に掛《か》けて唇《しん》齒《し》相《あひ》着《つ》け、目《め》は須《すべから》く常《つね》に開《ひら》くべし、鼻《び》息《そく》微《かす》かに通《つう》じ、身《しん》相《さう》已《すで》に調《とゝの》ふて、缺《けつ》氣《き》一《いつ》息《そく》し、左《さ》右《いう》搖《えう》振《しん》して兀々《こつ〳〵》として坐《ざ》定《ぢやう》す。

瑜《ゆ》珈《か》定《てい》律《りつ》呼《こ》吸《きふ》法《はふ》　この法《はふ》は呼《こ》吸《きふ》を行《おこな》ふ心《しん》臟《ざう》の鼓《こ》動《どう》卽《すなは》ち脈《みやく》搏《はく》を單《たん》位《ゐ》として居《ゐ》るのである。卽《すなは》ち正《しやう》身《しん》端《たん》座《ざ》して、頭《とう》首《しゆ》、胸《きよう》頸《けい》を皆《みな》一《いつ》直《ちよく》線《せん》上《じやう》にあらしめ、些《すこ》しく兩《りやう》肩《かた》を後《こう》方《はう》に垂《た》れ、手《て》は緩《ゆる》やかに膝《しつ》上《じやう》に安《やすん》じ、全《ぜん》身《しん》の重《ちう》量《りやう》は肋《ろく》骨《こつ》に支《さゝ》へ、泰《たい》然《ぜん》身《み》を處《しよ》して丹《たん》田《でん》に氣《き》を滿《みた》し、入《じゆ》息《そく》は徐《おもむろ》にして六脈《みやく》搏《はく》を算《さん》し、息《いき》を保《ほ》留《りう》すること三搏《はく》にして徐《おもむ》ろに出《しゆつ》息《そく》しつゝ六脈《みやく》搏《はく》を算《さん》し、出《しゆつ》入《にふ》の中《ちう》間《かん》三搏《はく》を算《さん》し、再《ふた》び入《じゆ》息《そく》すべし。

最《もつと》も正《せい》確《かく》なる靜《せい》座《ざ》内《ない》觀《くわん》秘《ひ》法《はふ》

以《い》上《じやう》で現《げん》今《こん》行《おこな》はれつゝある呼《こ》吸《きふ》法《はふ》（握拳集力法、後腦集力法、丹田集力法は柔術教授書龍虎の卷に詳細の説明あり。）並《ならび》に古《こ》人《じん》が日《にち》常《じやう》用《もち》ひて居《ゐ》た一《いつ》般《はん》の膽《たん》力《りよく》錬《れん》養《やう》法《はふ》を略《ほゞ》知《し》り得《え》たのであるが、其《その》何《いづ》れを修《をさ》めるのが最《もつと》も適《てき》當《たう》であるかと云《い》ふと、吾《ご》人《じん》をしてこれを云《い》はしむれば現《げん》代《だい》式《しき》の輕《けい》薄《はく》なものよりも矢《や》張《はり》古《こ》來《らい》行《おこな》はれて居《ゐ》る靜《せい》座《ざ》内《ない》觀《くわん》秘《ひ》法《はふ》が最《もつと》も適《てき》當《たう》であらうと信《しん》ずる。今《いま》左《さ》に其《そ》の方《はう》法《はふ》を揭《かゝ》げて置《お》く、

體《たい》容《よう》整《せい》齊《せい》と調《てう》息《そく》

靜《せい》座《ざ》内《ない》觀《くわん》法《はふ》は最《さい》初《しよ》印《いん》度《ど》に起《おこ》り、支《し》那《な》

を經《へ》て日本《にほん》に渡來《とらい》し、天保年間《てんはうねんかん》醫平野元良《いひらのげんりやう》に依《よ》つて完成《くわんせい》されたもので、其方法《そのはうはふ》は『先《ま》づ體容《たいよう》を正《たゞ》しく、後《のち》に息《いき》を調和《てうわ》すべし、體《たい》を正《たゞ》しくするには、坐《すわ》るに端直《たんちよく》なるを要《えう》とす。脊骨《せぼね》の前《まへ》へ曲《かゞ》むはあし、後《うしろ》へ聳《そ》るも良《よろ》しからず、頭《かしら》は平正《へいせい》に鼻《はな》と臍《へそ》との準《じゆん》、相對《あひたい》し、偏《かたよ》らず斜《なゝめ》らず、仰《あふ》がず伏《うつむ》かず、頸《くび》は昂《の》びたるがよし肩《かた》は低《な》でたるがよく、急《あせ》るはあし、眼《め》は定《きま》りて物《もの》を視《み》るときは頭《かしら》と共《とも》に顧《かへり》みるべし、兩手《りやうて》は牽來《ひきよ》せて身《み》に近《ちか》づけ、膝《ひざ》の上《うへ》に安《お》くべし、腋《わき》の下《した》に鷄卵《けいらん》一個《こ》を容《い》るゝ程《ほど》になりたるをよしとす。

總《すべ》ての用意《ようい》は腰《こし》を以《もつ》て下腹《したはら》を前《まへ》へ推《お》すやうにすれば、臍下《せいか》に力入《ちからい》りて、下腹《したはら》に氣充實《きじうじつ》し、息《いき》も臍下《せいか》に至《いた》りて胸肋《むねあばら》、心下《みづおち》に支《さゝふ》るもののなく、週身《しうしん》の力《ちから》臍下《へそした》腰髎《こしのあたり》にあることを覺《おぼ》ゆべし、漸《やうやく》に慣《な》れての後《のち》は、あながちに力《ちから》をも用《もち》ひず、自然《しぜん》にかくなし得《う》るやうになりて、息《いき》の喉《のど》を出入《ではひ》るを自《おのづ》と知《し》らざるやうになるべし。

呼吸《こきふ》の方法《はうはふ》　呼吸《こきふ》は肺《はい》より出《い》でゝ臍下《さいか》に納《をさま》り、又臍下《さいか》より出《い》でゝ肺《はい》へ泄《も》る、後《のち》には耳《み》よりも發《た》ち、孔理《けあな》よりも出《い》づるなり、長壽《ちやうじゆ》の人《ひと》の耳《み》に毫毛《がうまう》の生《は》ゆるは呼吸《こきふ》調《ととの》ひて精神《せいしん》の檢束《けんそく》せる符驗《しるし》なり。口《くち》は一切《いつさい》閉《と》ぢたるがよし、行住坐臥《ぎやうぢうざぐわ》とも常《つね》に上下《じやうげ》の際《さい》は合《あは》せたるをよしとす、癇疾《かんしつ》諸症《しよしやう》、肩背《かたせな》強急《こわり》、上衝《のぼせ》、眩暈《めまひ》、胸腹《むねはら》支滯《つかへ》、心氣《しんき》鬱結《うつけつ》、癥疝《しやくせんき》拘攣《はらひきつり》及《およ》び婦人子臓《ふじんしざう》諸病《しよびやう》等《とう》は、此《こ》の術《じゆつ》を用《もち》ひて其《そ》の病《やまひ》漸《やうや》く治《ぢ》すべし。

行住坐臥《ぎやうぢうざぐわ》何《いづ》れにも用《もち》ひよ　この法《はふ》は坐《すわ》つてのみ行《おこな》ふこと〻思《おも》ふべからず、行住坐臥《ぎやうぢうざぐわ》共《とも》にこの意《こゝろ》を行《おこな》ひてよし、歩《あゆ》むには手《て》を體《からた》に牽《ひ》きつけて下《した》に垂《た》れ、四指《し》に力《ちから》をこめて拇指《おやゆび》を掌中《しやうちう》に握《にぎ》るやうにすれば、自然《しぜん》と臍下《さいか》に氣《き》充《み》ち來《きた》り、腰胯《こしのあたり》に力《ちから》入《い》りて、脚歩《きやくほ》輕利《けいり》にして蹟《つまづ》くことなく、習慣《しふくわん》止《や》むことなきに至《いた》れば運歩《うんぽ》の機會《きくわい》は腰胯《こしのあたり》の間《あひだ》にありて、脚《あし》にあらざることを自覺《じかく》すべし。

就寢《しうしん》の際《さい》の心得《こゝろえ》 寢《ね》るには右《みぎ》を下《した》にして右《みぎ》の脚《あし》を展《のば》し、左《ひだり》を上《うへ》にして左足《さそく》を曲《かゞ》め、手《て》は牽寄《ひきよ》せて腿《もゝ》のかたへ垂《た》れ、下腹《したはら》を前《まへ》の方《はう》へ張出《はりだ》し、足心《あしのうら》に心《こゝろ》を至《いた》らしめ、足《あし》の大指《おやゆび》を運轉《うんてん》する事《こと》七八度《ど》、其《そ》の中《うち》、他《た》の念慮《ねんりよ》を發《おこ》すことなかれ、他念《たねん》若《も》し發《おこ》らば、咒文《じゆもん》又《また》は佛名題目《ぶつみやうだいもく》にても、心中《しんちう》に誦《とな》へながら睡《ねむ》るもよし。

或《あるひ》は寢《い》ぬるに先《さき》だち、仰《あふ》むきて兩脚《りやうあし》を伸《のば》し、兩手《りやうて》を以《もつ》て胸《むね》肋《あばら》より小腹《したはら》に至《いた》るまで平心《こゝろしづか》に撫摩《ぶま》すること數《すう》十遍《ぺん》、それより腰臆《こしのつがひ》より髀《もゝ》の方《はう》へなるべきだけ兩手《りやうて》を伸《のば》して、又《また》撫摩《ぶま》すること數《すう》十遍《ぺん》して後《のち》、足《あし》の拇指《おやゆび》を徐《じよ》々《〱》と動轉《どうてん》すべし、總《そう》じて胸肋《きようろく》を按《さす》るには輕《かる》く、鳩尾《みづおち》より臍旁《へそのわき》までは中《なかすみ》に、小腹《したはら》へ至《いた》りては重《おも》く、その之《これ》を撫摩《さす》る意向《いかう》は、假令《たとへ》ば、畫師《ゑし》の五彩《さい》を設《まう》くるが如《ごと》く、沸湯《ふつたう》を盛《も》りたる器《うつは》を持《も》つが如《ごと》く、いかにも靜《しづ》かに疎脱《ぞんざい》ならぬをよしとす。其《その》後《のち》右《みぎ》を下《した》にし、腹《はら》を充張《みちは》りて睡《ねむ》るなり。これ等《ら》の法《はふ》も亦《また》よし。一朝《いつてう》起《おき》るにも卒《には》かに臥床《ふしど》を出《い》でず、先《ま》づ端座《たんざ》して身體《しんたい》並《ならび》に諸支節《しよしせつ》を挺《ゆ》り動《うご》かす事《こと》數遍《すうへん》の後《のち》、兩手掌《りやうてのひら》を膝上《ひざのうへ》に安《やす》んじ、さて口《くち》を開《ひら》きて綿《めん》々《〱》と濁氣《だくき》を吐《は》くこと三四遍《へん》、それより口《くち》を閉《と》ぢ、鼻《はな》より清氣《せいき》を納《い》れて臍下《さいか》に至《いた》らしむること、又《また》十數《すう》遍《へん》にして放《はう》解《かい》し、徐《じよ》々と床《とこ》を離《はな》るゝやうにすること殊《こと》によし、癇《かん》症《しやう》、癥《しやく》癥《もち》は皆《みな》この術《じゆつ》を護《ご》持《ぢ》し、朝《てう》夕《せき》行《おこな》ひて歇《や》まざれば、藥《くすり》を服《ふく》せずして、歳《とし》を經《へ》たる病《やまひ》を治《なを》すべし。

延《えん》命《めい》長《ちやう》壽《じゆ》帶《たい》

延《えん》命《めい》長《ちやう》壽《じゆ》帶《たい》と云《い》ふのは、靜《せい》座《ざ》法《はふ》を行《おこな》ひ、下《した》腹《はら》に力《ちから》を入《い》れるの際《さい》、容《よう》易《い》に力《ちから》を入《い》れることの出《で》來《き》る樣《やう》案《あん》出《しゆつ》されたもので、初《しよ》心《しん》者《しや》には至《し》極《ごく》便《べん》利《り》である。今《いま》左《さ》に案《あん》出《しゆつ》者《しや》平《ひら》野《の》元《げん》良《りやう》の說《せつ》話《わ》を掲《かゝ》げて置《お》く、

『近《きん》來《らい》一の調《てう》息《そく》の術《じゆつ》を得《え》たり、其《その》法《はふ》は布《ぬの》を以《もつ》て胸《きやう》下《か》、腹《ふく》上《じやう》を緊《かた》く縛《しば》りて臍《せい》下《か》へ氣《き》息《そく》を充《じう》實《じつ》せしむるなり、之《これ》を試《こゝろ》むるに、大《おほい》に捷《せふ》便《びん》にして、行《おこな》ひ易《やす》く、五事《じ》調《てう》和《わ》を爲《な》し得《え》ざるものと雖《いへど》も、よく此《この》法《はふ》に從《したが》ふ時《とき》には、其《その》成《せい》功《こう》最《もつと》も速《すみや》かなり、それは綿《めん》布《ぷ》の長《なが》さ曲《かね》尺《じやく》にて六尺《しやく》有《いう》餘《よ》、吳《ご》服《ふく》尺《じやく》にては五尺《しやく》許《はかり》

なるを四《よつ》つに疊《たゝ》みて、左《さ》右《いう》季肋《あばら》の端《はじ》、章門《へそ》の邊《あたり》へかけて、二重《ちう》に纏《まと》ひ紮《くゝ》りて力《ちから》を極《きは》めて臍下《さいか》へ大氣《たいき》を吸入《すひいれ》ること、其《その》人《ひと》の機根《きこん》に應《おう》じて日々《ひゞ》三四百次《じ》より二三千次《じ》にも至《いた》る。これを行《おこな》ふには、其體《そのたい》を柔和《にうわ》にし、肩《かた》を垂《た》れ、脊《せ》を屈《かゞ》め、すべて胸腹《むねはら》肩臂《かたひぢ》を虚《むなし》うして、たゞ臍下《さいか》に氣息《きそく》を充實《じうじつ》する也《なり》。

今《いま》この帶《おび》を用《もち》ひて胸下《きようか》を紮《しむ》るの法《はふ》は、強《あなが》ちに脊骨《せはね》を直《すぐ》にして趺座《ふざ》に及《およ》ばず、たゞ其體《そのたい》を放《はな》ちて平座《へいざ》し、面《おもて》を伏《ふ》せて臍中《さいちう》を覗《のぞ》くやうにし(口繪參照)て鼻頭《びとう》と臍《へそ》とを對《たい》せしむ、且《か》つ行住坐臥《ぎやうぢうざぐわ》に其意《そのい》を用《もち》ひて、須臾《しはらく》も止《や》むことなく、大氣《たいき》をして常《つね》に臍下《せいか》に充實《じうじつ》する也《なり》。これ活用《くわつよう》の法《はふ》にして、鼻《はな》と臍《へそ》とを對《たい》せしむるに、たゞ内外《ないぐわい》の差別《さべつ》あるまでなれども、かの心下《むね》痞塞《つかへ》、胸脇苦懣《はらのこり》、又《また》は中腔《はらのなか》臍《へそ》の邊《あた》りなどに癥癖《かまたり》ありて、いかに正坐《せいざ》しても氣息《きそく》臍下《さいか》に至《いた》りがたきものも、其胸腹《そのきようふく》を虚《むなし》うして、氣力《きりよく》を極《きは》めて臍下《さいか》へ吐納《となふ》せしむる時《とき》には、必《かなら》ず到《いた》らざるものなきを以《もつ》て、大《おほい》に行《おこな》ひ易《やす》しとす。若《も》し此術《このじゆつ》に從《したが》ひて呼吸《こきふ》を調《とゝの》へんには、其坐《そのすわ》るには臀肉《でんにく》を以《もつ》て、席《せき》を壓《お》す意《こゝろ》を爲《な》し、歩行《ほかう》には氣息《きそく》を以《もつ》て小腹《したはら》を牽緊《ひきしむる》やうにして、脚歩《きやくほ》よりも小腹《したはら》まづ進《すゝ》むが如《ごと》くし、其面《そのおもて》、人《ひと》に對《たい》し、眼《め》に外物《ぐわいぶつ》を視《み》るときにも、心《こゝろ》には必《かなら》ず臍下《さいか》を觀《み》るの念《ねん》を瞬時《しゆんじ》も忘失《ばうしつ》することなければ、其外物《そのぐわいぶつ》と交《まじ》はる所《ところ》の妄《ばう》心《しん》自《おのづか》ら斷《た》えて、心識《しんしき》安定《あんてい》、陰陽《いんやう》和適《わてき》することを得《う》る捷徑《せふけい》の法《はふ》なり。』

武術 最高極意『地之巻』終

「地之巻」附録

鍊膽法《れんたんはふ》としての瑜伽《ゆか》

瑜伽《ゆか》の坐法《ざはふ》　本論《ほんろん》中《ちう》に一言《ごん》瑜伽《ゆか》の事《こと》を説《と》いて置《お》いたが、茲《こゝ》に改《あらた》めて瑜伽《ゆか》行法《ぎやうはふ》の詳細《しやうさい》を掲《かゝ》げ、聊《いさゝ》か諸子《しよし》の參考《さんかう》に供《きよう》するであらう。

瑜伽法《ゆかはふ》と云《い》ふのは超絶的《てうぜつてき》一元論《げんろん》と神秘的《しんぴてき》冥想法《めいさうはふ》とに根底《こんてい》を置《お》いた一種《いつしゆ》の精神《せいしん》主義《しゆぎ》であつて、深刻《しんこく》にして透徹《たうてつ》せる哲理《てつり》と、端坐《たんざ》靜慮《せいりよ》を專《もつぱ》らとして三昧《さんまい》に住《ぢう》し、寂光《じやくくわう》の中《うち》に梵《ぼん》と合一《がふいつ》するのは殆《ほとん》と禪《ぜん》と同一《どういつ》である。卽《すなは》ち彼等《かれら》の坐《ざ》法《はふ》なるものは、先《ま》づ床上《しやうじやう》に踞《きよ》して左足《ひだりあし》を右股《みぎもゝ》の上《うへ》に安《やすん》じ、次《つぎ》に右足《みぎあし》を左《ひだり》の股上《もものうへ》に置《お》き、頭部《とうぶ》と頸部《けいぶ》と身體《しんたい》とを一直《いつちよく》線上《せんじやう》に置《お》き、右手《めて》を以《もつ》て右足《みぎあし》の大趾《おやゆび》を握《にぎ》り、左手《ゆんで》を以《もつ》て左《ひだり》足《あし》の大趾《おやゆび》を握《にぎ》り、兩手《りやうて》を交叉《かうさ》せしむるのである。

身體《しんたい》の鍛錬法《たんれんはふ》 瑜珈法《ゆかはふ》に於《おい》て最《もつと》も緊要《きんえう》とする處《ところ》は、自《じ》己《こ》の身體《しんたい》に克《か》つの工夫《くふう》である。卽《すなは》ち身體《しんたい》の奴隷《どれい》とならず、意志《いし》の命《めい》ずる儘《まゝ》に全身《ぜんしん》を左右《さいう》するのであるから、身體《しんたい》の鍛錬《たんれん》に重《おも》きを置《お》く事《こと》非常《ひじやう》であつて、四肢《し》五體《たい》を種々《しゆぐ》に取《とり》扱《あつか》ふ八十四の鍛錬法《たんれんはふ》がある。今《いま》二三の例《れい》を擧《あ》げると、

(一)上記《じやうき》の坐法《ざはふ》に依《よ》つて兩脚《りやうあし》を組《く》み、次《つい》で腓《はぎ》と股《もゝ》との中《ちう》間《かん》に兩手《りやうて》を挿《さ》し入《い》れて兩《りやう》の掌《てのひら》を地《ち》につけ、全身《ぜんしん》を床《とこ》から差《さ》し上《あ》げるのである。

(二)兩脚《りやうあし》を一直線《いつちよくせん》に前方《ぜんはう》に伸《のば》して坐《ざ》し、膝《ひざ》を屈《くつ》せず、兩手《りやうて》

を以《もつ》て大趾《おやゆび》を握《にぎ》るのである。

(三)二の如《ごと》くに坐《ざ》して更《さら》に額《ひたひ》を膝《ひざ》に接觸《せつしよく》せしむるのである。

(四)二の如《ごと》くに坐《ざ》して後《のち》、左手《ゆんで》を以《もつ》て右足《みぎあし》の大趾《おやゆび》を握《にぎ》り、右手《めて》を以《もつ》て左足《ひだりあし》の大趾《おやゆび》を握《にぎ》り、之《これ》を引《ひ》いて耳邊《じへん》に至《いた》らしめ、恰《あだか》も弓《ゆみ》を引《ひ》くが如《ごと》くするのである。

(五)兩手《りやうて》を地《ち》に安《やすん》じ、兩臂《りやうひぢ》を腰《こし》に密接《みつせつ》して、臂《ひぢ》の力《ちから》で全身《ぜんしん》を支《さ》へ、兩足《りやうあし》を上《あ》げて頭部《とうぶ》と同一《どういつ》水平《すゐへい》にするのである。

(六)中腹《ちうふく》を地《ち》に着《つ》けて臥《ふ》し、兩腕《りやううで》を頭上《づじやう》に伸《のば》し、又《また》兩脚《りやうあし》を伸《のば》して高《たか》く上《あ》げ、全身《ぜんしん》を弓《ゆみ》のやうにし、後《のち》に手足《てあし》を共《とも》に下《さ》げ、次《つぎ》に背《せ》を地《ち》につけて伏《ふ》し、兩腕《りやううで》を頭上《づじやう》に伸《のば》し、指《ゆび》の背《せ》を地《ち》に接《せつ》せしめ、次《つい》で兩脚《りやうあし》を直立《ちよくりつ》して帆船《ほぶね》のやうにするのである。

この他《ほか》數《すう》十種《しゆ》の方法《はうはふ》があるのであるが、其《その》終局《しうきよく》の目的《もくてき》は、何《いづ》れも肉體《にくたい》から生《しやう》ずる饑《き》渴《かつ》睡眠《すゐみん》の欲《よく》に克《か》つて、寒暑《かんしよ》にもめげず、藥石《やくせき》を用《もち》ひずして疾病《しつぺい》を治《なを》し、精力《せいりよく》の浪費《らうひ》を防《ふせ》ぎ、夭折《えうせつ》の憂《うれひ》を除《のぞ》き、不《ふ》老長生《らうちやうせい》して神通力《じんつうりよく》を獲得《くわくとく》するにあるのである。

處《ところ》で彼等《かれら》瑜《ゆ》珈《か》法《はふ》行者《ぎやうじや》の理《り》想《さう》たる不《ふ》老《らう》長《ちやう》生《せい》、斷《だん》食《じき》、不《ふ》眠《みん》不《ふ》休《きう》等《とう》の神秘的《しんぴてき》現象《げんしやう》は、必《かなら》ずしも架《か》空《くう》的《てき》理想《りさう》とのみこれを云《い》ふ事《こと》は出來《でき》ないのであつて、現《げん》に彼等《かれら》行者《ぎやうじや》の中《うち》には、十二年《ねん》間《かん》一睡《いつすゐ》もしないものもあれば、一《いつ》晝夜《ちうや》に一《いつ》片《ぺん》の麵麭《はん》を食《しよく》して餓《うゑ》を持《ぢ》し、嚴寒《げんかん》にも溫袍《をんはう》を纏《まと》はず道路《だうろ》に勞働《らうどう》して、聊《いさゝか》も疲勞《ひらう》しない者《もの》もある。殊《こと》に驚《おどろ》くべきは四十日《にち》の間《あひだ》不《ふ》眠《みん》不《ふ》休《きう》、少《すこし》の飲《いん》食《しよく》を攝《と》る事《こと》なく、嚴《げん》緘《かん》せる箱《はこ》中《ちう》に生《せい》を維《ゐ》持《ぢ》した一事《じ》實《じつ》である。これなどは食《しよく》欲《よく》や色《しき》欲《よく》の奴《ど》隷《れい》を以《もつ》て甘《あま》んじて居《ゐ》る世《せ》人《じん》の、夢《む》想《さう》だもする事《こと》の出《で》來《き》ない事《じ》實《じつ》であつて、人《にん》間《げん》の意《い》志《し》が、明《あき》らかに肉《にく》體《たい》を支《し》配《はい》し得《う》る事《こと》を物《もの》語《がた》つて居《ゐ》る。然《しか》のみならず彼《かれ》等《ら》は遠《ゑん》距《きよ》離《り》の物《もの》を見《み》る事《こと》が出《で》來《き》、暗《あん》中《ちう》に細《さい》少《せう》な針《はり》を拾《ひろ》ひ、他《た》人《にん》の眼《がん》光《くわう》に依《よ》つて其《その》思《し》想《さう》を洞《どう》察《さう》する驚《おどろ》くべき明《めい》を以《もつ》て居《ゐ》るのである。

瑜《ゆ》珈《か》の目《もく》的《てき》　斯《かく》の如《ごと》く彼《かれ》等《ら》は先《ま》づ自《じ》己《こ》の肉《にく》體《たい》を征《せい》服《ふく》して、自《じ》己《こ》の奴《ど》隷《れい》とするのが其《その》主《しゆ》要《えう》な目《もく》的《てき》であつて、それが爲《ため》にはあらゆる困《こん》苦《く》にも堪《た》へるのである。然《さ》れば彼《かれ》等《ら》は頭《づ》痛《つう》を除《のぞ》くが爲《ため》に鼻《び》孔《こう》から冷《れい》水《すゐ》を飲《の》み、又《また》鼻《び》孔《こう》から紐《ひも》を口《こう》腔《こう》に通《つう》ぜしめ、之《これ》に依《よ》つて鼻《び》孔《こう》を洗《せん》滌《でき》し、或《あるひ》は右《みぎ》の鼻《び》孔《こう》から紐《ひも》を入《い》れて左《ひだり》の鼻《び》孔《こう》にこれを出《いだ》し、又《また》幅《はゞ》三インチのモスリンを嚥《えん》下《か》し、これに依《よ》つて食《しよく》道《だう》を掃《さう》除《ぢ》し、或《あるひ》は肛《こう》門《もん》から水《みづ》を灌《そゝ》いで腸《ちやう》腔《くう》の洗《せん》滌《でき》を行《おこな》ひ、或《あるひ》は多《た》量《りやう》の水《みづ》を飲《の》んで肛《こう》門《もん》からこれを放《はう》出《しゆつ》し、以《もつ》て食《しよく》道《だう》を洗《あら》ひ、又《また》胃《ゐ》腸《ちやう》の疾《しつ》病《ぺい》を治《ち》療《れう》する。就中《なかんづく》最《もつと》も吾《ご》人《じん》の珍《ちん》奇《き》とする事《こと》は、舌《した》を巻《まき》縮《ちゞ》め、之《これ》を呑《どん》下《か》して餓《き》渇《かつ》睡《すゐ》眠《みん》の欲《よく》に克《か》ち、以《もつ》て早《さう》老《らう》、若《じやく》死《し》を免《まぬが》れる方《はう》便《べん》だと稱《しよう》して居《ゐ》る事《こと》である。

四種《しゆ》の呼《こ》吸《きふ》法《はふ》　彼等《かれら》の呼《こ》吸《きふ》法《はふ》は甚《はなは》だ嚴《げん》密《みつ》であつて、左《さ》の四種《しゆ》に之《これ》を區《く》別《べつ》し、上《じやう》記《き》の整《せい》身《しん》法《はふ》と相《あひ》須《ま》つて之《これ》を勵《れい》行《かう》して居《ゐ》る。

第《だい》一＝高《かう》呼《こ》吸《きふ》　第《だい》二＝中《ちう》呼《こ》吸《きふ》

第《だい》三＝低《てい》呼《こ》吸《きよ》　第《だい》四＝瑜《ゆ》珈《か》完《くわん》全《ぜん》呼《こ》吸《きふ》

第《だい》一の高《かう》呼《こ》吸《きふ》と云《い》ふのは、一名《めい》を鎖《さ》骨《こつ》呼《こ》吸《きふ》と命《めい》名《めい》し、兩《りやう》肩《かた》と、鎖《さ》骨《こつ》と、肋《ろく》骨《こつ》とを高《たか》く上《あ》げ、同《どう》時《じ》に腹《ふく》部《ぶ》を縮《しゆく》少《せう》し、横《わう》隔《かく》膜《まく》を擧《きよ》上《じやう》して空《くう》氣《き》を吸《きふ》入《にふ》し、更《さら》に兩《りやう》肩《かた》と鎖《さ》骨《こつ》とを下《さ》げて空《くう》氣《き》を呼《こ》出《しゆつ》する方《はう》法《はふ》で、最《さい》劣《れつ》等《とう》の呼《こ》吸《きふ》法《はふ》である。何《なん》となれば努《ど》力《りよく》の割《わり》合《あひ》に利《り》益《えき》が少《すくな》いからである。

第《だい》二の中《ちう》呼《こ》吸《きふ》と云《い》ふのは肋《ろく》骨《こつ》呼《こ》吸《きふ》法《はふ》と命《めい》名《めい》せられ、方《はう》法《はふ》は腹《ふく》部《ぶ》を引《ひ》き入《い》れ、肋《ろく》骨《こつ》を少《すこ》し上《あ》げて呼《こ》吸《きふ》するのであつて、呼《こ》吸《きふ》法《はふ》としては胸《きよう》腔《こう》を開《ひら》く事《こと》が少《すくな》いから不《ふ》充《じう》分《ぶん》である。

第《だい》三の低《てい》呼《こ》吸《きふ》とは腹《ふく》式《しき》呼《こ》吸《きふ》、深《しん》呼《こ》吸《きふ》、横《わう》隔《かく》膜《まく》呼《こ》吸《きふ》と命《めい》名《めい》せられ、方《はう》法《はふ》は横《わう》隔《かく》膜《まく》を下《か》垂《すゐ》し、腹《ふく》部《ぶ》を膨《はう》脹《ちやう》し、胸《きよう》腔《くう》を擴《くわく》張《ちやう》して呼《こ》吸《きふ》する方《はう》法《はふ》で、文《ぶん》明《めい》諸《しよ》國《こく》に行《おこな》はれて居《ゐ》る呼《こ》吸《きふ》法《はふ》としては最善《さいぜん》のものとせられて居《ゐ》る。併《しか》し乍《なが》ら瑜《ゆ》珈《か》法《はふ》行者《ぎやうじや》の眼《め》よりしてこれを見《み》れば、未《いま》だこれを以《もつ》て完全《くわんぜん》なりとする事《こと》は出來《でき》ない。何《なん》となれば以《い》上《じやう》三種《しゆ》の呼《こ》吸《きふ》法《はふ》中《ちう》第《だい》一の方《はう》法《はふ》は肺《はい》臟《ざう》の上部《じやうぶ》を活動《くわつどう》せしむるに止《とゞ》まり、第《だい》二の方《はう》法《はふ》は肺《はい》臟《ざう》の中《ちう》部《ぶ》と上部《じやうぶ》とを活動《くわつどう》せしむるに止《とゞ》まり、第《だい》三の方《はう》法《はふ》は肺《はい》臟《ざう》の下《か》部《ぶ》と中《ちう》部《ぶ》とを活動《くわつどう》せしむるに過《す》ぎないからである。

然《しか》らば第《だい》四の瑜《ゆ》珈《か》完全《くわんぜん》呼《こ》吸《きふ》法《はふ》と云《い》ふのは如《い》何《か》なる方《はう》法《はふ》であるかと云《い》ふと、先《ま》づ直立《ちよくりつ》、又《また》は正《せい》坐《ざ》して鼻《び》孔《こう》から空《くう》氣《き》を吸入《きふにふ》し、肺《はい》臟《ざう》の下《か》部《ぶ》を充實《じうじつ》して横隔膜《わうかくまく》を下《さ》げ以《もつ》て腹《ふく》部《ぶ》を壓《あつ》して之《これ》を前方《ぜんはう》に膨脹《はうちやう》せしめ、次《つぎ》に空《くう》氣《き》を肺《はい》臟《ざう》の中《ちう》部《ぶ》に充《みた》して胸腔《きようくう》を擴大《くわくだい》し、終《つひ》に肺《はい》臟《ざう》の上部《じやうぶ》に空《くう》氣《き》を吸入《きふにふ》して上部《じやうぶ》六七對《たい》の肋骨《ろくこつ》を擴張《くわくちやう》し、最後《さいご》に少《すこ》しく下腹部《かふくぶ》を縮少《しゆくせう》して全肺臟《ぜんはいざう》を支持《しぢ》し、其《その》最高部《さいかうぶ》に空氣《くうき》を滿《みた》すのである。是《かく》の如《ごと》く空氣《くうき》を吸入《きふにふ》するには緩《くわん》ならず急《きふ》ならず、徐々《じよ/\》として確實《かくじつ》なる不斷《ふだん》の連續《れんぞく》を以《もつ》てせねばならぬのである。而《しか》してこの吸入法《きふにふはふ》に熟達《じゆくたつ》した時《とき》は、大約《おほよそ》二秒時間《べうじかん》にして全肺量《ぜんはいりやう》を充《みた》すことが出來《でき》る。處《ところ》でかうして吸入《きふにふ》した空氣《くうき》は二秒時間《べうじかん》之《これ》を肺中《はいちう》に保留《ほりう》して放《はな》たず、二秒時《べうじ》を經《へ》て後《のち》、徐《おもむ》ろに下腹部《かふくぶ》を縮少《しゆくせう》し、少《すこ》しく上方《じやうはう》にあげて空氣《くうき》を呼出《こしゆつ》し了《をは》り、然《しか》る後《のち》、胸腹《きようふく》を弛《ゆる》めるのである。此《こ》の呼吸法《こきふはふ》は感冒《かんばう》を除《のぞ》き肺病《はいびやう》を治《なを》し、消化器《せうくわき》を強《つよ》め、神經《しんけい》を強健《きやうけん》にし、腦《なう》の働《はたら》きを敏活《びんくわつ》にし、活力《くわつりよく》を全身《ぜんしん》に充實《じうじつ》せしむる効果《かうくわ》がある。

清潔呼吸法《せいけつこきふはふ》　これは完全呼吸法《くわんぜんこきふはふ》に依《よ》つて空氣《くうき》を吸入《きふにふ》

し、數《すう》秒《べう》時《じ》之《これ》を肺《はい》中《ちう》に保《ほ》持《ぢ》し、然《しか》る後《のち》口《こう》唇《しん》を尖《とが》らかし、恰《ちやう》度《ど》口《くち》笛《ぶえ》を吹《ふ》くがやうな口《くち》附《つき》をして強《つよ》く空《くう》氣《き》を呼《こ》出《しゆつ》するのである。此《この》法《はふ》は疲《ひ》勞《らう》を治《なを》し、肺《はい》を清《せい》潔《けつ》にし、全《ぜん》身《しん》の細《さい》胞《はう》に刺《し》戟《げき》を與《あた》ふる力《ちから》がある。

神《しん》經《けい》强《きやう》壯《さう》呼《こ》吸《きふ》法《はふ》　これは完《くわん》全《ぜん》呼《こ》吸《きふ》法《はふ》で空《くう》氣《き》を吸《きふ》入《にふ》し、暫《ざん》時《じ》之《これ》を保《ほ》持《ぢ》したる後《のち》、猛《まう》烈《れつ》に口《くち》から呼《こ》出《しゆつ》し、同《どう》時《じ》に兩《りやう》腕《うで》を前《ぜん》後《こ》に動《うご》かし、兩《りやう》手《て》を握《にぎ》つて神《しん》經《けい》を緊《きん》張《ちやう》するのである。

調《てう》聲《せい》呼《こ》吸《きふ》法《はふ》　これも完《くわん》全《ぜん》呼《こ》吸《きふ》法《はふ》に依《よ》つて空《くう》氣《き》を吸《きふ》入《にふ》し、數《すう》秒《べう》間《かん》これを肺《はい》中《ちう》に保《ほ》持《ぢ》した後《のち》、大《おほ》きく口《くち》を開《ひら》いて一度《ど》に強《つよ》く空《くう》氣《き》を呼《こ》出《しゆつ》するのである。これは聲《せい》帶《たい》を調《とゝの》へ音《おん》聲《せい》を强《つよ》からしむる効《かう》がある。

定《てい》律《りつ》經《けい》行《かう》法《はふ》　この方《はう》法《はふ》は頭《かしら》を上《あ》げ、兩《りやう》肩《かた》を後《こう》方《はう》に引《ひ》き歩《ほ》調《てう》を定《さだ》めて徐《おもむ》ろに歩《ある》くのであつて、一二三四五六七八と心《しん》中《ちう》に算《かぞ》へて八歩《ほ》に一《いつ》吸《きふ》し、次《つぎ》に鼻《び》孔《こう》を通《つう》じて空《くう》氣《き》を呼《こ》出《しゆつ》し、一二三四五六七八と心《しん》中《ちう》に算《さん》して八歩《ほ》に一《いつ》呼《こ》す、又《また》呼《こ》吸《きふ》の中《ちう》間《かん》一二三四五六七八と算《さん》して八歩《ほ》を行《ゆ》き、斯《かく》て疲《ひ》勞《らう》を感《かん》ずるに至《いた》つて休《きう》息《そく》し、然《しか》る後《のち》再《ふた》び之《これ》を行《おこな》ひ、一日《にち》數《すう》回《くわい》に及《およ》ぶのである。

右《みぎ》の他《ほか》本《ほん》論《ろん》中《ちう》に掲《かゝ》げた定《てい》律《りつ》呼《こ》吸《きふ》法《はふ》がある。

瑜《ゆ》珈《か》食《しよく》法《はふ》　瑜《ゆ》珈《か》行《ぎやう》者《じや》は殆《ほとん》ど菜《さい》食《しよく》主《しゆ》義《ぎ》であつて、酸《さん》味《み》の强《きやう》烈《れつ》なる刺《し》戟《げき》物《ぶつ》は勿《もち》論《ろん》、酒《さけ》類《るゐ》、珈《コー》琲《ヒー》、魚《ぎよ》肉《にく》、鳥《てう》獸《じう》肉《にく》、葫《にら》、葱《ねぎ》、人《にん》參《じん》、凝《ぎよう》乳《にう》、油《ゆ》菓《くわ》、等《とう》を飲《いん》食《しよく》しない。又《また》食《しよく》物《もつ》の一《ひと》度《た》び冷《れい》却《きやく》したものを、再《ふた》び熱《ねつ》して食《くら》ふことをしない。又《また》不《ふ》消《せう》化《くわ》物《ぶつ》を一《いつ》切《さい》攝《せつ》取《しゆ》してはならないとして居《ゐ》る。さうして主《しゆ》要《えう》な食《しよく》品《ひん》としては米《こめ》、大麥《おほむぎ》、小麥《こむぎ》、牛乳《ぎうにう》、砂糖《さたう》、蜂蜜《はちみつ》等《とう》を攝《と》つて居《ゐ》る。

瑜伽浴法《ゆかよくはふ》

瑜伽《ゆか》に於《おい》ては何人《なんぴと》でも一日《にち》一回《くわい》の澡浴《さうよく》を行《おこな》はねばならぬ事《こと》を主張《しゆちやう》して居《ゐ》る。澡浴《さうよく》は早晨《あさはやく》之《これ》を行《おこな》ふを佳《か》とし、夕浴《ゆふよく》も亦《また》不可《ふか》なしと云《い》つて居《ゐ》る。さうして食後《しよくご》直《たゞち》に澡浴《さうよく》する事《こと》を禁《きん》じ、澡浴中《さうよくちう》は粗布《そふ》を以《もつ》て全身《ぜんしん》摩擦《まさつ》を行《おこな》ひ、刺戟《しげき》を與《あた》へて血行《けつかう》を促《うなが》すべしと云《い》つて居《ゐ》る。右《みぎ》の外《ほか》左《さ》の條項《でうかう》が規定《きてい》されてある。

(一)身體《しんたい》冷却《れいきやく》せる時《とき》冷浴《れいよく》を行《おこな》ふべからず、冷浴《れいよく》に方《あた》つては先《ま》づ身體《しんたい》を熱《ねつ》せしめ、又《また》全身《ぜんしん》を水槽《すゐさう》に浸《ひた》すには先《ま》づ水《みづ》を以《もつ》て頭部《とうぶ》を濕《うる》ほし、次《つぎ》に身《み》を濕《うる》ほし、次《つぎ》に胸部《きようぶ》を濕《うる》ほし、然《しか》る後《のち》、全身《ぜんしん》を水中《すゐちう》に浸《ひた》すべし。

(二)冷浴《れいよく》を終《をは》らば、兩手《りやうて》を以《もつ》て強《つよ》く全身《ぜんしん》を摩擦《まさつ》し濕氣《しつき》未《いま》だ去《さ》らざる時《とき》、乾《かん》燥《さう》せる衣《い》服《ふく》を纏《まと》ふべし。

(三)行《ぎやう》者《じや》の澡《さう》浴《よく》は水《みづ》を用《もち》ふるを通《つう》則《そく》とし、水《すゐ》中《ちう》にあつては兩《りやう》手《て》を以《もつ》て強《つよ》く全《ぜん》身《しん》を摩《ま》擦《さつ》し、次《つぎ》に布《ふ》片《へん》を以《もつ》て洗《せん》滌《てき》し、此《この》間《あひだ》絶《た》へず定《てい》律《りつ》呼《こ》吸《きふ》法《はふ》を實《じつ》行《かう》すべし、浴《よく》後《ご》は必《かなら》ず一《いつ》定《てい》の運《うん》動《どう》を行《おこな》ひ、體《たい》溫《をん》を支《し》持《ぢ》するに努《つと》むべし。

健《けん》腦《なう》法《はふ》　脊《せき》柱《ちう》を直《ちよく》立《りつ》して端《たん》座《ざ》し、眼《め》を前《ぜん》方《ぱう》に注《そゝ》ぎ、手《て》は股《もゝ》の上《うへ》に安《あん》置《ち》し、最《さい》初《しよ》拇《おや》指《ゆび》を以《もつ》て、左《ひだり》の鼻《び》孔《こう》を閉《と》ぢて右《みぎ》の鼻《び》孔《こう》から入《じゆ》息《そく》し、次《つぎ》に右《みぎ》の鼻《び》孔《こう》を閉《と》ぢて左《ひだり》の鼻《び》孔《こう》から出《しゆつ》息《そく》し、次《つぎ》には其《その》まゝの姿《し》勢《せい》で左《ひだり》の鼻《び》孔《こう》から入《じゆ》息《そく》し、次《つい》で左《ひだり》の鼻《び》孔《こう》を閉《と》ぢて右《みぎ》の鼻《び》孔《こう》から出《しゆつ》息《そく》し、斯《か》く拇《おや》指《ゆび》を以《もつ》て左《さ》右《いう》の鼻《び》孔《こう》を壓《あつ》しつゝ相《さう》互《ご》に交《かう》換《くわん》して、出《しゆつ》息《そく》し又《また》は入《じゆ》息《そく》するのである。而《しか》してこれを繰《くり》返《かへ》し行《おこな》つたならば頭《づ》腦《なう》は明《めい》晰《せき》となり、思想《しさう》は調《とゝの》ひ、神經《しんけい》亦《また》自《おのづか》ら整正《せいせい》さるゝのである。

血行變換法《けつかうへんくわんはふ》　前《まへ》に揭《かゝ》げた定律的呼吸法《ていりつてきこきふはふ》は血行《けつかう》を催進《さいしん》し、之《これ》を變化《へんくわ》するの力《ちから》がある。故《ゆゑ》に頭痛《づつう》又《また》は脚部《きやくぶ》の冷却《れいきやく》する人《ひと》にあつては、端座《たんざ》又《また》は横臥《わうぐわ》して、定律的呼吸《ていりつてきこきふ》を爲《な》し、氣息《きそく》を以《もつ》て血行《けつかう》の不完全《ふくわんぜん》なる部分《ぶぶん》に血液《けつえき》を向《むか》はしむるのである。故《ゆゑ》に稱《しよう》して血行變換法《けつかうへんくわんはふ》と云《い》ふのであるが、斯《か》くして血液《けつえき》を身體《しんたい》の下部《かぶ》に送《おく》る時《とき》は脚部《きやくぶ》は自《おの》づと溫《あたゝ》められ、又《また》頭腦《づなう》は冷却《れいきやく》せられるのである。

瑜珈《ゆか》の思想《しさう》　以上《いじやう》揭《かゝ》げたのは瑜珈行者《ゆかぎやうじや》が神通力《じんつうりき》を得《う》るために行《おこな》ふ行法《ぎやうはふ》であるが、然《しか》らば彼等《かれら》は如何《いか》なる思想《しさう》を抱《いだ》いて居《を》るかと云《い》ふと、彼等《かれら》の言《げん》に依《よ》れば、宇宙《うちう》にはブラナ（絕體勢力《ぜつたいせいりよく》）なるものがある。而《しか》してこの勢力《せいりよく》は下《しも》はアメーバの様《やう》な劣《れつ》等《とう》生《せい》物《ぶつ》から、上《かみ》は人《じん》類《るゐ》の様《やう》な高《かう》等《とう》動《どう》物《ぶつ》に至《いた》るまで、凡《すべ》てこれを具《ぐ》有《いう》して居《ゐ》るのであつて、一《いつ》切《さい》生《せい》命《めい》の要《えう》素《そ》であり、根《こん》源《げん》であつて、空《くう》氣《き》中《ちう》に存《そん》し、水中に存し、食《しよく》物《もつ》中《ちう》に存《そん》し、太《たい》陽《やう》熱《ねつ》中《ちう》に存《そん》し、以《もつ》て一《いつ》切《さい》の活《くわつ》動《どう》と勢《せい》力《りよく》と生《せい》命《めい》とを支《さゝ》へて居《ゐ》るのである。かくプラナは非《ひ》常《じやう》な普《ふ》遍《へん》性《せい》を有《も》つて居《ゐ》て、宇《う》宙《ちう》間《かん》に於《お》ける一《いつ》切《さい》の物《もの》の運《うん》動《どう》と勢《せい》力《りよく》との本《ほん》質《しつ》となり、重《ぢう》力《りよく》引《いん》力《りよく》、電《でん》氣《き》磁《じ》氣《き》となり、惑《わく》性《せい》の運《うん》行《かう》は勿《もち》論《ろん》、一《いつ》切《さい》の生《せい》物《ぶつ》の活《くわつ》動《どう》として現《あら》はれて居《ゐ》るのである。故《ゆゑ》に吾《ご》人《じん》は之《これ》を太《たい》陽《やう》の光《くわう》線《せん》から得《う》ることも出《で》來《き》れば、其《その》熱《ねつ》から得《う》ることも出《で》來《き》、空《くう》氣《き》から得《う》る事《こと》も出《で》來《き》れば、水《みづ》から得《う》る事《こと》も出《で》來《き》、植《しよく》物《ぶつ》からも、動《どう》物《ぶつ》からも、食《しよく》物《もつ》からも、之《これ》を體《たい》內《ない》に貯《たくは》ふることが出《で》來《き》るのである。而《しか》して彼《かれ》等《ら》の言《げん》に依《よ》ればプラナは吾人《ごじん》の體内《たいない》に於《おい》て上腹部《じやうふくぶ》の背後《はいご》(Solar. Plexus.)と稱《しやう》する神經叢《しんけいさう》に貯《たく》はへられて居《ゐ》ると云《い》つて居《ゐ》る。

プラナ生成法《せいせいはふ》 彼等《かれら》は更《さら》に一歩《いつぽ》を進《すゝ》めてプラナ生成《せいせい》法《はふ》なるものを行《おこな》ふ。其方法《そのはうはふ》は先《ま》づ床上《しやうじやう》に安臥《あんぐわ》して渾身《こんしん》の筋肉《きんにく》を緊張《きんちやう》し、次《つい》で兩手《りやうて》を輕《かる》く鳩尾《みづをち》の上《うへ》に置《お》き、前述《ぜんじゆつ》の定《てい》律呼吸法《りつこきふはふ》を行《おこな》ふのである。處《ところ》で此際《このさい》唯《た》だ呼吸法《こきふはふ》を行《おこな》ふ丈《だけ》では駄目《だめ》なのであつて、これを行《おこな》ふ時《とき》には、左《さ》の二《ふた》つの心《しん》念《ねん》を抱《いだ》く要《えう》があるのである。卽《すなは》ち

(一)宇宙《うちう》に偏滿《へんまん》せるプラナは、今《いま》や吸氣《きふき》と共《とも》に體内《たいない》に入《い》り來《きた》つて、各神經《かくしんけい》は勿論《もちろん》、盛《さかん》に Solar Plexus. 中《ちう》に貯《たくは》へられつつある。

(二)體内《たいない》に入《はひ》つたプラナは呼氣《こき》の時《とき》、全身《ぜんしん》に分布《ぶんぷ》せられ、

各《かく》機《き》關《くわん》、各《かく》血《けつ》管《くわん》、各《かく》細《さい》胞《はう》に及《およ》び、頭《かしら》から踵《くびす》に至《いた》るまで各《かく》組《そ》織《しき》を刺《し》戟《げき》し、以《もつ》て全《ぜん》身《しん》を強《きやう》壯《さう》ならしむると心《こゝろ》に念《ねん》ずるのである。

右《みぎ》の如《ごと》く心《こゝろ》に想《さう》像《ざう》しつゝ定《てい》律《りつ》的《てき》呼《こ》吸《きふ》を行《おこな》つたならば、勢《せい》力《りよく》は玆《こゝ》に充《じう》實《じつ》せられ、疲《ひ》勞《らう》は囘《くわい》復《ふく》せられ、生《せい》氣《き》は全《ぜん》身《しん》に充《みち》渡《わた》ると云《い》ふのである。

心《しん》理《り》的《てき》大《だい》呼《こ》吸《きふ》法《はふ》　處《ところ》でプラナ生《せい》成《せい》法《はふ》を行《おこな》ふに當《あた》り、彼《かれ》等《ら》が最《もつと》も尊《そん》重《ちよう》して行《おこな》ふ處《ところ》のものは心《しん》理《り》的《てき》大《だい》呼《こ》吸《きふ》法《はふ》である。これは泰《たい》然《ぜん》として安《あん》靜《せい》に身《み》を横《よこた》へ、定《てい》律《りつ》的《てき》呼《こ》吸《きふ》法《はふ》を行《おこな》ふのであるが、この定《てい》律《りつ》的《てき》呼《こ》吸《きふ》を行《おこな》ふ際《さい》に、一《いつ》種《しゆ》の信《しん》念《ねん》を描《えが》きつゝこれを行《おこな》ふのである。卽《すなは》ち先《ま》づ氣《き》息《そく》は兩《りやう》脚《あし》の骨《こつ》節《せつ》を通《つう》じて吸《きふ》入《にふ》せられ、又《また》同《どう》骨《こつ》節《せつ》を透《とほ》つて呼《こ》出《しゆつ》せらるゝと想像《さうざう》し、次《つぎ》には兩腕《りやううで》の各骨片《かくこつぺん》を通《つう》じて氣息《きそく》を出入《しゆつにふ》し、次《つぎ》に生殖部《せいしよくぶ》を通《つう》じて氣息《きそく》を出入《しゆつにふ》し、次《つぎ》に氣息《きそく》は脊柱《せきちう》を上下《じやうげ》して、出入《しゆつにふ》すると思念《しねん》し、最後《さいご》に氣息《きそく》は全身《ぜんしん》の毛孔《けあな》を通《つう》じて出入《しゆつにふ》すると確信《かくしん》し、斯《かく》て定律的《ていりつてき》呼吸《こきふ》を行《おこな》ひつゝ、プラナを身體《しんたい》に於《お》ける七個《こ》の活力中樞《くわつりよくちうすう》に入《い》らしめるのである。

七個《こ》の活力中樞《くわつりよくちうすう》とは、

第《だい》一＝前額《ぜんがく》　第《だい》二＝後頭《こうとう》

第《だい》三＝腦底《なうてい》　第《だい》四＝腹部神經叢《ふくぶしんけいそう》

第《だい》五＝脊髓《せきずゐ》の下部《かぶ》　第《だい》六＝臍輪《せいりん》

第《だい》七＝生殖部《せいしよくぶ》

これである。右《みぎ》七個《こ》の活力中樞《くわつりよくちうすう》にプラナを入《い》らしめ、卽《すなは》ち頭上《づじやう》から足底《そくてい》に至《いた》るまでプラナを巡廻《じゆんくわい》せしむる事數《ことすう》回《くわい》、最《さい》後《ご》に清《せい》潔《けつ》呼《こ》吸《きふ》法《はふ》を行《おこな》つて之《これ》を完《くわん》成《せい》するのである。行《ぎやう》者《じや》は此《この》呼《こ》吸《きふ》法《はふ》を嘆《たん》美《び》して『嗟呼《あゝ》、幸《さいはひ》なるかな、美《び》なるかな』瑜《ゆ》珈《か》行《ぎやう》者《じや》は其《その》骨《ほね》を透《とほ》して、氣《き》息《そく》を通《つう》ずるを得《え》、三百六十の骨《こつ》節《せつ》、之《これ》を包《はう》容《よう》せる各《かく》筋《きん》肉《にく》、各《かく》細《さい》胞《はう》、各《かく》神《しん》經《けい》、各《かく》組《そ》織《しき》、各《かく》機《き》關《くわん》、及《およ》び八萬《まん》四千の毛《け》孔《あな》に至《いた》るまで、卽《すなは》ち渾《こん》身《しん》に生《せい》氣《き》を充《じう》實《じつ》して、恰《あだか》も新《あらた》に生《うま》れ出《いで》た思《おも》ひをする事《こと》が出《で》來《き》ると歡《くわん》喜《き》して居《ゐ》る。

沸《ふつ》水《すゐ》術《じゆつ》　彼《かれ》等《ら》瑜《ゆ》珈《か》行《ぎやう》者《じや》は右《みぎ》述《の》べたプラナを應《おう》用《よう》して、盛《さかん》に神《しん》秘《ぴ》的《てき》奇《き》象《しやう》を現《げん》出《しゆつ》する。一二の實《じつ》例《れい》を示《しめ》すと、先《ま》づ清《せい》水《すゐ》を盛《も》つた硝子盞《コツプ》を兩掌《りやうてのひら》で捧《さゝ》げ、硝子盞《コツプ》に何《なん》等《ら》特《とく》別《べつ》の裝《さう》置《ち》なく、清《せい》水《すゐ》にも亦《また》何《なん》等《ら》の仕《し》懸《かけ》がしてない事《こと》を示《しめ》す。次《つい》で彼《かれ》等《ら》は精《せい》神《しん》を集《しふ》中《ちう》し、同《どう》時《じ》に定《てい》律《りつ》的《てき》呼《き》吸《きふ》を行《おこな》つて、水《すゐ》中《ちう》に一種《いつしゆ》の勢力《せいりよく》を注入《ちうにふ》する。斯《か》くする事數分時《ことすうふんじ》、水中《すゐちう》に微少《びせう》なる泡沫《はうまつ》現《あら》はれ、宛然《さながら》湯《ゆ》の沸《にえ》るがやうである。而《しか》もそれは漸次《ぜんじ》其度《そのど》を加《くは》へ來《きた》つて、其狀《そのじやう》は恰《あだ》かも火熱《くわねつ》が加《くは》つて居《ゐ》るのと全然《ぜんぜん》同一《どう》である。而《しか》も術者《じゆつしや》が其《その》硝子盞《コツプ》を手《て》から放《はな》し机上《きじやう》に置《お》く時《とき》は、沸騰《ふつとう》は次第《しだい》に止《や》んで、清水《せいすゐ》の元狀《げんじやう》にかへり、小《せう》なる氣泡《きはう》を側底《そくてい》に殘《のこ》すのみで、何等《なんら》の違變《ゐへん》はないのである。更《さら》に彼等《かれら》は、定律呼吸《ていりつこきふ》と、意思《いし》の集中《しふちう》に依《よ》つて、發芽術《はつがじゆつ》なるものを行《おこな》ふ。

發芽術《はつがじゆつ》　これは種子《しゆし》を發芽《はつが》せしむる術《じゆつ》なので、其方法《そのはうはふ》は先《ま》づ一個《いつこ》の發芽《はつが》し易《やす》い植物《しよくぶつ》の種子《しゆし》をとり、之《これ》に少量《せうりやう》の土《つち》を加《くは》へて掌中《しやうちう》に握《にぎ》り、半時《はんじ》乃至《ないし》一時間《じかん》、定律呼吸《ていりつこきふ》を行《おこな》ひつゝ意思《いし》を集中《しふちう》し、以《もつ》て所謂《いはゆる》プラナを種子上《しゆしじやう》に注《そゝ》ぐのである。斯《かく》する時《とき》は種子《しゆし》は次第《しだい》に發芽《はつが》して綠《みどり》の芽《め》を土中《どちう》から生《しやう》じ、見《み》る〳〵數寸《すうすん》の長《なが》さに及《およ》ぶのである。卽《すなは》ち發芽《はつが》したる種子《しゆし》をとつて之《これ》を檢《けん》するに、自然《しぜん》の發芽《はつが》と少《すこ》しも相違《さうゐ》する事《こと》なく、種子《しゆし》の殘部《ざんぶ》は軟芽《なんが》に附着《ふちやく》して、下部《かぶ》に纖細《せんさい》なる根《ね》が生《しやう》じて居《ゐ》る等《とう》、實際《じつさい》の發芽《はつが》と毛頭《まうとう》相違《さうゐ》して居《ゐ》ないのである。

以上《いじやう》の他《ほか》、彼等《かれら》は白色人種《はくしよくじんしゆ》の皮膚上《ひふじやう》に其手《そのて》を加《くは》へて忽《たちま》ち太陽《たいやう》に依《よ》つて燒《や》けたのと同樣《どうやう》の黎黑《れいこく》に變《へん》ぜしめたり、又《また》は魚族《ぎよぞく》の卵《たまご》を盛《も》つた器《うつは》を掌《てのひら》に置《お》き、僅《わづ》か半時《はんじ》乃至《ないし》一時《じ》内《ない》に孵化《ふくわ》せしむるなど、殆《ほとん》ど吾人《ごじん》をして想像《さうざう》するを許《ゆる》さざる樣《やう》な奇象《きしやう》を容易《ようい》に現出《げんしゆつ》する。加之《しかのみならず》彼等《かれら》は意志《いし》を集中《しふちう》したる後《のち》、自己《じこ》の思想《しさう》を群集《ぐんしふ》せる看客《かんかく》に波及《はきふ》し、彼等《かれら》をして容易《ようい》に幻覺《げんかく》を起《おこ》さしめる能力《のうりよく》を有《も》つて居《ゐ》る。左《さ》に示《しめ》す數例《すうれい》は何《いづ》れもそれである。

大《たい》蟒《はう》出《しゆつ》現《げん》術《じゆつ》

さてこれ等《ら》の幻術《げんじゆつ》は凡《すべ》て戸外《こぐわい》に於《おい》て行《おこな》はれるのであるが、其《その》方法《はうはふ》は先《ま》づ何物《なにもの》もない平地《へいち》を選《えら》んで、其《その》中央《ちうわう》に結跏趺座《けつかふざ》し、威儀《ゐぎ》を整《とゝの》へて瞑目《めいもく》數分《すうふん》する。此時《このとき》行者《ぎやうじや》の助手《じよしゆ》たる一少年《せうねん》は、鐃鉢《ねうはち》を打《う》ち、太皷《たいこ》を鳴《な》らし、群集《ぐんしふ》の沈靜《ちんせい》を計《はか》るのが常《つね》である。而《しか》も其音《そのね》は至《いた》つて單調《たんてう》で、且《か》つ極《きは》めて低《ひく》いから、見物人《けんぶつにん》は自然《しぜん》と睡眠《すゐみん》を催《もよ》ほさせられる。一方《いつぱう》行者《ぎやうじや》はこの鐃鉢《ねうはち》と太皷《たいこ》に和《わ》して一種《いつしゆ》の咒文《じゆもん》を誦《せう》するのであるが、咒文《じゆもん》の語尾《ごび》は何《いづ》れもウム又《また》はム、ンの音《おん》であつて、これ亦《また》至《いた》つて單調《たんてう》である。斯《か》くする事《こと》少時《せうじ》、定律《ていりつ》的《てき》な音樂《おんがく》と咒文《じゆもん》は、四周《しう》の空氣《くうき》に振動《しんどう》を起《おこ》して一種《いつしゆ》の魔《ま》氣《き》を生《しやう》ぜしめる、魔《ま》氣《き》は次《し》第《だい》に高《かう》潮《てう》して群《ぐん》集《しふ》を襲《おそ》ふて來《く》るのであるが、この刹《せつ》那《な》、先《さき》の程《ほど》からこの機《き》の來《きた》るのを待《ま》つて居《ゐ》た少《せう》年《ねん》は、壺《つぼ》や箱《はこ》の中《なか》から數《すう》匹《ひき》の毒《どく》蛇《じや》を取《とり》出《だ》して之《これ》を放《はな》つ、放《はな》たれた毒《どく》蛇《じや》は例《れい》の定《てい》律《りつ》的《てき》音《おん》樂《がく》につれて東《とう》西《ざい》に這《は》ひ廻《まは》り、座《そゞ》ろに其《その》身《み》を膨《ふく》脹《ら》ませ、或《あるひ》は延《えん》長《ちやう》し、増《ぞう》大《だい》して遂《つひ》に蜿《ゑん》々〳〵たる大《おろ》蟒《ち》となつて看《かん》客《かく》の面《めん》前《ぜん》に近《ちか》づき來《きた》り、思《おも》はず戰《せん》慄《りつ》せしむるのであるが、折《をり》柄《から》行《ぎやう》者《じや》が異《い》様《やう》な手《て》附《つき》で手《て》を動《うご》かすと見《み》ると、見《み》る〳〵音《おん》樂《がく》に變《へん》化《くわ》を生《しやう》じ、大《おろ》蟒《ち》は其《その》身《み》を縮《しゆく》少《せう》して聽《やが》て全《まつた》く消《せう》失《しつ》し去《さ》るのである。

幻《げん》繩《じやう》術《じゆつ》　これも同《どう》一《いつ》の形《けい》式《しき》の下《もと》に行《おこな》はれるのであるが、先《ま》づ行《ぎやう》者《じや》が起《た》つと助《じよ》手《しゆ》は纎《せん》長《ちやう》の繩《なは》一《ひと》束《たば》をこれに捧《さゝ》ぐる、行《ぎやう》者《じや》は其《その》繩《なは》の一《いつ》端《たん》を結《むす》び、之《これ》をば高《たか》く空《くう》中《ちう》に投《とう》ずると不《ふ》思《し》議《ぎ》にも縄《なは》は落《らく》下《か》することなく反《かへ》つて自《みづか》ら上《のぼ》つて次《し》第《だい》に空《くう》中《ちう》に入《い》り、結《むす》んだ一《いつ》端《たん》は全《まつた》く眼《がん》界《かい》に入《い》らない様《やう》になつて了《しま》ふ。而《しか》して地《ち》上《じやう》數《すう》尺《しやく》を殘《のこ》して全《まつた》く天《てん》空《くう》に懸《か》つて了《しま》ふ。これ丈《だけ》さへ既《すで》に不《ふ》思《し》議《ぎ》に堪《た》へないのに、行《ぎやう》者《じや》は次《つい》で助《じよ》手《しゆ》の少《せう》年《ねん》に命《めい》じてこの縄《なは》に上《のぼ》らしめる。小《こ》兒《ども》は縄《なは》を攀《よ》ぢて遙《はるか》に上《じやう》空《くう》に至《いた》り、遂《つひ》に見《み》る能《あた》はざるに至《いた》るのである。而《しか》も行《ぎやう》者《じや》の不《ふ》可《か》思《し》議《ぎ》術《じゆつ》は尚《なほ》これを以《もつ》て止《とゞ》まらない。卽《すなは》ち拍《はく》手《しゆ》一打《だ》するよと見《み》れば、件《くだん》の縄《なは》は小《こ》兒《ども》諸《もろ》共《とも》忽《たちま》ち空《くう》中《ちう》から消《せう》失《しつ》して全《まつた》く其《その》影《かげ》を沒《はつ》して了《しま》ふ。然《しか》るにこれから數《すう》分《ふん》間《かん》して、行《ぎやう》者《じや》が追《おひ》々《〳〵》次《つぎ》の幻《げん》術《じゆつ》に取《とり》かゝらうとして居《ゐ》る折《をり》柄《から》、件《くだん》の少《せう》年《ねん》は恰《あだか》も遠《ゑん》距《きよ》離《り》から駈《か》け來《きた》つた如《ごと》き態《たい》度《ど》で、卽《すなは》ち氣《き》息《そく》奄《えん》々《〳〵》として群《ぐん》集《しふ》の後《うしろ》に走《はし》り歸《かへ》つて來《く》るのである。

幻《げん》芒《まん》果《ごう》術《じゆつ》　次《つぎ》は有名《いうめい》なる芒果術《まんごうじゆつ》で、これは印度旅行者《いんどりよかうしや》が、度々《たびたび》實見《じつけん》して居《ゐ》る奇術《きじゆつ》である。其方法《そのはうはふ》は先《ま》づ行者《ぎやうじや》が土《つち》を集《あつ》めて小山《こやま》の形《かたち》を造《つく》り、其中《そのなか》に芒果《まんごう》の實《み》を埋《うづ》める。次《つい》で鐃鉢《ねうはち》と太鼓《たいこ》とを例《れい》の如《ごと》く定律的《ていりつてき》に鳴《な》らさしめつゝ行者《ぎやうじや》は咒文《じゆもん》を唱《とな》へ出《だ》す。斯《かく》て咒文《じゆもん》が終《をは》ると行者《ぎやうじや》は小山《こやま》に手《て》をかざして異様《いやう》に動《うご》かせる事數分《ことすうふん》、小山《こやま》の上《うへ》からは夢《ゆめ》に見《み》る様《やう》な緑色《りよくしよく》の軟芽《なんが》が、見《み》る〳〵生《は》へ出《で》て、迅速《じんそく》に成長《せいちやう》すると見《み》ると次第《しだい》に大樹《たいじゆ》となつて枝葉《しえふ》繁茂《はんも》し、花《はな》を開《ひら》き、實《み》を結《むす》び、看客《かんかく》の面前《めんぜん》で果實《くわじつ》が熟《じゆく》し、行者《ぎやうじや》はこれを一《いち》々〳〵看客《かんかく》に食《しよく》せしむるのである。斯《かく》て行者《ぎやうじや》は最後《さいご》の法力《はふりき》を顯《あら》はして斯《かく》も繁茂《はんも》した大樹《たいじゆ》を、漸次縮少《ぜんじしゆくせう》して小樹《せうじゆ》となし、軟芽《なんが》となし、遂《つひ》に元《もと》の一果實《くわじつ》となしてこれを小山《こやま》より取《と》り出《いだ》すのである。處《ところ》が茲《こゝ》で不思議《ふしぎ》千萬《せんばん》なのは先《さき》に看客《かんかく》に分配《ぶんはい》した芒果《まんごう》の果實《くわじつ》であるが、喰《く》つて了《しま》つたのは何《ど》うなるか知《し》らぬが、時《とき》には手《て》に堅《かた》く握《にぎ》つて居《ゐ》よと命《めい》ずる事《こと》がある。然《しか》るに大樹《たいじゆ》が忽然《こつぜん》消失《せうしつ》すると看客《かんかく》の手中《しゆちう》にあつた芒果《まんごう》も同時《どうじ》に消失《せうしつ》する事《こと》である。

幻兒術《げんじじゆつ》　これは小兒《こども》を宛然《さながら》獨樂《こま》のやうに囘轉《くわいてん》せしむる妙術《めうじゆつ》で、卽《すなは》ち最初《さいしよ》は行者《ぎやうじや》が小兒《こども》を獨樂《こま》の樣《やう》に弄《もてあそ》ぶ內《うち》、小兒《こども》の囘轉《くわいてん》する速度《そくど》が次第《しだい》に加《くは》はつて、自《おのづか》ら盛《さかん》に囘轉《くわいてん》し、遂《つひ》に小兒《こども》は地《ち》を離《はな》れて空中《くうちう》に上《のぼ》り、次第々々《しだい〳〵》に眼界《がいかい》から遠《とほ》ざかつて最後《さいご》には見《み》る事《こと》の出來《でき》ない樣《やう》になつて了《しま》ふのである。斯《かく》て行者《ぎやうじや》が一撥《いつさつ》すると、先《さき》に吾人《ごじん》の眼界《がんかい》から沒《ぼつ》し去《さ》つた小兒《こども》は、此時《このとき》再《ふた》び囘轉《くわいてん》しつゝ空中《くうちう》に現《あら》はれ、始《はじ》めは小《ちひ》さな黑點《ほくろ》の樣《やう》に見《み》へるが、漸次《ぜんじ》に下降《かかう》し來《きた》つて軈《やが》て人《にん》形《ぎやう》の樣《やう》になり、子供《こども》となつて漸《やうや》く地《ち》に達《たつ》するのであるが、地《ち》に達《たつ》するも未《ま》だ回轉《くわいてん》の速力《そくりよく》は減《げん》じないで、稍《やゝ》暫《しばら》くの間《あひだ》は其儘《そのまゝ》回轉《くわいてん》を持續《ぢぞく》する。而《しか》して全《まつた》く停止《ていし》するに及《およ》んで小《こ》兒《ども》は地《ち》に立《た》ち、何等《なんら》の障害《しやうがい》もなく、平然《へいぜん》として行者《ぎやうじや》の傍《かたはら》に歸《かへ》るのである。

幻蛇繩術《げんだじようじゆつ》　これは繩《なは》を蛇《へび》に變《へん》ずる法《はふ》で、最初《さいしよ》行者《ぎやうじや》は小《こ》刀《がたな》を以《もつ》て太《ふと》く長《なが》き繩《なは》を切斷《せつだん》し、以《もつ》て一小片《せうへん》となし、次《つい》でこの一小片《せうへん》の一端《いつたん》を結《むす》んで地上《ぢやう》に置《お》き、軈《やが》て例《れい》の如《ごと》く鐃鉢《ねうはち》と太鼓《たいこ》を叩《たゝ》き、これに和《わ》して咒文《じゆもん》を誦《とな》へつゝ手《て》を動《うご》かすと、件《くだん》の繩《なは》は忽《たちま》ち活物《いきもの》の如《ごと》く運動《うんどう》を起《おこ》し、軈《やが》て變《へん》じて結《むす》んだ一端《いつたん》は頭《かしら》となり、他端《たたん》は尾《を》となつて、純然《じゆんぜん》たる毒蛇《どくじや》となり、毒《どく》蛇《じや》は口《くち》を張《は》り舌《した》を出《だ》して、猛《まう》然《ぜん》看《けん》客《ぶつ》目《め》がけて進《すゝ》み出《で》る。見《けん》物《ぶつ》は驚《おどろ》いて逃《に》げ出《だ》す、而《しか》も行《ぎやう》者《じや》が手《て》を以《もつ》て麾《さしまね》くと、毒《どく》蛇《じや》は直《たゞち》に背《はい》進《しん》して見《み》る／＼元《もと》の縄《なは》に化《くわ》して了《しま》ふのである。

空《くう》中《ちう》遊《いう》動《どう》術《じゆつ》

これは行《ぎやう》者《じや》が自《みづか》ら空《くう》中《ちう》に遊《いう》動《どう》するのであつて、其《その》方《はう》法《はふ》は最《さい》初《しよ》起《き》立《りつ》したまゝ身《から》體《だ》を背《うし》後《ろ》に凭《よ》り傾《かたぶ》け、兩《りやう》脚《あし》を地《ち》から上《あ》げ、遂《つひ》に空《くう》中《ちう》に浮《ふ》動《どう》し出《だ》すのであつて、恰《あだか》も水《すゐ》泳《えい》者《しや》が水《すゐ》中《ちう》を行《ゆ》くが樣《やう》である。斯《かく》て行《ぎやう》者《じや》は意《い》のままに空《くう》中《ちう》を遊《いう》動《どう》して幾《いく》度《たび》か圏《けん》を描《ゑが》きつゝ看《けん》客《ぶつ》の頭《づ》上《じやう》を通《つう》過《くわ》し、時《とき》としては看《けん》客《ぶつ》の小《こ》兒《ども》を空《くう》中《ちう》より拉《ら》して之《これ》を遊《いう》動《どう》せしめ、又《また》消《せう》失《しつ》せしめなどする事《こと》もあれば、又《また》地《ち》上《じやう》の物《ぶつ》品《ぴん》を任《にん》意《い》に一上《じやう》一下《げ》せしむる事《こと》もある。斯《かく》て圏《けん》を描《ゑが》きつつ舊《きう》位《ゐ》に歸《かへ》るのである。

幻《げん》椰《や》果《くわ》術《じゆつ》　行《じやう》者《じや》は先《ま》づ一《いつ》個《こ》の空《くう》虚《きよ》なる椰《や》樹《じゆ》の果《くわ》殼《こく》を持《もち》出《だ》し、看《けん》客《ぶつ》に之《これ》を示《しめ》して其《その》詐《いつはり》ならざる事《こと》を示《しめ》し、然《しか》る後《のち》これを地《ち》に置《お》き、咒《じゆ》を稱《しよう》すると果《くわ》殼《こく》の中《なか》からは忽《たちま》ち清《せい》水《すゐ》が滾《こん》々《く》として湧《わ》き出《い》でゝ來《く》る、これをば行《ぎやう》者《じや》は幾《いく》杯《はい》も幾《いく》杯《はい》ものバケツのバケツに受《う》け入《い》れ、軈《やが》て其《そ》の盡《つ》くるを待《ま》つて此《この》度《たび》はバケツの水《みづ》を果《くわ》殼《こく》の中《なか》につぎ入《い》れると、一《いつ》滴《てき》も餘《あま》さず椰《や》果《くわ》はこれを吸《すひ》入《い》れて了《しま》ひ、而《しか》も乾《かん》燥《そう》して何《なん》等《ら》異《い》狀《じやう》を見《み》ないのである。

以《い》上《じやう》の諸《しよ》術《じゆつ》は何《いづ》れも絶《ぜつ》體《たい》秘《ひ》密《みつ》に附《ふ》せられて居《ゐ》るために、其《その》原《げん》理《り》を明《あき》らかにする事《こと》は不《ふ》可《か》能《のう》であるが、思《おも》ふに精《せい》神《しん》の統《とう》一《いつ》をはかり、自《じ》己《こ》の意《い》志《し》を以《もつ》て他《た》人《にん》の意《い》志《し》を禦《ぎよ》するに至《いた》つたなれば、玆《こゝ》に到《いた》る事《こと》は明《あき》らかである。卽《すなは》ち諸子《しよし》は能《よ》く〳〵本術《ほんじゆつ》を玩味《ぐわんみ》し、其《その》呼吸法《こきふはふ》なり、食法《しよくはふ》なり、強健法《きやうけんはふ》なりを鍊《れん》膽《たん》術《じゆつ》上《じやう》に應用《おうよう》せられたいのである。終《をはり》の方《はう》の奇《き》術《じゆつ》は本術《ほんじゆつ》の熟練《じゆくれん》を重《かさ》ねたならば玆《こゝ》に迄《まで》到《いた》る事《こと》が出來《でき》ると云《い》ふ例《れい》を示《しめ》したまでゝあるから、其《その》心《こゝろ》組《ぐみ》で見《み》て頂《いたゞ》き度《た》い。

「地之巻」附録　終

禁他見讓渡

武術極意

水之卷

全

帝國尚武會藏版

水之巻　目次

武術最高極意『水の巻』

野口一威齋監修
帝國尚武會編纂

文《ぶん》乎《か》武《ぶ》乎《か》、靈《れい》乎《か》肉《にく》乎《か》

文《ぶん》乎《か》武《ぶ》乎《か》、武《ぶ》を修《をさ》めて未《いま》だ文《ぶん》を學《まな》ばざる者《もの》は暴《ばう》に走《はし》り、文《ぶん》を學《まな》んで未《いま》だ武《ぶ》を修《をさ》めざる者《もの》は弱《じやく》に流《なが》るゝ。故《ゆゑ》に古今《ここん》の達士《たつし》にして未《いま》だ武《ぶ》を修《をさ》めて文《ぶん》を學《まな》ばざる者《もの》はなく、文《ぶん》を學《まな》んで武《ぶ》を講《かう》ぜざる者《もの》はないのである。曩《さき》に予《よ》の武術《ぶじゆつ》最高極意《さいかうごくい》を發表《はつぺう》するに當《あた》つて、特《とく》に本巻《ほんくわん》に催眠術《さいみんじゆつ》、忍術《にんじゆつ》、幻《げん》術《じゆつ》等《とう》を選《えら》んだのも全《まつた》く夫《そ》れが爲《ため》で、殊《こと》に忍《にん》術《じゆつ》、幻《げん》術《じゆつ》等《とう》は古《こ》來《らい》より殆《ほと》んど武《ぶ》術《じゆつ》家《か》の專《せん》有《いう》物《ぶつ》の如《ごと》き觀《くわん》があるからである、夫《そ》れに凡《すべ》て其《そ》の外《ぐわい》部《ぶ》に現《あら》はれた形《けい》式《しき》をのみ見《み》て、內《ない》部《ぶ》に潛《ひそ》める精《せい》神《しん》を觀《み》ることが出《で》來《き》ない者《もの》は、獨《ひと》り武《ぶ》術《じゆつ》に限《かぎ》らず何《なに》事《ごと》でも其《そ》の堂《だう》奧《あう》を極《きは》むることが出《で》來《き》ないものである。

客《きやく》あり、一日《にち》柳《やぎ》生《ふ》重《ぢう》兵《べ》衞《ゑ》の門《もん》を訪《と》ふて曰《いは》く、吾《われ》未《いま》だ一流《りう》の武《ぶ》術《じゆつ》を修《をさ》めず、されど唯《たゞ》死《し》を怖《おそ》れざることを學《まな》べりと。重《ぢう》兵《べ》衞《ゑ》曰《いは》く、善《よい》哉《かな》言《げん》や、劍《けん》は元《も》と是《こ》れ末《まつ》技《ぎ》のみと、遂《つひ》に之《こ》れに柳《やぎ》生《ふ》流《りう》の極《ごく》意《い》を傳《つた》へたと云《い》ふことである。又《また》宮《みや》本《もと》武《む》藏《さし》は晩《はん》年《ねん》身《み》に劍《つるぎ》を帶《たい》せず、僅《わづ》かに鐵《てつ》扇《せん》を持《も》つて居《ゐ》たと云《い》ふことは有《いう》名《めい》な逸《いつ》話《わ》であるが、是《これ》等《ら》は確《たし》かに此《こ》の間《かん》の消《せう》息《そく》を語《かた》るもので、夫《か》の『我《われ》に劍《つるぎ》なし、心《こゝろ》を以《もつ》て劍《つぎ》とす』との眞《しん》諦《てい》を味《あぢあ》はんと欲《ほつ》せば、宜《よろ》しく之《これ》を本卷《ほんくわん》に求《もと》む可《べ》きである。

靈《れい》平《か》肉《にく》平《か》、未《いま》だ其《そ》の身《み》を鍛《きた》へずして心《こゝろ》の健《すこや》かなる者《もの》なく、心《こゝろ》の健《すこや》かならざる者《もの》にして其《そ》の身《み》に病《やまひ》あらざる者《もの》はないのである。故《ゆゑ》に原《はら》坦《たん》山《ざん》は惑《わく》病《びやう》同《どう》原《げん》論《ろん》を著《あら》はして心《しん》身《しん》雙《さう》闘《くわん》の理《り》を明《あき》らかにし、以《もつ》て一身《しん》の正覺《しやうがく》を教《をし》へてゐる。換《くわん》言《げん》すれば心《こゝろ》に惑《まど》ひあれば身《み》に病《やま》ひとなつて現《あ》らはれ、身《み》に病《やま》ひあれば心《こゝろ》に惑《まど》ひある證左《しようさ》である。故《ゆゑ》に元《も》と靈《れい》肉《にく》とは一にして二、二にして一なることは、恰《あだ》かも天地《てんち》創成《さうせい》の理《り》法《はふ》と等《ひと》しく、一元《げん》にして二面《めん》、二面《めん》にして而《し》かも一元《げん》なる如《ごと》くである。物《もの》あれば靈《れい》あり、靈《れい》あれば物《もの》あり、而《しか》して宇《う》宙《ちう》の大《たい》靈《れい》は一元《げん》にして、萬《ばん》物《もつ》は其《そ》の物《ぶつ》質《しつ》と精《せい》神《しん》との二面《めん》を現《あら》はしてゐるのである。故《ゆゑ》に其《そ》の一を缺《か》きて世《よ》に全《まつた》きものはないのである。

文《ぶん》乎《か》武《ぶ》乎《か》、靈《れい》乎《か》肉《にく》乎《か》。譬《たと》へば文《ぶん》武《ぶ》は車《くるま》の兩輪《りやうりん》の如《ごと》く、禽《とり》の兩翼《りやうよく》の如《ごと》きものとすれば、靈《れい》肉《にく》は影《かげ》の形《かたち》に從《したが》ふ如《ごと》く、響《ひゞ》きの聲《こゑ》に應《おう》ずるが如《ごと》きものである。易《えき》の説《せつ》卦《くわ》傳《でん》に曰《いは》く『將以順性命之理。是以立天之道。曰陰與陽立地之道。曰柔與剛。立人之道。曰仁與義』と。

又《また》物《もの》は南《みなみ》より北《きた》に轉《てん》じ、人《ひと》は波《は》動《どう》の如《ごと》くである。故《ゆゑ》に世《よ》に老《らう》衰《すゐ》しない者《もの》は無《な》いと共《とも》に更《かう》始《し》の道《みち》が無《な》い者《もの》はない。生《せい》死《し》は人《じん》生《せい》の起《き》伏《ふく》で、生《しやう》滅《めつ》は萬《はん》物《もつ》の常《じやう》態《たい》である。何《なに》物《もの》か大《だい》なる災《さい》害《がい》を以《もつ》て復《ふく》活《くわつ》しない者《もの》はない、之《こ》れ人《ひと》も宇《う》宙《ちう》も頃《けい》刻《こく》にして而《し》かも悠《いう》久《きう》なる所以《ゆゑん》である。今《いま》大《だい》死《し》一番《はん》此《こ》の人《じん》生《せい》を通《つう》じて流《なが》るゝ心《しん》靈《れい》の働《はたら》きを覺《さと》ることが出《で》來《き》れば、誰《た》れか催《さい》眠《みん》術《じゆつ》、忍《にん》術《じゆつ》、幻《げん》術《じゆつ》等《とう》を難《かた》しとするものぞ、更《さら》に無《む》我《が》一念《ねん》となれば神《しん》通《つう》自《じ》在《ざい》の境《さかひ》に達《たつ》し得《う》るとさへ言《い》つてゐるではないか。されど心《しん》靈《れい》界《かい》のことは素《もと》眼《まなこ》以《もつ》て之《こ》れを見《み》る能《あた》はず、耳《み》以《もつ》て之《こ》れを聞《き》く可《べ》からざることがあるのである。故《ゆゑ》に諸《しよ》子《し》が幸《さいはひ》に心《しん》眼《がん》心《しん》耳《じ》を澄《すま》して其《そ》の眞《しん》髓《ずゐ》に徹《てつ》底《てい》せんとするには、元《もと》より一《ひと》通《とほ》りでない苦《く》心《しん》のあることを豫《よ》期《き》せねばならぬ。從《したが》つて本《ほん》卷《くわん》は叩《こう》門《もん》の瓦《かはら》、指《し》月《げつ》の指《ゆび》である。見《み》つけないから彼《かな》方《た》に好《よ》い月《つき》が出《で》たと指《ゆび》さして敎《をし》へ、寢《ね》込《こ》んで起《お》きないから瓦《かはら》で門《もん》を叩《た》いたので、既《すで》に月《つき》の有《あり》處《どころ》が分《わか》つて見《み》れば最《も》う指《ゆび》には用《よう》がない、門《もん》を開《あ》けて中《なか》に這《は》入《ひ》れば最《も》う瓦《かはら》には用《よう》がないのである。故《ゆゑ》に斯《し》術《じゆつ》の如《い》何《か》なるものであるかゞ分《わか》り、其《そ》の心《しん》奥《あう》を察《さつ》することが出《で》來《き》れば、禪《ぜん》の所謂《いはゆる》『五更雞唱《かうにはとりうた》ふ家林《かりん》の曉《あかつき》』である。暗《くら》い寂《さび》しいと言《い》つて悔《くや》むには及《およ》ばぬ、出來《でき》る出來《でき》ないと言《い》つて騒《さわ》ぐことはない。雞《にはとり》が歌《うた》うた以《い》上《じやう》は、最《も》う朝《あさ》である、之《こ》れを體《たい》得《とく》して軈《やが》て其《そ》の光明《くわうみやう》に浴《よく》するのも決《けつ》して遠《とほ》き事《じ》實《じつ》ではないのである。

正法《しやうはふ》に不《ふ》思《し》議《ぎ》なし

催《さい》眠《みん》術《じゆつ》が心《しん》理《り》學《がく》の一部《ぶ》として科《くわ》學《がく》界《かい》に認《みと》めらるゝに到《いた》つたのは最《さい》近《きん》のことであるが、其《そ》の名《めい》稱《しよう》形《けい》式《しき》こそ異《こと》なれ、既《すで》に上古《じやうこ》より東《とう》洋《やう》でも西《せい》洋《やう》でも宗《しう》教《けう》上《じやう》又《また》は醫《い》療《れう》上《じやう》の目的《もくてき》に用《もち》ひられ、偉《ゐ》大《だい》な効《かう》果《くわ》を顯《あら》はして居《ゐ》た事《こと》は歴史《れきし》に徵《ちよう》しても明《あきら》かなる事《じ》實《じつ》である。殊《こと》に吾《わ》が國《くに》に在《あ》つては平《へい》安《あん》朝《てう》時《じ》代《だい》に早《はや》くも一種《しゆ》の降《かう》神《しん》術《じゆつ》が行《おこな》はれて居《ゐ》た。又《また》中《ちう》世《せい》の頃《ころ》名《めい》僧《そう》智《ち》識《しき》、武《ぶ》術《じゆつ》家《か》、山《やま》伏《ぶし》、行《ぎやう》者《じや》等《など》の行《おこな》つたことで、今《こん》日《にち》猶《な》ほ不《ふ》思《し》議《ぎ》な事《こと》として傳《でん》説《せつ》せらるゝもので、殆《ほと》んど催《さい》眠《みん》術《じゆつ》を以《もつ》て解《かい》説《せつ》せられざるものがないのである。否《い》な寧《むし》ろ今《こん》日《にち》の催《さい》眠《みん》術《じゆつ》なるものは、實《じつ》は斯《か》る現《げつ》象《しやう》を基《き》礎《そ》として其《そ》の學《がく》説《せつ》を發《はつ》芽《が》したものと言《い》はねばならぬ。而《しか》して其《そ》の現《げん》象《しやう》に就《つ》いては、吾《ご》人《じん》の五感《かん》を基《き》礎《そ》とした今《こん》日《にち》の心《しん》理《り》學《がく》の説《せつ》明《めい》許《はか》りでは到《たう》底《てい》不《ふ》可《か》能《のう》である。故《ゆゑ》に現《げん》在《ざい》の人《じん》格《かく》を絶《ぜつ》對《たい》のものと見《み》て居《ゐ》る心《しん》理《り》學《がく》では、廣《ひろ》い意《い》味《み》に於《お》ける眞《しん》の『人《じん》性《せい》』を解《かい》釋《しやく》することが出《で》來《き》ないのである。然《しか》るに或《あ》る不《ふ》思《し》議《ぎ》な事《じ》實《じつ》に遭《さう》遇《ぐう》することがあれば、直《たゞ》ちに誤《ご》謬《べう》、詐《さ》僞《ぎ》、神《しん》秘《ぴ》、等《とう》の名《な》を附《ふ》して之《こ》れを拒絶《きよぜつ》し、甚《はなは》だしきに到《いた》つては迷信《めいしん》なりとて嗤笑《しせう》するを常《つね》とするものがある。之《こ》れ自己《じこ》の既《き》有理論《いうりろん》を以《もつ》て説明《せつめい》し能《あた》はざるが爲《ため》に事實《じじつ》を否定《ひてい》せんとするもので、學者《がくしや》として有《あ》るまじき行爲《かうゐ》で而《し》かも大多數《だいたすう》の學者《がくしや》の通弊《つうへい》であるのである。此《こ》の通弊《つうへい》は我《わ》が催眠術《さいみんじゆつ》や忍術《にんじゆつ》や幻術《げんじゆつ》等《とう》の發達《はつたつ》を妨《さまた》げた事《こと》は幾何《いくはく》であらう、現《げん》に我《わ》が國《くに》に於《お》いて催眠術《さいみんじゆつ》の研究《けんきう》が一時《じ》盛《さか》んになつた頃《ころ》、學界《がくかい》の一部《ぶ》に起《おこ》つた物議《ぶつぎ》を思《おも》ふにつけて、今更《いまさら》右《みぎ》の感想《かんさう》を深《ふか》うするを禁《きん》じ得《え》ないのである。さりとて現在《げんざい》の人間《にんげん》が人《にん》間《げん》として存在《そんざい》するうちは、勿論《もつろん》從來《じうらい》の心理學《しんりがく》は必要《ひつえう》ではあるが、世《よ》の中《なか》には人間《にん》には自分等《じぶんら》が現在《げんざい》持《も》つて居《ゐ》る力《ちから》の外《ほか》に、計《はか》り知《し》る可《べ》からざる能力《のうりよく》があるものなることを知《し》らねばならぬ。

今《いま》や催《さい》眠《みん》術《じゆつ》は新《しん》科《くわ》學《がく》として學《がく》者《しや》間《かん》にも認《みと》めらるゝに到《いた》つたが、若《も》し茲《こゝ》に忍《にん》術《じゆつ》、幻《げん》術《じゆつ》等《とう》も、斯《か》かる現《げん》象《しやう》が人《じん》性《せい》上《じやう》可《か》能《のう》な事《こと》であると云《い》ふことを斷《だん》言《げん》したならば、催《さい》眠《みん》術《じゆつ》が最《さい》初《しよ》に蒙《かふむ》つた非《ひ》難《なん》と同《おな》じく、必《かなら》ずや彼《かれ》等《ら》は不《ふ》思《し》議《ぎ》として疑《うたが》ひ、迷《めい》信《しん》として排《はい》するであらう。されどこれ既《き》定《てい》の理《り》論《ろん》を絶《ぜつ》對《たい》と確《かく》知《ち》し、唯《たゞ》之《こ》れを反《はん》復《ぷく》するを以《もつ》て學《がく》者《しや》の能《のう》事《じ》終《を》はれりと思《おも》ふ頑《ぐわん》冥《めい》不《ふ》靈《れい》の致《いた》す處《ところ》である。吾《ご》人《じん》の生《せい》命《めい》は無《む》限《げん》に向《かう》上《じやう》發《はつ》展《てん》するもので、人《じん》生《せい》は其《そ》の一刹《せつ》那《な》である。何《ど》處《こ》まで進《すゝ》んだとて決《けつ》して絶《ぜつ》對《たい》と云《い》ふことはない。夫《そ》れを自《じ》覺《かく》して次《つぎ》から次《つぎ》へと、陳《ふる》きを捨《す》てゝ新《あたら》しきに就《つ》き、以《もつ》て生《せい》命《めい》の向《かう》上《じやう》發《はつ》展《てん》を計《はか》り、我《わ》が思《し》想《さう》界《かい》を指《し》導《だう》して行《ゆ》くのは學《がく》者《しや》の天《てん》職《しよく》ではあるまいか。

予《よ》の所《しよ》說《せつ》元《もと》と心《しん》靈《れい》機《き》微《び》の作《さ》用《よう》に屬《ぞく》するを以《もつ》て、時《とき》に怪《くわい》力《りき》亂《らん》神《しん》を語《かた》るに似《に》たるものあらんかなれど、固《もと》より好《この》んで奇《き》を談《だん》じ怪《くわい》を說《と》くものではない。唯《たゞ》虛《きよ》心《しん》坦《たん》懷《くわい》自《じ》己《こ》の硏《けん》究《きう》せる儘《まゝ》を記《き》述《じゆつ》するので、若《も》し立《りつ》脚《きやく》地《ち》を異《こと》にして窺《うかゞ》へば、僅《わづ》かに傍《はう》邊《へん》咫《し》尺《せき》の物《ぶつ》象《しやう》も、之《こ》れ妖《えう》怪《くわい》不《ふ》思《し》議《ぎ》にあらざるものはないのである。觀《くわん》察《さつ》の範《はん》圍《ゐ》廣《ひろ》きこと一步《ほ》なれば、道《だう》理《り》の區《く》域《ゐき》は更《さら》に一步《ほ》の廣《ひろ》きを加《くは》へる。故《ゆゑ》に昨《さく》日《じつ》の妖《えう》怪《くわい》は今《こん》日《にち》の妖《えう》怪《くわい》に非《あ》らず、今《こん》日《にち》の不《ふ》思《し》議《ぎ》も亦《また》恐《おそ》らく明《みやう》日《にち》の不《ふ》思《し》議《ぎ》ではないのであらう。夫《そ》れ眞《しん》に然《しか》り、古《こ》來《らい》正《しやう》法《はふ》に不《ふ》思《し》議《ぎ》はないのである。されど素《そ》心《しん》を以《もつ》て之《こ》れを觀《くわん》ずるに非《あら》らざれば、天《てん》造《ざう》の眞《しん》趣《しゆ》終《つひ》に之《これ》を解《と》くことを得《え》ざるものである。今《いま》理《り》論《ろん》に入《い》るに先《さき》立《だ》ちて、大《だい》乗《じよう》佛《ぶつ》教《けう》の阿《あ》頼《ら》耶《や》識《しき》説《せつ》を參《さん》考《かう》に照《せう》會《くわい》することにする。阿《あ》頼《ら》耶《や》識《しき》とは人《じん》性《せい》の根《こん》本《ほん》又《また》は意《い》識《しき》の根《こん》原《げん》であつて、之《こ》れが縁《えん》に應《おう》じて現《げん》在《ざい》の人《じん》格《かく》を形《かたち》造《つく》つたものであるから、若《も》し人《じん》格《かく》を捨《す》てゝ阿《あ》頼《ら》耶《や》識《しき》に歸《かへ》れば、神《しん》通《つう》自《じ》在《ざい》の精《せい》神《しん》作《さ》用《よう》を現《あら》はすことが出《で》來《き》ると云《い》ふのである。

無《む》念《ねん》無《む》想《さう》の境《さかひ》とは何《なん》ぞ

思《おも》ふに人《ひと》は感《かん》情《じやう》や、欲《よく》望《ばう》や、意《い》志《し》のある爲《ため》に我《われ》と云《い》ふ心《こゝろ》が起《おこ》り、此《こ》處《こ》に彼《ひ》我《が》の差《さ》別《べつ》が起《おこ》るのである。例《たと》へば悲《かな》しい目《め》に逢《あ》つて泣《な》き、嬉《うれ》しい目《め》に逢《あ》つて喜《よろこ》ぶのは我《われ》である。金《かね》が欲《ほ》しいと云《い》ふ欲《よく》望《ばう》の爲《ため》に働《はたら》くのは我《われ》である。勉《べん》強《きやう》しなければならぬと考《かんが》へて本《ほん》を讀《よ》むのは我《われ》である。是等《これら》の感《かん》情《じやう》や、慾《よく》望《ばう》や、意《い》志《し》が中《ちう》心《しん》となつて活《くわつ》動《どう》する處《ところ》に我《われ》と云《い》ふ觀《くわん》念《ねん》が起《おこ》るので、若《も》し之《こ》れが無《な》ければ我《われ》は無《な》いのである。我《われ》が無《な》ければ彼《かれ》もないのである。卽《すなは》ち自《じ》分《ぶん》の身《から》體《だ》や自《じ》分《ぶん》の意《い》識《しき》を、他《た》人《にん》の身《から》體《だ》や他《た》人《にん》の意《い》識《しき》と區《く》別《べつ》する事《こと》が出《で》來《き》ないのである。從《したが》つて其《そ》處《こ》に奈《い》何《か》なる心《しん》靈《れい》作《さ》用《よう》が起《おこ》つても、我《われ》の心《しん》靈《れい》作《さ》用《よう》でもなく又《また》彼《かれ》の心《しん》靈《れい》作《さ》用《よう》でもない此《こ》の狀《じやう》態《たい》は彼《ひ》我《が》の境《さかひ》を超《てう》越《ゑつ》した無《む》差《さ》別《べつ》界《かい》に住《ちう》して居《ゐ》るのである。此《こ》の狀《じやう》態《たい》に於《おい》て人《じん》性《せい》の種《しゆ》々《〲》の可《か》能《のう》性《せい》を發《はつ》見《けつ》することが出《で》來《き》る。而《しか》して此《こ》の可《か》能《のう》性《せい》は人《にん》間《げん》が現《げん》在《ざい》の生《せい》活《くわつ》狀《じやう》態《たい》に於《おい》ては現《あら》はれる動《どう》機《き》がない爲《ため》に潛《ひそ》んで居《ゐ》る。故《ゆゑ》に之《こ》れを潛《せん》在《ざい》精《せい》神《しん》と呼《よ》ぶのである。此《こ》の潛《せん》在《ざい》精《せい》神《しん》に就《つ》いては從《じう》來《らい》の心理學《しんりがく》では到底説明《たうていせつめい》することが出來《でき》ない、從來《じゆうらい》の心《しん》理學《りがく》の足《た》らぬ處《ところ》は何《ど》うしても東洋哲學《とうやうてつがく》の研究法《けんきうはふ》に依《よ》つて補《おぎな》はねばならぬ。此《こ》の點《てん》に於《おい》て佛教哲學《ぶつけうてつがく》は人格《じんかく》を超越《てうゑつ》した人生《じんせい》の根本意識《こんぽんいしき》に就《つ》いて、既《すで》に三千年前《ねんぜん》の昔《むかし》に論《ろん》じて居《ゐ》るのである。

佛徒《ぶつと》の定《ぢやう》に入《い》るとは俗《ぞく》に三昧《まい》に入《い》ることで、則《すなは》ち無念《むねん》無想《むさう》の狀態《じやうたい》に入《い》るのである。又《また》佛徒《ぶつと》が入定《にふぢやう》するのは一切《さい》の煩惱《はんなう》を去《さ》り、迷執《めいしふ》を除《のぞ》き、智見《ちけん》を開《ひら》き、生死輪廻《せいしりんゑ》の源《みなもと》たる無明《むみやう》を滅《めつ》するのであるから、此《こ》の修行《しゆぎやう》に依《よ》つて此《こ》の理想《りさう》の境《さかひ》に達《たつ》した人《ひと》は、此《こ》の世《よ》に生存《せいぞん》し乍《なが》ら肉體的《にくたいてき》にも精神《せいしん》的《てき》にも通常《つうじやう》の範圍《はんゐ》を脫《だつ》し、現在《げんざい》の中《なか》に於《お》いて現在以上《げんざいいじやう》の力《ちから》を得《う》ることが出來《でき》ると說《と》いて居《ゐ》る。此《こ》の現在以上《げんざいいじやう》の力《ちから》とは奈何《いか》なるものであるかと云《い》ふに、佛教《ぶつけう》では人間《にんげん》の心《こゝろ》を左《さ》の八つに分《わ》けて居《ゐ》るのである。

眼識《がんしき》、耳識《じしき》、鼻識《びしき》、舌識《ぜつしき》、身識《しんしき》、意識《いしき》、末《み》那《な》識《しき》、阿頼耶識《あらやしき》。

茲《こゝ》に云《い》ふ七識《しき》は個人我《こじんが》を形成《けいせい》して居《ゐ》る凡《すべ》ての意識《いしき》で、之《これ》を心理學《しんりがく》では顯在精神《けんざいせいしん》と云《い》つて居《ゐ》る。然《しか》らば阿頼耶《あらや》識《しき》とは何《な》んであるかと言《い》へば、大體《だいたい》次《つぎ》の如《ごと》く言《い》ふことが出來《でき》るのである。

阿頼耶識《あらやしき》は宇宙《うちう》の實體《じつたい》で、其《そ》の中《なか》には無限《むげん》の種子《たね》が含《ふく》んで居《ゐ》る。けれども平生《へいぜい》の精神狀態《せいしんじやうたい》に於《お》ては前《ぜん》七識《しき》の爲《ため》に妨《さまた》げられて現《あら》はれぬのである。故《ゆゑ》に前《ぜん》七識《しき》を除《のぞ》けば人《ひと》は阿頼耶識《あらやしき》の狀態《じやうたい》となる。又《また》阿頼耶識《あらやしき》は宇宙《うちう》の實體《じつたい》であるから、其《そ》の人《ひと》の精神《せいしん》は其《そ》の時《とき》宇宙《うちう》と合體《がつたい》したのであると云《い》ふ事《こと》が出來《でき》るのである。而《しか》して阿《あ》頼《ら》耶《や》識《しき》は永《えい》劫《ごふ》に續《つ》いて生《せい》物《ぶつ》の如《ごと》く斷《だん》續《ぞく》生《しやう》滅《めつ》するものでないから、我《われ》が無《な》くとも阿《あ》頼《ら》耶《や》識《しき》は存《そん》在《ざい》するのである。卽《すなは》ち無《む》我《が》の狀《じやう》態《たい》或《あるひ》は無《む》念《ねん》無《む》想《さう》の狀《じやう》態《たい》或《あるひ》は入《にふ》定《ぢやう》の狀《じやう》態《たい》に於《お》いて、あらゆる我《われ》の現《げん》在《ざい》意《い》識《しき》が其《そ》の活《くわつ》動《どう》を止《や》めても、尙《なほ》且《か》つ阿《あ》頼《ら》耶《や》識《しき》は嚴《げん》として存《そん》在《ざい》するのである。されば無《む》念《ねん》無《む》想《さう》の入《にふ》定《ぢやう》狀《じやう》態《たい》は卽《すなは》ち阿《あ》頼《ら》耶《や》識《しき》の狀《じやう》態《たい》であると言《い》ふことが出《で》來《き》るので、從《したが》つて阿《あ》頼《ら》耶《や》識《しき》は宇《う》宙《ちう》の實《じつ》體《たい》で且《か》つ潛《せん》在《ざい》せるすべての意《い》識《しき》を含《ふく》んで居《ゐ》るのである。此《こ》の狀《じやう》態《たい》に於《お》いて始《はじ》めて神《しん》通《つう》力《りき》を發《はつ》輝《き》することが出《で》來《き》ると云《い》つてある。神《しん》通《つう》力《りき》とは佛《ぶつ》敎《けう》の所《いは》謂《ゆる》六神《しん》通《つう》で、卽《すなは》ち天《てん》眼《がん》通《つう》、天《てん》耳《じ》通《つう》、他《た》心《しん》通《つう》、宿《しゆく》命《めい》通《つう》、身《しん》如《によ》意《い》通《つう》、漏《ろう》盡《じん》通《つう》を總《そう》括《くわつ》した語《ご》である。『大《だい》藏《ざう》法《はふ》數《すう》』に依《よ》れば大《だい》神《しん》通《つう》とは大體《だいたい》左《さ》の如《ごと》きものである。

天眼通《てんがんつう》　能《よ》く六道《だう》の衆生《しゆじやう》を生《い》かし、彼《かれ》を死《し》せしめ、苦樂《くらく》の相《さう》を見《み》る、一切《さい》世間《せけん》種々《しゆぐ》の形色《けいしよく》を見《み》るに及《およ》んで障礙《しやうげ》あることなし。

天耳通《てんじつう》　能《よ》く六道《だう》の衆生《しゆじやう》が、憂喜《いうき》苦樂《くらく》の語言《ごげん》及《およ》び世間《せけん》種々《しゆぐ》の音聲《おんせい》を聞《き》く。

他心通《たしんつう》　能《よ》く六道《だう》の衆生《しゆじやう》が心中《しんちう》念《おも》ふ所《ところ》の事《こと》を知《し》る。

宿命通《しゆくめいつう》　能《よ》く自身《じしん》が一世《せい》二世《せい》三世《せい》乃至《ないし》百千萬《まん》世《せい》の宿命《しゆくめい》、及《およ》び爲《な》す所《ところ》の事《こと》を知《し》り、又《また》能《よ》く六道《だう》の衆生《しゆじやう》が各々《おのおの》の宿命《しゆくめい》及《およ》び作《な》す所《ところ》の事《こと》を知《し》る。

身如意通《しんによいつう》　身《み》能《よ》く飛行《ひかう》して山海《さんかい》礙《さまた》げなし、此界《このかい》に沒《ぼつ》して彼界《かのかい》より出《い》で、彼界《かのかい》に沒《ぼつ》して此界《このかい》より出《い》づ、大《だい》をよく小《せう》と作《な》し、小《せう》を能《よ》く大《だい》と作《な》す意《い》に隨《したが》つて變現《へんげん》す。
漏盡通《ろうじんつう》　漏《ろう》は卽《すなは》ち三界《がい》の見思惑《けんしわく》なり、羅漢《らかん》は見思惑《けんしわく》を斷《だん》じ盡《つく》す、三界《がい》の生死《しやうし》を受《う》けずして神通《じんつう》を得《う》。

入定狀態《にふぢやうじやうたい》と催眠狀態《さいみんじやうたい》

佛徒《ぶつと》の入定狀態《にふぢやうじやうたい》は之《こ》れを催眠狀態《さいみんじやうたい》と比較研究《ひかくけんきう》して見《み》れば、甚《はなは》だ多《おほ》く類似《るゐじ》した點《てん》を見出《みいだ》すことが出來《でき》る。入定《にふぢやう》の方法《はうはふ》にも種々《しゆじゆ》の形式《けいしき》があり階段《かいだん》があつて一口《ひとくち》に云《い》ひ現《あら》はすことは出來《でき》ぬが、最《もつと》も普通《ふつう》に知《し》られて居《ゐ》るのは坐禪《ざぜん》である。坐禪《ざぜん》は厚《あつ》く坐物《ざもつ》を敷《し》き寛《ゆる》く衣帶《いたい》を繫《か》けて結跏趺坐《けつかふざ》し、眼前《がんぜん》三尺《じやく》の地《ち》を見《み》るか或《あるひ》は鼻《はな》の端《さき》を見《み》る。而《しか》して口《くち》を塞《ふさ》ぎ鼻《はな》で輕《かる》く呼吸《こきふ》をし、臍下丹田《さいかたんでん》に力《ちから》を入《い》れる。始《はじ》めは數息觀《すうそくくわん》と云《い》つて深呼吸《しんこきふ》を行《おこな》ひ精神《せいしん》を統一《とういつ》して次第《しだい》に無念無想《むねんむさう》の域《ゐき》に入《い》るのである。之《こ》れは催眠術《さいみんじゆつ》の深《しん》呼吸方法《こきふはうはふ》又《また》は凝視方法《ぎようしはうはふ》等《とう》と同樣《どうやう》である。眞言《しんごん》の阿字觀《あじくわん》は一種特別《しゆとくべつ》な方法《はうはふ》を採用《さいよう》して居《ゐ》る。阿字觀《あじくわん》とは梵語《ぼんご》の阿字《あじ》を金泥《きんでい》で紺紙《こんし》に書《か》き結跏趺坐《けつかふざ》して深呼吸《しんこきふ》をしつゝ之《こ》れを凝視《ぎようし》するのである。殊《こと》に注意《ちうい》す可《べ》きは阿字觀《あじくわん》の最初《さいしよ》に於《お》いて催眠術者《さいみんじゆつしや》が被術者《ひじゆつしや》を催眠狀態《さいみんじやうたい》に導《みちび》く如《ごと》く、他人《たにん》が身體《からだ》を上《うへ》から下《した》へ撫《な》でゝ入定《にふぢやう》を助《たす》けることで、之《こ》れは催《さい》眠術《みんじゆつ》の撫擦方法《ぶさつはうはふ》と同樣《どうやう》である。要《えう》するに入定《にふぢやう》の目的《もくてき》は何《いづ》れも無念無想《むねんむさう》に入《い》り心一境性《しんいつきやうせい》に達《たつ》せんとするに外《ほか》ならぬのであるが、何《いづ》れも其《そ》の形式《けいしき》に到《いた》つては催眠術《さいみんじゆつ》の形式《けいしき》と大同小異《だいどうせうい》の樣《やう》である。之《こ》れを以《もつ》て見《み》れば入定《にふぢやう》は一種《しゆ》の自己《じこ》催眠《さいみん》ではあるまいかと思《おも》はるゝのである。

坐禪《ざぜん》の形式《けいしき》が催眠術《さいみんじゆつ》の凝視《ぎようし》方法《はうはふ》や深呼吸《しんこきふ》方法《はうはふ》や撫擦《ぶさつ》方法《はうはふ》と似《に》て居《ゐ》ることは前《まへ》に述《の》べた如《ごと》くであるが、更《さら》に類《るゐ》似《じ》の點《てん》を擧《あ》げれば、佛徒《ぶつと》が將《まさ》に定《ぢやう》に入《い》らんとする前《まへ》に之《こ》れを碍《さまた》げるものを五蓋《がい》と云《い》つて怒《いか》る心《こゝろ》、疑《うたが》ふ心《こゝろ》、騒《さわ》がしい心《こゝろ》などを數《かぞ》へて居《ゐ》る。之《こ》れも催眠術《さいみんじゆつ》で被術者《ひじゆつしや》を催眠《さいみん》せしめる心理《しんり》狀態《じやうたい》と似《に》て居《ゐ》るのである。

更《さら》に飜《ひるがへ》つて催眠《さいみん》狀態《じやうたい》を見《み》るに催眠中《さいみんちう》の人《ひと》は全《まつた》く無念《むねん》無想《むさう》の狀態《じやうたい》に在《あ》る。而《しか》して被術者《ひじゆつしや》は暗示《あんじ》以外《いぐわい》に何事《なにごと》も考《かんが》へなければ何事《なにごと》も思《おも》はない。入定《にふぢやう》狀態《じやうたい》に於《お》いて我《われ》と云《い》ふ考《かんが》へが少《すこ》しもない阿賴耶識《あらやしき》のみ存《ぞん》する如《ごと》く、催眠《さいみん》狀態《じやうたい》に於《お》いても我《われ》の意識《いしき》が休止《きうし》して潛在《せんざい》精神《せいしん》の活動《くわつどう》する處《ところ》を見《み》れば、兩者《りやうしや》の狀態《じやうたい》は全《まつた》く同一《どういつ》であると言《い》はねばならぬ。唯《たゞ》其《そ》の說明《せつめい》の仕方《しかた》が違《ちが》ふ許《ばか》りである。

入定狀態《にふぢやうじやうたい》も催眠狀態《さいみんじやうたい》も其《そ》の形式《けいしき》は多少《たせう》異《ことな》つて居《ゐ》るけれども、何《いづ》れも其《そ》の精神狀態《せいしんじやうたい》は無念無想《むねんむさう》である。然《しか》し此《こ》の狀態《じやうたい》は無能無力《むのうむりよく》の無念無想《むねんむさう》ではなくて將《まさ》に大《おほい》に活動《くわつどう》せんとする準備《じゆんび》の無念無想《むねんむさう》である。例《たと》へば水《みづ》の上《うへ》に起《おこ》る小《さゞ》波《なみ》を平生《へいぜい》に於《お》ける精神《せいしん》の活動《くわつどう》とすれば、此《こ》の小波《さゞなみ》を靜《しづ》めて鏡《かゞみ》の如《ごと》くした狀態《じやうたい》が卽《すなは》ち此《こ》處に言《い》ふ無念無想《むねんむさう》である。鏡《かゞみ》の如《ごと》き水《みづ》の面《おもて》へ小石《こいし》を投《とう》じても之《こ》れに應《おう》じて其《そ》の全《ぜん》體《たい》が動搖《どうえう》する如《ごと》く、無念無想《むねんむさう》の狀態《じやうたい》に於《お》ける精神《せいしん》の活動《くわつどう》は凡《すべ》ての精神《せいしん》が其《そ》の一點《てん》に向《むか》つて働《はたら》く。何《なん》となれば入定《にふぢやう》狀態中《じやうたいちう》には阿賴耶識《あらやしき》のみ働《はたら》く如《ごと》く、催眠狀態《さいみんじやうたい》は何等《なんら》の自《じ》發《はつ》的《てき》活《くわつ》動《どう》も無《な》いが一度《ど》之《こ》れに暗《あん》示《じ》を與《あた》へれば其《そ》の暗《あん》示《じ》に對《たい》して凡《すべ》ての精《せい》神《しん》が働《はたら》く。何《なん》にしても之《こ》れを一面《めん》から見《み》れば無《む》念《ねん》無《む》想《さう》である、一面《めん》から見《み》れば精《せい》神《しん》の集《しふ》注《ちう》である。故《ゆゑ》に入《にふ》定《ぢやう》状《じやう》態《たい》と催《さい》眠《みん》状《じやう》態《たい》とは仔《し》細《さい》に觀《くわん》察《さつ》すれば全《まつた》く同《どう》一である。然《しか》らば催《さい》眠《みん》術《じゆつ》とは奈《い》何《か》なるものであるか、其《そ》の原《げん》理《り》や應《おう》用《よう》に至《いた》つては、是《こ》れから進《すゝ》んで追《おひ》々《〳〵》研《けん》究《きう》せねばならぬのである。

催《さい》眠《みん》術《じゆつ》の實《じつ》例《れい》

應《おう》接《せつ》暗《あん》示《じ》

抑《そもそ》も催《さい》眠《みん》術《じゆつ》とは奈《い》何《か》なるものであるか、今《いま》之《これ》を學《がく》術《じゆつ》的《てき》に解《かい》説《せつ》するよりも、寧《むし》ろ其《そ》の實《じつ》例《れい》に就《つ》いて範《はん》を示《しめ》す方《はう》が諸子《しよし》にとつて了解《れうかい》し易《やす》いと思《おも》ふから、予《よ》が最近《さいきん》に於《おい》て行《おこな》つた最《もつと》も適當《てきたう》なものを茲《こゝ》に照會《せうくわい》することにしたのである。夫《そ》れは或《ある》青年《せいねん》が神經衰弱《しんけいすゐじやく》に罹《かゝ》つて、記憶力《きおくりよく》が非常《ひじやう》に消耗《せうまう》したのを、治療矯正《ちれうけうせい》したのであつた。

予《よ》は此《こ》の青年《せいねん》と嘗《かつ》て一面《めん》の識《しき》もなかつたのであるが、或《ある》知人《ちじん》の紹介《せうかい》で來訪《らいはう》したので、予《よ》は先《ま》づ取次《とりつ》ぎの書生《しよせい》に命《めい》じて次《つぎ》の如《ごと》く應接《おうせつ》せしめたのである。

神經衰弱《しんけいすゐじやく》には催眠術《さいみんじゆつ》は確《たし》かに醫藥《いやく》以上《いじやう》の効果《かうくわ》を奏《そう》すること、又《また》記憶力《きおくりよく》は充分《じうぶん》に增進《ぞうしん》し得《う》る事等《ことゝう》を答《こた》へて置《お》いて、夫《そ》れから青年《せいねん》の住所姓名年齡職業等《ぢうしよせいめいねんれいしよくげふとう》に就《つ》いて、豫《あらかじ》め用意《ようい》してあつた紙片《しへん》に治療矯正事項《ちれうけうせいじかう》と共《とも》に記入《きにふ》したのである。其《そ》の時《とき》青年《せいねん》は大抵《たいてい》何回《なんくわい》位《ぐらゐ》かけて貰《もら》つたら好《い》いかと訊《たづ》ねたので、先《ま》づ五六回《くわい》もかけたら好《よ》からうと書生《しよせい》が答《こた》へた。夫《そ》れから尚《なほ》書生《しよせい》は青年《せいねん》に向《むか》つて、是迄《これまで》催眠術《さいみんじゆつ》にかゝつたことがあるかないかを訊《たづ》ねた。青年《せいねん》は無《な》いと答《こた》へた。夫《そ》れでは人《ひと》に催眠術《さいみんじゆつ》をかける處《ところ》を見《み》たことがあるか何《ど》うかを訊《たづ》ねた時《とき》、あると答《こた》へたので、怎麼風《どんなふう》にしてかけたか、其《そ》の模樣《もやう》を訊《たづ》ねた。青年《せいねん》は自分《じぶん》の見《み》た催眠術者《さいみんじゆつしや》は、自分《じぶん》の眼《め》を人《ひと》に凝視《ぎようし》させて置《お》いて、何《なに》か頻《しき》りに口《くち》の中《なか》で言《い》つて居《ゐ》たが、其《そ》のうちに人《ひと》が眠《ねむ》つて了《しま》つたと言《い》つたので、書生《しよせい》は、然《さ》うです。貴郎《あなた》が先生《せんせい》の眼《め》を見《み》て居《ゐ》ると、先生《せんせい》が貴郎《あなた》の眼瞼《まぶた》は重《おも》くなつて來《き》たと言《い》へば、其《そ》の通《とほ》り重《おも》くなつて來《き》て、最《も》う睡《ねむ》ると言《い》へば、直《す》ぐ睡《ねむ》つて了《しま》ひますと言《い》つたのである。

諸子《しよし》は今《いま》書生《しよせい》が青年《せいねん》に向《むか》つて何《なに》が爲《ため》に斯樣《かやう》なことを言《い》つたかを考《かんが》へて見《み》ねばならぬ。一體《たい》身體《しんたい》も精神《せいしん》も健全《けんぜん》な人《ひと》には催眠術《さいみんじゆつ》はかゝり易《やす》く、然《しか》らざる人《ひと》にはかゝり難《にく》いものであるが、概《がい》して云《い》ふと寧《むし》ろ施術《しじゆつ》の難易《なんい》は人種《じんしゆ》や民族《みんぞく》や教育《けういく》の有無《うむ》や身體《からだ》の強弱《きやうじやく》よりも、催眠《さいみん》の觀念《くわんねん》の有《いう》無《む》が却《かへつ》て近《ちか》き原因《げんいん》をなすものである。されば書生《しよせい》が青年《せいねん》に向《むか》つて種々《いろ／＼》な話《はな》しをしたことが、畢《つま》り催眠《さいみん》の觀念《くわんねん》を深《ふか》く與《あた》へんが爲《ため》の目的《もくてき》であつたことが分《わか》るであらう。是《これ》を應接《おうせつ》暗示《あんじ》と云《い》つて、此《こ》の暗示《あんじ》が被術者《ひじゆつしや》に充分《じうぶん》感應《かんおう》して居《を》れば、いざ術者《じゆつしや》が催眠術《さいみんじゆつ》をかける段《だん》になつても譯《わけ》なく成《せい》功《こう》するものである。夫《そ》れで丁度《ちやうど》應接《おうせつ》暗示《あんじ》は施術《しじゆつ》暗示《あんじ》に對《たい》して主從《しゆじゆう》の關係《くわんけい》を有《いう》するものである。序《ついで》に術者《じゆつしや》とは働《はたら》きをなす人《ひと》卽《すなは》ち催《さい》眠《みん》術《じゅつ》をかける人《ひと》のことで、被《ひ》術《じゅつ》者《しゃ》とは受《うけ》身《み》になる人《ひと》卽《すなは》ち催《さい》眠《みん》術《じゅつ》をかけられる人《ひと》のことで、此《こ》の際《さい》は予《よ》は術《じゅつ》者《しゃ》で靑《せい》年《ねん》は被《ひ》術《じゅつ》者《しゃ》なのである。又《また》暗《あん》示《じ》とは術《じゅつ》者《しゃ》が被《ひ》術《じゅつ》者《しゃ》に對《たい》して發《はつ》する種《いろ》々《〳〵》の命《めい》令《れい》である。併《しか》し催《さい》眠《みん》狀《じやう》態《たい》に在《あ》る者《もの》に對《たい》して種《いろ》々《〳〵》の觀《くわん》念《ねん》を起《おこ》させる場《ば》合《あひ》のみとは限《かぎ》らぬ。催《さい》眠《みん》狀《じやう》態《たい》にならない者《もの》に向《むか》つて或《ある》觀《くわん》念《ねん》を起《おこ》させるのも矢《や》張《は》り暗《あん》示《じ》である。但《たゞ》し其《そ》の結《けつ》果《くわ》の有《いう》無《む》に係《かゝ》はらず暗《あん》示《じ》と云《い》ふことが出《で》來《き》ると共《とも》に、其《そ》の場《ば》合《あひ》は暗《あん》示《じ》の支《し》配《はい》を受《う》けて居《ゐ》るとか、受《う》けて居《ゐ》ないとか稱《しょう》するのである。

施《し》術《じゅつ》法《はふ》

書生《しよせい》が青年《せいねん》を予《よ》が部屋《へや》に案内《あんない》した時《とき》、以前《いぜん》の紙片《かみきれ》を机《つくゑ》の上《うへ》に置《お》いて、此《こ》の方《かた》は嘗《かつ》て人《ひと》に催眠《さいみん》術《じゆつ》をかける處《ところ》を見《み》たことがある許《はか》りで、自分《じぶん》は未《いま》だ一度《ど》もかゝつたことが無《な》い相《さ》うです。と言《い》つて歸《かへ》つて行《い》つたのである。予《よ》は一通《とほ》り青年《せいねん》に病状《びやうじやう》を訊《き》いて、然《しか》る後《のち》青年《せいねん》に臥《ふせ》るなり、椅子《いす》に腰《こし》掛《か》けるなり、勝手《かつて》の好《い》い方《はう》にせよと命《めい》じたので、青年《せいねん》は椅《い》子《す》に腰掛《こしか》けたのである。其處《そこ》で予《よ》は青年《せいねん》の脈搏《みやくはく》を檢《しらべ》ながら、成《なる》可《べ》く氣《き》をゆつたり持《も》つて居《ゐ》る樣《やう》に注意《ちうい》した。而《しか》して青年《せいねん》の右《みぎ》斜《なゝめ》に立《た》つて『君《きみ》は私《わたし》の右《みぎ》の一方《はう》の眼《め》を凝視《みつめ》て居《ゐ》れば、夫《そ》れで段々《だん〱》に睡《ねむ》つて了《しま》うのである』と言《い》つた。青《せい》年《ねん》は言《い》はるゝ儘《まゝ》に予《よ》の眼《め》を凝視《みつめ》て居《ゐ》た。予《よ》も亦《また》嚴然《げんぜん》たる態度《たいど》で暫《しばら》く青年《せいねん》の眼《め》を凝視《みつめ》て居《ゐ》たが、軈《やが》て『今《いま》君《きみ》の眼瞼《まぶた》は重《おも》くなつて來《き》た。眼《め》が段《だん》々《〱》疲《つか》れて來《き》た。眼瞼《まぶた》が顫《ふる》へて來《き》た。最《も》う君《きみ》は睡《ねむ》くて溜《たま》らない。ソレ眼《め》は今《いま》閉《と》ぢかけて居《ゐ》る。君《きみ》は耐《た》へられない。眼瞼《まぶた》は最《も》う閉《と》ぢて了《しま》う。サア睡《ねむ》つた』と言《い》つた時《とき》、青年《せいねん》は其《そ》の暗示《あんじ》の如《ごと》く本當《ほんたう》に眼《め》を閉《と》ぢて睡《ねむ》つて了《しま》つたのである。此《こ》の間《あひだ》の時間《じかん》は約《やく》五分間位《ふんかんぐらゐ》なもので、夫《そ》れから又《また》五分間位《ふんかんぐらゐ》を其《そ》の儘《まゝ》にして置《お》いて、予《よ》は此度《このたび》は青年《せいねん》の眉《まゆ》の直《す》ぐ上《うへ》の處《ところ》を、兩手《りやうて》の中指《なかゆび》と人差指《ひとさしゆび》との腹《はら》で、左右《さいう》に米嚙《こめか》みの邊《へん》迄《まで》、續《つゞ》いて肩《かた》から兩手《りやうて》の指先《ゆびさ》き迄《まで》靜《しづ》かに輕《かる》く撫《な》で下《さ》げ、又《また》以前《いぜん》の如《ごと》く撫下《なでさ》げ、始終《しじう》同一《どういつ》の運動《うんどう》を十五六回《くわい》も反復《はんぷく》したが、青年《せいねん》は益《ます》々《〱》心地《こゝち》よさゝうに睡《ねむ》つて居《ゐ》たのである。

此《こ》の狀態《じやうたい》から見《み》ると、青年《せいねん》は何《ど》れだけ深《ふか》く睡《ねむ》つて居《ゐ》るか分《わか》らないが、兎《と》に角《かく》充分《じうぶん》に催眠《さいみん》したものと云《い》つて差支《さしつかへ》ないのである。

施《し》術法《じゆつはふ》にも種々《しゆじゆ》の樣《やう》式《しき》があるが、今《いま》予《よ》が行《おこな》つた方法《はうはふ》の如《ごと》きは、最初《さいしよ》の人《ひと》を催眠《さいみん》せしめる最《もつと》も安全《あんぜん》な方法《はうはふ》として、一般《はん》の術者《じゆつしや》に採用《さいよう》されて居《ゐ》るのである。

試驗暗示《しけんあんじ》

予《よ》は青年《せいねん》が奈何《いか》に深《ふか》く催眠《さいみん》したかを試《こゝろ》みる可《べ》く『君《きみ》は眼《め》を開《ひら》くことが出來《でき》なくなつた。強《し》いて開《ひら》かうとすれば眉許《まゆはか》り動《うご》く』と言《い》つた。其《そ》の時《とき》青年《せいねん》は頻《しき》りに眼《め》を開《ひら》かうとしたが、何《ど》うしても開《ひら》くことが出來《でき》なかつた。今度《こんど》は予《よ》は青年《せいねん》の手《て》を自分《じぶん》の手《て》の上《うへ》に乘《の》せて置《お》いて『君《きみ》の手《て》は私《わたし》の手《て》に密着《くつつ》いて、引《ひ》くことが出來《でき》なくなつた』と言《い》つた。其《そ》の時《とき》青年《せいねん》は奈何《いか》に引《ひ》かうとしても其《そ》の手《て》を引《ひ》くことが出來《でき》なかつたが私《わたし》が『サア引《ひ》くことが出來《でき》る』と言《い》つた時《とき》、初《はじ》めて引《ひ》くことが出來《でき》たのである。又《また》予《よ》は青年《せいねん》の兩手《りやうて》を前方《ぜんはう》に伸《の》ばして置《お》いて『君《きみ》の手《て》は段々《だん／＼》に兩方《りやうはう》から合《あ》はさつて來《く》る。ソラ合《あ》はさつて來《き》た』と言《い》つた時《とき》、其《そ》の通《とほ》りに動《うご》いて合《あ》はさつた。

以上《いじやう》の運動《うんどう》は、被術者《ひじゆつしや》が輕眠《けいみん》時期《じき》に於《お》いて行《おこな》はるゝもので、之《これ》を觀念《くわんねん》運動《うんどう》と云《い》ふのである。又《また》手《て》が重《おも》くなつたと言《い》へば重《おも》く、輕《かる》くなつたと言《い》へば輕《かる》くなる。彼《か》の棒寄術《ほうよせじゆつ》、開《かい》棒術《ほうじゆつ》等《とう》は皆《みな》同一《どういつ》の心理《しんり》作用《さよう》から來《き》たる現象《げんしやう》に過《す》ぎないのである。

予《よ》は次《つぎ》に青年《せいねん》の腕《うで》を曲《ま》げて置《お》いて『君《きみ》の腕《うで》は最《も》う伸《の》びない』と言《い》つたが、青年《せいねん》は伸《の》ばすことが出來《でき》なかつた。『サア伸《の》ばすことが出來《でき》る』と言《い》ふと、忽《たちま》ち伸《の》ばすことが出來《でき》た。青年《せいねん》は催眠《さいみん》してから是《こ》れ迄《まで》少《すこ》しもものを言《い》はなかつたので、予《よ》は『君《きみ》は私《わたし》と話《はな》しすることが出來《でき》るのだ』と言《い》つて同時《どうじ》に兩方《りやうはう》の頬《ほゝ》を輕《かる》く指《ゆび》で撫《な》でゝ置《お》いて『一、二、三と言《い》つてみ給《たま》へ』と言《い》つた。青年《せいねん》は活潑《くわつはつ》に『一、二、三』と言《い》つた。『今度《こんど》は一、二と言《い》ふことは出來《でき》るが、三と言《い》ふことは出來《でき》ない』と言《い》ふと『一、二……』とは言《い》つたが、何《ど》うしても三と言《い》ふことは出來《でき》なかつた。『サア三と言《い》ふことが出來《でき》る』と言《い》ふと、直《す》ぐ三と言《い》つた。『君《きみ》は此《こ》處《こ》を捻《つ》ねられても痛《いた》くない』と言《い》つて、手《て》の甲《かふ》の處《ところ》を擦《さす》つて置《お》いて、本當《ほんたう》に捻《つね》つて見《み》たが、痛《いた》くないと言《い》つた。今度《こんど》は反對《はんたい》に痛《いた》い』と言《い》つて捻《つ》ねる眞似《まね》をしたが、痛《いた》いと言《い》つて手《て》を引《ひ》いたのである。

以上《いじやう》の狀態《じやうたい》は被術者《ひじゆつしや》が深眠時期《しんみんじき》に於《お》いて行《おこな》はるゝ現象《げんしやう》で、前者《ぜんしや》を強直狀態《きやうちよくじやうたい》と云《い》ひ、後者《こうしや》を無感覺狀態《むかんかくじやうたい》と云《い》ふのである。此《こ》の無感覺狀態《むかんかくじやうたい》を應用《おうよう》する時《とき》は凡《すべ》ての苦痛《くつう》を止《と》めることが出來《でき》る。又《また》強直狀態《きやうちよくじやうたい》は之《こ》れを全身《ぜんしん》の隨意筋《ずゐいきん》に及《およ》ぼすことが出來《でき》るので、能《よ》く行《や》ることだが頭《あたま》と足《あし》とを臺《だい》の兩端《りやうはし》に懸《か》け、人間《にんげん》の橋《はし》を造《つく》つて、其《そ》の上《うへ》に人《ひと》が乘《の》つても少《すこ》しも曲《ま》がることがない、實《じつ》に面白《おもしろ》い狀態《じやうたい》が出來《でき》るのである。されば別《べつ》に何《なに》か原因《げんいん》があるらしく思《おも》はるゝが、唯《たゞ》觀念《くわんねん》の固定《こてい》と云《い》ふより外《ほか》に決《けつ》して原因《げんいん》はないのである。

次《つぎ》に予《よ》は『音《おん》樂《がく》が聞《きこ》えて居《ゐ》るが、君《きみ》には聞《きこ》えるか』と問《と》ふた。青《せい》年《ねん》は暫《しばら》く耳《みゝ》を傾《かたむ》けて居《ゐ》たが『ヴイオリンの音《ね》がする』と答《こた》へた。併《しか》し實《じつ》際《さい》は何《な》んの音《おん》樂《がく》もして居《ゐ》るのではなかつたのである。夫《そ》れから予《よ》は白《はく》紙《し》を取《と》つて青《せい》年《ねん》の手《て》に持《も》たせ『君《きみ》は最《も》う眼《め》を開《ひら》いてもいゝ。眼《め》を開《ひら》くと此《こ》の紙《かみ》に富《ふ》士《じ》山《さん》の畫《ゑ》が書《か》いてあるのを見《み》るであらう。併《しか》し富《ふ》士《じ》山《さん》の畫《ゑ》を見《み》たら又《また》直《す》ぐに睡《ねむ》るのだ。さうして予《よ》が起《お》きよと言《い》ふ迄《まで》は、君《きみ》は眼《め》を醒《さま》してはならぬ』と言《い》ふと、青《せい》年《ねん》は眼《め》を開《ひら》いて其《そ》の想《さう》像《ざう》上《じやう》の富《ふ》士《じ》山《さん》を見《み》て又《また》睡《ねむ》つて了《しま》つた。『怎《どん》麼《な》格《かく》好《かう》に書《か》いてあつたか』と訊《たづ》ねたら『這《こん》麼《な》格《かく》好《かう》に書《か》いてあつた』と、指《ゆび》で富《ふ》士《じ》山《さん》の形《けい》容《よう》を空《くう》間《かん》に描《えが》いて見《み》せた。『今《いま》君《きみ》は汽《き》車《しや》に乘《の》つて居《ゐ》るのだ』と言《い》ふと、青《せい》年《ねん》は確《たし》かに汽《き》車《しや》に乘《の》つた心算《つもり》で居《ゐ》た。『今《いま》君《きみ》は飛《ひ》行《かう》機《き》に乘《の》つて米《べい》國《こく》へ行《ゆ》き、先《せん》方《ぱう》の樣《やう》子《す》を見《み》て來《こ》い』と言《い》ふと、青《せい》年《ねん》は遙《はる》かに米《べい》國《こく》の空《そら》へと飛《と》んで行《い》つて來《き》たのである。

以《い》上《じやう》は被《ひ》術《じゆつ》者《しや》が睡《すゐ》遊《いう》時《じ》期《き》に於《おい》て行《おこな》はるゝ現《げん》象《しやう》で、青《せい》年《ねん》が椅《い》子《す》に腰《こし》掛《か》けて居《ゐ》て、汽《き》車《しや》に乘《の》つたり飛《ひ》行《かう》機《き》に乘《の》つた心《つ》算《も》りで居《ゐ》るのを錯《さく》覺《かく》と云《い》ひ、ヴィオリンの音《ね》を聞《き》いたり富《ふ》士《じ》山《さん》の畫《ゑ》を見《み》たりしたのを幻《げん》覺《かく》と云《い》ふのである。又《また》米《べい》國《こく》の樣《やう》子《す》を見《み》て來《き》たのは天《てん》眼《がん》通《つう》と云《い》つて、現《げん》今《こん》の心《しん》理《り》學《がく》では之《こ》れを唯《たゞ》潛《せん》在《ざい》精《せい》神《しん》の働《はたら》きだと稱《しよう》して、何《なん》等《ら》の說《せつ》明《めい》が出《で》來《き》ないことは、前《まへ》に催《さい》眠《みん》狀《じやう》態《たい》と阿《あ》賴《ら》耶《や》識《しき》狀《じやう》態《たい》とに就《つ》いて述《の》べた如《ごと》くである。

予《よ》は以《い》上《じやう》の試《し》驗《けん》を終《をは》つて、最《さい》後《ご》に目《もく》的《てき》とする神《しん》經《けい》衰《すゐ》弱《じやく》治《ち》療《れう》と、記《き》憶《おく》力《りよく》の増《ぞう》進《しん》に關《くわん》する暗《あん》示《じ》を下《くだ》したのである。凡《すべ》て人《ひと》は催《さい》眠《みん》すればする程《ほど》暗《あん》示《じ》に感《かん》應《おう》するものである。故《ゆゑ》に被《ひ》術《じゆつ》者《しや》が何《ど》れだけ深《ふか》く暗《あん》示《じ》を受《う》け入《い》れるか、畢《つま》り催《さい》眠《みん》の深《しん》淺《せん》を計《はか》る爲《ため》に下《くだ》した暗《あん》示《じ》を試《し》驗《けん》暗《あん》示《じ》と云《い》ふので、又《また》被《ひ》術《じゆつ》者《しや》が暗《あん》示《じ》感《かん》應《おう》性《せい》の盛《さか》んな状《じやう》態《たい》に於《お》いて、目《もく》的《てき》の暗《あん》示《じ》を與《あた》へるのが一定《てい》の法《はふ》則《そく》になつて居《ゐ》るのである。

覺《かく》醒《せい》法《はふ》

予《よ》は青《せい》年《ねん》に最《さい》後《ご》の暗《あん》示《じ》を與《あた》へてから、稍《やゝ》四十分《ぷん》間《かん》程《ほど》其《そ》の儘《まゝ》にして置《お》いた。而《しか》して青《せい》年《ねん》を覺《かく》醒《せい》せしむ可《べ》く次《つぎ》の如《ごと》く暗《あん》示《じ》を與《あた》へたのである。『今《いま》君《きみ》の催《さい》眠《みん》術《じゆつ》を解《と》くから、目《め》を醒《さま》すと頭《あたま》が輕《かる》く、胸《むね》がすき／＼として大《たい》層《そう》氣《き》分《ぶん》が能《よ》くなる丁度《ちやうど》朝《あさ》の様《やう》な氣持《きも》ちだ。サア是《こ》れから目《め》を醒《さま》すから、予《よ》が一、二、三と言《い》つたら目《め》を開《ひら》く』と言《い》つて置《お》いて、少《すこ》し力《ちから》ある聲《こゑ》で『一、二、三』と言《い》ふと、青年《せいねん》は何事《なにごと》もなく忽《たちま》ち目《め》を醒《さま》して、大層《たいそう》好《い》い心地《こゝろもち》だと言《い》つたのである。予《よ》は其《そ》の時《とき》青年《せいねん》に何時間《なんじかん》位《ぐらゐ》睡《ねむ》つて居《ゐ》たかと訊《たづ》ねたが正確《せいかく》に答《こた》へることが出來《でき》ず、約《やく》一時間《じかん》以上《いじやう》も睡《ねむ》つて居《ゐ》たらしいと言《い》つたが、實際《じつさい》は青年《せいねん》が椅子《いす》に腰掛《こしか》けてから目《め》を醒《さま》した迄《まで》に費《つひや》した時間《じかん》は約《やく》四十分間《ぷんかん》足《た》らずであつた。又《また》催眠中《さいみんちう》に何《ど》んな事《こと》をしたかを聞《き》いても青年《せいねん》は一向《かう》に知《し》らなかつたのである。

覺醒法《かくせいはふ》に就《つ》いても種々《しゆ〴〵》の様式《やうしき》があるが、或《ある》特殊《とくしゆ》の場合《ばあひ》でない限《かぎ》りは、矢張《やは》り靜《しづ》かに暗示《あんじ》を與《あた》へて醒《さま》す方《はう》が、後《のち》になつて悪《わる》い狀態《じやうたい》が殘《のこ》らなくて可《い》いのである。

其《そ》の後《ご》青年《せいねん》が二囘目《くわいめ》に來《き》た時《とき》に、予《よ》は『君《きみ》は今日《けふ》は直《す》ぐ睡《ねむ》るよ』と言《い》つて置《お》いて、今度《こんど》は最《もつと》も簡單《かんたん》な施術法《しじゆつはふ》に依《よ》つて睡《ねむ》らせたのである。其《そ》の方法《はうはふ》は例《れい》の如《ごと》く青年《せいねん》を椅子《いす》に腰掛《こしか》けさせ、予《よ》は右斜《みぎなゝみ》に身構《みがま》へして、互《たがひ》に一寸《ちよつと》凝視《みつめ》合《あ》つて居《ゐ》たが、予《よ》が『サア、最《ま》う睡《ねむ》つた』と言《い》ふや否《いな》や、青年《せいねん》は初囘《しよくわい》の時《とき》の如《ごと》く睡《ねむ》つて了《しま》つたのである。夫《そ》れから矢張《やは》り五分間《ふんかん》程《ほど》過《す》ぎて、予《よ》は青年《せいねん》の眉《まゆ》の直《す》ぐ上《うへ》の處《ところ》から兩手《りやうて》の指先《ゆびさ》きの處迄《ところまで》、初囘《しよくわい》の時《とき》と同《おな》じ様《やう》に二三囘《くわい》輕《かる》く撫《なで》下《さ》げて試驗《しけん》暗示《あんじ》を與《あた》へて見《み》た。併《しか》し今度《こんど》は夫《そ》れも觀念《くわんねん》運動《うんどう》や強直狀態《きやうちよくじやうたい》の暗示《あんじ》ではなくして、直《たゞ》ちに感覺《かんかく》、聽覺《ちやうかく》、視覺《しかく》等《とう》に對《たい》する二三の試驗《しけん》暗示《あんじ》であつた。但《たゞ》し治療《ちれう》矯正《けうせい》に關《くわん》する暗《あん》示《じ》のみは、却《かへつ》て初《しよ》回《くわい》よりは複《ふく》雜《ざつ》になつて來《き》たのである。覺《かく》醒《せい》法《はふ》を行《おこな》ふ時《とき》にも『君《きみ》は是《こ》れから必《ひつ》要《えう》でない場《ば》合《あひ》は、決《けつ》して催《さい》眠《みん》術《じゆつ》にかゝらなくして置《お》く』と言《い》つてから、初《しよ》回《くわい》と同《どう》樣《やう》の暗《あん》示《じ》を與《あた》へて覺《かく》醒《せい》したのである。

三回《くわい》目《め》には施《し》術《じゆつ》法《はふ》も覺《かく》醒《せい》法《はふ》も二回《くわい》目《め》と略《ほ》ぼ同《どう》樣《やう》で、試《し》驗《けん》暗《あん》示《じ》も僅《わづ》かに一二に過《す》ぎなかつた。併《しか》し治《ち》療《れう》矯《けう》正《せい》法《はふ》の暗《あん》示《し》は愈《いよ》々《〳〵》複《ふく》雜《ざつ》になつて來《き》たのである。斯《か》くて青《せい》年《ねん》の健《けん》康《かう》は追《おひ》々《〳〵》に回《くわい》復《ふく》され、記《き》憶《おく》力《りよく》は增《ぞう》進《しん》して、果《はた》して五六回《くわい》目《め》には立《りつ》派《は》に自《じ》分《ぶん》で自《じ》覺《かく》することが出《で》來《き》る迄《まで》になつたのである。

實《じつ》驗《けん》から得《え》たる收《しう》穫《くわく》

催眠狀態《さいみんじやうたい》の徵候《ちようこう》

諸子《しよし》は前《まへ》に述《の》べた實例《じつれい》に依《よ》つて、次《つぎ》の如《ごと》き收穫《しうくわく》を得《え》たのである。

人《ひと》に催眠術《さいみんじゆつ》をかければ一種《しゆ》の不思議《ふしぎ》な狀態《じやうたい》に陷《おちい》るもので、此《こ》の狀態《じやうたい》を催眠狀態《さいみんじやうたい》と云《い》ふのであるが、或學者《あるがくしや》は人《ひと》には實際《じつさい》催眠狀態《さいみんじやうたい》と云《い》ふ者《もの》はない、唯暗示《たゞあんじ》に感應《かんおう》する狀態《じやうたい》がある許《ばか》りだと言《い》つて居《ゐ》る如《ごと》く、催眠術《さいみんじゆつ》とは一種《しゆ》の暗示術《あんじじゆつ》であると云《い》ふことが解《わか》つたであらう。併《しか》し催眠狀態《さいみんじやうたい》と睡眠狀態《すゐみんじやうたい》とは殆《ほと》んど一見《けん》した處《ところ》では同樣《どうやう》であるから、先《ま》づ奈何《いか》なる點《てん》に於《おい》て相違《さうゐ》して居《ゐ》るか、之《こ》れを比較研究《ひかくけんきう》して置《お》く必要《ひつえう》がある。實例《じつれい》の敎《をし》へる處《ところ》に依《よ》れば催《さい》眠《みん》狀《じやう》態《たい》は暗《あん》示《じ》に感《かん》應《おう》するが、睡《すゐ》眠《みん》狀《じやう》態《たい》は感《かん》應《おう》しない。

催《さい》眠《みん》狀《じやう》態《たい》は覺《かく》醒《せい》後《ご》自《じ》分《ぶん》の催《さい》眠《みん》した時《じ》間《かん》を話《はな》すことが出《で》來《き》ないが、睡《すゐ》眠《みん》狀《じやう》態《たい》は話《はな》し得《え》る。

催《さい》眠《みん》狀《じやう》態《たい》は術《じゆつ》者《しや》と被《ひ》術《じゆつ》者《しや》との間《あひだ》に一種《しゆ》の特《とく》殊《しゆ》關《くわん》係《けい》を保《たも》つて居《ゐ》るが、睡《すゐ》眠《みん》狀《じやう》態《たい》には何《なん》等《ら》の關《くわん》係《けい》もない。

要《えう》するに催《さい》眠《みん》狀《じやう》態《たい》と睡《すゐ》眠《みん》狀《じやう》態《たい》とは程《てい》度《ど》の問《もん》題《だい》ではなくして種《しゆ》類《るゐ》の問《もん》題《だい》である。然《しか》るに催《さい》眠《みん》狀《じやう》態《たい》と言《い》へば直《たゞ》ちに睡《すゐ》眠《みん》狀《じやう》態《たい》を聯《れん》想《さう》せしめるので甚《はなは》だ紛《まぎ》らはしいのであるが、一體《たい》斯《し》術《じゆつ》に『催《さい》眠《みん》術《じゆつ》』なる名《めい》稱《しよう》を附《ふ》して居《ゐ》るのは、餘《あま》り當《たう》を得《え》たものとは言《い》へないのであるが之《こ》れは西《せい》歴《れき》千八百四十一年《ねん》英《えい》國《こく》の外《げ》科《くわ》醫《い》ブレードが、メスメルの動《どう》物《ぶつ》磁《じ》氣《き》說《せつ》に就《つ》いて種《しゆ》々研《けん》究《きう》の結《けつ》果《くわ》、畢《つま》り人《じん》爲《ゐ》的《てき》に生《しやう》ずる一種《しゆ》の睡《すゐ》眠《みん》狀《じやう》態《たい》に外《ほか》ならぬと考《かんが》へ偖《さて》こそ、希《ギ》臘《リシヤ》語《ご》のヒポノス卽《すなは》ち睡《すゐ》眠《みん》と云《い》ふ語《ご》をとつて、之《こ》れにヒポノチズム卽《すなは》ち催《さい》眠《みん》術《じゆつ》なる名《めい》稱《しよう》を附《ふ》したに始《はじ》まつたもので、催《さい》眠《みん》狀《じやう》態《たい》なるものを仔《し》細《さい》に調《しら》べて見《み》ると、全《まつた》く睡《ねむ》りの觀《くわん》念《ねん》なしに斯《か》る狀《じやう》態《たい》を惹《ひき》起《おこ》すことが出《で》來《き》るので、是《こ》れは一種《しゆ》の精《せい》神《しん》的《てき》現《げん》象《しやう》であるのである。故《ゆゑ》に催《さい》眠《みん》狀《じやう》態《たい》の徵《ちよう》候《こう》は殆《ほと》んど暗《あん》示《じ》に基《もとづ》いて起《おこ》るものであると言《い》つて好《い》いのである。

先《ま》づ肉《にく》體《たい》上《じやう》に表《あら》はるゝ徵《ちやう》候《こう》では、第《だい》一に隨《ずゐ》意《い》筋《きん》の上《うへ》に表《あら》はるゝ現《げん》象《しやう》である。催《さい》眠《みん》狀《じやう》態《たい》になると恰《あだか》も睡《ねむ》つて居《ゐ》る如《ごと》くになつて、少《すこ》しも運《うん》動《どう》することがない樣《やう》になる。稀《まれ》に運《うん》動《どう》をしても極《きは》めて不《ふ》活《くわつ》潑《はつ》である。然《しか》るに術《じゆつ》者《しや》が一度《ど》暗《あん》示《じ》を與《あた》へると此《こ》の運《うん》動《どう》の不《ふ》能《のう》が忽《たちま》ち除《のぞ》かれて暗《あん》示《じ》通《どほ》りの運動《うんどう》をするのである。又《また》暗示《あんじ》に依《よ》つて是《こ》れ迄《まで》出來《でき》て居《ゐ》た運動《うんどう》も全《まつた》く出來《でき》なくなる。又《また》隨意《ずゐい》筋《きん》の一部《ぶ》が棒《ぼう》の如《ごと》く硬《かた》くなる狀態《じやうたい》を強直《きやうちよく》狀態《じやうたい》と云《い》つて、實例《じつれい》に於《お》いては唯一《たゞいち》部《ぶ》分《ぶん》に限《かぎ》られて居《ゐ》るが、斯《かく》の如《ごと》き強直《きやうちよく》は全身《ぜんしん》の隨意《ずゐい》筋《きん》にも及《およ》ぼすことが出來《でき》るのは前《まへ》にも言《い》つた如《ごと》くで、隨意《ずゐい》筋《きん》の運動《うんどう》は暗示《あんじ》一つで殆《ほと》んど奈何《いか》樣《やう》にも支配《しはい》することが出來《でき》るのである。

又《また》疼痛《とうつう》に對《たい》して全《まつた》く無《む》感覺《かんかく》になる無《む》感覺《かんかく》狀態《じやうたい》と云《い》ふのや、例《たと》へば椅子《いす》に腰《こし》掛《か》けて居《ゐ》て汽《き》車《しや》に乘《の》つて居《ゐ》ると思《おも》ふ樣《やう》に、何《なに》か外《ぐわい》感《かん》を刺戟《しげき》するものがあれば夫《そ》れを全《まつた》く間《ま》違《ちが》つて知《ち》覺《かく》する錯《さく》覺《かく》と云《い》ふのや、術者《じゆつしや》が暗示《あんじ》を與《あた》へれば、被《ひ》術者《じゆつしや》は白紙《はくし》に現《げん》に富士山《ふじさん》の畫《ゑ》が書《か》いてある樣《やう》に見《み》えたりする幻《げん》覺《かく》と云《い》ふのは、實《じつ》例《れい》の示《しめ》す如《ごと》く何《いづ》れも催《さい》眠《みん》状《じやう》態《たい》中《ちう》の一種《しゆ》の徴《ちよう》候《こう》である。此《これ》等《ら》の現《げん》象《しやう》は丁《ちやう》度《ど》我《われ》々《／＼》が夢《ゆめ》を見《み》て居《ゐ》る場《ば》合《あひ》と同《おな》じ事《こと》で、夢《ゆめ》を見《み》て居《ゐ》る時《とき》には唯《たゞ》夢《ゆめ》となつて現《あら》はれてる觀《くわん》念《ねん》がある許《ばか》りで、其《そ》の他《た》の事《こと》に就《つ》いては全《まつた》く無《む》意《い》識《しき》なのである。催《さい》眠《みん》状《じやう》態《たい》に在《あ》る人《ひと》も殆《ほとん》ど熟《じゆく》睡《すゐ》して居《ゐ》ると同《どう》様《やう》で、唯《たゞ》暗《あん》示《じ》に對《たい》して感《かん》應《おう》する性《せい》質《しつ》が強《つよ》くなつて居るのみで、其《そ》處《こ》へ暗《あん》示《じ》を與《あた》へらるゝから、意《い》識《しき》に現《あら》はるゝものは唯《たゞ》暗《あん》示《じ》された事《こと》のみであつて、夫《そ》れを反《はん》證《しよう》する他《た》の觀《くわん》念《ねん》が一つもないのである。故《ゆゑ》に其《そ》の觀《くわん》念《ねん》が神《しん》經《けい》を刺《し》戟《げき》して、全《まつた》く實《じつ》際《さい》の場《ば》合《あひ》と同《おな》じ結《けつ》果《くわ》を肉《にく》體《たい》上《じやう》にも生《しやう》ずることになるのである。

精《せい》神《しん》上《じやう》に表《あら》はれた徴《ちよう》候《こう》では、先《ま》づ記《き》憶《おく》に關《くわん》する問《もん》題《だい》である。實例《じつれい》の教《をし》へる處《ところ》に依《よ》れば、被術者《ひじゆつしや》が覺醒後《かくせいご》に到《いた》つて全《まつた》く催眠中《さいみんちう》の記憶《きおく》がなかつたのである。然《しか》るに一言之《ごんこ》れに端緒《たんちよ》を與《あた》へると催眠中《さいみんちう》に起《おこ》つた事《こと》を悉《ことごと》く思《おも》ひ出《だ》さしむることが出來《でき》る。斯《か》う云《い》ふことは夢《ゆめ》に於《お》いてもあることで、長《なが》い夢《ゆめ》を見《み》て一時《じ》夫《そ》れを忘《わす》れて居《ゐ》たが、何《なに》か其《そ》の中《なか》の一部分《ぶぶん》を思出《おもひだ》すと忽《たちま》ち全體《ぜんたい》の夢《ゆめ》が現《あら》はれて來《く》る事《こと》がある。斯《か》ゝる場合《ばあひ》は全《まつた》く記憶《きおく》の消失《せうしつ》の如《ごと》く思《おも》はるゝが、之《こ》れは記憶《きおく》を呼《よ》び起《おこ》すに適當《てきたう》な境遇《きやうぐう》に逢《あ》はないからで、換言《くわんげん》すれば觀念聯合《くわんねんれんがふ》の作用《さよう》が催眠中《さいみんちう》の記憶《きおく》を喚《よ》び起《おこ》すのと同《どう》一の理《り》である。又此《またこ》の場合《ばあひ》と正反對《せいはんたい》に、覺醒中《かくせいちう》の記憶《きおく》を催眠狀態《さいみんじやうたい》になると思出《おもひだ》すことが出來《でき》る。又《また》催眠中《さいみんちう》に起《おこ》つた夢《ゆめ》で、覺醒中《かくせいちう》には全《まつた》く忘《わす》れて居《ゐ》たものが、催眠狀態《さいみんじやうたい》になると明瞭《めいれう》に現《あら》はれて來《く》る場合《ばあひ》もある。又《また》運動《うんどう》の記憶《きおく》が全《まつた》く無《な》くなる爲《ため》に、運動《うんどう》の出來《でき》ない場合《ばあひ》もある。或《あるひ》は唯《たゞ》一種《しゆ》類《るゐ》の記憶《おく》を悉《ことごと》く無《な》くして了《しま》ふ事《こと》が出來《でき》るものである。此《これ》等《ら》は實例《じつれい》を擧《あ》げることが甚《はなは》だ困難《こんなん》であるから、序《つい》でながら言《い》つて置《お》くのである。

其《そ》の他《た》精神上《せいしんじやう》に表《あら》はる徵候《ちようこう》としては、催眠中《さいみんちう》に受《う》けた精神《せいしん》の變化《へんくわ》が覺醒《かくせい》後《ご》に續《つゞ》く殘續《ざんぞく》暗示《あんじ》、人格《じんかく》の變換《へんくわん》及《およ》び分《ぶん》裂《れつ》、天眼通《てんがんつう》等《とう》がある。又《また》肉體上《にくたいじやう》では、感覺《かんかく》が非常《ひじやう》に鋭敏《えいびん》になつて來《く》る狀態《じやうたい》、分泌《ぶんぴつ》作用《さよう》の變化《へんくわ》、模擬《もぎ》作用《さよう》等《とう》種《しゆ》々《〳〵》あるが、未《いま》だ實例《じつれい》がないから追《おひ》々《〳〵》に研究《けんきう》して行《ゆ》くことにして、以上《いじやう》は催眠狀態《さいみんじやうたい》に關《くわん》して實驗上《じつけんじやう》から得《え》た徵候《ちようこう》の一斑《はん》である。

暗《あん》示《じ》法《はふ》

諸子《しよし》は實例《じつれい》に依《よ》つて催眠術《さいみんじゆつ》をかけるにも、催眠狀態《さいみんじやうたい》の種々《しゆく》の徴候《ちようこう》を表《あら》はすにも、之《これ》を覺醒《かくせい》するにも、凡《すべ》て暗示《あんじ》に依《よ》るものであることを知《し》つた。否《いな》催眠術《さいみんじゆつ》は暗示術《あんじじゆつ》であることを學《まな》んだのである。然《しか》らば暗示《あんじ》とは奈何《いか》なるものであるか、又《また》暗示《あんじ》を與《あた》ふる方法《はうはふ》手段《しゆだん》は奈何《いか》にすれば好《よ》いかを研究《けんきう》せねばならぬ。夫《そ》れは實《じつ》に催眠術《さいみんじゆつ》の全生命《ぜんせいめい》であるからである。此後《このご》も種々《しゆく》の實例《じつれい》に於《お》いて、術者《じゆつしや》は何《なに》が爲《ため》に斯樣《かやう》な暗示《あんじ》を與《あた》へたか、被術者《ひじゆつしや》は其《そ》の時《とき》怎麼《どんな》狀態《じやうたい》になつたかと云《い》ふことは、充分《じうぶん》に注意《ちうい》して見逃《みのが》してならぬことである。

先《ま》づ暗《あん》示《じ》とは奈《い》何《か》なるものであるか、是《こ》れは前《まへ》にも述《の》べた如《ごと》く、術《じゆつ》者《しや》が被《ひ》術《じゆつ》者《しや》に對《たい》して發《はつ》する處《ところ》の種《しゆ》々の命《めい》令《れい》である。併《しか》し未《いま》だ實《じつ》例《れい》にはないが、自《じ》分《ぶん》が自《じ》分《ぶん》で暗《あん》示《じ》を下《くだ》す場《ば》合《あひ》もある。之《こ》れを自《じ》己《こ》暗《あん》示《じ》と云《い》ふのであるが此《こ》の自《じ》己《こ》暗《あん》示《じ》に對《たい》して他《た》人《にん》が暗《あん》示《じ》を下《くだ》すのを依《い》他《た》暗《あん》示《じ》と云《い》ふので、我《われ》々が單《たん》に暗《あん》示《じ》と呼《よ》んで居《ゐ》るのが即《すなは》ち夫《そ》れである。暗《あん》示《じ》には又《また》場《ば》合《あひ》に依《よ》つて直《ちよく》接《せつ》暗《あん》示《じ》と間《かん》接《せつ》暗《あん》示《じ》と云《い》ふことが出《で》來《き》る。術《じゆつ》者《しや》が手《て》で被《ひ》術《じゆつ》者《しや》を撫《ぶ》擦《さつ》したり、或《あるひ》は寫《しや》眞《しん》に依《よ》つて被《ひ》術《じゆつ》者《しや》に催《さい》眠《みん》狀《じやう》態《たい》なるものを示《しめ》す場《ば》合《あひ》は、之《こ》れを物《ぶつ》質《しつ》暗《あん》示《じ》と云《い》ふことが出《で》來《き》る。

然《しか》らば暗《あん》示《じ》を與《あた》へる最《もつと》も適《てき》當《たう》な方《はう》法《はふ》としては奈《い》何《か》にすれば好《い》いかと云《い》ふに、催《さい》眠《みん》狀《じやう》態《たい》が深《ふか》くなればなる程《ほど》暗《あん》示《じ》に感《かん》應《おう》する性《せい》質《しつ》が強《つよ》くなるものであるから、催《さい》眠《みん》の程《ほど》が淺《あさ》ければ間《かん》接《せつ》に與《あた》へ、段《だん》々《〳〵》深《ふか》くなるに從《したが》つて直《ちよく》接《せつ》に與《あた》へるのを原《げん》則《そく》とする。語《ご》を換《か》へて言《い》へば催《さい》眠《みん》の程《ほど》が深《ふか》くなるに從《したが》つて被《ひ》術《じゆつ》者《しや》の意《い》識《しき》が無《な》くなつて來《く》るから、益《ますま》す暗《あん》示《じ》を受《う》け入《い》れる樣《やう》になるのである。故《ゆゑ》に實《じつ》例《れい》の示《しめ》す如《ごと》く、最《さい》初《しよ》書《しよ》生《せい》が青《せい》年《ねん》に向《むか》つて催《さい》眠《みん》の觀《くわん》念《ねん》を與《あた》へ、夫《そ》れから予《よ》が暗《あん》示《じ》を與《あた》へるにも、輕《けい》眠《みん》から深《しん》眠《みん》、睡《すゐ》遊《いう》と段《だん》々《だん》度《ど》が深《ふか》くなるに從《したが》つて、間《かん》接《せつ》より直《ちよく》接《せつ》と順《じゆん》を追《お》ふて來《き》たことが解《わ》かるであらう。若《も》し此《こ》の順《じゆん》序《じよ》を誤《あや》まることがあつては、充《じう》分《ぶん》に催《さい》眠《みん》せしむることが不《ふ》可《か》能《のう》である。尤《もつと》も被《ひ》術《じゆつ》者《しや》の性《せい》質《しつ》に依《よ》つては必《かなら》ずしも順《じゆん》序《じよ》通《どほ》りに許《はか》りは行《ゆ》かぬものもあり、又《また》稀《まれ》には全《ぜん》然《ぜん》感《かん》應《おう》しないものもないではないが、催《さい》眠《みん》の深《しん》淺《せん》は大《おほ》凡《よそ》次《つぎ》の如《ごと》く分《ぶん》類《るゐ》することが出《で》來《き》るものである。

一、覺《かく》醒《せい》中《ちう》に四肢《し》稍《や》や平《へい》常《じやう》に異《こと》なる官《くわん》能《のう》を有《いう》する時《じ》期《き》。

二、眼《め》の開《あ》けない半《はん》睡《すゐ》時《じ》期《き》。

三、禁《きん》示《し》暗《あん》示《じ》の稍《や》や行《おこな》はるゝ時《じ》期《き》。

四、禁《きん》示《し》暗《あん》示《じ》の全《まつた》く行《おこな》はるゝ時《じ》期《き》。

五、深《ふか》く睡《ねむ》つて覺《かく》醒《せい》後《ご》に催《さい》眠《みん》中《ちう》の記《き》憶《おく》を存《そん》せざる時《じ》期《き》。

六、無《む》感《かん》覺《かく》の暗《あん》示《じ》の行《おこな》はるゝ時《じ》期《き》。

七、幻《げん》覺《かく》錯《さく》覺《かく》の自《じ》由《いう》に行《おこな》はるゝ時《じ》期《き》。

八、時《じ》間《かん》空《くう》間《かん》の束《そく》縛《ばく》を脫《だつ》して、通《つう》常《じやう》意《い》識《しき》狀《じやう》態《たい》にては知《し》ることの出《で》來《き》ない過《くわ》去《こ》、現《げん》在《ざい》、未《み》來《らい》の事《じ》實《じつ》を洞《どう》察《さつ》する所《いは》謂《ゆる》天《てん》眼《がん》通《つう》時《じ》期《き》。

九、覺醒《かくせい》後《ご》にも錯覺《さくかく》、幻覺《げんかく》の行《おこな》はるゝ時期《じき》。

又學者《また がくしや》に依《よ》つては單《たん》に輕眠《けいみん》、深眠《しんみん》、睡遊《すゐいう》の三期《き》に分類《ぶんるゐ》し、或《あるひ》は記憶《きおく》の關係《くわんけい》から、覺醒《かくせい》後《ご》迄《まで》催眠中《さいみんちう》の記憶《きおく》を存《そん》する時《じ》期《き》と存《そん》せざる時期《じき》との二期《き》に分類《ぶんるゐ》して居《ゐ》るものもあるが、前述《ぜんじゆつ》の九期《き》の分類法《ぶんるゐはふ》に依《よ》るのが最《もつと》も便利《べんり》である。尚《なほ》催《さい》眠《みん》の度《ど》は假《か》りに最初《さいしよ》第《だい》一期《き》又《また》は第《だい》二期《き》に這入《はい》つた人《ひと》でも、一回目《くわいめ》より二回目《くわいめ》、三回目《くわいめ》と施術《しじゆつ》するうちには追《おひ》〳〵催《さい》眠《みん》の度《ど》が深《ふか》くなるもので、殊《こと》に催眠中《さいみんちう》に暗示《あんじ》を與《あた》へて置《お》けば、次回《じくわい》には前回《ぜんくわい》の如《ごと》き手數《てすう》を煩《わずらは》すことなくして催眠《さいみん》することは實例《じつれい》の示《しめ》す如《ごと》くである。

有名《いうめい》なる施術法《しじゆつはふ》

予《よ》が施《し》術《じゆつ》した實《じつ》例《れい》を擧《あ》げると共《とも》に、東《とう》西《ざい》古《こ》今《こん》に亘《わた》つて種《しゆ》々《じゆ》な施《し》術《じゆつ》法《はふ》が發《はつ》表《ぺう》されてあるから、其《そ》の中《なか》で最《もつと》も信《しん》據《きよ》す可《べ》き有《いう》名《めい》な方《はう》法《はふ》をも擧《あ》げることにする。

メスメルの方《はう》法《はふ》　メスメル自《じ》身《しん》が佛《ふつ》國《こく》パリで行《おこな》つた方《はう》法《はふ》は、六尺《しやく》に三尺《じやく》位《ぐらゐ》な黑《くろ》い箱《はこ》に被《ひ》術《じゆつ》者《しや》を入《い》れ、箱《はこ》の横《よこ》から鐵《てつ》の棒《ぼう》が出《で》て居《ゐ》るのをメスメルが握《にぎ》ると、電《でん》子《し》よりもエーテルよりも一種《しゆ》微《び》妙《めう》な動《どう》物《ぶつ》磁《じ》氣なるものが傳《つたは》つて、箱《はこ》の中《なか》の人《ひと》の病《びやう》氣《き》が治《なほ》ると云《い》ふ仕《し》掛《か》けであつた。尤《もつと》も其《そ》の以《い》前《ぜん》墺《おう》國《こく》のウヰンナに於《お》いて行《おこな》つた方《はう》法《はふ》は、施《し》術《じゆつ》室《しつ》の四方《はう》を鏡《かゞみ》を以《もつ》て飾《かざ》り、香《かう》を焚《た》き、音《おん》樂《がく》を奏《そう》し、メスメル自《じ》身《しん》は嚴《げん》肅《しゆく》な態《たい》度《ど》を以《も》つて患《くわん》者《じや》に接《せつ》し、相《さう》互《こ》に或《ある》一物《もつ》を凝《ぎよう》視《し》して睡《ねむ》らせたこともあつた。併《しか》し今《こん》日《にち》重《おも》にメスメルの方《はう》法《はふ》として言傳《いひつた》へられて居《ゐ》るのは、是等《これら》の方法《はうはふ》とは全然《ぜんぜん》別《べつ》な方法《はうはふ》で、之《こ》れはメスメル家《け》の人々《ひとびと》が行《おこな》つた方法《はうはふ》である。

先《ま》づ被術者《ひじゆつしや》を椅子《いす》にかけさせて置《お》くか又《また》は直立《ちよくりつ》させて置《お》いて、術者《じゆつしや》は其《そ》の前方《ぜんはう》に坐《ざ》を占《し》め、兩手《りやうて》を上《あ》げ、掌《てのひら》を被《ひ》術者《じゆつしや》の方《はう》へ向《む》け、其《そ》の身體《からだ》に手《て》の觸《ふ》れない樣《やう》に七八分位《ぶぐらゐ》の間隔《かんかく》を置《お》いて、頭《あたま》の絶頂《ぜつちやう》から鳩尾《みぞおち》の處迄《ところまで》、丁度《ちやうど》撫《な》でる如《ごと》く早《はや》く其《そ》の手《て》を下《さ》げるや否《いな》や直《たゞ》ちに左右《さいう》に廣《ひろ》く開《ひら》いて、又《また》兩手《りやうて》を被術者《ひじゆつしや》の頭《あたま》の上《うへ》にあげ、以前《いぜん》の如《ごと》く又夫《またそ》れを下《お》ろし、始終《しじう》同《どう》一の運動《うんどう》を二三十回《くわい》も反復《はんぷく》する方法《はうはふ》である。

予《よ》も屢《しばし》ば此《こ》の方法《はうはふ》を試《こゝろ》みたことがあるが、被術者《ひじゆつしや》の性《せい》質《しつ》に依《よ》つては頗《すこぶ》る有効《いうかう》である。又《また》手《て》の運動《うんどう》をバッスと云《い》ふのである。

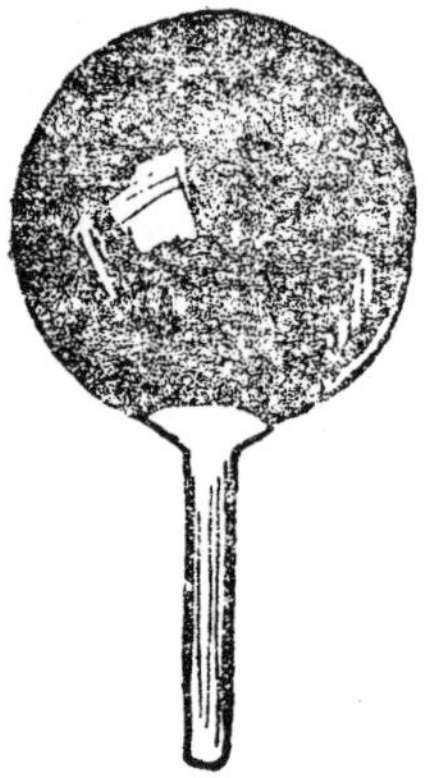

水晶球

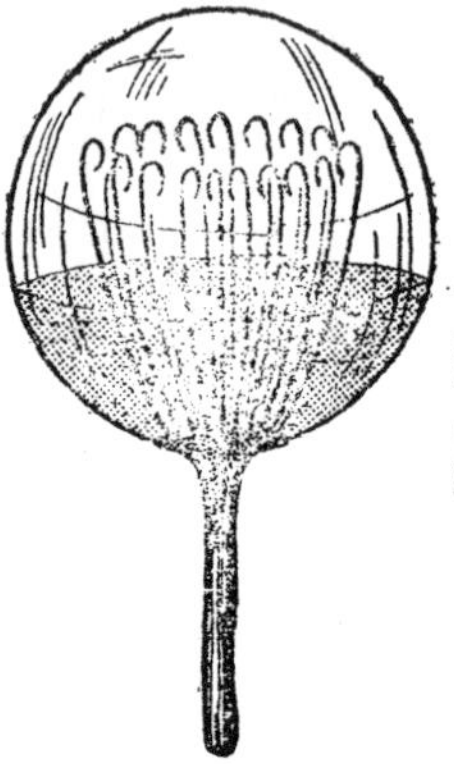

ブレードの催眠球

ブレードの方法《はうはふ》 之《こ》れは英國《えいこく》のブレードが行《おこな》つた方《はう》法《はふ》で、赤色《せきしよく》にして光《ひか》りあるもの、殊《こと》に人《ひと》をして不思議《ぎ》な感《かん》を起《おこ》させる様《やう》な圖《づ》の如《ごと》きものを、被術者《ひじゆつしや》の眼《め》から八寸《すん》乃《ない》至《し》一尺《しやく》の距離《きより》に置《お》き、之《こ》れを凝《ぎよう》視《し》せしめて催眠《さいみん》せしむる方法《はうはふ》である。

此《こ》の方法《はうはふ》も確《たし》かに有効《いうこう》ではあるが、生理《せいり》派《は》の人《ひと》々か、田舍《いなか》廻《まは》りの術者《じゆつしや》が行《や》る位《くらゐ》なもので、今《こん》日《にち》では餘《あま》り用《もち》ひられて居《ゐ》ない。又《また》被術者《ひじゆつしや》に凝視《ぎようし》せしむる物體《ぶつたい》は、之《こ》れを催眠球《さいみんきう》と云《い》ふのであるが、被《ひ》術《じゆつ》者《しや》の注《ちう》意《い》を一點《てん》に集《あつ》むると其《その》視《し》神《しん》經《けい》を疲《ひ》勞《らう》せしむるのが目《もく》的《てき》であるから、光《ひか》つて居るものでさへあれば何《な》んでも差《さし》支《つか》へないのである。

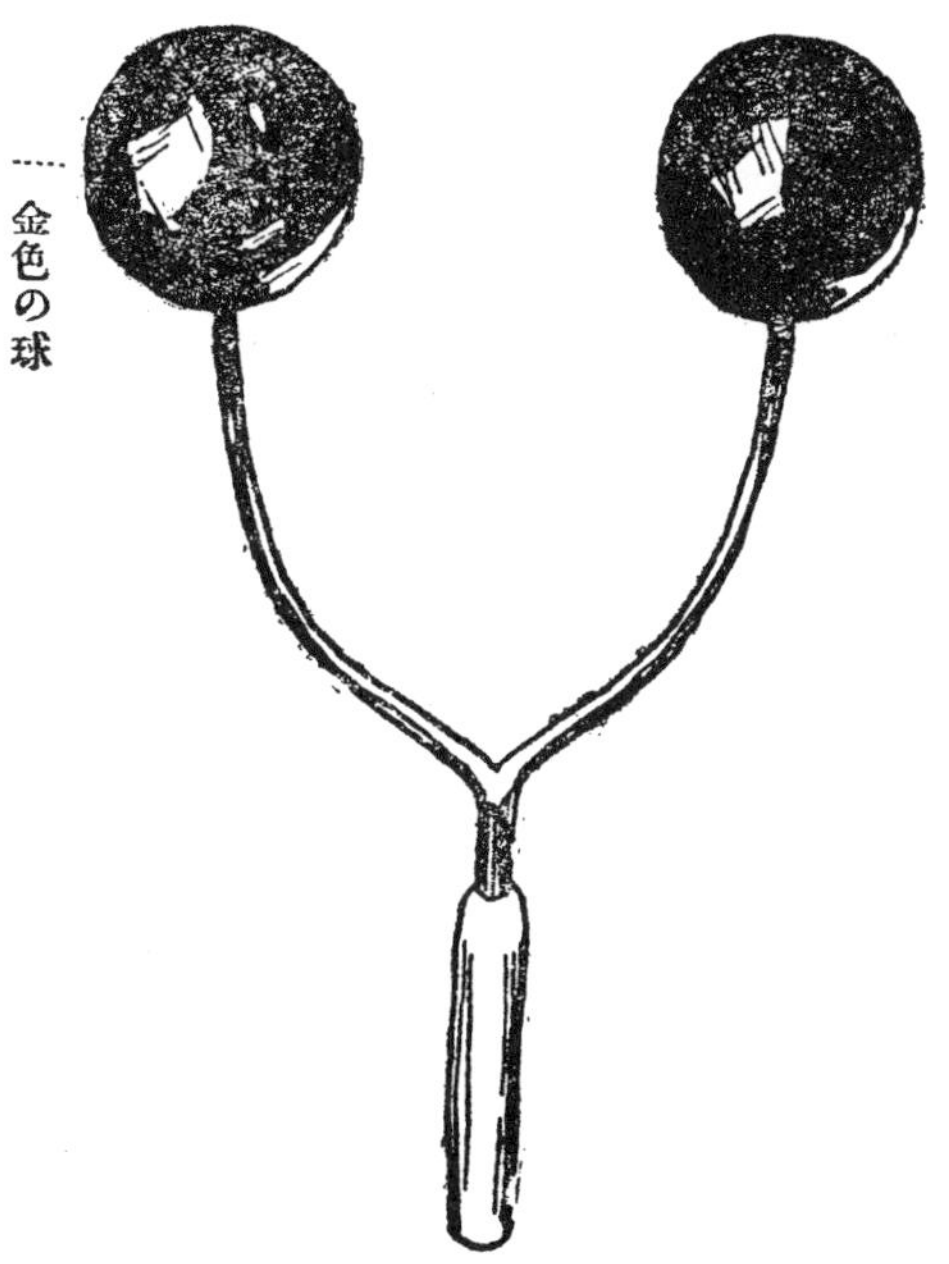

復式催眠球

凝《ぎよう》視《し》法《はふ》　此《こ》の方《はう》法《はふ》はブレードの方《はう》法《はふ》の物《ぶつ》體《たい》に代《かは》ゆるに術《じゆつ》者《しや》の眼《がん》球《きう》を以《もつ》てするので、同《どう》時《じ》に被《ひ》術《じゆつ》者《しや》の眼《め》の變《へん》化《くわ》を見《み》て絶《た》えず適《てき》當《たう》の暗《あん》示《じ》を與《あた》へるのである。

之《こ》れは最《もつと》も有《いう》効《こう》な方《はう》法《はふ》として、今《こん》日《にち》一般《はん》の術《じゆつ》者《しや》に用《もち》ひられて居《ゐ》るのである。

ナンシーの方法《はうはふ》　此《こ》の方法《はうはふ》は矢張《やは》りブレードの方法《はうはふ》の物體《ぶつたい》に代《か》ゆるに術者《じゆつしや》の指頭《ゆびさき》を以《もつ》てするので、人差指《ひとさしゆび》と中指《なかゆび》の二本《ほん》の指先《ゆびさ》きを開《ひら》いて、恰《あたか》も被《ひ》術者《じゆつしや》の眼《め》を突《つ》く如《ごと》くにして凝視《ぎようし》せしめるのである。

此《こ》の方法《はうはふ》は最初《さいしよ》佛國《ふつこく》ナンシーの醫科大學《いくわだいがく》の教授連《けうじゆれん》がブレードの方法《はうはふ》を研究《けんきう》して、之《こ》れは必《かなら》ずしも光《ひか》る物體《ぶつたい》を凝視《ぎようし》せしめるには當《あた》らないと云《い》ふ考《かんが》へから試《こゝろ》みたのであるが、併《しか》し今日《こんにち》ではナンシー派《は》と云《い》へば心理《しんり》派《は》を指《さ》すことになつて居《ゐ》るので、ナンシーの方法《はうはふ》と言《い》へば一般《はん》に暗示《あんじ》に據《よ》る方法《はうはふ》を云《い》ふ樣《やう》になつて居るのである。

撫下《なでさ》げの方法《はうはふ》　人差指《ひとさしゆび》と中指《なかゆび》の腹《はら》で、被術者《ひじゆつしや》の額《ひたへ》を左《さ》右《いう》に輕《かる》く撫《な》で、續《つゞ》いて肩《かた》から指先《ゆびさ》き迄《まで》撫下《なでさ》げ、始終《しじう》同《どう》一の運動《うんどう》を繰返《くりかへ》し乍《なが》ら、其《そ》の間《あひだ》絶《た》えず術者《じゆつしや》の眼球《がんきう》を凝視《ぎようし》させて置《お》いて暗示《あんじ》を下《くだ》すのである。

他《た》の方法《はうはふ》に依《よ》つて催眠《さいみん》し始《はじ》めたものに、續《つゞ》いて此《こ》の方法《はうはふ》を行《おこな》ふと催眠《さいみん》を促進《そくしん》せしむる効《かう》があるので、一般《はん》の術者《じゆつしや》は施術法《しじゆつはふ》の奈何《いかん》に關《くわん》せず此《こ》の方法《はうはふ》を續《つゞ》いて併用《へいよう》する樣《やう》である。又《また》或《ある》學者《がくしや》は眉《まゆ》の直《す》ぐ上《うへ》と腰《こし》の部分《ぶぶん》に催眠帯《さいみんたい》と云《い》ふものがあるから、此《こ》の部《ぶ》に適當《てきたう》な刺戟《しげき》を與《あた》へれば催眠《さいみん》すると云《い》ふことを主張《しゆちやう》して居《ゐ》る。果《はた》して斯樣《かやう》なものがあるかないかは疑問《ぎもん》であるが、兎《と》に角《かく》催眠《さいみん》することは事實《じじつ》である。

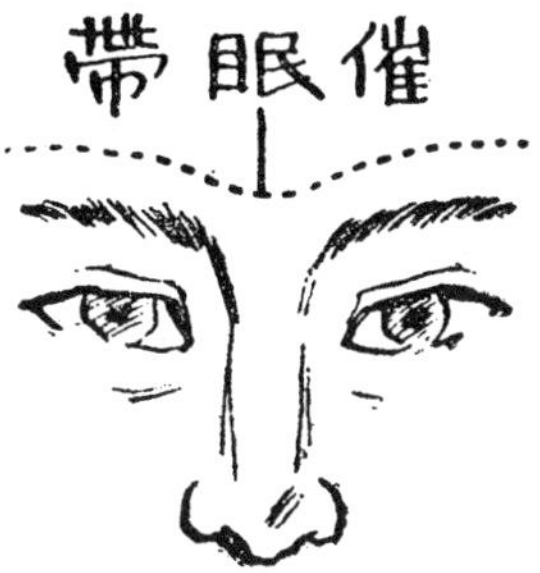

深《しん》呼《こ》吸《きふ》方《はう》法《はふ》　被《ひ》術《じゆつ》者《しや》に十回位《くわいぐらゐ》も深《しん》呼《こ》吸《きふ》を續《つゞ》けさせて、靜《しづ》かに眼《め》をつぶらせて置《お》く方《はう》法《はふ》である。之《こ》れは靜《せい》坐《ざ》法《はふ》で精《せい》神《しん》の統《とう》一《いつ》をはかる爲《ため》に深《しん》呼《こ》吸《きふ》をするのと同《どう》一の理《り》で、重《おも》に他《た》の方《はう》法《はふ》と併《へい》用《よう》して有《いう》効《かう》である。

眼《め》を開《かい》閉《へい》せしむる方《はう》法《はふ》　被《ひ》術《じゆつ》者《しや》に催《さい》眠《みん》球《きう》を凝《ぎよう》視《し》せしめて置《お》いて、術《じゆつ》者《しや》が一と言《い》ふ時《とき》に眼《め》を閉《と》ぢさせ、二と言《い》ふ時《とき》に眼《め》を開《ひら》かせる様《やう》にし、號《がう》令《れい》に依《よ》つて眼《め》を開《かい》閉《へい》せしむる方《はう》法《はふ》である。

此《こ》の方《はう》法《はふ》は被《ひ》術《じゆつ》者《しや》の注《ちう》意《い》を一點《てん》に集《あつ》めると共《とも》に、眼《ま》瞼《ぶた》を疲《ひ》勞《らう》せしめるのであるが、之《こ》れは餘《あま》り一般《はん》に用《もち》ひられて居《ゐ》ない様《やう》である。

索《さく》集《しふ》方《はう》法《はふ》　メスメルの方《はう》法《はふ》のバッスする代《かは》りに、此《こ》の方《はう》法《はふ》は矢《や》張《は》り被《ひ》術者《じゆつしや》の頭《あたま》の絶頂《ぜつちやう》から鳩尾《みぞおち》の處迄《ところまで》片手《かたて》で靜かに恰《あたか》も掻《か》き下《おろ》す如《ごと》くするのである。其《そ》の時《とき》は初《はじ》め三回《くわい》位《ぐらゐ》は眼《め》を開《ひら》かせて置《お》いて、其《そ》の後《ご》は眼《め》を閉《と》ぢさせて置《お》く方《はう》が有効《いうこう》である。

此《こ》の方法《はうはふ》も一般《はん》には用《もち》ひられて居《ゐ》ない様《やう》である。

ファリアの方法《はうはふ》　被《ひ》術者《じゆつしや》を出來《でき》るだけ靜肅《せいしゆく》にして置《お》いて、術者《じゆつしや》は嚴格《げんかく》な態度《たいど》で、不意《ふい》に『睡《ねむ》れ！』と大喝《だいかつ》するのである。

此《こ》の方法《はうはふ》は餘《あま》り簡單《かんたん》急激《きふげき》に失《しつ》して成功《せいこう》することが稀《まれ》であるが、ファリアは言語《げんご》の暗示《あんじ》に依《よ》つて催眠《さいみん》せしめることを發見《はつけん》した人《ひと》で、催眠術《さいみんじゆつ》の歴史上《れきしじやう》で有名《いうめい》な人《ひと》である。

又《また》夫《か》の一喝《かつ》催眠術等《さいみんじゆつとう》と稱《しよう》する方法《はうはふ》は、此《こ》の方法《はうはふ》を採用《さいよう》したものであるが、勿論《もちろん》最初《さいしよ》の人《ひと》を催眠《さいみん》せしむるには不適《ふてき》當《たう》である。然《しか》らざれば他《た》の特殊《とくしゆ》の設備《せつび》を必要《ひつえう》とするのである。

頭《あたま》を廻轉《くわいてん》せしむる方法《はうはふ》　被術者《ひじゆつしや》の頭側部《とうそくぶ》に術者《じゆつしや》の兩《りやう》手《て》を輕《かる》く當《あ》てゝ、一定《てい》の方向《はうかう》に靜《しづ》かに廻轉《くわいてん》せしむるので、其《そ》の際《さい》は被術者《ひじゆつしや》に眼《め》を閉《と》ぢさせて置《お》く方《はう》が有効《いうかう》である。此《こ》の方法《はうはふ》は思想《しさう》の散漫《さんまん》する人《ひと》に施《ほどこ》して好果《かうくわ》を得《う》ることがあるものである。

ラセギーの方法《はうはふ》　被術者《ひじゆつしや》の眼瞼《まぶた》の上《うへ》から、術者《じゆつしや》は人差《ひとさし》指《ゆび》と中指《なかゆび》の腹《はら》で輕《かる》く眼球《がんきう》を上部《じやうぶ》に押上《おしあ》げる樣《やう》にすると共《とも》に、適當《てきたう》の暗示《あんじ》を與《あた》へる方法《はうはふ》である。

ラセギーは佛國《ふつこく》の醫師《いし》で、生理的《せいりてき》に催眠《さいみん》を誘起《いうき》せしめんとしたのであるが、此《こ》の方法《はうはふ》の如《ごと》きは餘《あま》り効《かう》がない様《やう》である。

數《すう》を數《かぞ》ふる方法《はうはふ》　被《ひ》術者《じゆつしや》に眼《め》を閉《と》ぢさせ、自《みづか》ら自己《じこ》の呼吸《こきふ》を數《かぞ》へさせるか、又《また》は術者《じゆつしや》が一から十迄《まで》の數《すう》を靜《しづ》かに幾囘《いくくわい》も繰返《くりかへ》して、之《こ》れを被術者《ひじゆつしや》に聞《き》かせて置《お》いて催眠《さいみん》せしむる方法《はうはふ》である。

此《こ》の方法《はうはふ》も餘《あま》り有効《いうかう》とは認《みと》めることが出來《でき》ないが、時《とき》に不眠症《ふみんしやう》の患者《くわんじや》に施《ほどこ》して効《かう》を奏《そう》する場合《はあひ》がある。又《また》盲人《まうじん》であるとか、一定《てい》の物體《ぶつたい》を凝視《ぎようし》することの出來《でき》ないものに對《たい》して、同《どう》一の原理《げんり》から懷中時計《くわいちうとけい》のセコンドの響《ひゞ》きを聞《き》かせて置《お》く方法《はうはふ》もある。

以上述《いじやうの》べ來《きた》つた方法《はうはふ》は、これを二つに分類《ぶんるゐ》することが出來《でき》る卽《すなは》ち心理《しんり》的《てき》方法《はうはふ》と生理《せいり》的《てき》方法《はうはふ》と云《い》ふのがそれである。併《しか》し乍《なが》ら之《こ》れは唯《たゞ》形式《けいしき》上《じやう》の分類《ぶんるゐ》たるに止《とゞ》まつて、實際《じつさい》嚴密《げんみつ》なる意味《いみ》から云《い》ふと、心理《しんり》的《てき》と云《い》つても眞《しん》に心理《しんり》的《てき》ではなく、又《また》生理《せいり》的《てき》と云《い》つても全《まつた》く生理《せいり》的《てき》ではないのである。譬《たと》へば奈何《いか》なる方法《はうはふ》を以《もつ》てするにしても、催眠術《さいみんじゆつ》をかけらるゝ者《もの》は、今《いま》自分《じぶん》は催眠術《さいみんじゆつ》をかけらるゝのだと云《い》ふことを知《し》つて居《ゐ》る。又《また》一度《ど》催眠術《さいみんじゆつ》をかけられたことのある者《もの》は、或《ある》刺戟《しげき》を受《う》けると同時《どうじ》に、夫《そ》れに依《よ》つて忽《たちま》ち催眠狀態《さいみんじやうたい》の意識《いしき》的《てき》又《また》は無意識《むいしき》的《てき》に作用《さよう》を起《おこ》すものであるから、全《まつた》く生理《せいり》的《てき》方法《はうはふ》を用《もち》ゆるにしても、被術者《ひじゆつしや》の腦裡《なうり》には催眠《さいみん》の觀念《くわんねん》が少《すこ》しも働《はたら》いて居《ゐ》ないと云《い》ふことは決《けつ》して無《な》いのである。此等《これら》の事《こと》を細《こま》かに考《かんが》へて見《み》ると、全體《ぜんたい》催《さい》眠《みん》狀《じやう》態《たい》と云《い》ふものは催《さい》眠《みん》の感《かん》念《ねん》なくして生《しやう》じ得《う》るものであるかどうか、唯《たゞ》外《ぐわい》感《かん》を刺《し》戟《げき》するのみで催《さい》眠《みん》狀《じやう》態《たい》にすることが出《で》來《き》るかどうかは大《おほい》に疑《ぎ》問《もん》の存《そん》する處《ところ》であるが、今《こん》日《にち》迄《まで》の研《けん》究《きう》では純《じゆん》然《ぜん》たる生《せい》理《り》作《さ》用《よう》のみでは催《さい》眠《みん》狀《じやう》態《たい》を生《しやう》じ得《う》るとは決《けつ》して言《い》へないのである。故《ゆゑ》に前《ぜん》述《じゆつ》の方《はう》法《はふ》にも各《おの》々《〱》長《ちやう》處《しよ》もあれば短《たん》處《しよ》もあるが、殆《ほと》んど今《こん》日《にち》行《おこな》はれつゝある多《おほ》くの施《し》術《じゆつ》法《はふ》の骨《こつ》子《し》とも云《い》ふ可《べ》きものである。彼《か》の何《なに》々《〱》式《しき》催《さい》眠《みん》術《じゆつ》等《とう》の名《めい》稱《しよう》を附《ふ》して居《ゐ》るものなども、此《これ》等《ら》各《かく》種《しゆ》の方《はう》法《はふ》を併《へい》用《よう》するか又《また》は長《ちやう》處《しよ》をとつた迄《まで》で、要《えう》は諸《しよ》子《し》が自《じ》信《しん》ある方《はう》法《はふ》に依《よ》つて施《し》術《じゆつ》することが、最《もつと》も成《せい》功《こう》の近《ちか》途《みち》である。夫《そ》れには諸《しよ》子《し》は少《すこ》しく重《ちう》複《ふく》を厭《いと》はず、催《さい》眠《みん》中《ちう》の現《げん》象《しやう》に就《つ》いて一層《そう》研《けん》究《きう》の必《ひつ》要《えう》があるのである。

催《さい》眠《みん》中《ちう》の現《げん》象《しやう》

諸子《しよし》は被《ひ》術者《じゆつしや》に暗《あん》示《じ》を下《くだ》す場合《ばあひ》に、前《まへ》以《もつ》て其《そ》の變《へん》化《くわ》の狀態《じやうたい》を知《し》らねばならぬ。然《しか》らざれば被《ひ》術者《じゆつしや》に適應《てきおう》した暗《あん》示《じ》を與《あた》ふることが出來《でき》ないからである。

眼《め》の變化《へんくわ》 始《はじ》め被《ひ》術者《じゆつしや》は視《し》神經《しんけい》が疲勞《ひらう》すると共《とも》に瞳《ひとみ》が擴《ひろま》つて來《く》るものであるから、朦朧《もうろう》として一物《もつ》が二物《もつ》に見《み》える樣《やう》になる。次《つい》で涙《なみだ》が出《で》て來《く》るのが普《ふ》通《つう》であるが、之《これ》れは、被《ひ》術者《じゆつしや》の性《せい》質《しつ》に依《よ》つて必《かなら》ずしもさうとは極《きま》つて居《ゐ》ない。そして眼球《がんきう》が稍《や》や上部《じやうぶ》に釣《つり》上《あが》つて來《き》た時《とき》は、既《すで》に眼《ま》瞼《ぶた》の重《おも》さを感《かん》じつゝある場合《ばあひ》であるから、此《こ》の際《さい》に適《てき》當《たう》の暗《あん》示《じ》を與《あた》へれば多《おほ》くは眼《め》を閉《と》ぢて了《しま》ふものである。斯《か》くて催《さい》眠《みん》狀《じやう》態《たい》に這《は》入《い》つた後《のち》は、唯《たゞ》暗《あん》示《じ》の儘《まゝ》に開《かい》閉《へい》することが出《で》來《き》るのは云《い》ふ迄《まで》もないことである。又《また》催《さい》眠《みん》中《ちう》も覺《かく》醒《せい》した其《そ》の當《たう》時《じ》も、被《ひ》術《じゆつ》者《しや》は大《たい》抵《てい》眼《め》に充《じう》血《けつ》を來《き》たして居《ゐ》るものであるが、之《こ》れは普《ふ》通《つう》の睡《すゐ》眠《みん》でも同《どう》樣《やう》である。

口《くち》の變《へん》化《くわ》　被《ひ》術《じゆつ》者《しや》が睡《ねむ》り始《はじ》めた時《とき》に、唇《くちびる》を震《ふ》るはすものと口《くち》を開《ひら》くものとがあるが、其《そ》の多《おほ》くは口《くち》を緊《かた》く閉《と》ぢて了《しま》ふのが普《ふ》通《つう》の狀《じやう》態《たい》である。そして催《さい》眠《みん》の深《しん》淺《せん》に依《よ》つて暗《あん》示《じ》は自《じ》由《いう》に行《おこな》はるゝことは是《こ》れ又《また》言《い》ふ迄《まで》もないのである。

耳《み》の變《へん》化《くわ》　催《さい》眠《みん》の度《ど》が深《ふか》くなるに從《したが》つて、被《ひ》術《じゆつ》者《しや》は單《たん》に術《じゆつ》者《しや》の暗《あん》示《じ》のみを聞《き》く樣《やう》になつて來《く》るものである。其《そ》の他《た》のことは勿論《もちろん》暗示《あんじ》に依《よ》つて自由《じいう》に行《おこな》はるゝが、此《こ》の術者《じゆつしや》以外《いぐわい》の暗示《あんじ》が被術者《ひじゆつしや》に聞《きこ》えない狀態《じやうたい》は、術者《じゆつしや》と被術者《ひじゆつしや》との間《あひだ》に一種《しゆ》の關係《くわんけい》が出來《でき》たからで、之《こ》れを催眠學《さいみんがく》で特殊《とくしゆ》關係《くわんけい》と稱《しよう》して、最《もつと》も興味《きようみ》ある大切《たいせつ》な問題《もんだい》である。

呼吸《こきふ》の變化《へんくわ》　催眠《さいみん》の度《ど》が淺《あさ》いと夫《そ》れ程《ほど》ではないが、深《ふか》くなるに從《したが》つて呼吸《こきふ》は深《ふか》く且《か》つ其《そ》の數《すう》を減《げん》じ、恰《あたか》も催眠《さいみん》中《ちう》にあるが如《ごと》き狀態《じやうたい》となるのである。

脈搏《みやくはく》の變化《へんくわ》　呼吸《こきふ》の變化《へんくわ》と同樣《どうやう》で、催眠《さいみん》の度《ど》が深《ふか》くなれば脈搏《みやくはく》は強《つよ》く正調《せいてう》を帶《お》びて來《く》るから勿論《もちろん》其《そ》の數《すう》を減《げん》ずるのである。

體溫《たいおん》の變化《へんくわ》　四肢《し》が僅《わづ》かに冷《ひ》えて來《く》るが、其他《そのた》には大《たい》した變化《へんくわ》はないものである。

四肢《し》の變化《へんくわ》　恰《あだか》もクロ、フォルムに依《よ》つて魔睡《ますゐ》された人《ひと》の如《ごと》くであるが、併《しか》し運動《うんどう》は暗示《あんじ》に依《よ》つて自由《じいう》に行《おこな》はるゝのである。

間接運動《かんせつうんどう》　シヤクリ、吃《ども》り、笑《わら》ひ、渇《かは》き、食慾《しよくよく》、苦痛《くつう》、愛情《あいじやう》、心配《しんぱい》恐《おそ》れ、悲《かなし》み等《とう》を左右《さいう》することが出來《でき》るのである。

分泌作用《ぶんぴつさよう》　唾液《だえき》、涙液《るゐえき》、精液《せいえき》、胃液《ゐえき》、乳液《にうえき》、尿液《ねうえき》等《とう》を左右《さいう》することが出來《でき》るのである。

感覺《かんかく》　視覺《しかく》、聽覺《ちやうかく》、味覺《みかく》、嗅覺《きうかく》、觸覺《しよくかく》等《とう》を強弱《きやうじやく》ならしめ、積極《せききよく》消極《せうきよく》の幻覺《げんかく》及《およ》び錯覺《さくかく》を起《おこ》すことが出來《でき》るのである。

強直狀態《きやうちよくじやうたい》　身體《からだ》の一部《ぶ》又《また》は全部《ぜんぶ》を不隨意《ふずゐい》にすることが出來《でき》るのである。

無感覺狀態《むかんかくじやうたい》　催眠《さいみん》の度《ど》が深《ふか》くなれば、身體《からだ》の一部《ぶ》又《また》は全部《ぜんぶ》を殆《ほと》んど無感覺《むかんかく》にすることが出來《でき》るのである。

蠟狀態《らふじやうたい》　被術者《ひじゆつしや》に依《よ》つては稀《まれ》に此《こ》の蠟狀態《らふじやうたい》と稱《しよう》する一種不思議《しゆふしぎ》な狀態《じやうたい》に這入《はひ》るものがある。之《こ》れは其《そ》の名稱《めいしよう》の示《しめ》すが如《ごと》く、恰《あたか》も蠟《らふ》で作《つく》られた人形《にんぎやう》の如《ごと》き狀態《じやうたい》となるので、予《よ》も未《いま》だ僅《わづ》かに二名《めい》のものを見《み》たのみに止《とゞ》まるが、兎《と》に角催眠中《かくさいみんちう》の一現象《げんしやう》として知《し》つて置《お》く必要《ひつえう》があるのである。

心靈派《しんれいは》と思念術《しねんじゆつ》

前《まへ》に述《の》べた心理的方法《しんりてきはうはふ》や生理的方法《せいりてきはうはふ》とは全然別《ぜんぜんべつ》な方法《はうはふ》で、誠《まこと》に神秘《しんぴ》な一種《しゆ》の施術法《しじゆつはふ》がある。心理的方法《しんりてきはうはふ》を行《おこな》ふものを心理派《しんりは》、生理的方法《せいりてきはうはふ》を行《おこな》ふものを生理派《せいりは》と稱《しよう》する如《ごと》く、之《こ》れは精《せい》神《しん》的《てき》方《はう》法《はふ》に據《よ》るものであるから心《しん》靈《れい》派《は》と稱《しよう》して居《ゐ》るのである。今《いま》其《そ》の學《がく》說《せつ》を聞《き》くに、第《だい》一圖《づ》、第《だい》二圖《づ》、第《だい》三圖《づ》に示《しめ》すが如《ごと》く、術《じゆつ》者《しや》の精《せい》神《しん》が被《ひ》術《じゆつ》者《しや》の精《せい》神《しん》に感《かん》傳《でん》して、遂《つひ》には術《じゆつ》被《ひ》兩《りやう》者《しや》の精《せい》神《しん》が合《がふ》致《ち》する樣《やう》になるから、何《なん》

第壹圖

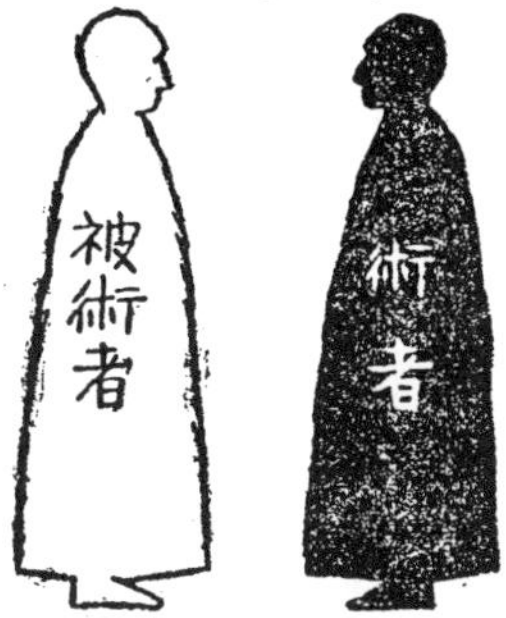

第二圖

第三圖

等《ら》の暗《あん》示《じ》を與《あた》ふることなくして、例《たと》へば術《じゆつ》者《しや》に於《おい》て甘《あま》味《み》を口《くち》にしたりと觀《くわん》ずれば被《ひ》術《じゆつ》者《しや》は甘《あま》味《み》を覺《おぼ》え、辛《から》味《み》を口《くち》にしたりと觀《くわん》ずれば辛《から》味《み》を覺《おぼ》えると云《い》ふが如《ごと》きである。

夫《か》の精神《せいしん》靈動《れいどう》、靈波《れいは》、靈子《れいし》術等《じゆつとう》稱《しよう》するものは皆《みな》此《こ》の心靈派《しんれいは》に屬《ぞく》す可《べ》きもので、一時《じ》此《の》の説《せつ》も勢力《せいりよく》があつたが遂《つひ》に半《はん》科學《くわがく》として學界《がくかい》から葬《はうむ》られて了《しま》つたのである。然《しか》るに近《きん》來《らい》又々《また〱》唯物論《ゆゐぶつろん》に反對《はんたい》して勢力《せいりよく》を盛返《もりかへ》し將來《しやうらい》の新科學《しんくわがく》として學者《がくしや》の注意《ちうい》を惹《ひ》いて來《き》たのである。殊《こと》に後章《こうしやう》忍術《にんじゆつ》や幻術《げんじゆつ》等《など》とも其《そ》の關係《くわんけい》する處《ところ》が多《おほ》いから、左《さ》に予《よ》が説《と》く所《ところ》の實驗《じつけん》及《およ》び法理《はふり》に就《つ》いて一通《ひととほり》説明《せつめい》することにする。

吾人《ごじん》は往々《わう〱》近親《きんしん》の間柄《あひだがら》に生命上《せいめいじやう》の一大事《だいじ》が生《しやう》じた場合《ばあひ》、數百里《すうり》數千里《すうり》の遠距離《ゑんきより》を隔《へだ》てゝ其《そ》の事實《じじつ》を感受《かんじゆ》したことを屢々《しば〱》耳《みゝ》にするのである。又《また》斯《かゝ》る非常《ひじやう》な場合《ばあひ》でなくして睡眠中《すゐみんちう》に夢《ゆめ》で見《み》たことが、先方《せんぱう》の事實《じじつ》と一致《ち》することとのあるのは、諸子《しよし》も經驗《けいけん》のあることであらう。是等《これら》は何《いづ》れも偶然《ぐうぜん》に行《おこな》はれたる精神《せいしん》の感傳《かんでん》であるが、兎《と》に角《かく》吾《われ》々《〳〵》の思想《しさう》は何等《なんら》外部的《ぐわいぶてき》表出法《へうしゆつはふ》に依《よ》らずして感傳《かんでん》せしめることが出來《でき》るのは、實驗上《じつけんじやう》より推《お》して疑《うたが》ふ可《べ》からざる事《じ》實《じつ》の如《ごと》くである。

曾《かつ》て予《よ》の施術《しじゆつ》した感應良好《かんおうりやうかう》なる者《もの》數名《すうめい》が一室《しつ》に在《あ》つたのを幸《さいはひ》、予《よ》は隣室《りんしつ》に在《あ》つて其《そ》の中《なか》の一名《めい》に對《たい》して、彼《かれ》を倒《たふ》して見《み》ようと思《おも》ふて、強《つよ》き念力《ねんりよく》を凝《こら》したのである。然《しか》るに其《そ》の際《さい》恰《あだか》も無線電信《むせんでんしん》が指定以外《していぐわい》の受信機《じゆしんき》に感傳《かんでん》するが如《ごと》く、一同《どう》の者《もの》が受感《じゆかん》して其《そ》の場《ば》に皆《みな》倒《たふ》れたことがあつた。斯《か》る事實《じじつ》は術被《じゆつひ》兩者《りやうしや》が室《しつ》を異《こと》にして居《ゐ》ても行《おこな》はるるものであるから、遠隔《ゑんかく》の地《ち》に在《あ》る者《もの》に向《むか》つても出來得《できう》る筈《はず》の樣《やう》に思《おも》はるゝのである。

又《また》予《よ》の施《し》術《じゆつ》を受《う》けて居《ゐ》た某《ぼう》は、或時《あるとき》應接室《おうせつしつ》に在《あ》つて他《た》の者《もの》と對話《たいわ》中《ちう》、予《よ》は隣室《りんしつ》に於《お》いて精神感傳《せいしんかんでん》を試《こゝろ》みやうとして『此《こ》の室《しつ》に來《き》たれ！』と心《こゝろ》に念《ねん》じたのである。然《しか》るに某《ぼう》の話聲《はなしごゑ》が中絶《ちうぜつ》して間《ま》もなく予《よ》の室《しつ》に這入《はい》つて來《き》た。續《つゞ》いて『椅子《いす》に腰掛《こしか》けよ』と念《ねん》ずれば椅子《いす》に腰掛《こしか》け、『詩吟《しぎん》をせよ』と念《ねん》ずれば詩吟《しぎん》をし、『止《や》め』と念《ねん》ずれば止《や》めたので、今度《こんど》は『應接室《おうせつしつ》へ戻《もど》れ！』と思《おも》ひを凝《こ》らしたるに某《ぼう》は程《ほど》なく立上《たちあが》つて歩《あゆ》み出《だ》したのである。其處《そこ》で予《よ》は歩《あゆ》ませまいと念《ねん》じたるに某《ぼう》の足《あし》は疊《たゝみ》に密着《みつちやく》したるが如《ごと》き狀態《じやうたい》となつて歩《あゆ》み得《え》なかつた。予《よ》は思念《しねん》を解《と》いて某《ぼう》に其《そ》の行動《かうどう》に關《くわん》して訊《たづ》ねて見《み》たが些《すこし》の自覺《じかく》がなかつたのである。

心靈派《しんれいは》卽《すなは》ち精神靈動派《せいしんれいどうは》の方法《はうはふ》は、何等《なんら》形式《けいしき》に捕《とら》はるゝ必要《ひつえう》がないのである。畢《つま》り術者《じゆつしや》の精神《せいしん》が被術者《ひじゆつしや》の精神《せいしん》に感傳《かんでん》するのであるから、術《じゆつ》被《ひ》相《あひ》對《たい》坐《ざ》して夫《か》の坐《ざ》禪《ぜん》の法式《はふしき》に依《よ》つて術者《じゆつしや》は結《けつ》跏《か》趺《ふ》坐《ざ》してもよければ、其《そ》の他《た》の形式《けいしき》をとるも差支《さしつか》へがないのである。要《えう》は臍《さい》下《か》丹《たん》田《でん》に力《ちから》を入《い》れて、或《ある》一事《じ》に精神《せいしん》を集注《しふちう》すれば足《た》りるのである。

又《また》此《この》修《しゆ》業《げふ》が積《つ》めば之《こ》れを種々《しゆじゆ》の方面《はうめん》に利用《りよう》することが出來《でき》る。日常《にちじやう》の事《こと》に就《つ》いても自分《じぶん》の對照《たいせう》とするものに對《たい》して其《そ》の精神《せいしん》を集注《しふちう》するから、普通《ふつう》の精神《せいしん》狀態《じやうたい》よりも餘程《よほど》鋭敏《えいびん》に之《こ》れを處理《しより》することが出來《でき》る。例《たと》へば突如《とつじよ》として奈何《いか》なる大事《だいじ》が起《おこ》つて來《き》ても直《たゞ》ちに精神《せいしん》の全部《ぜんぶ》を集注《しふちう》して之《こ》れを處《しよ》することが出來《でき》る。夫《か》の禪定力《ぜんぢやうりよく》を有《いう》する人《ひと》が突然《とつぜん》斬《き》り込まれても、從容《しやうよう》として避《さ》け得《え》らるゝのは此《こ》の精《せい》神《しん》集《しふ》注《ちう》の狀《じやう》態《たい》に於《お》ける精《せい》神《しん》の働《はたら》きである。元《も》と禪《ぜん》と劍《けん》とは其《そ》の關《くわん》連《れん》する處《ところ》甚《はなは》だ深《ふか》いので、古《こ》來《らい》の武《ぶ》術《じゆつ》家《か》は何《いづ》れも精《せい》神《しん》の修《しう》養《やう》を怠《おこた》らなかつたのである。故《ゆゑ》に此《こ》の心《しん》靈《れい》派《は》の方《はう》法《はふ》の如《ごと》きも理《り》窟《くつ》を言《い》ふよりも體《たい》得《とく》すべきもので、又《また》奈《い》何《か》なる術《じゆつ》者《しや》にも出《で》來《き》得《う》るものとは言《い》へないので、思《し》念《ねん》力《りよく》の乏《とぼ》しきものには寧《むし》ろ實《じつ》行《かう》不《ふ》可《か》能《のう》である。

特《とく》殊《しゆ》關《くわん》係《けい》と模《も》擬《ぎ》作《さ》用《よう》

被《ひ》術《じゆつ》者《しや》が深《ふか》く睡《ねむ》ると暗《あん》示《じ》感《かん》應《のう》性《せい》が強《つよ》くなつて來《く》ることは前《まへ》にも述《の》べた如《ごと》くであるが、斯《か》る狀《じやう》態《たい》になると被《ひ》術《じゆつ》者《しや》以《い》外《ぐわい》の暗《あん》示《じ》が全《まつた》く聞《きこ》えなくなるものである。併《しか》し術《じゆつ》者《しや》の暗《あん》示《じ》には益《ます》々〱感《かん》應《のう》する樣《やう》になつて、奈《い》何《か》に微《かす》かな音《おん》聲《せい》でも聴《き》取《と》るのみならず、例《たと》へば一二丁《ちやう》を隔《へだ》てゝ普《ふ》通《つう》の狀《じやう》態《たい》では到《たう》底《てい》聴《き》取《と》ることの出《で》來《き》ない音《おん》聲《せい》をも容《よう》易《い》に聴《き》取《と》ると同《どう》樣《やう》、又《また》群《ぐん》衆《しう》中《ちう》に在《あ》つても被《ひ》術《じゆつ》者《しや》は術《じゆつ》者《しや》の音《おん》聲《せい》のみを聴《き》取《と》るものである。心《しん》靈《れい》派《は》では斯《か》る狀《じやう》態《たい》に於《お》いて術《じゆつ》者《しや》の人《じん》格《かく》が被《ひ》術《じゆつ》者《しや》に感《かん》應《おう》するとさへ言《い》つて居《ゐ》る。

予《よ》が實《じつ》驗《けん》した或《ある》婦《ふ》人《じん》は、施《し》術《じゆつ》中《ちう》予《よ》が梅《はい》花《くわ》の美《うつく》しく咲《さき》亂《みだ》れて居《ゐ》る樣《さま》を觀《くわん》念《ねん》したるに、彼《かれ》は俄《が》然《ぜん》眼《め》を開《ひら》いて對《たい》座《ざ》せる予《よ》の姿《すがた》を打《うち》眺《なが》め『マア美《うつく》しい梅《うめ》ですこと。オヽ好《い》い香《かほり》！』と獨《どく》語《ご》した。そして予《よ》が觀《くわん》念《ねん》を止《や》めると程《ほど》なく彼《かれ》は美《うつく》しい梅《はい》花《くわ》の消《き》えて、梅《はい》花《くわ》の予《よ》と化《くわ》せるに尠《すく》なからず驚《おどろ》いたのである。而《しか》も解《かい》術《じゆつ》後《ご》程《ほど》經《へ》て尚《なほ》梅《はい》花《くわ》の香《かほり》の鼻《はな》に留《とゞ》まれる由《よし》を告《つ》げたのである。

又《また》或《ある》少年《せうねん》を施《し》術中《じゆつちう》、予《よ》は少年《せうねん》が膝《ひざ》に置《お》いた手《て》を上《うへ》に上《あ》げ様《やう》と觀念《くわんねん》して上《あ》げ得《え》たこともあり、或《あるひ》は疼痛《とうつう》を觀念《くわんねん》して身體《からだ》の何《いづ》れかに疼痛《とうつう》を覺《おぼ》えしめたこともあるが、之《こ》れは奈何《いか》なる被《ひ》術者《じゆつしや》にしても出來《でき》ることではない、餘程《よほど》感《かん》應良好《おうりやうかう》な者《もの》に對《たい》してのみ行《おこな》ひ得《う》る實驗《じつけん》である。

心靈派《しんれいは》の人々《ひとびと》が主唱《しゆしやう》する如《ごと》く、果《はた》して術者《じゆつしや》の人格《じんかく》が被《ひ》術者《じゆつしや》に感應《かんおう》するや否《いな》やは疑問《ぎもん》であるが、術被《じゆつひ》兩者《りやうしや》の間《あひだ》に特殊《とくしゆ》の關係《くわんけい》が生《しやう》じて來《く》るので、恰《あたか》も精神界《せいしんかい》に於《お》ける一種《しゆ》の無線電信《むせんでんしん》の如《ごと》きものである。此《こ》の關係《くわんけい》を稱《しよう》して催眠學《さいみんがく》上《じやう》特殊《とくしゆ》關係《くわんけい》と云《い》ふのである。

又《また》此《こ》の特殊《とくしゆ》關係《くわんけい》は、普通《ふつう》の狀態《じやうたい》に在《あ》つては君臣《くんしん》、親子《おやこ》、夫《ふう》婦《ふ》、情人《じやうじん》の間《あひだ》に認《みと》めることが出來《でき》る。殊《こと》に夫婦《ふうふ》の如《ごと》きは長《なが》い間《あひだ》同棲《どうせい》して居《ゐ》ると其《そ》の性格《せいかく》に於《お》いて許《はか》りでなく、相貌《さうはう》に於《お》いても何處《どこ》かに似通《にかよ》ふた處《ところ》が出來《でき》てくると言《い》はれて居《ゐ》る。又《また》吾々《われ〳〵》は甲《かふ》と乙《おつ》と同居《どうきよ》した際《さい》に、自然《しぜん》に甲《かふ》の人格《じんかく》に乙《おつ》が感化《かんくわ》さるゝことがあるのは、常《つね》に屢《しはし》ば經驗《けいけん》する處《ところ》である。

兎《と》に角《かく》術《じゆつ》被《ひ》兩者《りやうしや》の精神《せいしん》が無言《むごん》の間《あひだ》に交通《かうつう》するや否《いな》やは疑問《ぎもん》としても、此《こ》の特殊《とくしゆ》關係《くわんけい》なるものは心靈《しんれい》微妙《びめう》の働《はたら》きとして大《おほい》に研究《けんきう》の必要《ひつえう》があるのである。

此《こ》の特殊《とくしゆ》關係《くわんけい》を形體《けいたい》に現《あら》はした如《ごと》き狀態《じやうたい》がある。例《たと》へば術者《じゆつしや》が手《て》を上《あ》げれば被術者《ひじゆつしや》も亦《また》同時《どうじ》に手《て》を上《あ》げ、手《て》を下《さ》げれば手《て》を下《さ》げる、坐《すわ》れば坐《すわ》り、立《た》つて歩《あゆ》めば立《た》つて歩《あゆ》む有樣《ありさま》は恰《あたか》も陰《かげ》の形《かたち》に從《したが》ふが如《ごと》ぐである。之《こ》れを催眠學《さいみんがく》では模《も》擬《ぎ》作《さ》用《よう》と言《い》ふのである。

之《こ》れを行《おこな》ふには先《ま》づ術《じゆつ》被《ひ》兩《りやう》者《しや》が互《たがひ》に暫《しばら》く凝《みつ》視《め》合《あ》つて居《ゐ》た後《のち》、術《じゆつ》者《しや》は被《ひ》術《じゆつ》者《しや》の手《て》をとつて共《とも》に歩《ある》いて見《み》るか、其《そ》の他《た》二三の試《し》驗《けん》をして見《み》るのである。併《しか》し眼《め》は矢《や》張《は》り絶《た》えず互《たがひ》に凝《み》視《つ》めて居《ゐ》る必《ひつ》要《えう》がある。其《そ》の中《うち》に術《じゆつ》者《しや》が手《て》を上《あ》げれば自《みづか》ら被《ひ》術《じゆつ》者《しや》も亦《また》手《て》を上《あ》げ同《どう》一の事《こと》をする様《やう》になつて來《く》るので、催《さい》眠《みん》術《じゆつ》で謂《い》ふ所《ところ》の模《も》擬《ぎ》の特《とく》質《しつ》を發《はつ》揮《き》せしめるのである。併《しか》し他《た》方《はう》面《めん》から觀《くわん》察《さつ》すると、實《じつ》際《さい》は術《じゆつ》者《しや》が被《ひ》術《じゆつ》者《しや》の心《こゝろ》を捕《とら》ふることになるので之《これ》を捕《ほ》心《しん》術《じゆつ》と言《い》つてゐる、夫《か》の動《どう》物《ぶつ》の間《あひだ》に於《お》いても斯《かゝ》る現《げん》象《しやう》を耳《みゝ》にするので、例《たと》へば猫《ねこ》の鼠《ねづみ》に於《お》ける、蛇《へび》の蛙《かはづ》に於《お》ける、鳶《とび》の魚《うを》に於《お》ける、彼《かれ》等《ら》は其《そ》の目《もく》的《てき》物《ぶつ》を捕《とら》へんとするに際《さい》して不《ふ》思《し》議《ぎ》の魔力《まりよく》を有《いう》するのである。

　諸子《しよし》若《も》し此《こ》の間《あひだ》の消息《せうそく》を知《し》らんと欲《ほつ》せば、先《ま》づ度々《たび〳〵》催《さい》眠《みん》したことのある者《もの》に對《たい》して行《おこな》つて見《み》る必要《ひつえう》がある。さすれば何等《なんら》の熟練《じゆくれん》なくして容易《ようい》に彼等《かれら》の精神《せいしん》を捕捉《ほそく》して了《しま》うことが出來得《できう》るやうなるであらう。

　稗史小說《はいしせうせつ》等《など》に武藝《ぶげい》の達人《たつじん》が相手《あひて》を小兒《せうに》の如《ごと》くに取扱《とりあつか》つたことなどが能《よ》く書《か》いてあるが、斯《か》る事實《じじつ》は決《けつ》して不《ふ》可能《かのう》の事《こと》とのみは言《い》へないのである。特殊關係《とくしゆくわんけい》と言《い》ひ模《も》擬作用《ぎさよう》と言《い》ひ、此等《これら》の理法《りはふ》より推《お》し擴《ひろ》めて考《かんが》ふれば、技術《ぎじゆつ》以外《いぐわい》精神《せいしん》の鍛練《たんれん》に依《よ》つて相手《あひて》の心身《しんしん》を左右《さいう》することは出來得可《できうべ》き筈《はず》である。否《いな》吾人《ごじん》は強烈《きやうれつ》なる精神《せいしん》の統一《とういつ》に依《よ》つて相手《あひて》を自由自在《じいうじざい》にすることが出來《でき》るのである。

鋭《えい》敏《びん》なる感《かん》覺《かく》

精《せい》神《しん》の集《しふ》注《ちう》又《また》は統《とう》一《いつ》と云《い》ふことに就《つ》いて種《しゆ》々と不《ふ》思《し》議《ぎ》な現《げん》象《しやう》を見《み》ることが出《で》來《き》るが、其《そ》の程《てい》度《ど》こそ違《ちが》へ日《にち》常《じやう》の經《けい》驗《けん》に於《お》いても之《こ》れと同《どう》一《いつ》の事《こと》があるので、成《なる》可《べ》く頭《あたま》を冷《れい》靜《せい》にして或《ある》一種《しゆ》の刺《し》戟《げき》にのみ注《ちう》意《い》を向《む》けて居《ゐ》ると、尋《じん》常《じやう》の場《ば》合《あひ》に識《しき》別《べつ》することの出《で》來《き》ない樣《やう》な微《び》細《さい》な刺《し》戟《げき》に感《かん》ずることが出《で》來《き》るのである。之《こ》れを今《いま》催《さい》眠《みん》中《ちう》の感《かん》覺《かく》の鋭《えい》敏《びん》なる場《ば》合《あひ》に就《つ》いて見《み》るに、催《さい》眠《みん》狀《じやう》態《たい》に於《お》いては凡《すべ》ての意《い》識《しき》が全《まつた》く停《てい》止《し》して唯《たゞ》暗《あん》示《じ》されたものゝみ注《ちう》意《い》が向《む》くのであるから、此《こ》の傾《けい》向《かう》が非《ひ》常《じやう》に強《つよ》くなるのである。夫《そ》れが爲《ため》に一種《しゆ》の刺《し》戟《げき》に對《たい》する鑑《かん》識《しき》力《りよく》が非《ひ》常《じやう》に強《つよ》くなつて、尋常《じんじやう》の場合《ばあひ》にては奈何《いか》にしても感《かん》ずることの出來《でき》ない極微細《ごくびさい》な刺戟《しげき》にも感《かん》ずることが出來得《できう》るのである。これは暗示《あんじ》の爲《ため》に大腦《だいなう》中樞《ちうすう》が或《ある》一種《しゆ》の刺《し》刺《げき》にのみ注意《ちうい》を集《あつ》むるに適《てき》する樣《やう》な狀態《じやうたい》になるからである。先《ま》づ感覺《かんかく》に基《もとづ》くものから述《の》べて見《み》ると、

觸感《しよくかん》　觸感《しよくかん》の鋭敏《えいびん》の度《ど》を試驗《しけん》する爲《ため》にコンパスの二脚《きやく》で皮膚《ひふ》に觸《さは》つて見《み》るに、催眠狀態《さいみんじやうたい》に在《あ》るものは普通《ふつう》の場合《ばあひ》に於《お》けるよりも餘程《よほど》短《みじ》かい距離《きより》に於《お》いて其《そ》の長短《ちやうたん》を的確《てきかく》に鑑別《かんべつ》することが出來《でき》る。又《また》種々《しゆじゆ》の名刺《めいし》を與《あた》へ、指頭《ゆびさき》の觸覺《しよくかく》で其《そ》の文字《もんじ》を中《あ》てさせることも出來《でき》るのである。

溫感《をんかん》　催眠狀態《さいみんじやうたい》に在《あ》るものは、皮膚《ひふ》から五分《ぶ》位《ぐらゐ》離《はな》れて

居《ゐ》る物《もの》を知覺《ちかく》することが出來《でき》る。之《こ》れは單《たん》に溫度《をんど》の增《ぞう》減《げん》に依《よ》つて感知《かんち》するのである。

壓感《あつかん》　催眠狀態《さいみんじやうたい》に在《あ》るものは、眼《め》を厚《あつ》い布《ぬの》を以《もつ》て蔽《おほ》ふて歩《ある》いたり、或《あるひ》は暗黑《あんこく》の中《なか》を歩《ある》いて、決《けつ》して物《もの》に衝《つ》き當《あた》ることがない。之《こ》れは空氣《くうき》の抵抗《ていかう》の具合《ぐあひ》で外物《ぐわいぶつ》を感知《かんち》するからである。

視感《しかん》　催眠狀態《さいみんじやうたい》に在《あ》るものは、到底《たうてい》肉眼《にくがん》で見《み》ることの出來《でき》ない細胞《さいはう》を識別《しきべつ》したものもある。又《また》厚《あつ》い布《ぬの》を透《すか》して種々《しゆ〴〵》の名刺《めいし》を讀《よ》んだもののもあり、白色《はくしよく》のカード五枚《まい》の裏面《りめん》に一より五迄《まで》の番號《ばんがう》を付《つ》け、之《こ》れを番號《ばんがう》の順《じゆん》に一枚《まい》づゝ表面《へうめん》を示《しめ》し置《お》いて五枚《まい》のカードを一度《ど》に渡《わた》して、曩《さき》に見《み》せた順《じゆん》に並《なら》べたもののもある。思《おも》ふに五枚《まい》の白色《はくしよく》カードにも仔細《しさい》に檢査《けんさ》すれば夫々《それ〴〵》區別《くべつ》があらうが普通《ふつう》の視覺《しかく》では之《こ》れを認《みと》めることが出來《でき》ないのを見分《みわ》けたのである。

嗅感《きうかん》 催眠狀態《さいみんじやうたい》に在《あ》るものは、二三枚《まい》の名刺《めいし》を細《こま》かく切《き》れ〴〵に裂《さ》いて、夫《そ》れを一所《しよ》に混《ま》ぜ合《あは》せて唯《たゞ》香《かほり》のみにて區別《くべつ》することが出來《でき》る。又《また》一《ひと》つの手袋《てぶくろ》を多《た》數《すう》の人《ひと》から嗅感《きうかん》に依《よ》つて所有者《しよいうしや》を識別《しきべつ》した場合《はあひ》もあり、五六人《にん》の手巾《ハンケチ》を一所《しよ》に集《あつ》めて其《そ》の人々《ひと〴〵》の手《て》を嗅《か》いで見《み》て其《そ》の手巾《ハンケチ》を各々《おの〳〵》所有主《しよいうねし》に歸《かへ》したこともあるのである。

又《また》斯《かく》の如《ごと》き鋭敏《えいびん》なる感覺《かんかく》は、催眠狀態《さいみんじやうたい》でなくして現《あら》はるゝ場合《はあひ》がある。例《たと》へば火事《くわじ》の如《ごと》き非常《ひじやう》なる場合《はあひ》に於《お》いて、我《われ》を忘《わす》れて精神《せいしん》を其處《そこ》に集注《しふちう》した結果《けつくわ》、平生《へいぜい》出《いだ》すことの出來《でき》ぬ力《ちから》が出《で》ることは何人《なんびと》も經驗《けいけん》する處《ところ》である。之《これ》に類《るゐ》した例《れい》は澤山《たくさん》あるが、戀愛《れんあい》の如《ごと》きも一念《ねん》凝《こ》つては深窓《しんさう》に育《そだ》つた若《わか》い女性《ぢよせい》が、數里《すうり》の夜路《よみち》を走《はし》るなど、到底《たうてい》平生《へいぜい》に於《お》いては出來《でき》ないことである。何事《なにごと》でも之《これ》を深《ふか》く信《しん》じ他《た》に其《そ》の信念《しんねん》を礙《さまた》げたり、反對《はんたい》する觀念《くわんねん》が少《すこ》しも無《な》ければ其《そ》處《こ》に一種《しゆ》の大《だい》なる働《はたら》きが起《おこ》るものである。而《しか》して之《こ》れが現《あら》はるゝ時《とき》は、偶然《ぐうぜん》に現《あら》はるものと、練習《れんしふ》或《あるひ》は努力《どりよく》に依《よ》つて現《あら》はれるものがあるのは言《い》ふ迄《まで》もないのである。

感覺以外《かんかくいぐわい》の精神作用《せいしんさよう》

獨《ひと》り感覺《かんかく》が鋭敏《えいびん》になつて不思議《ふし》議《ぎ》の現象《げんしやう》を表《あ》らはす許《ばか》りでなく、其《その》精神作用《せいしんさよう》に於《お》いても種々《しゆく》の不思議《ふしぎ》の現象《げんしやう》を見《み》ることが出來《でき》るのである。併《しか》し夫《そ》れは必《かなら》ずしも催《さい》眠《みん》術《じゆつ》の現《げん》象《しやう》に限《かぎ》られたことでないから、之《こ》れは一種《しゆ》の精《せい》神《しん》現《げん》象《しやう》として見《み》る可《べ》きが至《し》當《たう》である。古《こ》來《らい》神《しん》通《つう》力《りき》の現《あら》はれた例《れい》は非《ひ》常《じやう》に多《おほ》い。『世《せ》尊《そん》三昧《まい》に入《い》る是《こ》れ不《ふ》思《し》議《ぎ》稀《け》有《う》の事《こと》なり』など云《い》ひ、又《また》基督《キリスト》が神《かみ》の力《ちから》に依《よ》つて病《びやう》氣《き》を癒《いや》したことも聖《せい》書《しよ》に載《の》つてある。其《そ》の他《た》名《めい》僧《そう》大《たい》德《とく》が千里《り》眼《がん》の能《のう》力《りよく》を現《あら》はし、仙《せん》人《にん》幻《げん》士《し》などが仙《せん》術《じゆつ》或《あるひ》は幻《げん》術《じゆつ》を行《おこな》つたことは古《ふる》い本《ほん》を讀《よ》んで見《み》ると澤《たく》山《さん》書《か》いてある。或《あるひ》は巫《み》子《こ》行《ぎやう》者《じや》などが神《しん》通《つう》力《りき》を現《あら》はした話《はなし》も少《すく》なからず口《こう》碑《ひ》に傳《つた》へられて居《ゐ》る。是《これ》等《ら》は皆《みな》潛《せん》在《ざい》精《せい》神《しん》の働《はたら》きとして從《じう》來《らい》の心《しん》理《り》學《がく》では到《たう》底《てい》說《せつ》明《めい》することが出《で》來《き》ぬことは前《まへ》にも述《の》べた如《ごと》くであるが、種《しゆ》々の事《じ》實《じつ》を綜《そう》合《がふ》して見《み》ると潛《せん》在《ざい》せる精《せい》神《しん》の有《あ》り得《う》可《べ》きことは推《すゐ》測《そく》が出來《でき》るのである。例《たと》へば一個《こ》の精《せい》蟲《ちう》に依《よ》つて新《あら》たなる人《にん》間《げん》が生《うま》れるのは何《なに》故《ゆゑ》かと云《い》ふ理《り》由《いう》は分《わか》らない迄《まで》も、其《そ》の事《じ》實《じつ》に至《いた》つては疑《うたが》ふ可《べ》き餘《よ》地《ち》がないのである。從《したが》つて顯《けん》微《び》鏡《きやう》で見《み》ても分《わ》からない精《せい》蟲《ちう》の中《なか》には、將《しやう》來《らい》非《ひ》常《じやう》に複《ふく》雜《ざつ》した組《そ》織《しき》から成《な》る人《にん》間《げん》を形《けい》成《せい》す可《べ》きあらゆる要《えう》素《そ》を具《そな》へて居《ゐ》ることも確《たし》かである。そして此《こ》の精《せい》蟲《ちう》の中《なか》には直《ちよく》接《せつ》遺《ゐ》傳《でん》又《また》は隔《かく》世《せい》遺《ゐ》傳《でん》と稱《しよう》して父《ふ》母《ぼ》又《また》は祖《そ》父《ふ》母《ぼ》の性《せい》格《かく》等《とう》をも傳《つた》へ得《う》る要《えう》素《そ》を具《そな》へて居《ゐ》るのである。是《これ》等《ら》の事《じ》實《じつ》を見《み》ると人《にん》間《げん》の精《せい》神《しん》や性《せい》質《しつ》は之《こ》れを精《せい》蟲《ちう》に傳《つた》へて居《ゐ》る際《さい》は現《あら》はれないが、一度《ど》之《こ》れが人《にん》間《げん》として生《うま》るれば現《あらは》れて來《く》ることが分《わか》るのである。故《ゆゑ》に僅《わづ》か一個《こ》の精《せい》蟲《ちう》の中《なか》にも非《ひ》常《じやう》に澤《たく》山《さん》の要《えう》素《そ》が含《ふく》まれて居《ゐ》るのを見《み》れば、人間《にんげん》にも現《あら》はれない幾多《いくた》の可能性《かのうせい》が潛《せん》在《ざい》して居《ゐ》ることを容易《ようい》に信《しん》じ得《え》らるゝのである。而《しか》して此《こ》の潛《せん》在《ざい》精《せい》神《しん》が何時《なんどき》奈何《いか》なる場合《ばあひ》に現《あら》はるゝかは之《こ》れを實例《じつれい》に徵《ちやう》して見《み》るより外《ほか》に仕方《しかた》がないのである。

テーブルタアーニング

テーブルタアーニング卽《すなは》ち机《き》轉《てん》術《じゆつ》である。それは今《いま》數名《すうめい》の男女《だんぢよ》がテーブルを圍《かこ》んで、各自《かくじ》同樣《どうやう》に兩手《りやうて》を伸《の》べて、テーブルの上《うへ》に恰《あたか》も夫《そ》れを抑《おさ》へるが如《ごと》く輕《かる》く載《の》せ、閉目《へいもく》して心《こゝろ》を沈《しづ》めて居《ゐ》ると、軈《やが》てテーブルの動搖《どうえう》が手《て》に感《かん》じて來《く》る。其處《そこ》でテーブルに物《もの》を訊《たづ》ねて、足《あし》を上《あ》げて答《こた》へよと云《い》へば、忽《たちま》ち之《こ》れに應《おう》じて足《あし》を上《あ》げ、廻轉《くわいてん》して答《こた》へよと云《い》へば右《みぎ》に左《ひだり》に廻轉《くわいてん》して答《こた》へるのである。又《また》愉快《ゆくわい》に活潑《くわつぱつ》に踊《をど》れよと云《い》へば、テーブルは高《たか》く低《ひく》く歩行《ほかう》を始《はじ》める。そして手《て》をテーブルから放《はな》たず椅子《いす》を離《はな》れて歩行《ほかう》に従《したが》へば益々《ます／＼》踊《をど》り興《きよう》じてヨカ／＼と踊《をど》り廻《まは》る。之《こ》れは三脚《きやく》を有《いう》するテーブルが最《もつと》も活動《くわつどう》に適《てき》して居《ゐ》るのである。斯《か》る心象的《しんしやうてき》遊戯《いうぎ》が其《そ》の始《はじ》め歐米《おうべい》で流行《りうかう》したので、日本《にほん》に來《き》た頃《ころ》には未《いま》だテーブルが無《な》かつた、夫《そ》れ故《ゆゑ》似寄《によ》つた物《もの》を以《もつ》てテーブルに代《か》へて居《ゐ》たのが人《ひと》の知《し》る狐狗狸《こくり》である。

狐狗狸《こくり》　長《なが》さの等《ひと》しい三本《ほん》の棒《ぼう》をとり、之《こ》れを中央《ちうあう》で縛《しば》つて三つ脚《あし》を造《つく》り、其《そ》の上《うへ》に盆《ぼん》又《また》はお櫃《はち》の蓋《ふた》の如《ごと》きものを載《の》せ、之《こ》れに風呂敷《ふろしき》をかけ、手《て》を其《そ》の上《うへ》に乗《の》せて蓋《ふた》の動《うご》くを待《ま》つのである。斯《か》くするとコクリ／＼と動《うご》き出《だ》すので、遂《つひ》に之《これ》をコクリ若《も》しくはコツクリと呼《よ》ぶに至《いた》つたのである。そして脚《あし》の上《あが》り方《かた》や、又《また》は脚《あし》のコツコツと疊《たゝみ》を打《う》つ數《かず》や、蓋《ふた》の廻轉《くわいてん》の方向《はうかう》などに依《よ》つて之《これ》れと語《ことは》を交《かは》し、問《とひ》に對《たい》する答《こたへ》の幾度《いくど》か的中《てきちう》するのに敬意《けいい》を拂《はら》つてコクリさん又《また》はコツクリ樣《さま》など〻敬《うやま》つて呼《よ》ぶ樣《やう》になつたのである。其《そ》のうちに狐《きつね》か狸《たぬき》でも乘《のり》移《うつ》つて居《ゐ》るもの〻樣《やう》に考《かんが》へて、コクリの名《な》に對《たい》して狐《こ》狗狸《くり》の字《じ》を當《あて》篏《は》めたのである。併《しか》し近頃《ちかごろ》はコクリも世《よ》の文明《ぶんめい》に伴《つ》れてハイカラな構造《こうぞう》をした別物《べつもの》の樣《やう》になつて了《しま》つたのである。尤《もつと》も夫《そ》れは外國《ぐわいこく》のコクリさんで、其《そ》のハイカラコクリをプランセツトと名《な》を付《つ》けるのである。

プランセツト　一名《めい》プーさんとも云《い》つて居《ゐ》る。プランセットは西歴《せいれき》千八百六十年頃《ねんごろ》米國《べいこく》に於《お》いて發明《はつめい》され、千八百八十五年頃《ねんごろ》から歐洲《おうしう》でも盛《さか》んに流行《りうかう》したものである。日本《にほん》に來《き》たのは何《いつ》れ日露戰爭《にちろせんさう》當時《たうじ》のことゝ思《おも》ふ。其《そ》の構造《こうざう》は三脚《きやく》テーブル、狐狗狸《こくり》等《とう》の進化《しんくわ》したもので、何處《どこ》にか其《そ》の俤《おもかげ》を認《みと》めることが出來《でき》る。卽《すなは》ち圖《づ》に示《しめ》すが如《ごと》く手掌《てのひら》を載《の》せ得《う》る位《くらゐ》のハート形若《がたも》しくは三角形《かくけい》の一枚《まい》の板《いた》に、其《そ》の尖端《せんたん》近《ちか》く鉛筆《えんぴつ》を挿《さ》す穴《あな》があつて、基底《きてい》に近《ちか》き兩側《りやうがは》に脚《あし》を附《ふ》し、其《そ》の脚《あし》

第壹圖

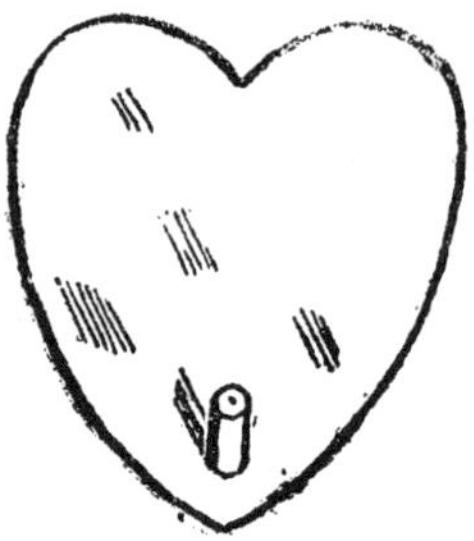

第二圖

プランセットの圖

の先《さ》きに各《おの〳〵》小《せう》車《しや》輪《りん》が付《つ》いて居《ゐ》て、前《ぜん》後《ご》左《さ》右《いう》に動《うご》くことが出來《でき》る仕《し》掛《か》けになつて居《ゐ》るのである。其《そ》處《こ》で穴《あな》に鉛《えん》筆《ぴつ》を挿《さ》して板《はん》面《めん》の水《すゐ》平《へい》を保《たも》ち、之《こ》れを紙《し》上《じやう》に安《あん》置《ち》し、手《て》を其《その》上《うへ》に輕《かる》く乘《の》せ、問《とひ》を發《はつ》するのであるが、要《えう》するにテーブルターニングやコックリよりも一層《そう》動《うご》き易《やす》く作《つく》られて居《ゐ》るので、答《こたへ》は一々其《そ》の有《いう》する鉛《えん》筆《ぴつ》に依《よ》つて、下《した》に置《お》かれた紙《し》面《めん》に記《しる》されるのである。下《した》に置《お》く紙《かみ》はなるべく滑《なめ》らかな物《もの》が可《い》い。

オートマチック、ライテング　さて以《い》上《じやう》は或《ある》物《ぶつ》體《たい》を透《とほ》して心《しん》靈《れい》の働《はたら》きを知《し》る方《はう》法《はふ》で、之《こ》れは凡《すべ》て物《ぶつ》體《たい》夫《そ》れ自《じ》身《しん》の働《はたら》きではなく、手《て》を載《の》せて居《ゐ》る我々《われ〳〵》の心《こゝろ》の作《さ》用《よう》であることは云《い》ふ迄《まで》もないのである。此《こ》の道《だう》理《り》から考《かんが》へれば何《なに》も夫等《それら》の器物《きぶつ》に據《よ》らずして、直《たゞ》ちに手《て》に鉛筆《えんぴつ》を持《も》つてしても同様《どうやう》の目的《もくてき》の元《もと》に、夫《か》の場合《ばあひ》と同一《どういつ》の現象《げんしやう》を得《う》る譯《わけ》で此《こ》の方法《はうはふ》を自働書記術《じどうしよきじゆつ》と云《い》ふのである。

自働書記術《じどうしよきじゆつ》やプランセットは、催眠状態《さいみんじやうたい》に深《ふか》く這入《はい》つたものには忽《たちま》ち行《おこな》ふ事《こと》が出來《でき》るものである。併《しか》し其《そ》の豫言《よげん》が果《はた》して的中《てきちう》するや否《いな》やは被術者《ひじゆつしや》の性質《せいしつ》にも依《よ》るが、何《いづ》れも多少《たせう》の練習《れんしふ》を必要《ひつえう》とする。

サイコメトリー　卽《すなは》ち讀心術《どくしんじゆつ》と云《い》ふのがある。例《たと》へば封筒《ふうとう》の中《なか》に何《なに》か封《ふう》じ込《こ》めてあるものを仰臥《ぎやうぐわ》して額《ひたひ》に置《お》き自《みづか》ら眼《め》を閉《と》ぢ心《こゝろ》を靜《しづ》めて居《ゐ》ると、其《そ》の封筒内《ふうとうない》の品《しな》が分《わか》るか、若《も》しくは其《そ》の物《もの》に關《くわん》する何《なに》かゞ見《み》えて來《く》ると云《い》ふ遣《や》り方《かた》である。西洋《せいやう》の豫言者等《よげんしやら》が、依賴者《いらいしや》の手《て》を自己《じこ》の額《ひたひ》に置《お》かせ、そして感應《かんおう》を呼《よ》び起《おこ》すなことども同一《どういつ》の遣《や》り方《かた》である。處《ところ》で其《そ》の手《て》を加《くは》へたり封筒《ふうとう》を置《お》く部分《ぶぶん》が、丁度《ちやうど》性相學《せいさうがく》で云《い》ふ推固性《すゐこせい》、比較性《ひかくせい》、鑒識性《かんしきせい》、調和《てうわ》性等《せいとう》の反省直覺機關《はんせいちよくかくきくわん》の部位《ぶゐ》であるのも面白《おもしろ》い現象《げんしやう》である。又之《またこ》れも何人《なんぴと》にも出來得《できう》るものとは云《い》へないので、此《こ》の機關《きくわん》の發達《はつたつ》して居《ゐ》る人《ひと》にして始《はじ》めて出來《でき》るのである。

クリスタル、ゲージング　例《たと》へば吾々《われ〳〵》が或物《あるもの》を置《お》き忘《わす》れたと假定《かてい》する。其《そ》の際《さい》置《お》いた場所《ばしよ》を思《おも》ひ出《だ》す爲《ため》に、眼《め》を閉《と》ぢ心《こゝろ》を落《お》ちつけ無念無想《むねんむさう》の境《さかひ》に這入《はい》ると、其《そ》の所《しよ》在《ざい》が脳《なう》に浮《うか》んで來《く》るものである。併《しか》し人《ひと》が直《たゞ》ちに所謂《いはゆる》無念無想《むねんむさう》の境《さかひ》に這入《はい》り得《う》るものではない。其處《そこ》で其《そ》の心《しん》境《きやう》に達《たつ》する手《しゆ》段《だん》方《はう》法《はふ》として水《すゐ》晶《しやう》球《きう》を凝《ぎよう》視《し》するとか、又《また》はコップに水《みづ》を汲《く》んで其《そ》の中《なか》を凝《ぎよう》視《し》するとかするのである。斯《か》くして注《ちう》意《い》を一點《てん》に集《しふ》注《ちう》し精《せい》神《しん》を統《とう》一《いつ》すると、茲《こゝ》に水《すゐ》晶《しやう》體《たい》若《も》しくはコップの水《すゐ》面《めん》に物《ぶつ》品《ぴん》の在《ある》場《ば》所《しよ》が見《み》えて來《く》る。斯《か》ゝる遣《や》り方《かた》を名《な》付《づ》けてクリスタルゲージング卽《すなは》ち水《すゐ》晶《しやう》凝《ぎよう》視《し》術《じゆつ》と云《い》ふのである。之《こ》れも矢《や》張《は》り豫《よ》言《げん》者《しや》などが單《たん》に透《とう》視《し》術《じゆつ》と稱《しよう》して吉《きつ》凶《きよう》をト《うらな》ふ方《はう》法《はふ》に用《もち》ひてゐるものがある。

テレパシー　遠《ゑん》隔《かく》の地《ち》に起《おこ》つた事《じ》實《じつ》が、偶《ぐう》然《ぜん》にも感《かん》傳《でん》する場《ば》合《あひ》があるのは、往《わう》々《〱》人《ひと》の經《けい》驗《けん》する所《ところ》である。テレパシーとは吾《ご》人《じん》の精《せい》神《しん》を先《せん》方《はう》へ感《かん》傳《でん》せしむる事《こと》で、卽《すなは》ち精《せい》神《しん》感《かん》傳《でん》術《じゆつ》と云《い》ふのである。之《こ》れは前《まへ》にも述《の》べたことであるから略《りやく》するが、奈何《いか》に良好《りやうかう》なる催眠《さいみん》狀態《じやうたい》に在《あ》るものでも、術者《じゆつしや》にして思念力《しねんりよく》の乏《とぼ》しい者《もの》には實行不《じつかうふ》可能《かのう》なることは水晶凝視術《すゐしやうぎようしじゆつ》と同樣《どうやう》である。

クレボヤンス　逝《ゆ》ける御舟千鶴子《みふねちづこ》や長尾郁子《ながをいくこ》等は、我《わが》國《くに》千里眼者《りがんしや》として有名《いうめい》なものであるが、彼《か》の千里眼《りがん》と同一《どういつ》の現象《げんしやう》で千里耳《りじ》と云《い》ふのがある。畢《つま》り普通《ふつう》の狀態《じやうたい》に於《お》いては到底《たうてい》聞《き》くことの出來《でき》ない微細《びさい》な音響《おんきやう》をも聽取《ちやうしゆ》するのである。要《えう》するに斯《か》る神通力《しんつうりき》を稱《しよう》してクレボヤンスと云《い》ふのであるが、催眠狀態《さいみんじやうたい》の遊睡時期《いうすゐじき》に這《は》入《い》れば、暗示《あんじ》を與《あた》へて人格《じんかく》を變換《へんくわん》せしめ、此《こ》の現象《げんしやう》を現《あら》はすことが出來《でき》るものである。斯《か》くて練習《れんしふ》を積《つ》めば被《ひ》術者《じゆつしや》は術者《じゆつしや》の暗示《あんじ》に依《よ》らずして必要《ひつえう》に應《おう》じて斯《か》る靈《れい》能《のう》を發揮《はつき》することが出來《でき》るのである。
昔時《むかし》は陣中《ぢんちう》に斯《か》くの如《ごと》き神通力《しんつうりき》を有《いう》したものを置《お》いて、敵《てき》の動靜《どうせい》を洞察《どうさつ》せしめ又《また》は天候《てんこう》等《とう》を豫言《よげん》せしめたと云《い》ふことであるが、彼等《かれら》は偶然《ぐうぜん》の事《こと》よりして發揮《はつき》した神通力《しんつうりき》である。

スピリチズム　お座《ざ》を立《た》てるとか、中座術《ちうざじゆつ》とか、神《かみ》の口《くち》を寄《よ》せるとか、生口《いきぐち》を寄《よ》せるとか、死口《しにぐち》を寄《よ》せるとか、口《くち》寄《よ》せ、乘氣《のりき》と云《い》ふ樣《やう》なものをスピリチズム卽《すなは》ち降神術《かうしんじゆつ》と稱《しよう》するのである。此《こ》のスピリチズムは他力的《たりよくてき》のものと自力的《じりよくてき》のものとの別《べつ》があるが、其《そ》の何《いづ》れを問《と》はず人《じん》格《かく》の分裂《ぶんれつ》或《あるひ》は變換《へんくわん》の理《り》に於《おい》ては變《かは》りがないのである。其《そ》の云《い》ふ處《ところ》眞實《しんじつ》に迫《せま》つて能《よ》く的中《てきちう》することがあるのは、其《そ》の際《さい》其《そ》の人《ひと》の精《せい》神《しん》が充《じう》分《ぶん》に統《とう》一《いつ》が出《で》來《き》て靈《れい》能《のう》の著《いちじる》しく發《はつ》揮《き》した場《ば》合《あひ》に多《おほ》いのである。卽《すなは》ち人《じん》格《かく》を異《こと》にして發《はつ》揮《き》せられたクレボヤンス的《てき》能《のう》力《りよく》の然《しか》らしむる處《ところ》とも見《み》る可《べ》き現《げん》象《しやう》である。

催《さい》眠《みん》術《じゆつ》の種《しゆ》類《るゐ》

催《さい》眠《みん》術《じゆつ》を分《わ》けて依《い》他《た》、自《じ》己《こ》、動《どう》物《ぶつ》の三種《しゆ》にすることが出《で》來《き》る。其《そ》のうちで動《どう》物《ぶつ》催《さい》眠《みん》術《じゆつ》は普《ふ》通《つう》の催《さい》眠《みん》術《じゆつ》を說《せつ》明《めい》する爲《ため》に往《わう》々《〳〵》研《けん》究《きう》者《しや》の實《じつ》驗《けん》する所《ところ》であるから、順《じゆん》序《じよ》として之《こ》れから記《き》述《じゆつ》することにした。

催《さい》眠《みん》術《じゆつ》は人《じん》類《るゐ》相《さう》互《ご》の間《あひだ》にのみ行《おこな》はるゝものではなくして之《これ》を動《どう》物《ぶつ》にも行《おこな》ふことが出《で》來《き》る、之《こ》れを動《どう》物《ぶつ》催《さい》眠《みん》術《じゆつ》と云《い》ふのである。併《しか》し動《どう》物《ぶつ》を催《さい》眠《みん》せしむる方《はう》法《はふ》は、人《ひと》を催《さい》眠《みん》せしむるが如《ごと》き暗《あん》示《じ》を必《ひつ》要《えう》とするものに非《あ》らずして、神《しん》經《けい》の過《くわ》敏《びん》なる局《きよく》部《ぶ》を壓《あつ》迫《はく》するか或《あるひ》は視《し》力《りよく》を疲《ひ》勞《らう》せしむるに過《す》ぎざるものである。故《ゆゑ》に其《そ》の狀《じやう》態《たい》に於《おい》ても止《し》動《どう》狀《じやう》態《たい》を呈《てい》するのみにて、地《ち》の卷《まき》の雞《にはとり》の氣《き》合《あひ》術《じゆつ》に於《お》けるが如《ごと》きものである。之《こ》れ動《どう》物《ぶつ》の大《だい》腦《なう》の作《さ》用《よう》を休《きう》止《し》せしむる者《もの》にて、例《たと》へば鳩《はと》に就《つ》いて之《これ》を試《こゝろ》みるに、運《うん》動《どう》作《さ》用《よう》のみ存《そん》するを以《もつ》て、眼《がん》前《ぜん》に燭《しよく》火《くわ》を近《ちかづ》くれば閉《へい》目《もく》し、之《こ》れを放《はな》てば歩《ほ》行《かう》すれども物《もの》に觸《ふ》れて忽《たちま》ち蹉《さ》躓《てつ》し恰《あたか》も寢《ね》惚《ほ》けたる人《ひと》の如《ごと》き有《あり》樣《さま》である。雞《にはとり》の如《ごと》きは之《こ》れを仰《ぎやう》臥《ぐわ》せしめて兩《りやう》脚《あし》を引《ひき》伸《の》ばし、靜《しづ》かに手《て》を放《はな》てば忽《たちま》ち止《し》動《どう》狀《じやう》態《たい》となり、其《そ》の他《た》獸《ぢう》醫《い》が馬《ば》脚《きやく》に蹄《てい》鐵《てつ》を嵌《は》むるに際《さい》し、馬《うま》の眼《め》を凝《ぎよう》視《し》して巧《たく》みに止《し》動《どう》狀《じやう》態《たい》に陷入《おとしいる》る等《など》も一種《しゆ》の催《さい》眠《みん》術《じゆつ》である。要《えう》するに術《じゆつ》者《しや》の心《しん》力《りよく》を集《しふ》注《ちう》するは勿《もち》論《ろん》動《どう》物《ぶつ》の無《む》心《しん》なるに乘《じよう》じて試《こゝろ》みれば、彼《か》の飼《し》養《やう》せる犬《いぬ》猫《ねこ》の主《しう》の意《い》を解《かい》するが如《ごと》く克《よ》く其《そ》の指《し》命《めい》に隨《したが》はしむることも敢《あへ》て難《かた》きことではないのである。往《わう》古《こ》宗《しう》教《けう》家《か》社《しや》會《くわい》に於《おい》て常《つね》に其《そ》の心《しん》力《りよく》を練《れん》磨《ま》する爲《ため》に行《おこな》つたもので、猛《まう》虎《こ》を馴《じゆん》習《しふ》して之《こ》れを猫《ねこ》の如《ごと》く制《せい》するとか、或《あるひ》は憤《ふん》獅《し》を指《し》頭《とう》に制《せい》して狗《く》兒《じ》を弄《ろう》するが如《ごと》きものあつたのは、皆《みな》此《こ》の間《かん》の消《せう》息《そく》を傳《つた》へたるものである。

自《じ》己《こ》催《さい》眠《みん》術《じゆつ》とは讀《よ》んで字《じ》の如《ごと》く自《じ》己《こ》自《じ》身《しん》で催《さい》眠《みん》することであるが、自《じ》己《こ》催《さい》眠《みん》にも絶《ぜつ》對《たい》的《てき》自《じ》己《こ》催《さい》眠《みん》と依《い》他《た》的《てき》自《じ》己《こ》催《さい》眠《みん》との別《べつ》がある。例《たと》へば不《ふ》在《ざい》又《また》は遠《ゑん》隔《かく》催《さい》眠《みん》術《じゆつ》など稱《しよう》して術《じゆつ》被《ひ》兩者《りやうしや》の間《あひだ》に豫《あらかじ》め施《し》術《じゆつ》の時間《じかん》を手紙《てがみ》又《また》は其《そ》の他《た》の方法《はうはふ》に依《よ》つて約束《やくそく》して置《お》くと術者《じゆつしや》が別段《べつだん》何事《なにごと》を爲《な》さなくとも約束《やくそく》の時間《じかん》が來《く》ると、被《ひ》術者《じゆつしや》は催眠術《さいみんじゆつ》をかけらるゝものと信《しん》じて催眠《さいみん》するのである。換言《くわんげん》すれば自己《じこ》暗《あん》示《じ》に依《よ》つて催眠《さいみん》するのであるから、第《だい》三者《しや》の眼《め》より之《こ》れを見《み》れば依《い》他《た》的《てき》自己《じこ》催眠《さいみん》術《じゆつ》と云《い》ふことが出來《でき》るのである。又《また》絶對的《ぜつたいてき》自己《じこ》催眠術《さいみんじゆつ》のことは古來《こらい》耶蘇《やそ》教《けう》一派《は》が宗教《しうけう》上《じやう》の目的《もくてき》を以《もつ》て、禮拜《れいはい》時《じ》に神《かみ》の御《お》姿《すがた》を現《あ》らはす爲《ため》に自己《じこ》催眠《さいみん》を應用《おうよう》したと云《い》はれて居《ゐ》る。希臘《ギリシヤ》教《けう》の一派《は》は自己《じこ》の臍《へそ》を見詰《みつ》めて自己《じこ》催眠《さいみん》に陷《おちい》つたと云《い》ふ話《はなし》もある。現今《げんこん》に於《おい》ても往《わう》々〱野蠻人《やばんじん》の間《あひだ》に行《おこな》はれて居《ゐ》る事實《じじつ》から、自己《じこ》催《さい》眠《みん》は原始《げんし》時代《じだい》や原始的《げんしてき》人間《にんげん》にのみ行《おこな》はれ、文明人《ぶんめいじん》には應《おう》用《よう》が出《で》來《き》ないものと云《い》ふ説《せつ》もあるが、要《えう》するに自《じ》己《こ》催《さい》眠《みん》とは自《じ》己《こ》の確《かく》信《しん》に依《よ》つて催《さい》眠《みん》することである。形《けい》式《しき》は靜《しづ》かな一室《しつ》に在《あ》つて一《いち》物《ぶつ》を凝《ぎよう》視《し》する注《ちう》意《い》凝《ぎよう》視《し》法《はふ》に依《よ》るか、或《あるひ》は專《せん》念《ねん》に一事《じ》を思《おも》ふて居《ゐ》る等《とう》の方《はう》法《はふ》もあるが自《じ》己《こ》で自《じ》己《こ》に暗《あん》示《じ》を下《くだ》すことは殆《ほと》んど如《い》何《か》なる方《はう》法《はふ》に依《よ》るも不《ふ》可《か》能《のう》の事《こと》で、若《も》し普《ふ》通《つう》の狀《じやう》態《たい》に於《お》いて出《で》來《き》るとすれば、夫《そ》れは英《えい》雄《ゆう》とか豪《がう》傑《けつ》とか云《い》ふ非《ひ》凡《ぼん》の人《じん》物《ぶつ》にして初《はじ》めて遂《すゐ》行《かう》し得《え》らるゝのである。兎《と》に角《かく》他《た》力《りき》自《じ》力《りき》に係《かゝ》はらず前《まへ》に述《の》べたクリスタル、ゲージング、スピリチズムの如《ごと》きは自《じ》己《こ》催《さい》眠《みん》術《じゆつ》と云《い》ふ可《べ》きものである。

依《い》地《た》催《さい》眠《みん》術《じゆつ》は其《そ》の時《とき》と場《ば》合《あひ》に依《よ》つて普《ふ》通《つう》、瞬《しゆん》間《かん》、反《はん》抗《かう》者《しや》、遠《ゑん》隔《かく》、小《せう》兒《に》催《さい》眠《みん》術《じゆつ》等《とう》に分《わ》けることが出《で》來《き》るが、之《こ》れは唯《たゞ》形《けい》式《しき》上《じやう》の分類《ぶんるゐ》に止《とゞ》まつて、其《そ》の原《げん》理《り》に於《お》いては何《なん》等《ら》變《かは》る處《ところ》はないのである。

普《ふ》通《つう》催《さい》眠《みん》術《じゆつ》とは予《よ》が實《じつ》例《れい》に示《しめ》したるが如《ごと》き方《はう》法《はふ》にして、一般《はん》の術《じゆつ》者《しや》が行《おこな》ふ注《ちう》意《い》凝《ぎよう》視《し》法《はふ》、撫《ぶ》下《か》方《はう》法《はふ》等《とう》を總《そう》稱《しよう》して云《い》ふたものである。瞬《しゆん》間《かん》催《さい》眠《みん》術《じゆつ》とは前《まへ》に述《の》べたファリアの方《はう》法《はふ》の如《ごと》きものを云《い》ふので、被《ひ》術《じゆつ》者《しや》の精《せい》神《しん》が充《じう》分《ぶん》統《とう》一《いつ》が出《で》來《き》て居《ゐ》る際《さい》に一喝《かつ》的《てき》に暗《あん》示《じ》を下《くだ》して其《そ》の目《もく》的《てき》を達《たつ》し様《やう》とするものであるから、これを一喝《かつ》催《さい》眠《みん》術《じゆつ》とも稱《しよう》すのである。反《はん》抗《かう》者《しや》催《さい》眠《みん》術《じゆつ》とは反《はん》抗《かう》者《しや》を催《さい》眠《みん》せしむる方《はう》法《はふ》であつて、如《い》何《か》なる方《はう》法《はふ》に依《よ》るも催《さい》眠《みん》し得《え》ない人《ひと》を強《きやう》制《せい》的《てき》に催《さい》眠《みん》せしめ様《やう》とするのである。之《こ》れは被《ひ》術《じゆつ》者《しや》に少《せう》量《りやう》のズルホナールの如《ごと》き睡《すゐ》眠《みん》劑《ざい》を與《あた》へ、聊《いさゝ》か睡《ねむ》氣《け》を催《もよほ》して來《き》た時《とき》に適《てき》當《たう》な施《し》術《じゆつ》法《はふ》を行《おこな》ふのであるから、豫《あらかじ》め被《ひ》術《じゆつ》者《しや》の承《しよう》諾《だく》を得《え》、醫《い》師《し》の立《たち》會《あひ》を必《ひつ》要《えう》とすることは云《い》ふ迄《まで》もない。遠《ゑん》隔《かく》催《さい》眠《みん》術《じゆつ》とは前《まへ》に述《の》べた如《ごと》くであるから此《こ》處《ゝ》には略《りやく》すが、或《ある》一派《は》の人々《ひとびと》は靈《れい》子《し》、靈《れい》波《は》等《とう》を主《しゆ》張《ちやう》して約《やく》束《そく》した時《じ》間《かん》に於《お》いて、術《じゆつ》者《しや》が被《ひ》術《じゆつ》者《しや》に向《むか》つて思《し》念《ねん》を凝《こ》らし、靈《れい》動《どう》を試《こゝろ》みるものもある。小《せう》兒《に》催《さい》眠《みん》術《じゆつ》とは六七歳《さい》未《み》滿《まん》の小《せう》兒《に》を催《さい》眠《みん》せしむる方《はう》法《はふ》であつて、之《こ》れは小《せう》兒《に》の保《ほ》護《ご》者《しや》たる父《ちゝ》又《また》は母《はゝ》を通《つう》じて術《じゆつ》者《しや》が暗《あん》示《じ》を與《あた》へて其《そ》の目《もく》的《てき》を達《たつ》せんとするのであるから、術《じゆつ》者《しや》は側《かたはら》にあつて小《せう》兒《に》の樣《やう》子《す》を見《み》ながら父《ちゝ》又《また》は母《はゝ》に適《てき》當《たう》な暗《あん》示《じ》を教《をし》へて遣《や》る迄《まで》の事《こと》で、畢《つま》り小《せう》兒《に》の父《ちゝ》又《また》は母《はゝ》が術《じゆつ》者《しや》になり變《かは》ることになるのである。

其《そ》の他《た》形式《けいしき》上《じやう》の相違《さうゐ》から名稱《めいしよう》を異《こと》にするものもないではないが、何《いづ》れも大同《だいどう》小異《せうい》に過《す》ぎないもので其《そ》の人《ひと》と其《そ》の場合《ばあひ》とに應《おう》じて適宜《てきぎ》の工風《くふう》が肝要《かんえう》である。

承諾《しようだく》せざる人《ひと》を催眠《さいみん》し得《う》るや

以上《いじやう》は何《いづ》れも催眠術《さいみんじゆつ》を施《ほどこ》さるゝ人《ひと》が既《すで》に夫《そ》れを承諾《しようだく》して、術者《じゆつしや》の命令《めいれい》通《どほ》りになる際《さい》の事《こと》である。本章《ほんしやう》では催眠《さいみん》さるゝことを承諾《しようだく》してない人《ひと》や嫌《きら》ふ人《ひと》を催眠《さいみん》せしむることが出來《でき》るか何《ど》うかを研究《けんきう》して見《み》たいと思《おも》ふ。

前《まへ》から述《の》べ來《きた》つた處《ところ》に依《よ》つて明《あきら》かなる如《ごと》く、催眠《さいみん》は其《そ》の時《とき》の精神《せいしん》狀態《じやうたい》に關係《くわんけい》するものである。卽《すなは》ち催眠《さいみん》されるには夫《そ》れに適《てき》する精神《せいしん》狀態《じやうたい》が必要《ひつえう》なのである。然《しか》るに催《さい》眠《みん》される事《こと》を希《き》望《ばう》して居《ゐ》なければ、例《たと》へ強《きやう》制《せい》的《てき》に適《てき》當《たう》な精《せい》神《しん》狀《じやう》態《たい》を造《つく》らしめ樣《やう》としても、夫《そ》れは思《おも》ひ通《とほ》りには行《ゆ》かぬのである。卽《すなは》ち被《ひ》術《じゆつ》者《しや》が催《さい》眠《みん》されることを希《き》望《ばう》して居《ゐ》なければ夫《そ》れに必《ひつ》要《えう》な精《せい》神《しん》狀《じやう》態《たい》を充《み》たす事《こと》が出《で》來《き》ないのであるから、普《ふ》通《つう》の場《ば》合《あひ》に於《おい》ては豫《あらかじ》め承《しよう》諾《だく》して居《ゐ》ない人《ひと》を催《さい》眠《みん》することは云《い》ふ迄《まで》もなく出《で》來《き》ない筈《はず》である。

然《しか》るに兵《へい》士《し》の如《ごと》き常《つね》に服《ふく》從《じゆう》と云《い》ふことに慣《な》れて居《ゐ》る或《ある》種《しゆ》の人《ひと》に限《かぎ》つては、其《そ》の意《い》志《し》に反《はん》して之《こ》れを催《さい》眠《みん》せしむることが出《で》來《き》るのである。曾《かつ》て予《よ》は士《し》官《くわん》の前《まへ》で兵《へい》士《し》に催《さい》眠《みん》を施《ほどこ》したことがあるが、士《し》官《くわん》は其《そ》の時《とき》兵《へい》士《し》に決《けつ》して睡《ねむ》つてはならぬと嚴《げん》命《めい》して置《お》いたのであつた。然《しか》るに予《よ》がお前《まへ》は催《さい》眠《みん》されるぞと一《ひと》言《こと》云《い》ふと兵《へい》士《し》は忽《たちま》ち催《さい》眠《みん》して了《しま》つたのである。之《こ》れは彼等《かれら》が常々《つね〴〵》心《こゝろ》を受動的《じゆどうてき》にして他人《たにん》の命令《めいれい》通《どほ》りになる習慣《しふくわん》がついて居《ゐ》る爲《ため》に、術者《じゆつしや》の言《こと》葉《ば》を信《しん》ずることが強《つよ》かつたからである。而《しか》してこの場合《ばあひ》士官《しくわん》の命令《めいれい》が聞《き》かれなかつたのは此際《このさい》に於《おい》ては士官《しくわん》の命令《めいれい》が兵士《へいし》にとつては睡《ねむ》らざらんとする自己《じこ》の決心《けつしん》と同樣《どうやう》の力《ちから》を持《も》つて居《ゐ》るに過《す》ぎなかつたからで吾人《ごじん》は此《こ》の實驗《じつけん》に依《よ》つて當人《たうにん》の意志《いし》に反《はん》する場合《ばあひ》でも、必《かなら》ずしも催眠《さいみん》し得《え》ない譯《わけ》はないと云《い》ふことを明《あきら》かに知《し》ることが出來《でき》たのである。

又《また》前《まへ》に屢々《しば〴〵》催眠《さいみん》されたことのある人《ひと》は、其《そ》の承諾《しようだく》なしにも之《こ》れを催眠《さいみん》せしむる事《こと》が出來《でき》るのである勿論《もちろん》被術《ひじゆつ》者《しや》は催眠《さいみん》さるゝことを希望《きばう》して居《ゐ》ないから自《みづか》ら催眠《さいみん》に必《ひつ》要《えう》な精《せい》神《しん》上《じやう》の條《でう》件《けん》を充《みた》すことはないが、前《まへ》に度々《たび〳〵》催《さい》眠《みん》されて慣《な》れて居《ゐ》る爲《ため》に、何《なに》か暗《あん》示《じ》を與《あた》へると忽《たちま》ち催《さい》眠《みん》の觀《くわん》念《ねん》が起《おこ》つて、自《し》然《ぜん》に催《さい》眠《みん》狀《じやう》態《たい》になつて了《しま》うのである。斯《か》る狀《じやう》態《たい》を催《さい》眠《みん》癖《へき》と稱《しよう》して、之《こ》れを矯《けう》正《せい》するには矢《や》張《はり》催《さい》眠《みん》せしめ暗《あん》示《じ》を以《もつ》てするのである。

又《また》催《さい》眠《みん》中《ちう》に暗《あん》示《じ》を與《あた》へて置《お》くと、其《そ》の意《い》志《し》に反《はん》して催《さい》眠《みん》することが出《で》來《き》るのである。卽《すなは》ち催《さい》眠《みん》狀《じやう》態《たい》にある時《とき》に『君《きみ》は催《さい》眠《みん》の命《めい》令《れい》を受《う》けるか、或《あるひ》は斯々《かく〳〵》の物《もの》を見《み》る時《とき》には必《かなら》ず催《さい》眠《みん》狀《じやう》態《たい》になる』と云《い》ふ暗《あん》示《じ》を與《あた》へて置《お》くのである。一度《ど》斯《か》る暗《あん》示《じ》を與《あた》へて置《お》くと、其《そ》の人《ひと》は其《そ》の命《めい》令《れい》を受《う》くるか、或《あるひ》は其《そ》の物《もの》を見《み》るとか聽《き》くとかすれば忽《たちま》ち催《さい》眠《みん》狀《じやう》態《たい》になる許《はか》りでない、催《さい》眠《みん》中《ちう》に暗《あん》示《じ》された行《かう》爲《ゐ》をも爲《な》すもので。此《こ》の方法《はうはふ》を殘續《ざんぞく》暗示《あんじ》又《また》は後催眠術《こうさいみんじゆつ》と稱《しよう》するのである。此《こ》の催眠中《さいみんちう》に受《う》けた心《こゝろ》の變化《へんくわ》が覺醒後《かくせいご》にまで續《つゞ》くことは、催眠術應用《さいみんじゆつおうよう》の疾病治療《しつぺいちれう》、惡癖《あくへき》惡習慣《あくしふくわん》の矯正等《けうせいとう》には最《もつと》も大切《たいせつ》な問題《もんだい》である。

又《また》自然《しぜん》の睡眠《すゐみん》を其《そ》の儘《まゝ》催眠狀態《さいみんじやうたい》に變《へん》ずることが出來《でき》る。此《こ》の方法《はうはふ》は覺醒時《かくせいじ》に催眠《さいみん》し得《え》ない人《ひと》を催眠《さいみん》することが出來《でき》るので、多《おほ》くの研究家《けんきうか》の實驗《じつけん》する處《ところ》である。予《よ》が屢《しば》屢《〳〵》催眠術《さいみんじゆつ》を施《ほどこ》したことのある某紳士《ぼうしんし》が午睡《ひるね》をして居《ゐ》る時《とき》、其《そ》の睡《ねむり》を其《そ》の儘《まゝ》催眠狀態《さいみんじやうたい》に變《へん》じたことがある。併《しか》し未《いま》だ曾《かつ》て催眠術《さいみんじゆつ》の何《なん》たるかを聞《き》いたことのない人《ひと》に對《たい》して斯《か》ゝることが出來《でき》るや否《いな》やは疑問《ぎもん》と云《い》はなければならぬ。施術方法《しじゆつはうはふ》は睡眠中《すゐみんちう》の人《ひと》を僅《わづ》かに呼《よ》び醒《さま》して半醒半眠《はんせいはんみん》中《ちう》に食《くひ》止《と》め、徐々《ぢよく》に暗示《あんじ》を與《あた》へて催眠状態《さいみんじやうたい》に導《みちび》くのである。

此《こ》の外《ほか》に偶然《ぐうぜん》の事《こと》に依《よ》つて獨《ひと》りで催眠状態《さいみんじやうたい》となる樣《やう》な場合《ばあひ》も往々《わうわう》あるし、其《そ》の人《ひと》の性質《せいしつ》に依《よ》つては不意《ふい》に催《さい》眠《みん》されることがないとも限《かぎ》らぬ。例《たと》へば急激法《きふげきはふ》と稱《しよう》して被術者《ひじゆつしや》を暗室内《あんしつない》に導《みちび》き、其《そ》の眼前《がんぜん》でマグネシヤを燃燒《ねんせう》するとか、強光《きやうくわう》の電燈《でんとう》を點《てん》じるなどして催眠《さいみん》せしむるなどがそれである。併《しか》し此《こ》の方法《はうはふ》は重《おも》にヒステリー性《せい》のものに應用《おうよう》して奏功《そうこう》するので、一般《ぱん》に對《たい》しては餘《あま》り効果《かうくわ》をあげる事《こと》が出來《でき》ない樣《やう》である。

之《こ》れを要《えう》するに被術者《ひじゆつしや》の承諾《しようだく》と云《い》ふことは催眠《さいみん》するに當《あた》つて必《かなら》ずしも絶對的《ぜつたいてき》に必要《ひつえう》な譯《わけ》ではない卽《すなは》ち當人《たうにん》

の意志《いし》が催眠《さいみん》に反抗《はんかう》する場合《ばあひ》でも催眠《さいみん》の出來《でき》ることもあり又《また》催眠《さいみん》することを切望《せつばう》して居《ゐ》ても催眠《さいみん》の出來《でき》ない人《ひと》もあるのである。併《しか》し被術者《ひじゆつしや》の反抗《はんかう》が催眠《さいみん》を妨《さまた》げると云《い》ふことは爭《あらそ》はれぬ事實《じじつ》であると共《とも》に、術者《じゆつしや》に對《たい》する信用《しんよう》が催眠《さいみん》を促進《そくしん》せしむるものであるから、特《とく》に初學者《しよがくしや》の爲《ため》に施術前《しじゆつまへ》の準備《じゆんび》及《およ》び豫備《よび》行爲《かうゐ》を記述《きじゆつ》して本卷《ほんくわん》を終《を》はることにするであらう。

施術前《しじゆつぜん》の準備《じゆんび》

獨《ひと》り催眠術《さいみんじゆつ》に限《かぎ》らず凡《すべ》て術《じゆつ》はわざであり、てだてゞあるから、其《そ》の行《おこなひ》の中《なか》に求《もと》む可《べ》きもので、所謂《いはゆる》呼吸《こきふ》が呑込《のみこ》めねば如何《いか》に學理《がくり》に精通《せいつう》して居《ゐ》ても失敗《しつぱい》は免《まぬ》かれないものである。俚諺《ことわざ》に失敗《しつぱい》は成功《せいこう》の母《はゝ》と云《い》ふことがあるが、催《さい》眠術《みんじゆつ》許《はか》りは成功《せいこう》は成功《せいこう》の母《はゝ》で、失敗《しつぱい》は失敗《しつぱい》の母《はゝ》と成《な》るのである。故《ゆゑ》に初學者《しよがくしや》は最初《さいしよ》の試《こゝろ》みに於《お》いて成功《せいこう》する時《とき》は、大《だい》なる自信《じしん》を得《う》ると共《とも》に精神界《せいしんかい》の案内《あんない》が分《わ》かるから、次《つぎ》から次《つぎ》へと成功《せいこう》する樣《やう》になるが、反對《はんたい》に失敗《しつぱい》する時《とき》は、自《じ》信《しん》を失《うしな》ひ、疑惑《ぎわく》を生《しやう》じ、遂《つひ》には失敗《しつぱい》に次《つ》ぐに失敗《しつぱい》を以《もつ》てする樣《やう》になるものである。殊《こと》に催眠術《さいみんじゆつ》が信用《しんよう》されて居《ゐ》る土《と》地《ち》や、又《また》流行《りうかう》して居《ゐ》る土地《とち》の人々《ひと〴〵》は案外《あんぐわい》催眠術《さいみんじゆつ》にかゝり易《やす》く、然《しか》らざる土地《とち》の人々《ひと〴〵》はかゝり難《にく》い傾《かたむ》きがあるのを見《み》ても、術者《じゆつしや》を中心《ちうしん》としての社會《しやくわい》暗示《あんじ》が施術上《しじゆつじやう》に影響《えいきやう》する事《こと》の甚大《じんだい》なるは云《い》ふべくもない。されば諸子《しよし》は、第《だい》一回《くわい》の實驗《じつけん》に於《お》ては絶對《ぜつたい》の成功《せいこう》を期《き》すると共《とも》に萬全《ばんぜん》の準備《じゆんび》をして施術《しじゆつ》にかゝらねばならぬ。而《しか》して夫《そ》れには順序《じゆんじよ》として被術者《ひじゆつしや》の受感性《じゆかんせい》の強弱《きやうじやく》を試驗《しけん》する診斷法《しんだんはふ》を先《ま》づ知《し》つて置《お》かねばならぬのである。

受感性《じゆかんせい》の強弱《きようじやく》を試驗《しけん》する方法《はうはふ》

人《ひと》には受感性《じゆかんせい》の強弱《きやうじやく》があることは前《まへ》にも述《の》べた如《ごと》くであるが、夫《そ》れを診斷《しんだん》するには先《ま》づ其《そ》の體質《たいしつ》を分類《ぶんるゐ》して見《み》るのが最《もつと》も近途《ちかみち》で、斯《か》くすれば、略《ほ》ぼ其《そ》の精神狀態《せいしんじやうたい》をも測知《そくち》することが出來《でき》るのである。

吾々《われ〳〵》の體質《たいしつ》は既《すで》に遠《とほ》き以前《いぜん》から或《あるひ》は二つに、或《あるひ》は七つに、或《あるひ》は十に、或《あるひ》は二十五に分類《ぶんるゐ》した學者《がくしや》もあつたが、併《しか》し其《その》のうちで最《もつと》も初《はじ》めの分類《ぶんるゐ》で今日《こんにち》も尚《なほ》或《ある》一部《ぶ》の學者間《がくしやかん》に用《もち》ひられて居《ゐ》る多血質《たけつしつ》、膽液質《たんえきしつ》、淋巴質《りんはしつ》、神經質《しんけいしつ》の四つに分類《ぶんるゐ》した方法《はうはふ》がある。此《こ》の分類法《ぶんるゐはふ》は精《くは》しく言《い》へば一は腦髓神經《なうずゐしんけい》を基礎《きそ》とした神經質《しんけいしつ》、一は膽嚢《たんなう》肝臟《かんざう》に基礎《きそ》を置《お》く膽液質《たんえきしつ》、一は淋巴腺《りんはせん》胃《ゐ》等《とう》に基礎《きそ》を持《も》つ淋巴質《りんはしつ》、一は心臟血管《しんざうけつくわん》等《とう》に基礎《きそ》を有《いう》する多血質《たけつしつ》であるから、其《そ》の初《はじ》めは普通《ふつう》の病理學者《びやうりがくしや》や生理學者《せいりがくしや》等《など》も此《こ》の分類法《ぶんるゐはふ》を採用《さいよう》して居《ゐ》たものであるが、段々《だんだん》研究《けんきう》して見《み》ると、多血質《たけつしつ》は心臟血管《しんざうけつくわん》の作用《さよう》が過大《くわだい》であるから、顏色《かほいろ》も赤《あか》く、元氣《げんき》も好《よ》いが、夫《そ》れが嵩《かう》じて來《く》ると遂《つひ》には心臟《しんざう》破裂《はれつ》、腦溢血《なういつけつ》などを惹起《ひきおこ》すことになり、淋巴質《りんはしつ》は淋巴腺《りんはせん》が過大《くわだい》になつて脂肪《しばう》が多《おほ》く、唯《たゞ》茫然《ばうぜん》として身體《からだ》許《ばか》り肥《ふと》つて來《く》る樣《やう》になり、神經質《しんけいしつ》は頭《あたま》が過大《くわだい》になつて、神經作用《しんけいさよう》が過重《くわちよう》して來《く》るから、些細《ささい》な事《こと》にも恐怖《きようふ》したりする様《やう》になり、膽液質《たんえきしつ》は膽汁《たんぢう》の分泌《ぶんぴつ》がひどく、顔色《かほいろ》も黒《くろ》くなつて、氣《き》が強《つよ》く強情《がうじやう》になると云《い》つた様《やう》に、此《こ》の分類法《ぶんるゐはふ》は何《いづ》れも生理的《せいりてき》解剖的《かいはうてき》に打立《うちた》てたものでなくして病理的《びやうりてき》に打立《うちた》てたものであるから、病體《びやうたい》を測《はか》るには好《よ》いが普通《ふつう》の健康體《けんかうたい》を測《はか》るには不適當《ふてきたう》と云《い》はねばならぬ。其處《そこ》で常體《じやうたい》を測《はか》るには今日《こんにち》性相學者《せいさうがくしや》が用《もち》ひて居《ゐ》る營養質《えいやうしつ》、筋骨質《きんこつしつ》、心性質《しんせいしつ》の三形質《けいしつ》の三つに分類《ぶんるゐ》したものが、最《もつと》も生理的《せいりてき》の分類法《ぶんるゐはふ》として適當《てきたう》である。

然《しか》らば此《こ》の三形質《けいしつ》は何《なん》に依《よ》つて見《み》るかと云《い》ふに、營養質《えいやうしつ》とは身體《からだ》の内臓機關《ないざうきくわん》の發達《はつたつ》した人《ひと》を云《い》ふので、換言《くわんげん》すれば呼吸器《こきふき》、消化器《せうくわき》、循環器《じゆんくわんき》其他《そのた》凡《すべ》ての内臓《ないざう》が發達《はつたつ》した人《ひと》であるから、卽《すなは》ち内臓《ないざう》に基礎《きそ》を持《も》つたものである。次《つぎ》に筋《きん》骨質《こつしつ》とは筋《すぢ》、骨《ほね》の發達《はつたつ》した人《ひと》を云《い》ふので、卽《すなは》ち骨《こつ》、筋《きん》、靭《じん》帶《たい》、腱《けん》に基礎《きそ》を有《いう》するものである。今《いま》人《ひと》の身體《からだ》から斯《かく》の如《ごと》き內《ない》臟《ざう》機《き》關《くわん》を取《と》り去《さ》り、又《また》骨《こつ》、筋《きん》、靭《じん》帶《たい》、腱《けん》等《とう》を取除《とりのぞ》けば、後《あと》に殘《のこ》るものは腦《なう》髓《ずゐ》と神《しん》經《けい》許《ばか》りになる譯《わけ》であるから、心《しん》性《せい》質《しつ》とは腦《なう》幷《ならび》に神《しん》經《けい》の發《はつ》達《たつ》した人《ひと》を云《い》ふのである。以《い》上《じやう》の如《ごと》く腦《なう》神《しん》經《けい》系《けい》統《とう》と筋《きん》肉《にく》骨《こつ》格《かく》系《けい》統《とう》と內《ない》臟《ざう》系《けい》統《とう》との三つのものから人《にん》間《げん》の身體《からだ》が出《で》來《き》上《あが》つて居《ゐ》るのであるから、此《こ》の三形《けい》質《しつ》の分《ぶん》類《るゐ》法《はふ》は極《きは》めて單《たん》純《じゆん》にして要《えう》領《りやう》を得《え》て居《を》り、且《か》つ生《せい》理《り》的《てき》にして又《また》解《かい》剖《はう》的《てき》に打《うち》立《た》てられたものと云《い》ひ得《う》るのである。

此《こ》の三形《けい》質《しつ》の特《とく》長《ちやう》を其《そ》の外《ぐわい》形《けい》から云《い》ふと、筋《きん》骨《こつ》質《しつ》は丈《た》け高《たか》く骨《ほね》張《は》つて居《ゐ》て、そして顔《かほ》も手《て》も足《あし》も指《ゆび》も亦《また》長《なが》い方《はう》である。營《えい》養《やう》質《しつ》は腹《はら》も股《もゝ》も多《た》肉《にく》で。顏《かほ》も腕《うで》も手《て》も足《あし》も指《ゆび》も肥《ふと》つて豐《ほう》厚《こう》の方《はう》である。心《しん》性《せい》質《しつ》は身體《からだ》が瘠《や》せて長《なが》く、顏《かほ》も手《て》も足《あし》も指《ゆび》も細《ほそ》く美《うる》はしい方《はう》である。故《ゆゑ》に頭《あたま》と胸《むね》と下《か》腹《ふく》部《ぶ》に就《つ》いて觀《くわん》察《さつ》すると、頭《あたま》や下《か》腹《ふく》部《ぶ》よりも割《わり》合《あひ》に胸膈《きようかく》が廣《ひろ》く肩《かた》の怒《いか》つて居《ゐ》る傾《けい》向《かう》のある人《ひと》は筋《きん》骨《こつ》質《しつ》である。又《また》下《か》腹《ふく》部《ぶ》が胸《むね》と頭《あたま》の割《わり》合《あひ》に大《おほ》きく出《で》來《き》て居《ゐ》る傾《けい》向《かう》のある人《ひと》は營《えい》養《やう》質《しつ》である。又《また》胸《むね》と下《か》腹《ふく》部《ぶ》の割《わり》合《あひ》に頭《あたま》が大《おほ》きく出《で》來《き》て居《ゐ》る人《ひと》は心《しん》性《せい》質《しつ》である。

此《こ》の三者《しや》に就《つ》いて催《さい》眠《みん》術《じゆつ》の實《じつ》驗《けん》を試《こゝろ》みるに、最《もつと》も受《じゆ》感《かん》性《せい》の良《りやう》好《かう》なるものは營《えい》養《やう》性《せい》にして、次《つぎ》に心《しん》性《せい》質《しつ》、筋《きん》骨《こつ》質《しつ》と云《い》ふ順《じゆん》序《じよ》である。又《また》四つの分《ぶん》類《るゐ》法《はふ》に就《つ》いて云《い》へば多《た》血《けつ》性《せい》、神《しん》經《けい》質《しつ》、淋《りん》巴《は》質《しつ》、膽《たん》液《えき》質《しつ》の順《じゆん》序《じよ》である。故《ゆゑ》に諸《しよ》子《し》は最《さい》初《しよ》の實《じつ》驗《けん》に於《お》いては成《なる》可《べ》く營《えい》養《やう》質《しつ》か多《た》血《けつ》質《しつ》のものを選《えら》ぶ可《べ》きである。

又《また》診《しん》斷《だん》法《はふ》に觸《しよく》診《しん》と云《い》つて被《ひ》術《じゆつ》者《しや》の身《から》體《だ》に手《て》を觸《ふ》れて受《じゆ》感《かん》性《せい》の强《きやう》弱《じやく》を判《はん》斷《だん》する方《はう》法《はふ》がある。之《こ》れは多《た》數《すう》の面《めん》前《ぜん》に於《お》いて施《し》術《じゆつ》する場《ば》合《あひ》などには、被《ひ》術《じゆつ》者《しや》の現《げん》在《ざい》の精《せい》神《しん》狀《じやう》態《たい》をみるに最《もつと》も必《ひつ》要《えう》なことで、其《そ》の方《はう》法《はふ》は被《ひ》術《じゆつ》者《しや》を直《ちよく》立《りつ》せしめ『身《から》體《だ》から全《まつた》く力《ちから》を拔《ぬ》いて見《み》よ』と命《めい》じ然《しか》る後《のち》試《こゝろみ》に其《そ》の兩《りやう》腕《うで》をとつて少《すこ》しく上《うへ》に擧《あ》げて見《み》るのである。其《その》際《さい》重《ぢう》量《りやう》を覺《おぼ》えるものは、精《せい》神《しん》の統《とう》一《いつ》が出《で》來《き》て居《ゐ》るのであるから、從《したが》つて暗《あん》示《じ》にも感《かん》應《おう》し易《やす》く、これに反《はん》し自《じ》己《こ》の意《い》志《し》に依《よ》つて手《て》を働《はたら》かさんとするもの、卽《すなは》ち重《ぢう》量《りやう》を感《かん》ずるが如《ごと》きものは、精《せい》神《しん》の不《ふ》統《とう》一《いつ》なることを示《しめ》すものであるから、從《したが》つて其《そ》の際《さい》は暗示《あんじ》にも感應《かんおう》し難《がた》きものと認《みと》めることが出來《でき》るのである。又《また》被《ひ》術者《じゆつしや》の眉間《みけん》に一寸《いつすん》位《ぐらゐ》の間《かん》隔《かく》を置《お》いて、術者《じゆつしや》の指頭《しとう》を近《ちか》づくるに、被《ひ》術者《じゆつしや》が異樣《いやう》の感《かん》覺《かく》に打《う》たるゝものは受感性《じゆかんせい》の旺《さか》んなるものである。又《また》被《ひ》術者《じゆつしや》の拇指《おやゆび》に術者《じゆつしや》の拇指《おやゆび》を輕《かる》くつけたる時《とき》に、被《ひ》術者《じゆつしや》が微弱《びじやく》なる電氣《でんき》の如《ごと》きものを感《かん》ずるものは受感性《じゆかんせい》の旺《さか》んなるものである。右《みぎ》の他《ほか》術者《じゆつしや》が被《ひ》術者《じゆつしや》の後方《こうはう》に立《た》つて、後《こう》方《はう》に引倒《ひきたふ》すと云《い》ふ暗示《あんじ》を與《あた》ふる時《とき》に、實際《じつさい》後方《こうはう》に引《ひ》かるるが如《ごと》き姿勢《しせい》となるもの、又《また》後方《こうはう》に倒《たふ》れんとする際《さい》瞬《またゝ》きの少《すく》なきもの等《とう》は何《いづ》れも受感性《じゆかんせい》の旺《さか》んなるものである。これを要《えう》するに觸診《しよくしん》とは感覺《かんかく》の鋭敏《えいびん》なる個所《かしよ》に就《つ》いて、物質《ぶつしつ》又《また》は言語《げんご》の暗示《あんじ》を與《あた》へ以《もつ》て受感性《じゆかんせい》の强弱《きやうじやく》を試驗《しけん》するの方法《はうはふ》を云《い》ふのである。

次《つぎ》に年齢《ねんれい》と受感性《じゆかんせい》との關係《くわんけい》は如何《いかん》と云《い》ふに、三歳《さい》以下《いか》の小兒《せうに》は殆《ほと》んど催眠《さいみん》せしむる事《こと》が出來《でき》るものでなく、大抵《たいてい》八歳《さい》以上《いじやう》になつて始《はじ》めて催眠術《さいみんじゆつ》に感《かん》ずるものである。これは小兒《せうに》が他《た》の事《こと》には非常《ひじやう》に感《かん》じ易《やす》いけれども、其《そ》の思想《しさう》が甚《はなは》だ散亂《さんらん》し易《やす》い性質《せいしつ》を有《も》つて居《ゐ》るために、催眠術《さいみんじゆつ》を施《ほどこ》す場合《ばあひ》の如《ごと》く、心《こゝろ》を一定《てい》の觀念《くわんねん》に集注《しふちう》することが出來難《できがた》いからである。又《また》老年者《らうねんしや》も甚《はなは》だ催眠《さいみん》し難《がた》いもので一生《しやう》を通《つう》じて十三四歳《さい》から二十歳《さい》前後《ぜんご》迄《まで》が最《もつと》も暗示感受性《あんじかんじゆせい》の旺盛《わうせい》な時代《じだい》と云《い》ふことが出來《でき》る。男女《だんぢよ》の別《べつ》と感受性《かんじゆせい》の關係《くわんけい》は如何《いかん》と云《い》ふに、一般《はん》に婦人《ふじん》は男子《だんし》より催眠《さいみん》され易《やす》いと想像《さうざう》して居《ゐ》る人《ひと》があるが、之《こ》れは何等《なんら》の關係《くわんけい》もない。次《つぎ》に夏《なつ》と冬《ふゆ》との感受性《かんじゆせい》の關係《くわんけい》如何《いかん》と云《い》ふに、實驗上《じつけんじやう》夏《なつ》に於《お》いて容易《ようい》に催眠《さいみん》される人《ひと》で、冬《ふゆ》は催眠《さいみん》されないことがある。又《また》催眠《さいみん》は大《おほい》に外部《ぐわいぶ》の事情《じじやう》にも依《よ》るもので、第《だい》一大《おほ》きな響《ひゞき》や隣室《りんしつ》に在《あ》つて人《ひと》の話聲《はなしごゑ》の聞《きこ》える樣《やう》なことは甚《はなは》だしい妨《さまた》げである。屢《しば》々く催眠《さいみん》されたことのある人《ひと》は左程《さほど》でもないが、始《はじ》めての人《ひと》に於《お》いては忽《たちま》ち催眠《さいみん》に必要《ひつえう》な心《こゝろ》の狀態《じやうたい》を亂《みだ》すのである。又《また》催眠術《さいみんじゆつ》を行《おこな》ふに當《あた》つて、最《もつと》も避《さ》けなければならぬのは、不《ふ》信《しん》懷《くわい》疑《ぎ》の樣子《やうす》である。卽《すなは》ち如何《いか》に僅《わづ》かな言語《げんご》動作《どうさ》でも、若《も》し不《ふ》信《しん》懷《くわい》疑《ぎ》の意味《いみ》を表《あら》はす時《とき》は、忽《たちま》ち催眠《さいみん》を妨《さまた》げることになるのである。又《また》術《じゆつ》被《ひ》兩者《りやうしや》の性格上《せいかくじやう》の關係《くわんけい》も催眠《さいみん》の上《うへ》に多《た》大《だい》の影響《えいきやう》があるものである。例《たと》へば甲《かふ》の術者《じゆつしや》が施《ほどこ》すと忽《たちま》ち感《かん》ずる被術者《ひじゆつしや》に、乙《おつ》の術《じゆつ》者《しや》が施《ほどこ》すと少《すこ》しも感《かん》じない樣《やう》な場合《はあひ》がそれである。以上《いじやう》は身體《しんたい》上《じやう》の性質《せいしつ》からのことであるが、更《さら》に精神《せいしん》上《じやう》の性質《せいしつ》から云《い》ふと、知力《ちりよく》の進《すゝ》んで居《ゐ》る人《ひと》程《ほど》催眠《さいみん》され易《やす》く、愚鈍《ぐどん》な人《ひと》は之《こ》れに比較《ひかく》して餘程《よほど》困難《こんなん》である。次《つぎ》に意志《いし》に關《くわん》しては如何《いかん》と云《い》ふに、催眠《さいみん》され易《やす》いのは意志《いし》の弱《よわ》い徴候《ちようこう》の如《ごと》く思《おも》ふて居《ゐ》る人《ひと》があるが、事實《じじつ》は意志《いし》の強固《きやうこ》な人《ひと》程《ほど》催眠《さいみん》され易《やす》いことを示《しめ》して居《ゐ》る。又《また》精神《せいしん》の激動《げきどう》は催眠術《さいみんじゆつ》を施《ほどこ》す上《うへ》には非常《ひじやう》に有害《いうがい》である。其他《そのた》催眠《さいみん》され易《やす》い人《ひと》で、時《とき》として全《まつた》く催眠《さいみん》されないことがある、之《こ》れは多《おほ》くの研究者《けんきうしや》が常《つね》に經驗《けいけん》する所《ところ》であるが、其原因《そのげんいん》は明《あき》らかでない。之《これ》を要《えう》するに心《こゝろ》が圓滿《ゑんまん》に發達《はつたつ》して居《ゐ》て、其《そ》の働《はたら》きが健全《けんぜん》であつて、知力《ちりよく》が進《すゝ》んで居《ゐ》て、意志《いし》が強固《きやうこ》である人《ひと》は催眠《さいみん》され易《やす》く、之《こ》れに反《はん》する人《ひと》は催《さい》眠《みん》され難《がた》いのである。之《これ》等《ら》は皆《みな》感《かん》受《じゆ》性《せい》に多《た》大《だい》な影《えい》響《きやう》を及《およ》ぼすものであるから、其《そ》の強弱《きやうじやく》を試《し》驗《けん》する場《ば》合《あひ》には、是《ぜ》非《ひ》參《さん》考《かう》とすべきものである。

應《おう》接《せつ》間《ま》と施《し》術《じゆつ》室《しつ》

諸《しよ》子《し》は以《い》上《じやう》で催《さい》眠《みん》術《じゆつ》とは如《い》何《か》なるものであるかを知《し》り、施《し》術《じゆつ》及《およ》び覺《かく》醒《せい》の方《はう》法《はふ》、催《さい》眠《みん》狀《じやう》態《たい》の現《げん》象《しやう》等《とう》一切《さい》の事《こと》柄《がら》を研《けん》究《きう》したのであるが、最《さい》後《ご》に一《いち》言《ごん》して置《お》かねばならぬ事《こと》は今《こん》日《にち》斯《し》術《じゆつ》を業《げふ》として居《ゐ》る所《いは》謂《ゆる》術《じゆつ》者《しや》が、如《い》何《か》なる設《せつ》備《ひ》の下《もと》に施《し》術《じゆつ》して居《を》るかと云《い》ふ事《こと》である。夫《そ》れは前《まへ》にも述《の》べた如《ごと》く催《さい》眠《みん》術《じゆつ》は大《おほい》に外《ぐわい》部《ぶ》の事《じ》情《じやう》に關《くわん》係《けい》があり且《か》つ其《そ》處《こ》には諸子《しよし》の參考《さんかう》とすべき幾多《いくた》のことがあるからである。これ予《よ》が應接間《おうせつま》と施術室《しじゆつしつ》との模樣《もやう》を概略《がいりやく》述《の》べんとする所以《ゆゑん》である。

催眠術者《さいみんじゆつしや》の家《いへ》には必《かなら》ず特《とく》に來客《らいきやく》の爲《ため》に設《まう》けた二《ふた》つの室《しつ》がある。卽《すなは》ち一は應接室《おうせつしつ》で一は施術室《しじゆつしつ》である。應接間《おうせつま》とは來客《らいきやく》と應答《おうたふ》する室《しつ》で、施術室《しじゆつしつ》とは催眠術《さいみんじゆつ》をかける室《しつ》であるが、先《ま》づ應接間《おうせつま》の設備《せつび》から云《い》ふと普通開業醫《ふつうかいげふい》の應接間《おうせつま》と大同小異《だいどうせうい》で、一例《れい》を擧《あ》げると楣間《びかん》には術者《じゆつしや》の肖像《せうざう》や催眠術《さいみんじゆつ》にかゝつて居《ゐ》る人《ひと》の寫眞《しやしん》等《とう》が揭《かゝ》げられてあり。其《そ》の下《した》には藥價表《やくかへう》と云《い》ふ格《かく》で施術料《しじゆつれう》や施術時間《しじゆつじかん》を記《しる》した紙《かみ》が貼布《てふふ》されてある。此《こ》の施術料《しじゆつれう》は勿論《もちろん》其《そ》の土地《とち》の狀況《じやうきやう》に依《よ》つて相違《さうゐ》があるが、東京《とうきやう》の相場《さうば》で云《い》ふと初回《しよくわい》が一圓《ゑん》で、次《じ》回《くわい》からは五拾錢《せん》宛《づゝ》と云《い》ふ事《こと》になつて居《を》り、初回《しよくわい》の時《とき》に第《だい》一期《き》分《ぶん》として三回《くわい》分《ぶん》を前納《ぜんなふ》させることになつて居《ゐ》る。又《また》人《ひと》に依《よ》つては立會人《たちあひにん》が必要《ひつえう》であると云《い》ふ事《こと》が規定《きてい》の一《ひと》つとして記《しる》されてある。其《そ》の他《た》の設備《せつび》は型《かた》の如《ごと》くテーブルや椅子《いす》が並《なら》べられてある許《はか》りで、別《べつ》に之《こ》れと云《い》つて變《かは》つた事《こと》もないが、特《とく》に一言《げん》して置《お》かねばならぬことはテーブルの上《うへ》である。普通《ふつう》醫師《いし》や其《そ》の他《た》の應接間《おうせつま》のテーブルの上《うへ》と云《い》へば、先《ま》づ雜誌《ざつし》や新聞《しんぶん》などが置《お》いてあるのが普通《ふつう》であるが、催眠術者《さいみんじゆつしや》の應接間《おうせつま》に限《かぎ》つては、斯樣《かやう》なものは決《けつ》して置《お》かれてなく、卓上《たくじやう》には催眠術《さいみんじゆつ》に關《くわん》した寫眞帳《しやしんちやう》が一冊《さつ》ある許《はか》りである、之《こ》れは些少《させう》な事《こと》だが誠《まこと》に注意《ちうい》すべき現象《げんしやう》で諸子《しよし》は先《ま》づ茲《こゝ》に催眠術者《さいみんじゆつしや》の周到《しうたう》なる用《よう》意《い》が施《ほどこ》されてある事《こと》を知《し》らねばならぬ。

次《つぎ》に施《し》術《じゆつ》室《しつ》の設《せつ》備《び》であるが、施《し》術《じゆつ》室《しつ》は大《たい》抵《てい》應《おう》接《せつ》間《ま》より少《すこ》し離《はな》れた閑《かん》靜《せい》な一室《しつ》が夫《そ》れにあてられてある。室《しつ》内《ない》は常《つね》に寒《かん》暖《だん》計《けい》が七十度《ど》位《ぐらゐ》を示《しめ》して居《ゐ》て、安《あん》樂《らく》椅《い》子《す》が一脚《きやく》寢《ね》臺《だい》が一臺《だい》、其《そ》の他《た》普《ふ》通《つう》の椅《い》子《す》が五六脚《きやく》ある。尤《もつと》も一隅《ぐう》には書《しよ》棚《だな》や机《つくゑ》等《など》が置《お》かれてあるが、これは云《い》ふ迄《まで》もなく術《じゆつ》者《しや》用《よう》のものである。此《こ》の外《ほか》別《べつ》に眼《め》に立《た》つ様《やう》な設《せつ》備《び》も裝《さう》飾《しよく》も施《ほどこ》されて居《ゐ》ないが、此《こ》處で最《もつと》も注《ちう》意《い》すべきことは、室《しつ》内《ない》に敷《しき》詰《つ》められた絨《じう》氈《たん》や、テーブル掛《か》けや、椅《い》子《す》や寢《ね》臺《だい》にかけられてある布《ぬの》が何《いづ》れも赤《あか》味《み》の勝《か》つた色《しき》彩《さい》を帶《お》びて居《ゐ》る事《こと》と、安《あん》樂《らく》椅《い》子《す》と寢《ね》臺《だい》が何《いづ》れも光《くわう》線《せん》を後《こう》方《はう》からとる様《やう》に据《す》えられてある事《こと》は諸《しよ》子《し》の最《もつと》も記《き》憶《おく》すべき點《てん》である。

室内《しつない》の設備《せつび》と其《そ》の理由《りいう》

諸子《しよし》は今予《いまよ》が述《の》べた二室《しつ》の設備《せつび》を如何《いか》に觀察《くわんさつ》さるゝか、言《ことは》を換《か》へて云《い》へば催眠術者《さいみんじゆつしや》は何故《ゆゑ》斯様《かやう》な設備《せつび》をして彼術者《ひじゆつしや》を待《ま》つて居《ゐ》るのであらうか、云《い》ふ迄《まで》もなく之《これ》には多大《ただい》の理由《りいう》があるので諸子《しよし》の大《おほい》に記憶《きおく》せねばならぬ要《えう》點《てん》である。と云《い》ふのは、凡《およ》そ身體《からだ》も精神《せいしん》も健全《けんぜん》な人《ひと》には催《さい》眠術《みんじゆつ》は最《もつと》もかけ易《やす》いもので、然《しか》らざる人《ひと》には誠《まこと》にかけ難《にく》いものであることは前《まへ》にも述《の》べた如《ごと》くである。然《しか》るに催《さい》眠術者《みんじゆつしや》の處《ところ》へ來《く》る客《きやく》は多《おほ》く病人《びやうにん》であるとか、惡癖《あくへき》のある人《ひと》であるとか、精神上《せいしんじやう》の缺點《けつてん》のある人《ひと》とかに極《きま》つて居《ゐ》るのである。而《しか》して彼等《かれら》は夫《そ》れをば治療《ちれう》又《また》は矯正《けうせい》して貰《もら》ひに來《く》るのであから、男《だん》女《ぢよ》老《らう》若《にやく》、職《しよく》業《げふ》の相《さう》違《ゐ》、教《けう》育《いく》の程《てい》度《ど》、身體《からだ》の强《きやう》弱《じやく》等《とう》千差《さ》萬《ばん》別《べつ》であつて、其《そ》の精《せい》神《しん》狀《じやう》態《たい》も各《かく》人《じん》各《かく》樣《やう》である事《こと》は云《い》ふ迄《まで》もないのである。夫《それ》等《ら》の人《ひと》々《〱》をば催《さい》眠《みん》術《じゆつ》者《もの》は悉《こと〴〵》く催《さい》眠《みん》せしめ且《か》つ適《てき》當《たう》の療《れう》治《ぢ》を講《かう》じ樣《やう》とするのであるから、勢《いきほ》ひ相《さう》當《たう》の設《せつ》備《び》をして置《お》かねばならぬ必《ひつ》要《えう》が起《おこ》るのである。夫《そ》れは何《なに》故《ゆゑ》かと云《い》ふに、今《いま》假《か》りに諸《しよ》子《し》の内《うち》何《なん》人《びと》かゞ此《こ》の術《じゆつ》者《しや》の家《うち》へ治《ち》療《れう》又《また》は矯《けう》正《せい》を受《う》けに來《き》たとしたならば、先《ま》づ應《おう》接《せつ》間《ま》に這《は》入《い》つた時《とき》に、前《まへ》に述《の》べた如《ごと》き設《せつ》備《び》が施《ほどこ》されてあつたとすれば諸《しよ》子《し》の眼《め》に先《ま》づ映《えい》ずるのは術《じゆつ》者《しや》の肖《せう》像《ざう》である。而《しか》して其《その》瞬《しゆん》間《かん》諸《しよ》子《し》の腦《なう》裡《り》に浮《うか》び出《い》づる考《かんかへ》は『ハ、ア此《この》人《ひと》が先《せん》生《せい》だな』と云《い》ふ事《こと》であらう。そして次《つぎ》には『此《こ》の先《せい》生《せい》が這《こん》麼《な》風《ふう》にして術《じゆつ》をかけるのだな」と、今度《こんど》は其《そ》の次《つぎ》に掲《か》げてある施《し》術《じゆつ》の寫《しや》眞《しん》に目《め》を注《そゝ》ぐであらう。之《これ》は人《にん》情《じやう》の然《しか》らしむる處《ところ》で、別《べつ》段《だん》不《ふ》思《し》議《ぎ》の事《こと》ではないので、而《しか》も催《さい》眠《みん》術《じゆつ》者《しや》の方《はう》では此《こ》の當《たう》然《ぜん》の考《かんがへ》を是《ぜ》非《ひ》共《とも》考《かんが》へて貰《もら》ふ必《ひつ》要《えう》があつて殊《こと》更《さら》に茲《こゝ》に威《ゐ》儀《ぎ》を作《つく》つた自《じ》分《ぶん》の肖《せう》像《ざう》と、施《し》術《じゆつ》の寫《しや》眞《しん》とを掲《か》げて置《お》くのであつて、畢《つま》り被《ひ》術《じゆつ》者《しや》に豫《よ》期《き》作《さ》用《よう》を起《おこ》させる爲《ため》の暗《あん》示《じ》なのである。夫《そ》れから新《しん》聞《ぶん》や雜《ざつ》誌《し》の代《かは》りに卓《たく》上《じやう》に寫《しや》眞《しん》帳《ちやう》が置《お》かれてあるのは、被《ひ》術《じゆつ》者《しや》の精《せい》神《しん》を刺《し》戟《げき》して來《らい》訪《はう》した信《しん》念《ねん》を散《さん》漫《まん》にさせぬ爲《ため》である。換《くわん》言《げん》すれば新《しん》聞《ぶん》や雜《ざつ》誌《し》の記《き》事《じ》に依《よつ》て催《さい》眠《みん》の妨《はう》害《がい》となる暗《あん》示《じ》を得《え》させまいとの細《さい》心《しん》な用《よう》意《い》なのである。斯《かく》して一方《はう》からは催《さい》眠《みん》の觀《くわん》念《ねん》を誘《いう》導《だう》すると共《とも》に、又《また》一方《はう》からは催《さい》眠《みん》に害《がい》になる樣《やう》な刺《し》戟《げき》をなるべく避《さ》け、以《もつ》て萬《まん》一に備《そな》へて居《ゐ》るのである。次《つぎ》に施《し》術《じゆつ》料《れう》をば初《しよ》回《くわい》の際《さい》三回《くわい》分《ぶん》を前《ぜん》納《なふ》させて置《お》くのは、初《はじ》め一回《くわい》丈《だけ》ではともすると充《じう》分《ぶん》の効《かう》果《くわ》を見《み》ることが出《で》來《き》ないことがあるので、其《そ》の際《さい》に一回《くわい》丈《だけ》の効《かう》果《くわ》を標《へう》準《じゆん》に技《ぎ》術《じゆつ》の批《ひ》難《なん》を云《うん》爲《ゐ》される樣《やう》では、術《じゆつ》者《しや》の手《しゆ》腕《わん》及《およ》び催《さい》眠《みん》術《じゆつ》の價《か》値《ち》を傷《きづ》けることに立《たち》至《いた》るから、先《ま》づ三回《くわい》分《ぶん》の料《れう》金《きん》を徴《ちよう》收《しう》して置《お》けば、被《ひ》術《じゆつ》者《しや》が嫌《いや》が應《おう》でも夫《そ》れだけの施《し》術《じゆつ》を受《う》けることになるから、若《も》し初《しよ》回《くわい》が不《ふ》結《けつ》果《くわ》であれば、二回《くわい》目《め》又《また》は三回《くわい》目《め》に成《せい》功《こう》せんとするのである。夫《そ》れに元《げん》來《らい》催《さい》眠《みん》術《じゆつ》は三回《くわい》位《ぐらゐ》かけてみなければ眞《しん》の効《かう》果《くわ》が顯《あら》はれないからである。之《これ》は強《あなが》ち催《さい》眠《みん》術《じゆつ》計《はか》りではなく、醫《い》者《しや》の藥《くすり》にしても矢《や》張《は》り一回《くわい》の投《とう》藥《やく》のみでは効《かう》の顯《あら》はれない事《こと》が多《おほ》いのである。否《い》な幸《さいはひ》にして一回《くわい》丈《だけ》の施《し》術《じゆつ》で効《かう》があつたとしても、夫《そ》れは全《ぜん》然《ぜん》治《なほ》つたのか何《ど》うかは疑《ぎ》問《もん》であつて、決《けつ》して再《さい》發《はつ》の恐《おそ》れがないとは限《かぎ》らないのである。茲《こゝ》に於《お》いてか催《さい》眠《みん》術《じゆつ》は少《すく》なく共《とも》三回《くわい》以《い》上《じやう》の施《し》術《じゆつ》を必《ひつ》要《えう》として居《ゐ》るのである。夫《そ》れから立《たち》會《あひ》人《にん》を要《えう》すると云《い》ふ事《こと》は當《たう》然《ぜん》の理《り》で、云《い》ふ迄《まで》もなく犯《はん》罪《ざい》行《かう》爲《ゐ》を未《み》然《ぜん》に防《ふせ》ぐ爲《ため》又《また》被《ひ》術《じゆつ》者《しや》に安《あん》心《しん》を與《あた》へる爲《ため》であるが、之《こ》れは年《とし》若《わか》い婦《ふ》人《じん》の爲《ため》に設《まう》けられた規《き》定《てい》と見《み》て差《さし》支《つかへ》ないのである。

以《い》上《じやう》で應《おう》接《せつ》間《ま》の設《せつ》備《び》に對《たい》する理《り》由《いう》が略《ほ》ぼ解《わか》つた、今《こん》度《ど》は施《し》術《じゆつ》室《しつ》の設《せつ》備《び》に就《つ》いて述《の》べることにするが、前《まへ》にも述《の》べた如《ごと》く施《し》術《じゆつ》室《しつ》は多《おほ》く奥《おく》まつた閑《かん》靜《せい》な室《しつ》を擇《えら》んであるが、之《こ》れは云《い》ふ迄《まで》もなく外《ぐわい》界《かい》の音《おん》響《きやう》を避《さ》けねばならぬ事《こと》が施《し》術《じゆつ》の際《さい》に於《お》ける第《だい》一の主《しゆ》要《えう》條《でう》件《けん》であるからである。

尙《なほ》序《ついで》に一言《げん》するが施《し》術《じゆつ》室《しつ》は二階《かい》が好《い》いか、夫《そ》れとも階《かい》下《か》が好《い》いかと云《い》ふに、夫《そ》れは其《そ》の家《いへ》の間《ま》取《どり》の都《つ》合《がふ》にもよるが、なるべく階《かい》下《か》を擇《えら》んだ方《はう》が安《あん》全《ぜん》でもあり、且《か》つ又《また》施《し》術《じゆつ》の効《かう》果《くわ》を充《じう》分《ぶん》にあげる事《こと》が出《で》來《き》るのである。卽《すなは》ち二階《かい》よりも階《かい》下《か》の方《はう》が被《ひ》術《じゆつ》者《しや》の精《せい》神《しん》を容《よう》易《い》に安《あん》靜《せい》ならしむる事《こと》が出《で》來《き》るのである。次《つぎ》に安《あん》樂《らく》椅《い》子《す》と寢《ね》臺《だい》と置《お》かれてあるのは、被《ひ》術《じゆつ》者《しや》の好《この》みに依《よ》つて何《いづ》れとも隨《すゐ》意《い》に選《せん》擇《たく》させる爲《ため》に設《せつ》備《び》してあるのである。卽《すなは》ち椅《い》子《す》に腰《こし》掛《か》けて居《ゐ》る事《こと》を好《この》む人《ひと》もあれば、横《わう》臥《ぐわ》して施《し》術《じゆつ》して貰《もら》ふ事《こと》を好《この》む人《ひと》もあるから、何《いづ》れとも被《ひ》術《じゆつ》者《しや》の選《せん》擇《たく》に任《にん》ずるのである。夫《そ》れから椅《い》子《す》や寢《ね》臺《だい》が後《こう》方《はう》から光《くわう》線《せん》をとる様《やう》に据《す》えてあるのは、一寸《ちよつと》考《かんが》へると無意《むい》味《み》の樣《やう》であるが、之《こ》れは誰《たれ》もが經驗《けいけん》することで、午睡《ひるね》をする場合《ばあひ》でも明《あか》るい方《はう》を向《む》いて居《ゐ》ては容易《ようい》に寢《ね》つかれないのと同《どう》一《いつ》の理《り》であるのである。次《つぎ》に室內《しつない》の溫度《をんど》が七十度《ど》位《ぐらゐ》を保《ほ》持《ぢ》してあるのは、此《こ》の溫度《をんど》が人《ひと》を催眠《さいみん》するに最《もつと》も適當《てきたう》の溫度《をんど》であるからである。又《また》絨氈《じうたん》や椅子《いす》や寢臺《ねだい》の掛《か》け布《ぬの》が凡《すべ》て赤《あか》色《いろ》の勝《か》つたものを擇《えら》んであるのは、赤《あか》色《いろ》は精神《せいしん》を刺《し》戟《げき》することがなくて自《し》然《ぜん》に催眠《さいみん》を誘導《いうだう》する便《べん》宜《ぎ》があるから、老《らう》練《れん》な催眠術《さいみんじゆつ》者《しや》は何《いづ》れも赤《あか》色《いろ》の勝《か》つた布《ぬの》を何《なに》物《もの》にも用《もち》ひて居《ゐ》るのである。

以《い》上《じやう》は施《し》術《じゆつ》室《しつ》と應《おう》接《せつ》間《ま》との設《せつ》備《び》と夫《それ》に對《たい》する理《り》由《いう》であつて。後《ご》日《じつ》諸《しよ》子《し》が催《さい》眠《みん》術《じゆつ》を以《もつ》て世《よ》に立《た》たれた時《とき》は、是《ぜ》非《ひ》共《とも》實《じつ》際《さい》に應《おう》用《よう》せられねばならぬ要《えう》點《てん》である。勿《もち》論《ろん》以《い》上《じやう》の設《せつ》備《び》がなければ催《さい》眠《みん》術《じゆつ》はかけられないと云《い》ふ譯《わけ》ではないが、矢《や》張《は》り充《じう》分《ぶん》なる設《せつ》備《び》を整《とゝの》へ、以《もつ》て被《ひ》術《じゆつ》者《しや》に對《たい》した方《はう》が安《あん》全《ぜん》でもあり又《また》確《かく》實《じつ》でもあるのである。但《たゞ》し光《くわう》線《せん》が餘《あま》り瞭《はつ》然《きり》とし過《す》ぎたり、廣《ひろ》過《す》ぎたりした室《しつ》は施《し》術《じゆつ》室《しつ》としては不《ふ》適《てき》當《たう》である。又《また》凡《すべ》ての設《せつ》備《び》が被《ひ》術《じゆつ》者《しや》に其《そ》の目《もく》的《てき》を悟《さと》られぬ樣《やう》に、換《くわん》言《げん》すれば故《わ》意《ざ》とらしくない範《はん》圍《ゐ》に於《お》いて右《みぎ》の設《せつ》備《び》を整《とゝの》へる事《こと》を忘《わす》れてはならぬのである。

序《ついで》に一言《げん》して置《お》きたいのは催《さい》眠《みん》催《じゆつ》者《しや》が着《き》て居《ゐ》る黑《こく》色《しよく》の服《ふく》裝《さう》である。之《こ》れは施《し》術《じゆつ》服《ふく》と云《い》つて、殆《ほと》んど普《ふ》通《つう》の事《じ》務《む》服《ふく》と變《かは》りのないやうなものであるが何《なに》が爲《ため》に斯《か》樣《やう》なものを着《ちやく》用《よう》するのかと云《い》ふと、男《だん》子《し》の被《ひ》術《じゆつ》者《しや》などには餘《あま》り斯《か》ふ云《い》ふことはないが、婦《ふ》人《じん》の被《ひ》術《じゆつ》者《しや》などになると、心《こゝろ》の中《うち》に術《じゆつ》者《しや》の着《き》物《もの》の縞《しま》柄《がら》を批《ひ》評《ひやう》したり、又《また》は洋《やう》服《ふく》なればネクタイの歪《ゆが》んで居《ゐ》るのを氣《き》にしたりして、知《し》らず識《し》らずのうちに催《さい》眠《みん》の觀《くわん》念《ねん》を他《た》に亂《みだ》す樣《やう》なことがあるからで、それを防《ふせ》ぐため術《じゆつ》者《しや》は常《つね》に斯《か》うした微《び》細《さい》な點《てん》に至《いた》る迄《まで》深《しん》甚《じん》なる注《ちう》意《い》を拂《はら》つて居《ゐ》るのである。夫《そ》れに普《ふ》通《つう》の服《ふく》裝《さう》をして居《ゐ》るよりも多《た》少《せう》異《い》裝《さう》をして居《ゐ》る方《はう》が、被《ひ》術《じゆつ》者《しや》に對《たい》して畏《い》敬《けい》の念《ねん》を增《ま》さしめる助《たす》けともなり、且《か》つ施《し》術《じゆつ》上《じやう》動《どう》作《さ》に便《べん》利《り》であるからである。夫《か》の醫《い》師《し》の用《もち》ひて居《ゐ》る手《しゆ》術《じゆつ》着《き》でも差《さし》支《つかへ》ない樣《やう》なものゝ、凡《すべ》て白《はく》色《しよく》のものは一般《はん》に催《さい》眠《みん》を妨《さまた》げる恐《おそ》れがあるから宜《よろ》しくないのである。

催《さい》眠《みん》術《じゆつ》の生《せい》命《めい》

予《よ》が催《さい》眠《みん》術《じゆつ》者《しや》の應《おう》接《せつ》間《ま》から施《し》術《じゆつ》室《しつ》の設《せつ》備《び》と其《そ》の理《り》由《いう》を説《せつ》明《めい》したので、之《これ》を讀《よ》んだ諸《しよ》子《し》は矢《や》張《は》りこれだけの設《せつ》備《び》をしなければ一回《くわい》の實《じつ》驗《けん》をも試《こゝろ》みることが出《で》來《き》ない樣《やう》に思《おも》はれたであらうが、之《これ》は唯《たゞ》初《しよ》學《がく》者《しや》に其《そ》の理《り》論《ろん》を知《し》らしめんが爲《ため》に説《せつ》明《めい》した迄《まで》で、右《みぎ》の原《げん》則《そく》に從《したが》つて適《てき》宜《ぎ》に取《しゆ》捨《しや》して差《さし》支《つかへ》ないのである。然《しか》し繰《くり》返《かへ》して云《い》ふが外《ぐわい》部《ぶ》の事《じ》情《じやう》や、術《じゆつ》者《しや》の態《たい》度《ど》や、暗《あん》示《じ》の强《きやう》弱《じやく》や、言《げん》語《ご》の高《かう》低《てい》等《とう》は、直《ちよく》接《せつ》被《ひ》術《じゆつ》者《しや》に影《えい》響《きやう》するものであるから、充《じう》分《ぶん》の注《ちう》意《い》を要《えう》することは云《い》ふ迄《まで》もない。次《つぎ》に注《ちう》意《い》すべき事《こと》は施《し》術《じゆつ》にかゝつてから他《た》の事《こと》に心《こゝろ》を散《さん》ぜしめるなど云《い》ふ事《こと》のないやう施《し》術《じゆつ》前《まへ》に於《お》いて豫《あらかじ》め排《はい》尿《ねう》を濟《す》まさしめるとか、又《また》は施《し》術《じゆつ》に際《さい》して窮《きう》屈《くつ》なる態《たい》度《ど》をとらしめざる樣《やう》衣《い》帶《たい》を緩《ゆる》めしめ、充《じう》分《ぶん》心《しん》身《しん》共《とも》術《じゆつ》者《しや》に一任《にん》して善《ぜん》良《りやう》の結《けつ》果《くわ》を豫《よ》期《き》せしめることである。

之《これ》迄《まで》說《と》き去《さ》り說《と》き來《きた》つた催《さい》眠《みん》術《じゆつ》の原《げん》理《り》は生《せい》理《り》、心《しん》理《り》又《また》は心《しん》身《しん》雙《さう》關《くわん》說《せつ》とも云《い》ふ可《べ》きものであつて、何《なん》人《びと》も右《みぎ》の法《はふ》則《そく》に從《したが》つて施《し》術《じゆつ》したならば必《かなら》ず相《さう》當《たう》の効《かう》果《くわ》を收《をさ》むることが出《で》來《き》るのではあるが、若《も》し諸《しよ》子《し》が、催《さい》眠《みん》術《じゆつ》の生《せい》命《めい》とする處《ところ》のものは果《はた》して如《い》何《かん》との質《しつ》問《もん》に對《たい》しては、之《これ》に答《こた》ふるに何《なに》事《ごと》を以《もつ》てすべきであらう。暗《あし》示《じ》か、方《はう》式《しき》か、準《じゆん》備《び》か、非《あ》らず、其《そ》處《こ》には本《ほん》卷《くわん》の全《ぜん》紙《し》背《はい》を通《とほ》して流《なが》るゝ生《せい》命《めい》があるのである。此《こ》の生《せい》命《めい》を獲《くわく》得《とく》せざる以《い》上《じやう》は、如《い》何《か》に巧《こう》妙《めう》なる施《し》術《じゆつ》法《はふ》も時《とき》に無《い》意《い》味《み》に終《を》はるものと云《い》はねばならぬのである。要《えう》するに技《ぎ》術《じゆつ》は末《すゑ》である。生《せい》命《めい》が元《もと》である。然《しか》らば催《さい》眠《みん》術《じゆつ》の生《せい》命《めい》は如何《いかん》、『自《じ》尊《そん》』の二字、實《じつ》に之《こ》れ一切《さい》の形《けい》式《しき》を超《てう》越《ゑつ》したる催《さい》眠《みん》術《じゆつ》の全《ぜん》生《せい》命《めい》なのである。見《み》よ自《じ》己《こ》の吾《われ》を以《もつ》て對《あひ》手《て》の吾《われ》を畏《い》敬《けい》せしめ、同《どう》時《じ》に對《あひ》手《て》の精《せい》神《しん》を一處《しよ》に集《しふ》注《ちう》せしめる事《こと》に依《よ》つて容《よう》易《い》に催《さい》眠《みん》せしめる事《こと》が出《で》來《き》、又《また》吾《われ》を肉《にく》體《たい》から分《ぶん》離《り》せしむる事《こと》に依《よ》つて容《よう》易《い》に自《じ》己《こ》を催《さい》眠《みん》せしむ事《こと》が出《で》來《き》るのである。釋《しやく》尊《そん》は既《すで》に三千年《ねん》の昔《むかし》に於《お》いて天《てん》上《じやう》天《てん》下《か》唯《ゆゐ》我《が》獨《どく》尊《そん》を絶《ぜつ》叫《けう》して居《ゐ》るではないか。凡《およ》そ暗《あん》示《じ》の奏《そう》効《かう》如何《いかん》は畢《ひつ》竟《きやう》術《じゆつ》者《しや》の人《じん》格《かく》の高《かう》下《げ》に正《せい》比《ひ》例《れい》するもので、被《ひ》術《じゆつ》者《しや》の精《せい》神《しん》を統《とう》一《いつ》するには、先《ま》づ術《じゆつ》者《しや》其《そ》の人《ひと》の精《せい》神《しん》から統《とう》一《いつ》してかゝらねばならぬのである。由《ゆ》來《らい》個《こ》人《じん》としての成《せい》功《こう》は多《おほ》く集《しふ》中《ちう》の力《ちから》に基《もとづ》き、國《こく》家《か》としての繁《はん》榮《えい》も亦《また》固《もと》より之《こ》れを集《しふ》中《ちう》の力《ちから》に俟《ま》たねばならぬことは、催《さい》眠《みん》術《じゆつ》に於《お》いても、社《しや》會《くわい》に於《お》いても、何《な》んの變《かは》りはないのである。故《ゆゑ》に催《さい》眠《みん》術《じゆつ》の應《おう》用《よう》としては敎《けう》育《いく》、感《かん》化《くわ》、心《しん》身《しん》修《しう》養《やう》、療《れう》病《びやう》矯《けう》癖《へき》、社《しや》交《かう》、宗《しう》敎《けう》、不《ふ》可《か》思《し》議《ぎ》現《げん》象《しやう》の解《かい》決《けつ》、豫《よ》言《げん》、勢《せい》運《うん》轉《てん》換《くわん》等《とう》其《その》他《た》諸《しよ》般《はん》の心《しん》象《しやう》事《じ》象《しやう》に關《くわん》係《けい》する處《ところ》が甚《はなは》だ廣《ひろ》いのである。諸《しよ》子《し》希《こひねがは》くは之《こ》れを努《つと》めよ。

擱《かく》筆《ひつ》に際《さい》して特《とく》に一言《げん》注《ちう》意《い》すべきは催《さい》眠《みん》術《じゆつ》を用《もち》ひて人《ひと》に罪《つみ》を犯《をか》さしむる場《は》合《あひ》と、人《ひと》を催《さい》眠《みん》状《じやう》態《たい》にして置《お》いて、其《そ》の人《ひと》に對《たい》して犯《はん》罪《ざい》の行《かう》爲《ゐ》をなす場《は》合《あひ》である。從《じう》來《らい》の例《れい》に依《よ》ると、後《こう》者《しや》は專《もつぱ》ら婦《ふ》人《じん》に對《たい》する犯《はん》罪《ざい》で卽《すなは》ち婦《ふ》人《じん》を催《さい》眠《みん》状《じやう》態《たい》にして置《お》いて之《これ》を姦《かん》する場《は》合《あひ》である。之《こ》れに關《くわん》しては我《わが》國《くに》現《げん》行《かう》の刑《けい》法《はふ》第《だい》三百四十八條《でう》には『藥《やく》酒《しゆ》等《とう》を用《もち》ひ人《ひと》を昏《こん》睡《すゐ》せしめ、又《また》は精《せい》神《しん》を錯《さく》亂《らん》せしめて姦《かん》淫《いん》したる者《もの》は強《がう》姦《かん》を以《もつ》て論《ろん》ず』と云《い》ふ規《き》定《てい》があるが、前《ぜん》者《しや》の場《ば》合《あひ》は殘《ざん》續《ぞく》暗《あん》示《じ》を以《もつ》て覺《かく》醒《せい》後《ご》に罪《つみ》を犯《をか》させ、故《こ》意《い》に他《た》人《にん》の健《けん》康《かう》を害《がい》し、又其《そ》の人《ひと》の所《しよ》有《いう》權《けん》讓《じやう》與《よ》の契《けい》約《やく》等《とう》をなさしめることが出《で》來《き》るので、種《しゆ》々《ゞ》の犯《はん》罪《ざい》が行《おこな》はるゝことがある。併《しか》し元《ぐわん》來《らい》催《さい》眠《みん》術《じゆつ》と云《い》ふものは、どれだけの範《はん》圍《ゐ》の事《こと》を指《さ》すのか、今《こん》日《にち》の催《さい》眠《みん》學《がく》の上《うへ》では夫《そ》れが決《けつ》して明《めい》瞭《れう》でないのである。而《しか》して實《じつ》驗《けん》が進《すゝ》めば進《すゝ》む程《ほど》、此《こ》の範《はん》圍《ゐ》が益《ます》々《〳〵》不《ふ》明《めい》瞭《れう》になつて來《く》るのであるから、催《さい》眠《みん》術《じゆつ》の取《とり》締《しまり》法《はふ》は斯《か》る點《てん》から云《い》ふと非《ひ》常《じやう》に困《こん》難《なん》である。故《ゆゑ》に催《さい》眠《みん》術《じゆつ》者《しや》たらんと欲《ほつ》するものは大《おほい》に其《そ》の人《じん》格《かく》の修《しう》養《やう》に努《つと》めねばならぬと共《とも》に他人《たにん》の充分《じうぶん》なる信頼《しんらい》を保持《ほぢ》して行《ゆ》く様《やう》にせねばならぬのである。又《また》過去《くわこ》幻覺《げんかく》と稱《しよう》して、被《ひ》術者《じゆつしや》が過去《くわこ》に於《お》いて實際《じつさい》見《み》た事《こと》を全《まつた》く見《み》なかつたと確信《かくしん》し、又《また》實際《じつさい》見《み》なかつた事《こと》を現《げん》に見《み》たと思《おも》はせることが出來《でき》るが、之《こ》れも法律《はふりつ》上《じやう》に重大《ぢうだい》な關係《くわんけい》を持《も》つことがある。又《また》被《ひ》術者《じゆつしや》が何等《なんら》術者《じゆつしや》の暗示《あんじ》を受《う》くることなく自《みづか》ら種々《しゆ〴〵》の幻覺《げんかく》を起《おこ》しあらぬ想像《さうざう》をめぐらした結果《けつくわ》思《おも》はぬ疑惑《ぎわく》を蒙《かふむ》つて非常《ひじやう》に困難《こんなん》したなど云《い》ふ實例《じつれい》があるから、術者《じゆつしや》たるものは豫《あらかじ》め此等《これら》に對《たい》する用意《ようい》と心懸《こゝろがけ》とをして置《お》かねばならぬ。(完)

忍《にん》術《じゆつ》

忍《にん》術《じゆつ》とは何《なん》ぞ

忍《にん》術《じゆつ》——即《すなは》ち忍《しの》びの術《じゆつ》は、一名《めい》を隱《いん》身《しん》術《じゆつ》或《あるひ》は隱《いん》形《ぎやう》術《じゆつ》とも稱《しよう》して、古《こ》來《らい》より殆《ほと》んど武《ぶ》術《じゆつ》家《か》の極《ごく》意《い》として、極《きは》めて秘《ひ》密《みつ》に口《こう》授《じゆ》せられ、爲《ため》に今《こん》日《にち》に至《いた》りては的《てき》確《かく》なる考《かう》證《しよう》を有《いう》せざるを以《もつ》て、其《そ》の存《そん》在《ざい》をすら危《あや》ぶまれて居《ゐ》る有《あり》様《さま》であるが、畢《つま》り我《わ》が身《しん》形《けい》を他《た》人《にん》の目《め》に觸《ふ》れざる様《やう》に秘《かく》し、以《もつ》て窮《きう》地《ち》を遁《のが》れ、又《また》敵《てき》地《ち》に入《い》り、隱《いん》現《けん》出《しゆつ》沒《ぼつ》を恣《ほしいまゝ》にすると云《い》ふ妙《めう》術《じゆつ》であるから、到《たう》底《てい》斯《か》くの如《ごと》き事《こと》は不《ふ》可《か》能《のう》の如《ごと》く考《かんが》ふる人《ひと》もあらうが實《じつ》際《さい》斯《し》術《じゆつ》の堂《だう》奧《あう》を闡《せん》明《めい》して之《こ》れを體《たい》得《とく》したならば、何人《なんぴと》も必《かなら》ず實行《じつかう》し得《う》る一種《しゆ》の科學的《くわがくてき》護身法《ごしんはふ》なのである。

昔《むかし》荒木《あら き》又右衛門《またうゑもん》が斯《こ》の術《じゆつ》を用《もち》ひて尺《しやく》二寸《すん》の鐵扇《てつせん》中《ちう》に身《み》を隱《かく》したりとか、又《また》大森《おほもり》大覺《だいがく》は箱根《はこね》の番所《はんしよ》を通《とほ》らんとせしに、門鑑《もんかん》を所持《しよぢ》して居《ゐ》無《な》かつた爲《ため》斯《こ》の術《じゆつ》を以《もつ》て忽《たちま》ち番人《はんにん》の眼《め》を暗《くら》まし、無事《ぶじ》通過《つうくわ》せりとか、其他《そのた》之《こ》れに類《るゐ》した話《はなし》は多々《たゝ》傳《つた》へられてあつて世人《せじん》の奇《き》とする所《ところ》であるが、之等《これら》の多《おほ》くは其《そ》の結果《けつくわ》のみを見《み》て、其《そ》の事實《じじつ》を考究《かうきう》して居《ゐ》ないから奇妙《きめう》に思《おも》はれるのである。卽《すなは》ち又右衛門《またうゑもん》は劍術《けんじゆつ》の達人《たつじん》であるから鐵扇《てつせん》を以《もつ》て身構《みがま》へすれば、全身《ぜんしん》に寸分《すんぶん》の斬《き》り込《こ》む可《べ》き隙《すき》がなかつた事《こと》を賞讃《しやうさん》した辭《ことば》であつて、大覺《だいがく》は二晝《ちう》夜《や》一睡《すゐ》もせずして峻坂《しゆんはん》幽谷《いうこく》を迂廻《うくわい》して山《やま》を越《こ》したのである。斯《か》く事實《じじつ》の眞相《しんさう》を知《し》つては、敢《あへ》て奇《き》とするに足《た》らないのであるが、鐵扇《てつせん》一本《ほん》を以《もつ》て敵《てき》に隙《すき》を見《み》せざるの技倆《ぎりやう》、二晝夜《ちうや》幽谷《いうこく》を跋渉《はつせふ》して毫《がう》も疲勞《ひらう》しなかつた勇氣《ゆうき》體力《たいりよく》は、到底《たうてい》凡人《ぼんじん》の眞似《まね》し得《う》可《べ》きことではないのである。併《しか》し之等《これら》は忍術《にんじゆつ》と云《い》ふ可《べ》きものではなく、唯《たゞ》酒色《しゆしよく》財《ざい》の三慾《よく》を去《さ》り、克己《こくき》忍耐《にんたい》以《もつ》て修業《しゆげふ》を怠《おこた》らなければ斯術《しじゆつ》の妙境《めうきやう》に達《たつ》することが出來《でき》ると云《い》ふ事《こと》を示《しめ》したに過《す》ぎないのである。

然《しか》らば眞《しん》の忍術《にんじゆつ》とは如何《いか》なるものであるかと云《い》ふと、業《わざ》は熟《じゆく》すれば敵《てき》の眼《め》に觸《ふ》れざるも、體《たい》は他物《たぶつ》によらざれば敵《てき》の眼《め》を避《さ》け難《がた》しで、矢張《やはり》忍術《にんじゆつ》にも木遁《もくとん》、火遁《くわとん》、土遁《どとん》、金遁《きんとん》、水遁《すゐとん》、人遁《じんとん》、禽遁《きんとん》、獸遁《じうとん》、魚遁《ぎよとん》、蟲遁《ちうとん》、日遁《につとん》、月遁《げつとん》、星遁《せいとん》、雲遁《うんとん》、霧遁《むとん》、雷遁《らいとん》、電《でん》遁《とん》、風《ふう》遁《とん》など稱《しよう》して、或《ある》物《ぶつ》體《たい》によつて巧《たくみ》に身《み》を遁《のが》るゝので、其《そ》の方《はう》法《はふ》は術《じゆつ》者《しや》一《ひと》度《たび》呪《じゆ》文《もん》結《けつ》印《いん》する時《とき》は忽《たちま》ち姿《すがた》は消《き》えて行《ゆ》く處《ところ》を知《し》らざるものゝ如《ごと》く、前《ぜん》者《しや》と違《ちが》つて全《ぜん》然《ぜん》其《そ》の理《り》法《はふ》を異《こと》にするものである。彼《か》の蛇《へび》の術《じゆつ》、蝦《が》蟇《ま》の術《じゆつ》、蜘《く》蛛《も》の術《じゆつ》の如《ごと》きは蟲《ちう》遁《とん》の術《じゆつ》にして、鼠《ねずみ》と化《くわ》するが如《ごと》きは獸《じう》遁《とん》の術《じゆつ》である。演劇《しはゐ》でする仙《せん》代《だい》萩《はぎ》の場《ば》で、仙《せん》臺《だい》の藩《はん》士《し》原《はら》田《だ》甲《か》斐《ひ》が鼠《ねずみ》と化《くわ》して殿《でん》中《ちう》に忍《しの》び入《い》り秘《ひ》密《みつ》の一巻《くわん》を取《と》り出《だ》したとか、由《ゆ》井《ゐ》正《しやう》雪《せつ》が大《たい》藩《はん》の城《じやう》中《ちう》に忍《しの》び込《こ》んで其《そ》の內《ない》部《ぶ》の模《も》樣《やう》を詳《しやう》細《さい》に探《さぐ》つたとか云《い》ふことは事《じ》實《じつ》かどうかは分《わか》らないが、夫《そ》れ位《くらゐ》の事《こと》は必《かなら》ず出《で》來《き》得《う》るに相《さう》違《ゐ》ないのである。

古《こ》來《らい》の忍《にん》術《じゆつ》

忍術《にんじゆつ》は隨分《ずゐぶん》良《よ》くない方面《はうめん》に用《もち》ひらるゝことがあるが、又《また》軍事上《ぐんじじやう》の偵察《ていさつ》や敵人《てきじん》の狀情《じやうじやう》を知察《ちさつ》する場合《はあひ》にも用《もち》ひらるゝことかある。昔《むかし》德川《とくがは》氏《し》では伊賀衆《いがしゆう》と云《い》ふものを以《もつ》て專《もつは》ら此《こ》の術《じゆつ》を練習熟達《れんしふじゆくたつ》せしめ軍事的探偵《ぐんじてきたんてい》に應用《おうよう》して、爲《ため》に種々《しゆ〴〵》の利益《りえき》を得《え》たことがあつたが、德川氏《とくがはし》は最《もつと》も秘密《ひみつ》に之《こ》れを設《まう》けて居《ゐ》たのみならず、其《そ》の取締《とりしまり》を嚴《おごそか》にしたから他《た》の諸侯《しよこう》は之《こ》れを設《まう》けることが出來《でき》なかつたのである。それでも各大名《かくだいみやう》は極《ご》く秘密《ひみつ》に之《こ》れを設《きう》けて中《なか》にも濃州《のうしう》の大垣藩《おほがきはん》などでは此《こ》の組子《くみこ》を設《まう》けて其《そ》の組下《くみした》の士《し》の住居《ぢうきよ》する所《ところ》を栗屋町《くりやまち》と云《い》つて居《ゐ》た。之《こ》れは德川氏《とくがはし》が忍術《にんじゆつ》の士《し》を伊賀衆《いがしゆう》と云《い》つて居《ゐ》たから其《そ》のいがを栗《くり》に隱《かく》したのである。又《また》信州《しんしう》松代《まつしろ》の城主《じやうしゆ》眞田《さなだ》幸村《ゆきむら》は七人《にん》の影武者《かげむしや》を使《つか》つて居《ゐ》たことは人口《じんこう》に膾炙《くわいしや》する處《ところ》であるが此《こ》の甲《かふ》賀《が》流《りう》と伊《い》賀《が》流《りう》の忍術《にんじゆつ》は最《もつと》も有名《いうめい》なものである。又《また》支那《しな》にも印度《インド》にも神變《しんぺん》不思議《ふしぎ》な事《こと》が澤山《たくさん》あつた。これは、果《はた》して日本《にほん》の忍術《にんじゆつ》と同一《どういつ》理法《りはふ》のものであるや否《いな》やは分《わ》からないが、忽然《こつぜん》として姿《すがた》を消《け》すと云《い》ふことは同一《どういつ》の現象《げんしやう》である。今日《こんにち》でも支那《しな》の道士《だうし》は種々《いろ〳〵》の奇蹟《きせき》を行《おこな》つて居《ゐ》る樣《やう》である。否《い》な五遁《とん》の術《じゆつ》の如《ごと》きは寧《むし》ろ支那《しな》傳來《でんらい》のものなのである。

而《しか》して此《こ》の方法《はうはふ》は多種《たしゆ》あるが要《えう》するに術者《じゆつしや》の心力《しんりよく》の集注《しふちう》に外《ほか》ならぬのである。卽《すなは》ち如何《いか》なる結印《けついん》呪文《じゆもん》を調《しら》べて見《み》ても握固《あくこ》を行《おこな》つて心身《しんしん》を堅固《けんご》ならしめ、渾身《こんしん》の勇氣《ゆうき》と力《ちから》を生《しやう》ぜしめ、其《そ》の目的《もくてき》に向《むか》つて精神《せいしん》を集注《しふちう》すると云《い》ふこと以《い》外《ぐわい》別《べつ》に方《はう》法《はふ》はないやうである。換《くわん》言《げん》すれば夫《か》の氣《き》合《あひ》術《じゆつ》の應《おう》事《じ》接《せつ》物《ぶつ》の際《さい》、特《とく》別《べつ》の目《もく》的《てき》に向《むか》つて遲《ち》疑《ぎ》逡《しゆん》巡《じゆん》することなくして勇《ゆう》往《わう》邁《まい》進《しん》する顯《けん》勢《せい》狀《じやう》態《たい》とも云《い》ふ可《べ》き心《しん》術《じゆつ》である。故《ゆゑ》に古《こ》來《らい》傳《つた》へたる忍《にん》術《じゆつ》の法《はふ》は、最《さい》初《しよ》對《たい》者《しや》に見《み》られない樣《やう》袖《そで》の中《うち》で、右《みぎ》手《て》の人《ひと》差《さし》指《ゆび》を左《ひだり》手《て》を以《もつ》て固《かた》く握《にぎ》り、心《しん》中《ちう》に充《じう》分《ぶん》此《こ》の術《じゆつ》を行《おこな》へば決《けつ》して他《た》人《にん》をして我《わ》が身體《からだ》を見《み》らるゝことなしと深《ふか》く信《しん》ずるにあるので、此《こ》の際《さい》臍《さい》下《か》丹《たん》田《でん》の力《ちから》、握《あく》固《こ》の力《ちから》、足《そく》指《し》の力《ちから》が充《じう》分《ぶん》に充《じう》實《じつ》して居《ゐ》るのは云《い》ふ迄《まで》もないのである。換《くわん》言《げん》すれば斯《し》術《じゆつ》は一種《しゆ》の心《しん》力《りよく》應《おう》用《よう》の結《けつ》果《くわ》であつて、對《あひ》手《て》をして其《そ》の精《せい》神《しん》を受《じゆ》感《かん》器《き》となし、我《わ》が思《し》念《ねん》する力《ちから》を感《かん》受《じゆ》せしむる爲《ため》、己《おの》れ先《ま》づ固《こ》信《しん》して對《あひ》手《て》の感《かん》覺《かく》に錯《さく》誤《ご》を起《おこ》さしむるの方《はう》法《はふ》に過《す》ぎないのである。

此《こ》の方法《はうはふ》の簡易《かんい》なる實《じつ》に右《みぎ》の通《とほ》りであるが、普通《ふつう》の道《だう》理上《りじやう》から云《い》へば有《あ》るものを無《な》いと信《しん》ずることは出來《でき》ぬ筈《はず》であるから、夫《そ》れを信《しん》ずると云《い》ふことは實《じつ》に困難《こんなん》である。其處《そこ》で例《たと》へ如何《いか》なる誘惑《いうわく》に出合《であ》ふも固《かた》く信《しん》じて動《うご》かぬ樣《やう》になることを此術《このじゆつ》の修行《しゆぎやう》又《また》は練磨《れんま》と云《い》ふのであるが、此《こ》の練磨《れんま》修行《しゆぎやう》を經《へ》て、如何《いか》なる疑惑《ぎわく》の起《おこ》る可《べ》き場合《ばあひ》にも毅然《きぜん》として誘惑《いうわく》せられざる迄《まで》に思念《しねん》の固結《こけつ》したる上《うへ》に於《おい》て始《はじ》めて斯術《しじゆつ》の光明《くわうみやう》を放《はな》つことができるのである。

然《しか》らば如何《いか》にして之《こ》れを修行《しゆぎやう》すべきか、其《そ》の方法《はうはふ》に就《つ》いては種々《しゆ〴〵》あるが、先《ま》づ茲《こゝ》に予《よ》自《みづか》らの經驗《けいけん》を述《の》べて、以《もつ》て諸子《しよし》の參考《さんかう》に供《きよう》するであらう。

予《よ》の實驗《じつけん》

『忍術《にんじゆつ》は物《もの》ほしからず、腹立《はらた》てず、唯《たゞ》一《いつ》心《しん》に働《はたら》いて知《し》れ』と云《い》ふ極意《ごくい》の歌《うた》がある如《ごと》く、此《この》術《じゆつ》は先《ま》づ已《すで》に克《か》つことを先《さき》に勤《つと》めねばならぬ。併《しか》し乍《なが》ら唯《たゞ》心《こゝろ》を一點《てん》に凝集《ぎようしふ》すると云《い》ふことと計《はか》りでは、未《いま》だ修養《しうやう》の上乗《じやうじやう》たるものではない。若《も》し大《だい》死《し》一番《ばん》新《しん》生《せい》面《めん》に達《たつ》すると『心《こゝろ》を主《しゆ》とせず心《こゝろ》の主《しゆ》となる』ことが出來《でき》るものである。予《よ》は此《この》決心《けつしん》を以《もつ》て最初《さいしよ》の實驗《じつけん》を一小《せう》蟲《ちう》に向《むか》つて試《こゝろ》みたのである。蟲《ちう》對《たい》人《じん》、誰《たれ》でも此《この》際《さい》直《たゞち》に吾人《ごじん》は宇宙《うちう》の支配者《しはいしや》なれば、爲《な》すとして成《な》らざることなしと云《い》ふ心《こゝろ》になれないものがない。要《えう》するに時間《じかん》と空間《くうかん》とを超越《てうゑつ》した精神狀態《せいしんじやうたい》を造《つく》るには、目前《もくぜん》の事實《じじつ》に捕《と》らはれない様《やう》にしなくてはならぬのである。予《よ》は正直《しやうじき》に告白《こくはく》するが忍術《にんじゆつ》の修行《しゆぎやう》を爲《な》す可《べ》く、實《じつ》に一小蟲《せうちう》より始《はじ》めたのである。

或日《あるひ》一疋《ぴき》の羽蟲《は》が向《むかふ》から匐《は》ふて來《き》たのである。予《よ》は之《これ》れを認《みと》めて暫《しばら》く睨《にら》んだ上《うへ》『止《とま》れ』と思念《しねん》した處《ところ》が蟲《むし》は俄《にわか》に靜止《せいし》して了《しま》つたのである。予《よ》は右《みぎ》の方《はう》を指差《ゆびさ》し言語《げんご》に表《あら》はして『歩《あゆ》め』と云《い》ふや、蟲《むし》は勢《いきほ》ひよく歩《あゆ》み出《だ》した。『止《とま》れ』止《とま》る。『止《あゆ》め』又《また》歩《あゆ》むのである。其《そ》の止《とま》れと予《よ》が心力《しんりよく》を凝《こら》して丹田《たんでん》の力《ちから》を強《つよ》める都度《つ》、羽蟲《むし》は恰《あたか》も縮《ちゞ》み上《あが》るが如《ごと》く平《ひら》みついて止《とま》るのであつた。先程《さきほど》より側《かたはら》に在《あ》つて興味《きようみ》を以《もつ》て之《こ》れを眺《なが》めて居《ゐ》た某《ばう》は、自分《じぶん》にも之《こ》れを演《えん》じ様《やう》として試《こゝろ》みたが、思《おも》ふ様《やう》にならないので憤然《ふんぜん》蟲《むし》を打《う》たうとした時《とき》、蟲《むし》は小羽《せうう》を伸《の》べて飛《と》び去《さ》つて了《しま》つたのである。余《よ》は某《ぼう》に他《た》の魚《ぎよ》鳥《てう》獸《じう》等《とう》にも一念《ねん》凝《こ》つた曉《あかつき》には、吾々《われ〳〵》の精《せい》神《しん》が感《かん》通《つう》す可《べ》きものであることを說《と》き、君等《きみら》は確《かく》信《しん》を持《もた》ぬが爲《ため》に出《で》來《き》ぬので、夫《そ》れを持《も》つ爲《ため》には心《しん》身《しん》の修《しう》養《やう》が必《ひつ》要《えう》なものであると語《かた》つたのである。

次《つぎ》に予《よ》は狐《きつね》が鷄《にはとり》に狐《きつね》火《び》と稱《しよう》する幻《げん》覺《かく》を起《おこ》すことを聞《き》いて居《ゐ》たので、家《いへ》に飼《し》養《やう》して置《お》く鷄《にはとり》に就《つい》て試《こゝろ》みた處《ところ》が每《まい》夜《よ》鳥《とり》屋《や》の前《まへ》に行《い》つて思《し》念《ねん》を凝《こら》すこと一週《しう》間《かん》目《め》位《ぐらゐ》から、漸《やうや》く睡《ねむ》つて居《ゐ》た鷄《にはとり》が目《め》醒《さ》めてク、ク、と啼《なき》出《だ》す樣《やう》になつたのである。予《よ》は之《こ》れに力《ちから》を得《え》て尙《な》ほ一週《しう》間《かん》許《ばか》り續《つゞ》けて見《み》たのであるが、不《ふ》圖《と》之《こ》れは鷄《にはとり》が音《おと》を聞《き》付《つ》けて啼《なき》出《だ》すのではあるまいかと思《おも》つたので、或《ある》夜《よ》密《ひそ》かに忍《しの》び寄《よ》つて鳥《とり》屋《や》の前《まへ》に立《た》つて居《ゐ》たが、鷄《にはとり》は少《すこ》しも目《め》醒《さめ》た樣《やう》子《す》がなかつたので、今《こん》度《ど》は例《れい》の通《とほ》り思《し》念《ねん》を凝《こら》すと忽《たちま》ち鳴《なき》出《だ》したのである。斯《か》くして予《よ》は三週《しう》間《かん》目《め》位《ぐらゐ》からは鷄《にはとり》を泊《とまり》木《ぎ》から落《おと》すことに成《せい》功《こう》したのである。

予《よ》は以《い》上《じやう》二つの實《じつ》驗《けん》から確《かく》信《しん》を得《え》て、今《こん》度《ど》は十二三歳《さい》の子《こ》供《ども》に對《たい》して成《せい》功《こう》し、遂《つひ》に堂《だう》々《〴〵》たる男《だん》子《し》、女《ぢよ》子《し》、種《しゆ》々《〴〵》の人《ひと》人《びと》に對《たい》して成《せい》功《こう》したのであるが、果《はた》して何《なん》人《びと》に對《たい》しても出《で》來《き》得《う》ると云《い》ふことは出《で》來《き》ないのである。否《い》な之《こ》れ迄《まで》も幾《いく》度《たび》か失《しつ》敗《ぱい》に了《をは》つたことがあるのである。併《しか》し予《よ》は此《こ》の事《じ》實《じつ》から、忍《にん》術《じゆつ》は術《じゆつ》者《しや》の信《しん》力《りよく》固《こ》結《けつ》に伴《ともな》ふ現《げん》象《しやう》であると云《い》ふことを斷《だん》言《げん》するに憚《はゞか》らないのである。諸《しよ》子《し》も亦《また》彼《か》の催《さい》眠《みん》術《じゆつ》のテレパシーの現《げん》象《しやう》に戻《もど》つて研《けん》究《きう》したならば、思《おも》ひ半《なか》ばに過《す》ぎるものがあるであらう。蟲遁《ちうとん》の術《じゆつ》や獸遁《じうとん》の術《じゆつ》の如《ごと》きは、寧《むし》ろ一種《しゆ》の幻覺《げんかく》とも見《み》る可《べ》きもので、術者《じゆつしや》其《そ》のものゝ心力《しんりよく》集注《しふちう》上《じやう》の習慣《しふくわん》に依《よ》るものであらう。

忍術《にんじゆつ》の修養《しうやう》

先《ま》づ忍術《にんじゆつ》を學《まな》ばんと欲《ほつ》する者《もの》は、庭《には》に一株《ひとかぶ》の茅《ちがや》を植《う》えて、夫《そ》れが約《やく》三尺位《じやくぐらゐ》に伸《の》びた頃《ころ》より、毎日《まいにち》其《そ》の茅《ちがや》を飛越《とびこ》へ遂《つひ》に六尺位《しやくぐらゐ》伸《の》びたるものを自由《じいう》に飛越《とびこ》すに到《いた》りて止《とゞ》むと云《い》ふことを云《い》つて居《ゐ》るが、之《こ》れは高所《かうしよ》を飛越《とびこ》えんとする際《さい》の稽古《けいこ》で、忍術《にんじゆつ》其《そ》のものではないのである。又《また》術者《じゆつしや》が忍《しの》び込《こ》まんとする際《さい》に鼠《ねずみ》を持《も》つて行《ゆ》くと云《い》ふことがあるが、之《こ》れは敵《てき》が果《はた》して睡眠《すゐみん》して居《ゐ》るや否《いな》や、鼠《ねずみ》を放《はな》ちて相手《あひて》の様子《やうす》を探《さぐ》らんとする目的《もくてき》に外《ほか》ならないのである。又《また》忍術《にんじゆつ》の六具《りくぐ》と稱《しよう》して草鞋《わらぢ》、刀《かたな》の鍔《つば》、頭巾《づきん》等《とう》を數《かぞ》へて居《ゐ》るが、之《こ》れも矢張《やは》り人目《ひとめ》に觸《ふ》れぬ様《やう》にして且《か》つ足音《あしおと》などの他《た》に洩《も》れぬ工夫《くふう》に過《す》ぎないのである。要《えう》するに眞《しん》の忍術《にんじゆつ》は丹田《たんでん》集力《しふりよく》の練習《れんしふ》如何《いかん》に依《よ》つて行《おこな》はる可《べ》きもので、吾々《われ〳〵》が種々《しゆ〴〵》の妄想《まうさう》雑念《ざつねん》を放下《はうか》して心源《しんげん》を澄《すま》し、所謂《いはゆる》清淨《しやうじやう》無垢《むく》統一《とういつ》無雑《むざつ》神明《しんめい》昭々《せう〳〵》毫髪《ごうはつ》も倚《よ》る處《ところ》なき時《とき》は、萬物《はんもつ》一體《いつたい》にして物我《ぶつが》の隔《へだ》てがないのであるから、茲《こゝ》に驚《おどろ》く可《べ》き潜在的《せんざいてき》意識《いしき》の活動《くわつどう》が出來《でき》るのである。斯《か》る非常《ひじやう》現象《げんしやう》は一見《けん》不可《ふか》思議《しぎ》の様《やう》にも思《おも》はるゝが、前《まへ》の催眠術《さいみんじゆつ》でも述《の》べた如《ごと》く、唯《たゞ》通常《つうじやう》の意識《いしき》状態《じやうたい》から考《かんが》へるから不思議《ふしぎ》に思《おも》はるゝ迄《まで》で少《すこ》しも不可解《ふかかい》の事《こと》ではないのである。併《しか》し夫《そ》れは何人《なんぴと》にも必《かなら》ず出《で》來《き》得《う》る現象《げんしやう》とは云《い》へない、殊《こと》に先天的思念力《せんてんてきしねんりよく》の乏《とほ》しきものには如何《いか》なる修養法《しうやうはふ》も決《けつ》して効《かう》を奏《そう》することが出來《でき》ないものである。故《ゆゑ》に餘程《よほど》の修養《しうやう》と熟練《じゆくれん》とを要《えう》することは云《い》ふ迄《まで》もないことであるが、忍術《にんじゆつ》は又《また》通常《つうじやう》の人格以外《じんかくいぐわい》の能力《のうりよく》であるから、人格《じんかく》を基礎《きそ》とした從來《じうらい》の心理學《しんりがく》で之《こ》れを解釋《かいしやく》せんとするのは到底不可能《たうていふかのう》である。從《したが》つて今日《こんにち》の學者《がくしや》の頭《あたま》から見《み》れば唯《たゞ》不可思議《ふかしぎ》の事實《じじつ》として疑《うたが》はれる許《はか》りで、到底何事《たうていなにごと》も分《わか》らないのである。

今《いま》假《か》りに忍術《にんじゆつ》を心理學的《しんりがくてき》に解釋《かいしやく》すれば、何處迄《どこまで》も目的《もくてき》以外《いぐわい》に我《われ》と云《い》ふ心《こゝろ》が働《はたら》かない絶對《ぜつたい》の狀態《じやうたい》であると云《い》ふことが出來《でき》る。例《たと》へば人《ひと》は深《ふか》く信《しん》じて其處《そこ》に精神《せいしん》を集注《しふちう》すれば、醫學的《いがくてき》には價値《かち》のない療法《れうはふ》でも病氣《びやうき》の癒《なほ》ることは、迷信家《めいしんか》の迷信的《めいしんてき》療法《れうはふ》を見《み》て知《し》ることが出來《でき》るのである。而《しか》して此《こ》の時《とき》に於《お》ける迷信家《めいしんか》の心理狀態《しんりじやうたい》を、彼《か》の何事《なにごと》か吾々《われわれ》が無我夢中《むがむちう》になつて平生以上《へいぜいいじやう》の働《はたら》きをする狀態《じやうたい》と比較《ひかく》すれば、自動的《じどうてき》と他動的《たどうてき》の區別《くべつ》はあるけれども或《ある》意味《いみ》に於《お》いて全《まつた》く同《おな》じものである。換言《くわんげん》すれば唯一《たゞひと》つの對照《たいせう》に全精神《ぜんせいしん》を集注《しふちう》し、夫《そ》れ以外《いぐわい》の客觀的《かくくわんてき》の心《こゝろ》は全《まつた》く働《はたら》かない、意識《いしき》の極點《きよくてん》にした狀態《じやうたい》である。

前《まへ》に述《の》べた如《ごと》く、大乘佛教《だいじようぶつけう》では身如意通《しんによいつう》と稱《しよう》する神通《しんつう》力《りき》があつて、神出鬼沒《しつしゆつきはつ》、變現自在《へんげんじざい》の妙《めう》を極《きは》むることが出來《でき》ると云《い》つて居《ゐ》るが、平生《へいぜい》現《あら》はれない人性本來《じんせいほんらい》の精神《せいしん》が潛在《せんざい》して居《ゐ》て、夫《そ》れが普通吾々《ふつうわれわれ》が思《おも》ふよりも偉大《ゐだい》な能力《のうりよく》なのである。忍術《にんじゆつ》の如《ごと》きも此《こ》の潛在《せんざい》の精神力《せいしんりよく》の發現《はつげん》に依《よ》るものでゝ予《よ》は其《そ》の修《しう》養《やう》法《はふ》として左《さ》の數《すう》項《かう》を擧《あ》げて擱《かく》筆《ひつ》するであらう。

忍《にん》術《じゆつ》の修《しう》養《やう》としては、先《ま》づ大《だい》膽《たん》なる實《じつ》行《かう》は一切《さい》の疑《ぎ》問《もん》を解《かい》決《けつ》す可《べ》き唯《ゆゐ》一《いつ》無《む》二の鍵《かぎ》たることを思《おも》ひ、手《しゆ》段《だん》の如《い》何《かん》に關《くわん》せず唯《たゞ》々《く》心《しん》力《りよく》固《こ》結《けつ》集《しふ》注《ちう》の工《く》夫《ふう》を凝《こら》す可《べ》きこと。次《つぎ》に心《しん》體《たい》を清《しやう》淨《じやう》にして碍《がい》滯《たい》恐《きよう》怖《ふ》邪《ぢや》念《ねん》なく、虛《きよ》無《む》恬《てん》澹《たん》として物《もの》を正《せい》確《かく》に視《み》ることを練《れん》習《しふ》すること。而《しか》して實《じつ》我《が》の境《さかひ》を造《つく》る可《べ》く、夫《そ》れには最《もつと》も丹《たん》田《でん》集《しふ》力《りよく》の法《はふ》が適《てき》して居《ゐ》る。又《また》氣《き》息《そく》呼《こ》吸《きふ》の臍《さい》下《か》に滿《み》ち亘《わた》る時《とき》は一毛《まう》髮《はつ》に至《いた》る迄《まで》も力《ちから》の充《み》つるものであるから、常《つね》に握《あく》拳《けん》集《しふ》力《りよく》法《はふ》後《ご》腦《のう》集《しふ》力《りよく》法《はふ》等《とう》を行《おこな》つて身《しん》心《しん》を堅《けん》固《ご》にし渾《こん》身《しん》に勇《ゆう》氣《き》と力《ちから》とを生《しやう》ぜしむることも必《ひつ》要《えう》である。

〇術最高極意＝水之巻

蓋《けだ》し天《てん》然《ねん》の慧《けい》性《せい》徹《てつ》照《せう》無《む》礙《げ》なるを神《しん》通《つう》と云《い》ふが、忍《にん》術《じゆつ》も畢《ひつ》竟《きやう》此《こ》の域《ゐき》に到《たう》達《たつ》するに非《あ》らざれば出《で》來《き》ないので、元《もと》より多《た》大《だい》の修《しう》養《やう》を要《えう》することは云《い》ふ迄《まで》もないのである。(完)

幻《げん》術《じゆつ》

幻《げん》術《じゆつ》とは何《なん》ぞ

幻《げん》術《じゆつ》に感《かん》じた者《もの》と催《さい》眠《みん》術《じゆつ》に感《かん》じた者《もの》とは其《そ》の現《げん》象《しやう》に於《お》いて殆《ほと》んど相《あひ》類《るゐ》似《じ》して居《ゐ》るものがある、催《さい》眠《みん》術《じゆつ》は被《ひ》術《じゆつ》者《しや》の五感《かん》に依《よ》つて感《かん》ずるものであるけれども、幻《げん》術《じゆつ》は五感《かん》以《い》外《ぐわい》に卓《たく》立《りつ》して、直《たゞ》ちに心《しん》力《りよく》の作《さ》用《よう》のみを以《もつ》て之《こ》れを行《おこな》ふことが出《で》來《き》る。故《ゆゑ》に幻《げん》術《じゆつ》とは術《じゆつ》者《しや》の心《しん》力《りよく》に依《よ》つて他《た》人《にん》の心《しん》身《しん》を制《せい》し、之《こ》れを自《じ》由《いう》に行《かう》動《どう》せしめ或《あるひ》は種《しゆ》々《ぐ》の幻《げん》影《えい》を視《し》覺《かく》せしむる所《ところ》の法《はふ》術《じゆつ》を云《い》ふのである。

例《たと》へば被《ひ》術《じゆつ》者《しや》が一度《ど》之《こ》れに感《かん》ずれば、或《あるひ》は右《みぎ》し、或《あるひ》は左《ひだり》し、席上《せきじやう》山《やま》を現《げん》じ、目前《もくぜん》海《うみ》を生《しやう》じ、或《あるひ》は笑《わら》ひ、或《あるひ》は泣《な》き、春園《しゆんゑん》の曙色《しよしよく》、秋風《しうふう》の暮笛《ぼてき》、一々術者《じゆつしや》の思爲《しゐ》する處《ところ》に從《したが》つて之《こ》れを現《げん》ずるのである。又《また》若《も》し被《ひ》術者《じゆつしや》の目前《もくぜん》に一個《こ》のコップを置《お》き、之《こ》れに牛乳《ぎうにふ》を盛《も》れりと思爲《しゐ》せしむれば、被《ひ》術者《じゆつしや》は之《こ》れを傾《かたむ》けて頻《しき》りに其《そ》の味《あぢは》ひの甘《あま》きを賞《しやう》し、之《こ》れを葡萄酒《ぶだうしゆ》なりと信《しん》ぜしむれば、被《ひ》術者《じゆつしや》は之《こ》れを傾《かたむ》けて其《そ》の芳烈《はうれつ》の香《かん》ばしきを賞《しやう》するなど、恰《あたか》も催眠《さいみん》術者《じゆつしや》が暗示《あんじ》を與《あた》へて被《ひ》術者《じゆつしや》に幻覺《げんかく》錯覺《さくかく》を起《おこ》さしむる場合《ばあひ》と同樣《どうやう》であるが只《たゞ》彼《か》れは術者《じゆつしや》の暗示《あんじ》に據《よ》り之《こ》れは思爲《しゐ》に據《よ》つてこれを行《おこな》ふの相違《さうゐ》があるのである。

斯《かく》の如《ごと》く心力《しんりよく》の作用《さよう》は、克《よ》く他《た》を制《せい》することが出來《でき》るものであるが、何人《なんびと》にも隨時《ずゐじ》隨所《ずゐしよ》に之《こ》れを成《な》し得《う》るもののと信《しん》ずるのは大《だい》なる誤《あやま》りで、卽《すなは》ち或《ある》時機《じき》に於《お》いてのみ行《おこな》はるゝ現象《げんしやう》である。併《しか》し此《こ》の知機《ちき》の妙趣《めうしゆ》を了得《れうとく》することが出來《でき》れば、幻術《げんじゆつ》の感傳《かんでん》は又《また》實《じつ》に易《い》々たるものである。

心力《しんりよく》の感傳《かんでん》

凡《およ》そ戰場《せんぢやう》に劍戟《けんげき》相擊《あひう》つや、相互《さうご》の心力《しんりよく》は、共《とも》に敵《てき》を倒《たふ》さんとするにあるを以《もつ》て、心力《しんりよく》充實《じうじつ》して容易《ようい》に之《こ》れを斫《き》ることが出來《でき》ないが、若《も》し敵手《てきしゆ》にして心力《しんりよく》の充實《じうじつ》を缺《か》き、寸《すん》隙《げき》の乘《じよう》ず可《べ》きの機《き》あれば、流星《りうせい》一下《か》、直《たゞち》に之《こ》れを斬《き》ることが出來《でき》る。此《こ》の虛實《きよじつ》一瞬《しゆん》の間《かん》は、殆《ほと》んど間髮《かんはつ》を容《い》れざる咄《とつ》嗟《さ》の間《あひだ》にして、筆紙《ひつし》の容易《ようい》に評《ひやう》することが出來《でき》ないのである。併《しか》し敵《てき》の劍鋩《けんばう》の將《まさ》に頭上《づじやう》に落《お》ち來《きた》らんとする時《とき》、全《ぜん》身《しん》先《ま》づ戰慄《せんりつ》するが如《ごと》き感《かん》ありて、其《そ》の戰慄《せんりつ》は始《はじ》め前頭部《ぜんとうぶ》に起《おこ》りて忽《たちま》ち全身《ぜんしん》に及《およ》ぶものである。又《また》魔《ま》物《もの》即《すなは》ち狐《こ》狸《り》の類《るゐ》に突然《とつぜん》出逢《であ》ひたる時《とき》にも同《おな》じく全身《ぜんしん》に戰慄《せんりつ》惡《を》寒《かん》を感《かん》ずるものであるが、其《そ》の時《とき》は後頭部《こうとうぶ》の邊《あたり》から水《みづ》を灌《そゝ》がるるが如《ごと》き寒戰《かんせん》を覺《おぼ》ゆるものなることは、古來《こらい》劍法《けんぱふ》の秘傳《ひでん》として載《の》する所《ところ》である。

此《こ》の際《さい》前者《ぜんしや》の場合《ばあひ》に於《お》いては劍鋩《けんぱう》の上下《じやうげ》は一に心力《しんりよく》と相伴《あひともな》はねばならぬものであるから、劍鋩《けんぱう》の下《くだ》ると共《とも》に心力《しんりよく》先《ま》づ敵《てき》の心身《しんしん》を制《せい》して、心力《しんりよく》劍鋩《けんぱう》相竢《あひま》つて敵身《てきしん》を斬《き》るので、其《そ》の心力《しんりよく》は敵《てき》の大腦《だいなう》から感受《かんじゆ》するのである。後者《こうしや》の狐狸《こり》の類《るゐ》が人《ひと》を魅《み》するや、其《そ》の意《い》恐《おそ》らく人《ひと》の心力《しんりよく》の虚《きよ》に乘《じよう》じて其《そ》の心力《しんりよく》を附憑《ふひよう》し、遂《つひ》に心身《しんしん》を制《せい》して人類《じんるゐ》を玩《ぐわん》弄《ろう》するにあるべきが故《ゆゑ》に、其《そ》の人《ひと》の大腦《だいなう》作用《さよう》休止《きうし》して狐《こ》狸《り》の心力《しんりよく》を小腦《せうなう》より感受《かんじゆ》するのであらう。

斯《か》く心力《しんりよく》を感受《かんじゆ》する際《さい》は、感受者《かんじゆしや》の精神作用《せいしんさよう》休止《きうし》して、無爲無我《むゐむが》の境《さかひ》にあるもので、全《まつた》く物我《ぶつが》を忘却《はうきやく》した時《とき》である。實《じつ》にこれ心靈本來《しんれいほんらい》の面目《めんもく》にして、其《そ》の烱《けい》々たること明《めい》鏡《きやう》の如《ごと》く、又《また》清《きよ》き水《みづ》の如《ごと》きものである。故《ゆゑ》に物《もの》あつて之《こ》れに臨《のぞ》めば忽《たちま》ち之《これ》を現《げん》じ、影《かげ》あつて之《こ》れに向《むか》へば直《たゞ》ちに之《こ》れを寫《うつ》す、必《かなら》ずしも其《そ》のものゝ月《つき》と花《はな》とを論《ろん》じないのである。然《しか》るに之《こ》れに反《はん》して、受感者《じゆかんしや》の腦中《なうちう》に僅《わづ》かの精神作《せいしんさ》用《よう》でもあれば、其《そ》の間《かん》は、他《た》の心力《しんりよく》の之《こ》れに竄入《ざんにふ》する機《き》がないので、決《けつ》して其《そ》の心力波及《しんりよくはきふ》を感受《かんじゆ》することがないのである。

其《そ》の他《た》心《しん》力《りよく》感《かん》傳《でん》に關《くわん》して、更《さら》に他《た》人《にん》の身《しん》體《たい》組《そ》織《しき》機《き》能《のう》を變《へん》改《かい》轉《てん》換《くわん》する場《ば》合《あひ》がある。卽《すなは》ち祈《き》禱《たう》に依《よ》つて疾《しつ》病《ぺい》を治《ち》療《れう》せしめ、呪《じゆ》咀《そ》に依《よ》つて人《ひと》を殺《ころ》す類《たぐひ》などは、一見《けん》頗《すこぶ》る不《ふ》可《か》思《し》議《ぎ》なことの如《ごと》くなれど、皆《みな》其《そ》の裏《り》面《めん》には依《よ》つて然《しか》る可《べ》き道《だう》理《り》の隨《ずゐ》伴《はん》するものがあるのである。

幻《げん》術《じゆつ》の由《ゆ》來《らい》

幻《げん》術《じゆつ》は古《こ》來《らい》宗《しう》敎《けう》家《か》の手《て》に弄《ろう》せられたもので、專《もつぱ》ら之《こ》れを鬼《き》神《じん》靈《れい》物《ぶつ》の威《ゐ》力《りよく》に歸《き》し、盛《さか》んに奉《ほう》拜《はい》敬《けい》畏《い》したものゝ如《ごと》く、邦《くに》の東《とう》西《ざい》を問《と》はず、由《ゆ》來《らい》頗《すこぶ》る遠《とほ》きものである。從《したが》つて幻《げん》術《じゆつ》を行《おこな》ふ者《もの》は幻《げん》術《じゆつ》師《し》、魔《ま》法《はふ》師《し》、雨《う》師《し》等《とう》種《しゆ》々《じゆ》の名《めい》稱《しよう》を附《ふ》して之《こ》れを尊《そん》敬《けい》し、特《とく》殊《しゆ》の優《いう》遇《ぐう》を與《あた》へて居《ゐ》た樣《やう》である。

古代《こだい》の人民《じんみん》は如何《いか》に幻術《げんじゅつ》を畏敬《いけい》し、又《また》之《こ》れを行《おこな》ふ者《もの》に對《たい》して如何《いか》なる感念《かんねん》を抱《いだ》いて居《ゐ》たかは、古代《こだい》のパタコキヤ人《じん》の幻術師《げんじゅつし》は己《おのれ》の惡《にく》む所《ところ》の敵人《てきじん》に害《がい》を加《くは》へんとする時《とき》は、其《そ》の肖像《せうざう》に向《むか》つて術《じゅつ》を施《ほどこ》し、以《もつ》て其《そ》の人《ひと》を殺《ころ》すと云《い》つて居《ゐ》た如《ごと》く、又《また》ヘブライ人《じん》及《およ》びエヂフト人《じん》が、幻術師《げんじゅつし》は鬼神《きじん》の幇助《ほうじょ》を得《え》て、遠隔《ゑんかく》の土地《とち》の風景《ふうけい》を眼前《がんぜん》に出現《しゅつげん》せしむる者《もの》であると云《い》ひし傳説《でんせつ》の如《ごと》き、又《また》パルワートと云《い》へる印度《インド》の或《ある》土人《どじん》は幻術師《げんじゅつし》に向《むか》ひ、汝《なんぢ》は如何《いか》なる神《かみ》と通談《つうだん》することが出來《でき》るか、又《また》其《そ》の神《かみ》は如何《いか》なる靈力《れいりょく》を現《あら》はし得《う》べきやなどのことを尋《たづ》ねしと云《い》ふが如《ごと》き、其他《そのた》リシイと稱《しょう》する詩人《しじん》は、雨師《うし》に向《むか》ひ、願《ねが》くは汝《なんぢ》の信《しん》ずる處《ところ》の神《かみ》の力《ちから》に依《よ》つて乳汁《にふじう》を出《いだ》す處《ところ》の牝牛《めうし》を此所《こ》に作《つく》り出《いだ》せと云《い》ひしが如《ごと》き、幻術師《げんじゆつし》を以《もつ》て全《まつた》く人類《じんるゐ》と鬼神《きじん》との媒介者《はいかいしや》と信《しん》じ、從《したが》つて幻術師《げんじゆつし》の所爲《しよゐ》は之《これ》を鬼神《きじん》の靈能《れいのう》と思爲《しゐ》して居《ゐ》たものである。其《そ》の後《ご》幻術《げんじゆつ》は世《よ》を逐《お》ふて進歩《しんぽ》を加《くは》へ、千七百年代《ねんだい》に於《お》いて瑞西《スヰツル》のカスネル墺《あう》のメスメル等《とう》が輩出《はいしゆつ》するに至《いた》つて其《そ》の説《せつ》を一變《ぺん》し、幻術《げんじゆつ》は學問上《がくもんじやう》の問題《もんだい》となつて漸《やうや》く宗教家《しうけうか》の手《て》を離《はな》れんとする傾《かたむ》きとなり、今《こん》日《にち》の學者《がくしや》をして、催《さい》眠《みん》療《れう》病《びやう》矯《けう》癖《へき》説《せつ》を唱《とな》ふるの端《たん》を開《ひら》かしめたことは諸子《しよし》の知《し》る處《ところ》である。

我國《わがくに》に在《あ》つても、幻術《げんじゆつ》の流行《りうかう》は佛教《ぶつけう》の渡來《とらい》と共《とも》に其《そ》の端《たん》を開《ひら》き、又《また》屢《しばし》ば其《そ》の妙手《めうしゆ》を出《いだ》し、弘法《こうはふ》、日蓮《にちれん》、晴明《せいめい》、役《えん》の行者《ぎやうじや》等《ら》は實《じつ》に其《そ》の先達《せんだつ》にして、自由《じいう》に幽顯《いうげん》に出入《しゆつにふ》し、鬼神《きじん》を使《し》役《えき》し、其《そ》の術《じゆつ》は實《じつ》に高妙深遠《かうめうしんゑん》を極《きは》めたのである。されば邦《ほう》人《じん》の之《こ》れを見《み》る者《もの》、亦《また》之《こ》れを人《じん》類《るゐ》以《い》上《じやう》の行《かう》爲《ゐ》とするは勢《いきほ》ひの免《まぬか》れざる處《ところ》で、今《いま》尙《なほ》世《せ》人《じん》の崇《すう》拜《はい》する處《ところ》となつて居《ゐ》るのである。

古《こ》代《だい》に於《お》ける幻《げん》術《じゆつ》の方《はう》法《はふ》

古《こ》代《だい》の幻《げん》術《じゆつ》師《し》は種《しゆ》々《じゆ》の方《はう》法《はふ》に依《よ》つて幻《げん》術《じゆつ》を行《おこな》つたもので、或《あるひ》は死《し》人《にん》の身《から》體《だ》の一局《きよく》部《ぶ》を取《と》りて燒《せう》焙《はい》し、之《こ》れを散《さん》布《ぷ》して幻《げん》術《じゆつ》を行《おこな》ひ、或《あるひ》は水《かは》獺《うそ》の舌《した》、野《や》獸《じう》の牙《きば》等《とう》を以《もつ》て幻《げん》術《じゆつ》を行《おこな》ひ得《う》べしと信《しん》じて居《ゐ》たもの丶如《ごと》く、斯《かく》の如《ごと》き者《もの》を極《きは》めて秘《ひ》藏《ざう》して居《ゐ》たのである。卽《すなは》ちバタゴニヤ人《じん》は幻《げん》術《じゆつ》師《し》は人《ひと》の毛《け》、若《も》しくは爪《さう》甲《かふ》を以《もつ》て種《しゆ》々《じゆ》の幻《げん》術《じゆつ》を行《おこな》ふ者《もの》なりと信《しん》じて、之《こ》れを他《た》人《にん》に得《え》らる丶ことを大《おほい》に恐《おそ》れて居《ゐ》たのである。印度《インド》の某部落《ぼうぶらく》人種《じんしゆ》は、魔法師《まはふし》は人《ひと》の血液《けつえき》をとつて其《そ》の人々《ひとびと》に幻術《げんじゆつ》を施《ほどこ》す者《もの》なりと信《しん》じて居《ゐ》たのである。チッベウハ人《じん》は幻術師《げんじゆつし》に托《たく》して木製《もくせい》又《また》は土製《どせい》の人形《にんぎやう》を作《つく》り、其《そ》の腹部《ふくぶ》を突《つ》き通《とほ》して、木屑《きくづ》土《ど》粉《ふん》等《とう》を其《そ》の穴《あな》に塡《う》め、以《もつ》て疾病《しつぺい》を他人《たにん》に移《うつ》したりとなし、メキシコ人中《じんちう》には、水《すゐ》蟲《ちう》の一種《しゆ》を取《と》り、之《こ》れを燒焙《せうはい》して、其《そ》の粉末《ふんまつ》を自己《じこ》の目的《もくてき》物《ぶつ》に散布《さんぷ》し、之《こ》れを自由《じいう》に支配《しはい》して幻術《げんじゆつ》をなし得《う》べしと信《しん》ぜるが如《ごと》き、或《あるひ》は又《また》幻術師《げんじゆつし》は死人《しにん》の骨《ほね》を以《もつ》て製《せい》したる粉末《ふんまつ》を散布《さんぷ》して、能《よ》く人《ひと》を恍惚《くわうこつ》たらしめしと云《い》ふが如《ごと》き、或《あるひ》は蜥蜴《とかげ》の眼《め》と蟇《がま》の足《あし》の指《ゆび》とを煑《に》て、之《こ》れを以《もつ》て幻術《げんじゆつ》を行《おこな》ひ得《う》ると信《しん》じたる等《など》、其《そ》の方法《はうはふ》は頗《すこぶ》る多種《たしゆ》あり、我邦《わがくに》にても之《こ》れと類似《るゐじ》の方法《はうはふ》ありて、獨《ひと》り他人《たにん》が之《こ》れを信《しん》ずるのみならず、幻《げん》術《じゆつ》師《し》自《みづか》らも、之《こ》れに依《よ》つて幻《げん》術《じゆつ》の行《おこな》ひ得《う》可《べ》きことを固《こ》信《しん》して居《ゐ》たのである。又《また》彼《か》の指《ゆび》を握《にぎ》り、或《あるひ》は之《こ》れを屈《くつ》する等《とう》、印《いん》を結《むす》ぶと云《い》ふ如《ごと》きも、幻《げん》術《じゆつ》の一法《はふ》たるに相《さう》違《ゐ》なきも、畢《ひつ》竟《きやう》するに是《これ》等《ら》は其《そ》の方《はう》法《はふ》の如《い》何《かん》に依《よ》らずして、只《たゞ》其《そ》の心《しん》力《りよく》移《い》送《そう》に依《よ》るものなることは疑《うたがひ》なきことである。

序《ついで》でながら狐《こ》狸《り》の妖《えう》術《じゆつ》に就《つ》いて一言《げん》せんに、世《よ》の狐《こ》狸《り》談《だん》中《ちう》には種《しゆ》々《〻》の異《い》分《ぶん》子《し》を混《こん》合《がふ》する者《もの》ありて、全《まつた》く狐《こ》狸《り》の所《しよ》業《げふ》に非《あら》ざる事《こと》も、其《そ》の現《げん》象《しやう》の奇《き》怪《くわい》にして一見《けん》其《そ》の道《だう》理《り》の解《かい》し難《がた》き者《もの》は、時《とき》に之《こ》れを狐《こ》狸《り》談《だん》の一に加《くは》ふることがあるのである。されど世《せ》人《じん》が一般《はん》に狐《こ》狸《り》の所《しよ》業《げふ》なりと認《みと》める處《ところ》の彼《か》の家《には》雞《とり》等《など》を奪《うば》ふ様《さま》を聞《き》くに、狐《こ》狸《り》は先《ま》づ家《には》鶏《とり》の所《しよ》在《ざい》に向《むか》つて其《そ》の尾《を》を左《さ》右《いう》に掉《たく》搖《えう》して、一向《かう》に心《しん》力《りよく》を之《こ》れに集《しふ》注《ちう》するが如《ごと》きの狀《じやう》をなす、斯《かく》の如《ごと》きこと數《すう》分《ふん》時《じ》なる時《とき》は、家《には》鷄《とり》の巢《す》にあるものは忽《こつ》然《ぜん》として地《ち》上《じやう》に墜《つゐ》落《らく》するを以《もつ》て、彼《かれ》は直《たゞ》ちに走《は》せより之《こ》れを咬《くは》へ去《さ》ると云《い》ふことである。世《せ》人《じん》又《また》は狐《きつね》の犬《いぬ》に向《むか》つて一《いつ》歩《ほ》を讓《ゆづ》ることを信《しん》ずれども、若《も》し狐《きつね》にして犬《いぬ》の姿《すがた》を先《さき》に認《みと》める時《とき》には、犬《いぬ》は又《また》人《じん》類《るゐ》が魅《み》せらるゝが如《ごと》く玩《ぐわん》弄《ろう》せらるゝもので、之《こ》れ亦《また》其《そ》の放《はう》心《しん》せる時《とき》に乘《じよう》じて、心《しん》力《りよく》を感《かん》傳《でん》せらるゝからであらう。而《しか》して彼《か》の狐《こ》狸《り》も亦《また》其《そ》の妖《えう》術《じゆつ》を屢《しはし》ばすれば愈《いよい》よ巧《たく》みを加《くは》ふるものであるが、之《こ》れを行《おこな》はざる時《とき》には終《つひ》に其《そ》の能《のう》力《りよく》を消《せう》亡《ばう》するに至《いた》るものゝ如《ごと》く、其《そ》の老《らう》練《れん》熟《じゆく》達《たつ》した者《もの》は妖《えう》狐《こ》老《らう》狸《り》等《など》稱《しよう》して、時《とき》々人《じん》類《るゐ》を苦《くる》ましむることがあると云《い》ふことである。

幻《げん》術《じゆつ》の理《り》法《はふ》

幻《げん》術《じゆつ》が何《なん》人《びと》も隨《ずゐ》時《じ》隨《ずゐ》所《しよ》に之《こ》れを行《おこな》ふことの出《で》來《き》ないものであることは前《まへ》にも述《の》べた如《ごと》くである。併《しか》し心《しん》力《りよく》は甲《かふ》乙《おつ》彼《ひ》我《が》の間《あひだ》に感《かん》傳《でん》波《は》及《きふ》して、其《そ》の平《へい》均《きん》を求《もと》めんと欲《ほつ》するもので、其《そ》の活《くわつ》勢《せい》は克《よ》く對《あひ》手《て》を感《かん》格《かく》して、之《こ》れを自《じ》由《いう》に制《せい》するものなれば、術《じゆつ》者《しや》の思《し》爲《ゐ》固《こ》信《しん》する處《ところ》對《あひ》手《て》は悉《ことごと》く之《こ》れを感《かん》じて、終《つひ》に術《じゆつ》者《しや》の意《い》思《し》と一《いつ》致《ち》して全《まつた》く同《どう》化《くわ》するものである。之《こ》れを心《しん》靈《れい》の感《かん》通《つう》作《さ》用《よう》と云《い》つて、悟《ご》性《せい》覺《かく》性《せい》等《とう》に屬《ぞく》する作《さ》用《よう》の外《ほか》に更《さら》に一《いつ》種《しゆ》の特《とく》異《い》なる作《さ》用《よう》である。換《くわん》言《げん》すれば五官《くわん》器《き》に依《よ》らずして、己《おのれ》の心《しん》力《りよく》を他《た》人《にん》に通《つう》じ、他《た》人《にん》の心《しん》力《りよく》を己《おのれ》に感《かん》受《じゆ》して種《しゆ》々《ぐ》の行《かう》爲《ゐ》をなすものである。此《こ》の心《しん》力《りよく》感《かん》通《つう》の作《さ》用《よう》は、精《せい》神《しん》作《さ》用《よう》中《ちう》の殊《こと》に靈《れい》妙《めう》奇《き》異《い》なる者《もの》にして、五識《しき》の外《ほか》に卓《たく》立《りつ》して居《ゐ》るものであるから、其《そ》の機《き》能《のう》の隱《いん》約《やく》機《き》微《び》なることは素《もと》より論《ろん》を竢《ま》たないのである。故《ゆゑ》に之《こ》れを知《し》ること頗《すこぶ》る難《かた》く、之《こ》れを説《せつ》明《めい》すること又《また》更《さら》に難《かた》いのである。

古《こ》來《らい》の史《し》上《じやう》に證《しよう》明《めい》する處《ところ》の多《おほ》くの事《じ》實《じつ》及《およ》び世《せ》人《じん》が往《わう》往《わう》實《じつ》地《ち》に見《けん》聞《ぶん》する所《ところ》に依《よ》つて、心《しん》力《りよく》感《かん》通《つう》なる事《じ》實《じつ》の慥《たし》かに存《そん》在《さい》することを知《し》つて居《ゐ》るが、未《いま》だ其《そ》の感《かん》通《つう》は如《い》何《か》にして起《おこ》り、如《い》何《か》にして行《おこな》はるゝかの疑《ぎ》問《もん》に至《いた》つては何《なん》人《びと》の口《くち》よりも之《こ》れを解《かい》説《せつ》せられたるを聞《き》かないのである。されど佛《ぶつ》教《けう》哲《てつ》學《がく》では人《ひと》には五識《しき》以《い》外《ぐわい》に六神《しん》通《つう》ありて、人《じん》格《かく》を超《てう》越《ゑつ》した人《じん》生《せい》の根《こん》本《ぽん》意《い》識《しき》であることを説《と》き、心《しん》理《り》學《がく》は顯《けん》在《ざい》意《い》識《しき》の外《ほか》に潛《せん》在《ざい》意《い》識《しき》のあることを認《みと》めて居《ゐ》るのである。

凡《およ》そ心《しん》力《りよく》の感《かん》通《つう》は、一定《てい》せる目《もく》的《てき》の場《ば》所《しよ》に到《たう》達《たつ》するに非《あ》らざれば其《そ》の作《さ》用《よう》を現《あら》はさないもので、例《たと》へば光《くわう》線《せん》及《およ》び音《おん》響《きやう》波《は》動《どう》の反《はん》射《しや》は、其《そ》の燃《ねん》焼《せう》點《てん》、又《また》は反《はん》響《きやう》を聽《き》取《と》り得《う》可《べ》き中《ちう》心《しん》點《てん》に非《あ》らざれば、反《はん》響《きやう》を聽《ちやう》取《しゆ》し又《また》は物《ぶつ》體《たい》を燃《ねん》焼《せう》し能《あた》はざるが如《ごと》く、其《そ》の燃《ねん》焼《せう》點《てん》の以《い》内《ない》たると以《い》外《ぐわい》たるとを問《と》はず、他《た》の位《ゐ》置《ち》に居《を》ては、何《なん》等《ら》の影《えい》響《きやう》を感《かん》ぜざるが如《ごと》く、心《しん》力《りよく》の波《は》動《どう》も亦《また》其《そ》の目《もく》的《てき》以《い》外《ぐわい》の人《ひと》には、假《た》令《とへ》幾《いく》許《ばく》の路《ろ》離《り》を隔《へだ》てゝ居《を》ても更《さら》に感《かん》通《つう》を妨《さまた》げざると共《とも》に、何《なん》等《ら》の影《えい》響《きやう》をも及《およ》ぼすことがない様《やう》である。而《しか》して感《かん》應《おう》の有《う》無《む》と多《た》少《せう》とは、思《し》念《ねん》の強弱《きやうじやく》如何《いかん》に比《ひ》例《れい》するものにして、心《しん》力愈《りよくいよい》よ強《つよ》ければ感《かん》應《おう》從《したが》つて著《いちじる》しく且《か》つ速《すみやか》に、之《こ》れに反《はん》して其《そ》の心《しん》力《りよく》微《び》弱《じやく》なる時《とき》は感《かん》應《おう》遲《ち》緩《くわん》なるか、或《あるひ》は全《まつた》く感《かん》應《おう》することがないのである。心《しん》力《りよく》の強弱《きやうじやく》とは或《あ》る目《もく》的《てき》を達《たつ》せんとし又《また》は達《たつ》し得《う》べしと信《しん》ずる所《ところ》の信《しん》仰《かう》心《しん》、又《また》は願《ぐわん》望《まう》心《しん》の強《きやう》弱《じやく》多《た》寡《くわ》を云《い》ふのである。

斯《かく》の如《ごと》く心《しん》力《りよく》は其《そ》の平《へい》均《きん》を求《もと》めんとする作《さ》用《よう》に依《よ》つて、克《よ》く他《た》を制《せい》するものなりと雖《いへど》も、之《こ》れ心《しん》力《りよく》波《は》動《どう》の平《へい》均《きん》を求《もと》むるは、其《そ》の求《もと》め得《え》らる可《べ》き時《じ》機《き》に於《お》いてのみ作《さ》用《よう》を逞《たくまし》ふするものにして、時《じ》機《き》とは被《ひ》術《じゆつ》者《しや》の心《しん》力《りよく》休《きう》止《し》して、殆《ほと》んど無《む》思《し》放《はう》念《ねん》せる場《ば》合《あひ》を云《い》ふのである。人《ひと》若《も》し放《はう》念《ねん》無《む》想《さう》なる時《とき》は、其《そ》の精《せい》神《しん》作《さ》用《よう》休《きう》止《し》して極《きは》めて安《あん》靜《せい》沈《ちん》穩《をん》にして、然《し》かも動《うご》かんとするの機《き》を包藏《はうざう》するものであるから、苟《いやしく》も他《た》の心力《しんりよく》の來《きた》つて之《こ》れを衝動《しようどう》刺戟《しげき》するに逢《あ》へば、其《そ》の休息《きうそく》せる心力《しんりよく》は、其《そ》の精神《せいしん》作用《さよう》となつて現《あら》はるゝことなく、單《たん》に其《そ》の活力《くわつりよく》のみを刺戟《しげき》に加《くは》へて、活動《くわつどう》を發作《ほつさ》するものなれば、術者《じゆつしや》の心力《しんりよく》は益《ますま》す其《そ》の勢《いきほひ》を逞《たくまし》ふして、能《よ》く其《そ》の目的《もくてき》を達《たつ》するものである。故《ゆゑ》に心力《しんりよく》の感傳《かんでん》は凡《すべ》て他《た》の放念《はうねん》無想《むさう》の時機《じき》を撰《えら》むことを要《えう》するものであるから、若《も》し被術者《ひじゆつしや》にして此《こ》の時機《じき》の乘《じよう》ず可《べ》きもののなき時《とき》は、心力《しんりよく》の感傳《かんでん》思想《しさう》の移送《いそう》等《とう》は終《つひ》に全《まつた》く效《かう》を奏《そう》することが出來《でき》ないのである。此《こ》の故《ゆゑ》に先《ま》づ機會《きくわい》の乘《じよう》ず可《べ》きものを察《さつ》すると共《とも》に、場所《はしよ》の靜肅《せいしゆく》なることも頗《すこぶ》る必要《ひつえう》ではあるが、多《た》少《せう》の練習《れんしふ》を經《へ》るに至《いた》れば場所《はしよ》の靜騷《せいさう》如何《いかん》の如《ごと》きは終《つひ》に施《し》術上《じゆつじやう》の妨害《はうがい》となるものではないのである。

然《しか》らば骨相上《こつさうじやう》如何《いか》なる人《ひと》が術者《じゆつしや》として最《もつと》も適當《てきたう》であるかと云《い》ふに、予《よ》の實驗上《じつけんじやう》から云《い》ふと前額部《ぜんがくぶ》の發達《はつたつ》した人程《ひとほど》思念力《しねんりよく》が强鋭《きやうえい》で、然《しか》らざる人《ひと》は薄弱《はくじやく》である。夫《そ》れには尤《もつと》も精神《せいしん》の統一《とういつ》を練習《れんしふ》する必要《ひつえう》があることは云《い》ふ迄《まで》もないのである。又《また》思想《しさう》を移送《いそう》することと其《そ》の移送《いそう》を感受《かんじゆ》する性能《せいのう》の發達《はつたつ》した人《ひと》とがあるが、之《こ》れは甲《かふ》に出來《でき》たからと云《い》つて、必《かなら》ずしも乙《おつ》にも出來得《できう》るものであるとは斷言《だんげん》が出來《でき》ないのである。要《えう》するに獨《ひと》り斯術《しじゆつ》に限《かぎ》らず凡《すべ》て斯《か》かることは多少《たせう》其《そ》の人《ひと》の天才《てんさい》に依《よ》るものではあるが、何人《なんぴと》にせよ修養《しうやう》が出來《でき》れば或程度《あるていど》までは成功《せいこう》することが出來《でき》るものである。以上《いじやう》記《き》する處頗《ところすこぶ》る奇怪《きくわい》なる現象《げんしやう》なるが如《ごと》きも、何《なん》人《びと》も經《けい》驗《けん》する如《ごと》く、彼《か》の貴《き》人《じん》强《きやう》者《しや》等《とう》の面《めん》前《ぜん》に於《お》いて、自《じ》己《こ》の身《から》體《だ》に壓《あつ》伏《ぷく》せらるゝが如《ごと》きを感《かん》じ、恐《きよう》怖《ふ》せる時《とき》に心《しん》身《しん》萎《ゐ》縮《しゆく》して不《ふ》覺《かく》の行《かう》爲《ゐ》をなす等《とう》、皆《みな》其《そ》の理《り》を一にするもので、諸《しよ》子《し》も以《い》上《じやう》の理《り》を知《し》らば思《おも》ひ半《なか》ばに過《す》ぎることであらう。

又《また》世《よ》の一《いつ》種《しゆ》の宗《しう》教《けう》者《しや》が、金《きん》城《じやう》湯《たう》池《ち》と賴《たの》んで物《ぶつ》理《り》論《ろん》者《しや》に抗《かう》して居《ゐ》る靈《れい》物《ぶつ》の作《さ》用《よう》なるものを分《ぶん》析《せき》吟《ぎん》味《み》し來《き》たれば、多《おほ》くは此《こ》の感《かん》通《つう》の機《き》能《のう》の誤《ご》信《しん》に過《す》ぎない樣《やう》である。而《しか》して往《わう》往《わう》其《そ》の結《けつ》果《くわ》たる靈《れい》驗《けん》利《り》益《えき》を得《う》ることあるものは、畢《ひつ》竟《きやう》心《しん》力《りよく》平《へい》均《きん》の作《さ》用《よう》に依《よ》つて信《しん》心《じん》の感《かん》通《つう》傳《でん》播《ぱん》するに據《よ》るものであらう。

精神《せいしん》注集《ちうしふ》と其《そ》の實驗《じつけん》

佛教徒《ぶつけうと》が定《ぢやう》に這入《はひ》る形式《けいしき》は宗派《しうは》に依《よ》つて多少《たせう》異《こと》なるが、何《いづ》れも其《そ》の達《たつ》せんとする處《ところ》は無《む》念《ねん》無《む》想《さう》の精神《せいしん》狀態《じやうたい》である。又《また》催眠《さいみん》狀態《じやうたい》は自發的《じはつてき》活動《くわつどう》の無《な》い無《む》念《ねん》無《む》想《さう》の精神狀《せいしんじやう》態《たい》である。而《しか》して入定《にふぢやう》狀態《じやうたい》は我《われ》と云《い》ふ考《かんが》へが少《すこ》しもなく阿頼耶識《あらやしき》のみ存《そん》する如《ごと》く、催眠狀態《さいみんじやうたい》は顯在意識《けんざいいしき》が休止《きうし》して潛在意識《せんざいいしき》の活動《くわつどう》する處《ところ》を見《み》れば、兩者《りやうしや》の狀態《じやうたい》は全《まつた》く同《どう》一《いつ》でなければならぬ。又《また》催眠狀態《さいみんじやうたい》は一度《ど》暗示《あんじ》を與《あた》へれば其《そ》の暗示《あんじ》に對《たい》して凡《すべ》ての精神《せいしん》を集注《しふちう》する、卽《すなは》ち被術者《ひじゆつしや》は暗示以外《あんじいぐわい》に何事《なにごと》も考《かんが》へなければ何事《なにごと》も思《おも》はないのである。吾《われ》々は練習《れんしふ》に依《よ》つて或《ある》一定《てい》の時間《じかん》自《みづか》ら此《こ》の狀態《じやうたい》に入《い》ることが出來《でき》るもので、遂《つひ》には必要《ひつえう》に應《おう》じて精神《せいしん》の統一《とういつ》を殆《ほと》んど習慣的《しふくわんてき》に容易《ようい》になすことを得《う》るのである。

予《よ》は或《ある》青年《せいねん》を仰臥《ぎやうぐわ》せしめ、心《こゝろ》を平靜《へいせい》に持《ぢ》して居《ゐ》ることを命《めい》じて閉目《へいもく》させ、其《そ》の側《かたは》らに端座《たんざ》して精神《せいしん》の統一《とういつ》をはかり、思念《しねん》を凝《こ》らすこと數分《すうふん》にして被術者《ひじゆつしや》は頻《しき》りに呻《うな》り始《はじ》めたのである。而《しか》して遂《つひ》に予《よ》が思念《しねん》に感應《かんおう》して種々《しゆ〲》の行爲《かうゐ》をしたのである。

思念《しねん》を凝《こ》らしたり、精神《せいしん》を統一《とういつ》する方法《はうはふ》としては種々《しゆ〲》の形式《けいしき》もあるが、予《よ》は斯《か》る場合《はあひ》常《つね》に端座《たんざ》して兩手《りやうて》を胸《むね》の邊《へん》で組合《くみあは》せ、初《はじ》め被術者《ひじゆつしや》と呼吸《こきふ》を合《あは》して、靜《しづ》かに思念《しねん》を凝《こ》らせば、精神《せいしん》も統一《とういつ》するのである。又《また》被術者《ひじゆつしや》の性質《せいしつ》に依《よ》つては、此《こ》の際《さい》矢張《やは》り種々《しゆ〲》の狀態《じやうたい》を現《あら》はす者《もの》があつて、彼《か》の催眠《さいみん》狀態《じやうたい》にも同《どう》一《いつ》の方法《はうはふ》に依《よ》つて催眠《さいみん》せしめたものも、其《そ》の狀態《じやうたい》が必《かなら》ずしも同《どう》一《いつ》でないと同《おな》じことである。又《また》術者《じゆつしや》に依《よ》つては神《かみ》を念《ねん》じ、石笛《いしぶゑ》を吹《ふ》くもの等《とう》があるが、是等《これら》は何《いづ》れも被《ひ》術者《じゆつしや》の精神《せいしん》を沈靜《ちんせい》にし、兼《か》ねて術者《じゆつしや》の思念《しねん》を強《つよ》める爲《ため》の手段《しゆだん》方法《はうはふ》に過《す》ぎないのである。又《また》被術《ひじゆつ》者《しや》は手《て》を上《うへ》下《した》に動《うご》かすもの、身體《からだ》を前後《ぜんご》に動《うご》すもの、頭骨《づこつ》を廻轉《くわいてん》するもの等《とう》がある。解術《かいじゆつ》後《ご》も或《あるひ》は恍惚《くわうこつ》として之《こ》れを記《き》し、或《あるひ》は又《また》全《まつた》く之《こ》れを知《し》らざる者《もの》もあつて、其《その》狀恰《じやうあたか》も催眠《さいみん》術《じゆつ》醒覺《せいかく》後《ご》の人《ひと》の如《ごと》くである。

要《えう》するに術者《じゆつしや》の強鋭《きやうえい》にして固結《こけつ》したる精神《せいしん》狀態《じやうたい》は、被《ひ》術者《じゆつしや》の心身《しんしん》を制《せい》することが出來《でき》るが、一層《そう》之《これ》を有効《いうかう》に現《あら》はさんとすれば、被《ひ》術者《じゆつしや》の精神《せいしん》狀態《じやうたい》を平靜《へいせい》にせしむることが必要《ひつえう》である。其《そ》の手段《しゆだん》方法《はうはふ》等《とう》に至《いた》つては、諸子《しよし》は適宜《てきぎ》に之《こ》れを處《しよ》して差支《さしつか》へがないので、何等《なんら》一定《いつてい》の形式《けいしき》を要《えう》するものではないのである。

人《ひと》が死《し》に瀕《ひん》して起《おこ》る精神狀態《せいしんじやうたい》程《ほど》強鋭《きやうえい》なものはない。往《わう》往近親《わうきんしん》の間柄《あひだがら》に生命上《せいめいじやう》の一大事《だいじ》が生《しやう》じた場合《はあひ》、偶然《ぐうぜん》に其《そ》の事實《じじつ》を感受《かんじゆ》するが如《ごと》きはあり得可《うべ》きことで、彼《か》の副島《そへじま》伯《はく》が支那《しな》に在《あ》つて日本《にほん》にある我《わが》娘《むすめ》の死《し》を知《し》つた等《など》は有名《いうめい》な話《はなし》である。

又《また》幻術《げんじゆつ》には被術者《ひじゆつしや》の思想《しさう》を休止《きうし》せしむるが爲《ため》に、諸種《しよしゆ》の方法《はうはふ》を以《もつ》て他物《たぶつ》に心力《しんりよく》を集注《しふちう》せしめ、漸次《ぜんじ》其《そ》の無想《むさう》の境《さかひ》に至《いた》りしを謀《はか》り、術者《じゆつしや》が其《そ》の機《き》に乘《じよう》じて己《おのれ》の思想《しさう》を移送《いそう》せしむるものもある。卽《すなは》ち降神術《かうしんじゆつ》の如《ごと》きものが夫《そ》れである。又《また》他《た》の思《し》想《さう》を感《かん》受《じゆ》する方《はう》法《はふ》として、卽《すなは》ち感《かん》受《じゆ》者《しや》が特《とく》に己《おのれ》の精《せい》神《しん》作《さ》用《よう》の休《きう》止《し》を謀《はか》る爲《ため》に、成《なる》可《べ》く無《む》念《ねん》無《む》想《さう》の方《はう》法《はふ》を取《と》つて、他《た》の心《しん》力《りよく》の感《かん》受《じゆ》附《ふ》憑《ひよう》を容《よう》易《い》ならしむる靈《れい》憑《ひよう》術《じゆつ》等《とう》があるが、何《いづ》れも思《し》想《さう》感《かん》轉《てん》の作《さ》用《よう》は同《どう》一《いつ》の理《り》法《はふ》に依《よ》るものである。

此《こ》の思《し》想《さう》感《かん》傳《でん》に關《くわん》しては、吾《われ》々《〳〵》が睡《すゐ》眠《みん》中《ちう》に起《おこ》る夢《ゆめ》の如《ごと》きも見《み》遁《のが》す可《べ》からざる一現《げん》象《しやう》である。普《ふ》通《つう》夢《ゆめ》は睡《すゐ》眠《みん》時《じ》又《また》は半《はん》睡《すゐ》眠《みん》時《じ》に自《じ》己《こ》の心《しん》内《ない》に伏《ふく》在《ざい》する覺《かく》醒《せい》時《じ》の想《さう》像《ざう》思《し》考《かう》が浮《ふ》動《どう》し、又《また》は五官《くわん》の刺《し》戟《げき》に依《よ》つて一《いつ》種《しゆ》の思《し》考《かう》を誘《いう》起《き》せしむるに依《よ》るものであるが、全《まつた》く睡《すゐ》眠《みん》して無《む》我《が》の際《さい》に他《た》の心《しん》力《りよく》波《は》動《どう》に感《かん》應《おう》して起《おこ》るものがある。之《こ》れを奇《き》夢《む》と稱《しよう》して、世《せ》人《じん》が多《おほ》く談《だん》柄《へい》とする夢《む》幻《げん》の間《あひだ》に誰《たれ》某《それ》に邂《かい》逅《こう》せりと云《い》ふ如《ごと》きは、恐《おそら》くは斯《かく》の如《ごと》き心《しん》力《りよく》感《かん》傳《でん》に依《よ》るものであらう。

結《けつ》論《ろん》

上《じやう》來《らい》記《き》述《じゆつ》した所《ところ》の心《しん》力《りよく》感《かん》傳《でん》の作《さ》用《よう》は、固《もと》より機《き》微《び》穩《いん》約《やく》到《たう》底《てい》普《ふ》通《つう》一《いつ》遍《ぺん》の理《り》法《はふ》を以《もつ》て解《かい》すべからざるものがあるのである。予《よ》は世《よ》の妖《えう》怪《くわい》を擧《あ》げて、悉《ことごと》く之《こ》れを心《しん》氣《き》の作《さ》用《よう》に歸《き》せんとする者《もの》ではないが、世《よ》の妖《えう》怪《くわい》と稱《しよう》する者《もの》の中《なか》には、實《じつ》に心《しん》力《りよく》感《かん》傳《でん》の作《さ》用《よう》に依《よ》つて起《おこ》る者《もの》が少《すく》なくないのである。卽《すなは》ち本《ほん》卷《くわん》に記《き》する所《ところ》の類《たぐゐ》、凡《すべ》て皆《みな》心《しん》力《りよく》感《かん》傳《でん》の奇《き》現《げん》象《しやう》なりと云《い》ふも不《ふ》可《か》ないのである。之《こ》れ固《もと》と心《しん》力《りよく》感《かん》傳《でん》上《じやう》自《し》然《ぜん》の道《だう》理《り》に依《よ》つて然《しか》る者《もの》にして、別《べつ》に奇《き》怪《くわい》不《ふ》思《し》議《ぎ》と稱《しよう》すべきにあらずと雖《いへど》も、只《たゞ》幻想《げんさう》の稀有《けう》に屬《ぞく》するが故《ゆゑ》に、見《み》て以《もつ》て妖怪《えうくわい》とするに過《す》ぎないのである。

斯《か》くの如《ごと》く精神《せいしん》を集注《しふちう》すれば何故《なにゆゑ》に靈妙不思議《れいめうふしぎ》の現《げん》象《しやう》が現《あら》はるか、此《こ》の問題《もんだい》は今俄《いまにはか》に解決《かいけつ》することが出來《でき》ぬ。之《こ》れ實《じつ》に將來《しやうらい》に於《お》ける研究《けんきう》である。佛教《ぶつけう》の阿賴耶識《あらいやしき》に依《よ》れば說明《せつめい》し得《う》ることは前《まへ》にも屢《しばし》ば述《の》べたが、此《こ》の說明《せつめい》は餘《あま》りに思辨的《しべんてき》で實驗的《じつけんてき》或《あるひ》は學術的《がくじゆつてき》たる點《てん》に於《お》いて甚《はなは》だ缺點《けつてん》が多《おほ》いから、吾々《われ〱》は之《こ》れを以《もつ》て滿足《まんぞく》することは出《で》來《き》ぬのであるが、併《しか》し吾人《ごじん》が有《いう》する感覺《かんかく》や身體《しんたい》は原始時《げんしじ》代《だい》から斯《か》くの如《ごと》きものではなく、唯《たゞ》生存《せいぞん》の必要《ひつえう》に依《よ》つて斯《か》くの如《ごと》く發達《はつたつ》したもので、吾人《ごじん》が有《いう》する感覺《かんかく》も平生《へいぜい》の場合《はあひ》に於《お》いて、吾人《ごじん》が推測《すゐそく》して居《ゐ》るよりも實際《じつさい》は餘程《よほど》鋭《えい》敏《びん》である。通《つう》常《じやう》の精《せい》神《しん》狀《じやう》態《たい》では一つの音《おと》を聞《き》かうとしても他《た》の精《せい》神《しん》が働《はたら》いて居《ゐ》る爲《ため》に之《これ》を妨《さまた》げる。けれども無《む》念《ねん》無《む》想《さう》に於《お》いて其《そ》處《こ》に精《せい》神《しん》を集《しふ》注《ちう》すれば、其《そ》の官《くわん》能《のう》が全《ぜん》力《りよく》を擧《あ》げて働《はたら》くから鋭《えい》敏《びん》になるのである。他《た》の感《かん》覺《かく》も之《こ》れと同《おな》じことで、感《かん》覺《かく》に基《もと》づく神《しん》通《つう》力《りき》も斯《か》くの如《ごと》くして説《せつ》明《めい》することが出《で》來《き》るが、次《つぎ》に感《かん》覺《かく》以《い》外《ぐわい》の神《しん》通《つう》力《りき》は何《なに》故《ゆゑ》に現《あら》はるゝかと云《い》ふ問《もん》題《だい》が起《おこ》つて來《く》るのである。人《じん》性《せい》の本《ほん》原《げん》には現《げん》在《ざい》の感《かん》覺《かく》以《い》外《ぐわい》に發《はつ》達《たつ》す可《べ》き種《しゆ》々《ぐ》の可《か》能《のう》性《せい》がある。而《しか》して凡《すべ》ての顯《けん》在《ざい》的《てき》精《せい》神《しん》が活《くわつ》動《どう》を止《や》めて休《やす》んで居《ゐ》る無《む》念《ねん》無《む》想《さう》の狀《じやう》態《たい》に於《お》いて、潛《せん》在《ざい》せる精《せい》神《しん》の發《はつ》達《たつ》を妨《さまた》げるものが無《な》い爲《ため》に、茲《こゝ》に非《ひ》常《じやう》なる精《せい》神《しん》現《げん》象《しやう》が現《あらは》れるのではあるまいかと思《おも》はれるが、之《こ》れは此《この》後《こ》の精《せい》神《しん》科《くわ》學《がく》の發《はつ》達《たつ》に依《よ》つて解決《かいけつ》さる可《べ》き問題《もんだい》である。ア、心機《しんき》の靈動《れいどう》玄《げん》々《く》妙《めう》々《く》、感《かん》ずれば動《うご》き、動《うご》けば變《へん》ず、無《な》きが如《ごと》く有《あ》るが如《ごと》しである。されど活《くわつ》潑《はつ》潑《はつ》地《ち》に動機《どうき》を備《そな》へ、躍如《やくじよ》として聲《こゑ》あるが如《ごと》しで、之《こ》れを了得《れうとく》せんと欲《ほつ》せば宜《よろ》しく諸子《しよし》の大《だい》なる修養《しうやう》に竢《ま》つ可《べ》きものである。

武術 最高極意「水之巻」終

禁他見讓渡

武術極意

火之巻 全

帝國尚武會藏版

火之巻　目　次

武術 最高極意「火の巻」

野口一威齋監修
帝國尚武會編纂

人《じん》心《しん》收《しう》攬《らん》術《じゆつ》

(一) 收《しう》攬《らん》の意《い》義《ぎ》

收攬《しうらん》とは『とり入《い》れる』『とりをさむる』と云《い》ふ意味《いみ》であるが、最《もつと》も通俗的《つうぞくてき》に解《かい》すれば『たらす』と云《い》ふ解釋《かいしやく》を下《くだ》すことも出來《でき》る。即《すなは》ち相手《あひて》が如何《どん》な強者《きやうしや》であつても、權力者《けんりよくしや》であつても、或《あるひ》は又金《またかね》のある者《もの》でも其《そ》の我《が》を折《を》らせ、自己《おのれ》を枉《ま》げしめ、其《そ》の角《つの》を挫《くぢ》き、骨《ほね》を軟《やはら》げ、即《すなは》ち伍《ご》しては剛健《がうけん》、油斷《ゆだん》のならぬ所《ところ》、交《まじは》つて陰險《いんけん》、氣《き》づかひな所《ところ》をも何《いづ》れも均《ひと》しく自己《じこ》の藥籠中《やくろうちう》に入《い》れ、恰《あだか》も催眠術《さいみんじゆつ》に於《おい》て何事《なにごと》に依《よ》らず被術者《ひじゆつしや》が術者《じゆつしや》の命令《めいれい》に服從《ふくじう》する如《ごと》き所謂《いはゆる》唯々《ゐゝ》諾々《だく〳〵》是命是從《これめいこれしたが》ふの心的狀態《しんてきじやうたい》に化《くわ》せしむる事《こと》を稱《しよう》して人心收攬術《じんしんしうらんじゆつ》と云《い》ふのである。而《しか》して古來英雄《こらいえいゆう》とか豪傑《がうけつ》とか俠客《けふかく》とか親分《おやぶん》とか巨魁《きよくわい》とか頭梁《とうりやう》とか女傑《ぢよけつ》とか云《い》はれ、苟《いやしく》も人《ひと》の頭《かしら》に立《た》つて事業《じげふ》をした者《もの》は、其《そ》の業《げふ》にこそ尊卑大小《そんぴだいせう》の別《べつ》はあつたが、彼等《かれら》は何《いづ》れもこの人心收攬術《じんしんしうらんじゆつ》にたけて居《ゐ》た。換言《くわんげん》すれば凡《およ》そ男子《だんし》が志《こゝろざし》をたて、複雜極《ふくざつきは》まる人生《じんせい》に何等《なんら》かの事業《じげふ》をなさうとするには是非共《ぜひとも》この人心收攬術《じんしんしうらんじゆつ》が必要《ひつえう》で、これを辨《わきま》へずして如何《いか》に赤手空拳《せきしゆくうけん》を振《ふ》りまわしても遂《つひ》に何事《なにごと》をなすことも出來《でき》ないのである。

（二）人心收攬《じんしんしうらん》の豫備的段階《よびてきだんかい》

丈夫世《ちやうふよ》にたち一事《じ》を劃《くわく》し一業《げふ》をなさんとするに際《さい》し、人心收攬術《じんしんしうらんじゆつ》の必要《ひつえう》なる事《こと》、實《じつ》に前述《ぜんじゆつ》の如《ごと》くである。處《ところ》が人心收攬術《じんしんしうらんじゆつ》を修練《しうれん》するに際《さい》し、其《そ》の前提《ぜんてい》として何人《なんぴと》もが先《ま》づ通達《つうだつ》せねばならぬ事《こと》は人心觀破術《じんしんくわんはじゆつ》である。人心觀破術《じんしんくわんはじゆつ》とは人《ひと》の心《こゝろ》を觀破《みやぶ》るの術《じゆつ》で、夫《か》の明《めい》察神《さつかみ》の如《ごと》しとか英雄《えいゆう》の眼光火《がんくわうひ》の如《ごと》しとか云《い》ふ文字《もんじ》は何《いづ》れも古《いにしへ》の英雄《えいゆう》がこの觀破術《くわんはじゆつ》に長《た》けて居《ゐ》た事《こと》を云《い》ひ表《あら》はした言葉《ことは》なのである。何故《なぜ》觀破術《くわんはじゆつ》が斯《かく》の如《ごと》く必要《ひつえう》であるか、その理《り》由《いう》を明示《めいじ》する前《まへ》に述者《じゆつしや》はその必要《ひつえう》を遺憾《ゐかん》なく物語《ものがた》つて居《ゐ》る一場《ぢやう》の話例《われい》を玆《こゝ》に掲《かゝ》げて諸子《しよし》の參考《さんかう》に供《きよう》する事《こと》にしやう。

時《とき》は恰《あだか》も戰國時代《せんごくじだい》、玉川左右馬《たまがはさうま》と云《い》ふ辯才學識共《べんさいがくしきとも》にかね備《そな》はつた人間《にんげん》があつた。大分《だいぶ》評判《ひやうはん》が可《よ》いので或《あ》る人《ひと》がこれを蒲生氏郷《がまふうぢさと》に薦《すゝ》めた。當時《たうじ》は各大名《かくだいみやう》が何《いづ》れも人才《じんさい》を招聘《せうへい》するに腐心《ふしん》して居《ゐ》た時代《じだい》であつたから、氏郷《うぢさと》も大《おほい》に喜《よろこ》んで之《これ》を迎《むか》ふるに賓客《ひんかく》の禮《れい》を以《もつ》てした。處《ところ》が十日《か》ばかり過《す》ぎて、氏郷《うぢさと》は何《なん》と思《おも》つたか何《なん》ともつかず金《かね》を與《あた》へてこれを歸《かへ》して仕舞《しま》つたので、彼《かれ》を推薦《すゐせん》した者《もの》は勿論《もちろん》、老臣共《らうしんども》も君公近頃妙《くんこうちかごろめう》な事《こと》をせらるゝと其處置《そのしよち》を疑《うたが》ひ、其後何《そのごなに》かの序《ついで》にこの話《はなし》を持《も》ち出《だ》して『玉川儀《たまがはぎ》は才智《さいち》優《すぐ》れたものでありましたから定《さだ》めし重《おも》く御登庸《ごとうよう》になり謀臣《ぼうしん》の列《れつ》にも御加《おくは》へ遊《あそ》ばされる事《こと》と存《ぞん》じて居《ゐ》りましたのに案外《あんぐわい》にも御暇《おいとま》になりましたのは如何《いか》なる譯《わけ》で御座《ござ》いませうか、それとも何《なに》か御考《おかんが》へがあつてのことで御座《ござ》いまするか……?』と恐《おそ》る〳〵申出《まをしで》た。これを聞《き》いて氏郷《うぢさと》は『如何《いか》にも汝《おまへ》達《たち》が不思議《ふしぎ》に思《おも》ふのは尤《もつと》もであるが、一體今《たいいま》の世《よ》の人《ひと》は一般《はん》が武《ぶ》の事《こと》をのみ慮《おもんぱか》つて更《さら》に文字《もんじ》の事《こと》に暗《くら》いから、人《ひと》の見樣《みやう》と云《い》ふ事《こと》を知《し》らず、少《すこ》しく身分《みぶん》を重厚《ぢうこう》に構《かま》へ、言語《げんご》を巧《たく》みにし、聊《いさゝ》かの器量學才《きりやうがくさい》があつて人目《ひとめ》を誑《たぶか》すものであればこれを智者《ちしや》と云《い》つて居《ゐ》るが、眞《しん》の智者《ちしや》と云《い》ふものは斯《かく》の如《ごと》きものでない。而《しか》して彼《か》の玉川《たまがは》は所謂《いはゆる》今《いま》の世《よ》の智者《ちしや》に過《す》ぎないのである。何《なん》となれば彼《かれ》が初《はじ》めて我《われ》に逢《あ》つた時《とき》、先《ま》づ余《よ》の事《こと》を大《おほい》に稱揚《しようやう》し、次《つぎ》に諸《しよ》將《しやう》を誹《そし》り、即《すなは》ち余《よ》の機嫌《きげん》に取入《とりい》らうとするやうな事《こと》のみを述《の》べた。加之《しかのみならず》、己《おのれ》の美《び》を誇《ほこ》らんがために交友《かういう》の善事《ぜんじ》を數《かぞ》へた、これ余《よ》が彼《かれ》を用《もち》ひなかつた所以《ゆゑん》で、斯《かく》の如《ごと》きものはよし智者《ちしや》であるとも遠《とほ》ざけなければならぬ』と答《こた》へた。老臣等《らうしんら》は其《そ》の事《こと》の眞疑《しんぎ》を眞《しん》に理解《りかい》する事《こと》が出來《でき》ない乍《なが》らも、それかと云《い》つて主君《しゆくん》の考《かんが》への誤《あやまり》であると云《い》ふ事《こと》も云《い》ひかねて其儘無言《そのまゝむごん》に終《をは》つて了《しま》つた。一方玉川《はうたまがは》なる者《もの》は其後間《そのごま》もなくある大名《だいみやう》に抱《かゝ》へられたが元來《ぐわんらい》才智《さいち》のある人間《にんげん》であつたから一旦《たん》は家中《かちう》の名望《めいはう》を得《え》て聲名《せいめい》一藩《はん》を壓《あつ》し、蒲生家《がまふけ》の老臣等《らうしんら》をして今更《いまさら》に後悔《こうくわい》の念慮《ねんりよ》を起《おこ》さしめたのであつた。然《しか》るに年月《ねんげつ》を經《ふ》るに從《したが》ひ彼《かれ》は漸《やうや》く其《そ》の本性《ほんしやう》を露《あら》はし遂《つひ》には老臣《らうしん》を退《しりぞ》け、忠直《ちうちよく》の者《もの》を妬《ねた》み、己《おの》が威《ゐ》を振《ふる》つたので家中悉《かちうことごと》くの恨《うらみ》を買《か》ひ、果《はて》は主家《しゆか》を追出《おひだ》さるゝに至《いた》つた、茲《こゝ》に至《いた》つて蒲生家《がまふけ》の老臣等《らうしんら》は初《はじ》めて氏郷《うぢさと》の神《かみ》の如《ごと》き明察《めいさつ》を歎服《たんぷく》すると共《とも》に、一再《さい》ならず主君《しゆくん》の心事《しんじ》を疑《うたが》つた事《こと》を悔《く》いたとの事《こと》である。即《すなは》ちこの場合《ばあひ》英雄氏郷《えいゆううぢさと》の眼光《がんくわう》が火《ひ》の如《ごと》く明《あき》らかであつたから宜《よ》いやうなものゝ、氏《うぢ》郷《さと》が若《も》しこの觀破眼《くわんはがん》に缺《か》けて居《ゐ》たなれば蒲生家《がまふけ》は實《じつ》に由々《ゆゝ》しき大事《だいじ》に立《た》ち至《いた》つたのであつた。

諸君《しよくん》！諸君《しよくん》はこの一例話《れいわ》に依《よ》つて抑《そもそ》も何《なに》を學《まな》び得《え》たであらうか、換言《くわんげん》すれば諸君《しよくん》はこの話例《われい》に依《よ》つて對者《たいしや》の人物心事《じんぶつしんじ》を洞察《どうさつ》して誤《あやま》らぬと云《い》ふことが誠《まこと》に困難《こんなん》であると云《い》ふ事《こと》を知《し》り得《え》たと共《とも》に、若《も》し觀破術《くわんはじゆつ》が完全《くわんぜん》に出來《でき》たなれば對者《たいしや》の心《こゝろ》を收攬《しうらん》することの左迄《さまで》困難《こんなん》でないと云《い》ふ事《こと》を確《たし》かめ得《え》たのである。卽《すなは》ち力《ちから》の自慢《じまん》なものには其力量《そのりきりやう》を發表《はつぺう》する機會《きくわい》を與《あた》へ、不得手《ふえて》なものあればこれをなさしめず、考案《かうあん》の上手《じやうず》なものには何等《なんら》か必要《ひつえう》な問題《もんだい》を提出《ていしゆつ》して其考慮《そのかうりよ》を廻《めぐ》らさしめ、名《な》を欲《ほつ》する者《もの》には名《な》を與《あた》へ、盜癖《たうへき》のあるものには自《みづか》らが用心《ようじん》を嚴《げん》にしてこれを避《さ》け、財《ざい》を希《こひねが》ふものには啗《くら》はすに財《ざい》を以《もつ》てし、思慮計略深《しりよけいりやくふか》き者《もの》なれば秘密《ひみつ》や陰謀《いんぼう》を議《ぎ》するもよく、至誠忠實敦厚《しせいちうじつとんこう》なるものは以《もつ》て六尺《しやく》の孤《こ》を托《たく》するに足《た》る。話上手《はなしじやうず》なものに取《と》つては合槌《あひづち》をうたれる事《こと》が何《なに》より嬉《うれ》しい味方《みかた》である、酒《さけ》ずきなれば飮《の》まして遣《や》れば必《かなら》ず機《き》嫌《げん》斜《なゝめ》ならずである。之《これ》を要《えう》するに人生意氣《じんせいいき》に感《かん》ずるとか、士《し》は己《おのれ》を知《し》る者《もの》の爲《た》めに死《し》すなど云《い》ふ事《こと》は主人《しゆじん》なり君公《くんこう》なりが自分《じぶん》の心《こゝろ》を最《もつと》も能《よ》く觀破《くわんは》して、それに對《たい》する相當《さうたう》の處置《しよち》をして呉《く》れた時《とき》に發《はつ》する被雇傭者《ひこようしや》の自然《しぜん》の聲《こゑ》である。さうして、この主君《しよくん》の爲《た》めなれば假《たと》ひ水火《すゐくわ》の中《なか》へ這入《はひ》つても關《かま》はないと云《い》ふやうな事《こと》になるのであるが、この一事《じ》を以《もつ》てしても人心觀破《じんしんくわんは》が人心收攬《じんしんしうらん》の豫備的階段《よびてきかいだん》であり前提《ぜんてい》であると云《い》ふ事《こと》を吾人《ごじん》は明瞭《めいれう》に知悉《ちしつ》する事《こと》が出來《でき》るのである。要《えう》するに對手《あいて》の心事《しんじ》が明瞭《めいれう》に看取《かんしゆ》する事《こと》が出來《でき》れば、これを自家藥籠中《じかやくろうちう》のものとして取扱《とりあつか》ふ事《こと》は何《なん》でもない事《こと》で、人《じん》心《しん》を觀破《くわんは》する丈《だけ》の眼光《がんくわう》のあるものなればこれに對《たい》する適當《てきたう》の處置《しよち》は充分出來《じうぶんでき》る筈《はず》で容易《ようい》に意氣《いき》に感《かん》せしめ得《う》るのである。

（三）人心觀破《じんしんくわんは》の至難《しなん》と其《そ》の方法《はうはふ》

狸翁徳川家康《りやとくがはいへやす》が其《そ》の孫竹千代丸《まごたけちよまる》の敎育《けういく》を三人《にん》の家來《けらい》に托《たく》した時《とき》『酒井雅樂頭《さかゐうたのかみ》は後見《こうけん》に備《そな》へ申《まを》す可《べ》きぞ仁《じん》を以《もつ》て育《そだ》てよ、土井大炊《どゐおほゐ》は智《ち》を以《もつ》て諫《いさ》めよ、青山伯耆《あをやまはうき》は勇《ゆう》を以《もつ》て守立《もりたて》よ』と申《まを》しつけた。これは家康《いへやす》が人心看破術《じんしんかんはじゆつ》に長《た》け、以《もつ》て適材《てきざい》を適所《てきしよ》に用《もち》ひた宜《よ》き例話《れいわ》である。即《すなは》ち人《ひと》の長所短所《ちやうしよたんしよ》を看破《かんは》して適材《てきざい》を適所《てきしよ》に用《もち》ひたなれば對者《たいしや》も衷心《ちうしん》から快《こゝろよ》く其《その》人《ひと》に悅服《えつぷく》し、人心收攬《じんしんしうらん》は期《き》せずして行《おこな》ひ得《う》るのである。夫《か》の漢《かん》の高祖《かうそ》が樊噲《はんくわい》、曹參《さうじん》、張《ちやう》良《りやう》、陳平《ちんぺい》を內《うち》に用《もち》ひ韓信《かんしん》、黥布《けいふ》、彭越《はうえつ》を外《そと》に用《もち》ひた事《こと》や、武田信玄《たけだしんげん》、北條早雲《ほうでうさううん》の諸豪《しよがう》が思慮深《しりよふか》き者《もの》は性急《せいきふ》なる者《もの》と組《く》ませ、深謀《しんぼう》あるものは敢勇《かんゆう》の士《し》と班《はん》を列《れつ》せしめたなど云《い》ふ事《こと》は人心觀破《じんしんくわんぱ》の明《めい》があつてこそ始《はじ》めてなし得《え》らるゝ仕事《しごと》である。併《しか》し乍《なが》ら前《まへ》にも述《の》べた如《ごと》く人心《じんしん》を觀破《くわんぱ》すると云《い》ふ事《こと》は實《じつ》に難中《なんちう》の難《なん》、至難中《しなんちう》の至難事《しなんじ》で却々出來《なかなかでき》ない事《こと》なのである。勿論傘《もちろんかさ》と云《い》へば下駄《げた》とか、鑿《のみ》と云《い》へば槌《つち》と云《い》ふやうな一寸《ちよつと》した氣轉《きてん》を利《き》かせる事《こと》なれば誰《だれ》にでも出來《でき》るけれども人《ひと》の心《こゝろ》の奧《おく》の奧《おく》までを觀破《みやぶ》ると云《い》ふ事《こと》は如何《いか》に學問《がくもん》をしても劍術《けんじゆつ》を巧《たく》みにつかつても出來《でき》るものでない。然《しか》らば如何《いか》なる者《もの》が人心觀破術《じんしんくわんぱじゆつ》に通達《つうだつ》する事《こと》が出來《でき》るかと云《い》ふと一概《がい》には言《い》つてのけられないが先《ま》づ第《だい》一の要件《えうけん》は性來頭腦《せいらいづなう》の銳敏《えいびん》なる者《もの》、第《だい》二に觀察 力像想力《くわんさつりよくさうざうりよく》の逞《たくま》しい者《もの》、と云《い》ふ事《こと》がその必須條件《ひつすでうけん》である。併《しか》し如何《いか》に觀察力《くわんさつりよく》や想像力《さうざうりよく》が逞《たくま》しく又性來頭腦《またせいらいづなう》の銳敏《えいびん》なものでも常々《つねづね》から多《おほ》くの人《ひと》を取扱《とりあつか》つて其銳敏《そのえいびん》な觀察力《くわんさつりよく》や想像力《さうざうりよく》を充分《じうぶん》に鍊磨《れんま》しなかつたなれば到底良結果《たうていりやうけつくわ》を期《き》する事《こと》は出來《でき》ない。加之人《しかのみならずひと》と云《い》ふものはその好《この》み惡《にく》む處《ところ》に偏《へん》すると云《い》ふ情的傾向《じやうてきけいかう》があるために、動《やゝ》もするとその情《じやう》のために折角明敏《せつかくめいびん》な觀 察 力《くわんさつりよく》を鈍《にぶ》らせ、透徹《とうてつ》な想像力《さうぞうりよく》を曇《くも》らせて判斷《はんだん》の正鵠《せいかう》を失《うしな》ひ、即《すなは》ち善意《ぜんい》に解《かい》し過《す》ぎたり惡意《あくい》に解《かい》し過《す》ぎたりするのである。現《げん》にあれ程《ほど》の烱眼《けいがん》を有《も》つて居《ゐ》た信長《のぶなが》さへ光秀許《みつひではか》りは見損《みそこな》つて遂《つひ》にその毒刄《どくじん》に寢首《ねくび》をかゝれて了《しま》つたではないか、否《いな》！單《たん》に信長《のぶなが》のみでなく古來《こらい》から所謂獅子《いはゆるしゝ》身中《しんちう》の蟲《むし》となつて英雄豪傑《えいゆうがうけつ》の覇業《はげふ》や手腕《しゆわん》に妨害《ばうがい》を與《あた》へた話例《われい》の少《すく》ないのはこれ皆《みな》一面《めん》から觀《み》れば英雄豪傑《えいゆうがうけつ》と雖《いへど》も亦《また》人心觀《じんしんくわん》破《は》の難《がた》い事《こと》を證據《しようこ》だてゝ居《ゐ》ると言《い》ひ得《う》るのである。而《しか》して千萬人《せんまんにん》に優《すぐ》れた英雄豪傑《えいゆうがうけつ》にして尚《な》ほ且《か》つ斯《かく》の次第《しだい》なのであるから頭腦鋭敏《づなうえいびん》ならざる者《もの》、觀察力《くわんさつりよく》、想像力《さう〴〵りよく》の足《た》らざる又《また》情實《じやうじつ》に捉《とら》はれ易《やす》き一般人《はんじん》が人心觀破術《じんしんくわんぱじゆつ》を行《おこな》ふ事《こと》の如何《いか》に困難《こんなん》なるかは想察《さうさつ》するに決《けつ》して堅《かた》くないのである。夫《か》の人相見《にんさうみ》や易者《えきしや》などが他人《たにん》の事《こと》は能《よ》く云《い》ひ中《あて》るが自分《じぶん》や自分《じぶん》の一家《か》の事《こと》になると皆目當《かいもくあた》らないと云《い》ふ話《はなし》は度々《たび〳〵》聞《き》く事實《じじつ》であるが、これは自分《じぶん》の問題《もんだい》は最《もつと》も利害關係《りがいくわんけい》が多《おほ》く、隨《したが》つて情《じやう》の働《はたら》きが判斷鑑識《はんだんかんしき》の明《めい》を缺《か》き易《やす》い爲《た》めであると云《い》ふ事《こと》を明《あき》らかに證據《しようこ》だてゝ居《ゐ》る。而《しか》してこの理《り》は自己《じこ》並《ならび》に自己《じこ》の家族《かぞく》のみならず、自己《じこ》と關係《くわんけい》のある周圍《しうゐ》の人物《じんぶつ》の心《こゝろ》を觀察《くわんさつ》する場合《ばあひ》にも及《およ》ぼすのである。

これと反對《はんたい》に人《ひと》の心《こゝろ》は初對面《しよたいめん》に感得《かんとく》した判斷《はんだん》が一番正《はんたゞ》しいと云《い》ふ事《こと》を誰《だれ》しも認《みと》めるのであるが、これは確《たし》かに眞理《しんり》である。何《なん》となれば初對面《しよたいめん》の際《さい》は上述《じやうじゆつ》したやうな情的作《じやうてきさ》用《よう》が加《くは》はらないで主《しゆ》として冷靜單調《れいせいたんてう》な批判《ひはん》が直覺的《ちよくかくてき》に頭《あたま》に映《えい》ずるから、左迄觀察力《さまでくわんさつりよく》が深《しん》刻犀利《こくさいり》でなく、頭腦《づなう》が鋭敏《えいびん》でなくとも比較的中正《ひかくてきちうせい》を得《え》た判定《はんてい》が下《くだ》し得《う》るのである。されば人《ひと》の心事《しんじ》を洞察《どうさつ》せんとするに際《さい》しては須《すべか》らくこの理由《りいう》から推《お》してなるべく頭腦《づなう》を冷靜《れいせい》に構《かま》へ、自己《じこ》との關係《くわんけい》、利害得失《りがいとくしつ》と云《い》ふ事《こと》を全然《ぜん〳〵》離《はな》れて、恰度算術《ちやうどさんじゆつ》をやつて居《ゐ》る時《とき》のやうな考《かんが》へで人心《じんしん》の計算《けいさん》をすれば大《たい》した間違《まちがひ》がない。

（四）人心觀破術《じんしんくわんはじゆつ》の根源《こんげん》

人心觀破《じんしんくわんは》の對象《たいしやう》は先《ま》づ人相《にんさう》（骨相《こつさう》）相手《あひて》の擧止《きよし》、言語《げんご》、嗜好《しかう》、である。處《ところ》で擧止《きよし》、言語《げんご》、嗜好《しかう》など云《い》ふ事《こと》は一々《いち〳〵》其事實《そのじじつ》を示《しめ》して、之《これ》を說明《せつめい》しなければならぬから之《これ》を後《のち》に讓《ゆづ》り、玆《こゝ》では先《ま》づ最《もつと》も大切《たいせつ》なる骨相即《こつさうすなは》ち人相上《にんさうじやう》からの觀破法《くわんはほふ》を述《の》べることにしやう。

一體他《たいた》人《にん》の性質《せいしつ》と云《い》ふものを第《だい》三者《しや》——即《すなは》ち少《すこ》しも其人《そのひと》と關係《くわんけい》のない人間《にんげん》が觀察《くわんさつ》して果《はた》して正確《せいかく》なる判定《はんてい》を下《くだ》すことが出來《でき》るだらうかと云《い》ふ事《こと》は、凡《およ》そ何人《なんぴと》もが先《ま》づ感《かん》ずべき不安《ふあん》である。併《しか》し乍《なが》らこの不安《ふあん》は毛頭《まうとう》も必要《ひつえう》がないと云《い》ふ事《こと》を述者《じゆつしや》は敢《あえ》て斷言《だんげん》する。何《な》故《ぜ》かと云《い》ふと、凡《およ》そ物《もの》には必《かなら》ず其《そ》の本體《ほんたい》と云《い》ふものがあり、本體《ほんたい》があるものには必《かなら》ず其《そ》の用能《ようのう》——即《すなは》ち働《はたら》きがあり、用能《ようのう》——即《すなは》ち働《はたらき》があるものには必《かなら》ず現象《げんしやう》が起《お》きて來《く》る筈《はず》であるからである。而《しか》してこの本體《ほんたい》が相異《さうい》して居《を》れば自然用能即《しぜんようのうすなは》ち働《はたらき》が相違《さうゐ》して來《く》るし働《はたら》き即《すなは》ち用能《ようのう》が相違《さうゐ》すれば從《したが》つて現象《げんしやう》が相違《さうゐ》して來《く》る事《こと》は當然《たうぜん》の理《り》である。故《ゆゑ》にこれを反對《はんたい》に考《かんが》へて行《ゆ》けば現象《げんしやう》の相違《さうゐ》したものは用能《ようのう》——即《すなは》ち働《はたら》きの相違《さうゐ》せる事《こと》を物語《ものがた》り、用能《ようのう》——即《すなは》ち働《はたら》きの相違《さうゐ》せるものは要《えう》するに本體《ほんたい》が相違《さうゐ》して居《ゐ》る事《こと》を明《あき》らかに證據立《しようこだ》て居《ゐ》るのである、されば本體《ほんたい》、用能《ようのう》、現象《げんしやう》の三つの中《うち》、何《いづ》れでも其《そ》の一《ひと》つが分明《わか》つたなれば其《そ》の他《た》の二《ふた》つが分明《ぶんめい》すると云《い》ふ事《こと》は云《い》ふまでもなく明《あき》らかであると共《とも》に、凡《およ》そ宇宙間《うちうかん》の森羅萬象《しんらはんしやう》は如何《いか》なる物《もの》でも理《り》に從《したが》ひ、途《みち》に依《よ》りさへすれば必《かなら》ず其《そ》の性狀《せいじやう》を窺《うかゞ》ひ知《し》る事《こと》が出來《でき》ると斷定《だんてい》し能《あた》ふのである。只《た》だ實際上《じつさいじやう》に當《あた》つては前述《ぜんじゆつ》した三者《しや》の關係《くわんけい》が正確《せいかく》に調《てう》査《さ》されるとされないとの如何《いかん》に依《よ》つて判斷上《はんだんじやう》に正否《せいひ》の差《さ》の生《しやう》じて來《く》る事《こと》は免《まぬが》れないが、而《しか》も現象《げんしやう》に依《よ》つて用能《ようのう》を知悉《ちしつ》し、用能《ようのう》に依《よ》つて本體《ほんたい》を觀破《くわんは》する事《こと》の必《かなら》ず出來得《できう》ると云《い》ふ事《こと》は明々白々《めいめいはくはく》爭《あらそ》ふ可《べか》らざる事實《じじつ》である。

諸君《しよくん》！人心觀破術《じんしんくわんはじゆつ》は以上《いじやう》の立脚點《りつきやくてん》から出發《しゆつぱつ》して樣々《さまざま》な理論《りろん》を形成《けいせい》して居《ゐ》るのであるが、其理論《そのりろん》たるや非常《ひじやう》に複雜《ふくざつ》で到底其全部《たうていそのぜんぶ》を玆《こゝ》に羅致《らち》する事《こと》は不可能《ふかのう》であるのみならず反《かへ》つて諸子《しよし》の理解《りかい》を困難《こんなん》ならしめる恐《おそれ》があるから、理論沿革《りろんえんかく》の事《こと》は之《これ》を他日《たじつ》に讓《ゆづ》り、本卷《ほんくわん》に於《おい》ては直《たゞち》に其《そ》の實驗說《じつけんせつ》に這入《はひ》ることゝした。

（五）賢《けん》愚《ぐ》を知《し》る事《こと》

（一）眼《がん》光《くわう》涼《すゞ》しく鈍《どん》蒙《まう》の樣《やう》子《す》見《み》へず、眼《がん》球《きう》黑《こく》白《はく》の色《いろ》判《はん》然《ぜん》たるものは其《そ》の心《こゝろ》清《せい》醇《じゆん》にして文《ぶん》學《がく》詩《し》歌《か》の才《さい》あり且《か》つ誘《いう》惑《わく》に迷《まよ》ふ事《こと》なく同《どう》情《じやう》の心《こゝろ》に富《と》む。而《しか》してこの種《しゆ》の眼《め》を有《いう》するものにして眉《まゆ》毛《げ》の色《いろ》黑《くろ》きも發《はつ》生《せい》の度《ど》合《あひ》甚《はなは》だ密《みつ》ならず又《また》睫《まつ》毛《げ》もこれに準《じゆん》ずるものは愈《いよ》々〱前《ぜん》述《じゆつ》の性《せい》を有《いう》すと雖《いへど》も、眉《まゆ》太《ふと》く濃《こ》く、睫《まつ》毛《げ》亦《また》これに準《じゆん》ずるものは其《そ》の情《じやう》力《りよく》、智《ち》力《りよく》（理《り》性《せい》）に勝《か》ち所《いは》謂《ゆる》涙《なみだ》弱《よは》きに過《す》ぎて決《けつ》斷《だん》乏《とほ》しく婦《ふ》人《じん》（婦《ふ》人《じん》は男《だん》子《し》）の事《こと》などに迷《まよ》はされ易《やす》し。

（二）一般《はん》に眼《め》尻《じり》の上《あが》りたるは肝《かん》癖《べき》強《つよ》く、眼《め》尻《じり》の下《さが》りたるものは自《じ》修《しう》の心《こゝろ》乏《とほ》し、肝《かん》癖《べき》強《つよ》く自《じ》信《しん》乏《とほ》しきは何《いづ》れも智《ち》の足《た》らざるものなるを證《しよう》す。準《じゆん》じて智《ち》力《りよく》を察《さつ》すべきなり。

（三）眼《め》の丸《まる》きは目《もく》前《ぜん》の智《ち》才《さい》ありて永《えい》遠《ゑん》の智《ち》力《りよく》に乏《とほ》しく眼《め》の細《ほそ》長《なが》きは遠《とほ》きを考《かんが》へ過《すぎ》るの癖《くせ》ありて宜《よろ》しからず。中《ちう》正《せい》を得《え》たるを可《か》とす。

（四）眼《がん》球《きう》白《はく》色《しよく》部《ぶ》の勝《か》ちたるものは小《せう》才《さい》ありとも大《だい》才《さい》の缺《けつ》乏《はう》せるを意《い》味《み》す。又《また》黒《こく》色《しよく》部《ぶ》の茶《ちや》褐《かつ》色《しよく》なるものも亦《また》小《せう》才《さい》ありて遠《ゑん》大《だい》の識《しき》量《りやう》なし。

（五）耳《みゝ》の肉《にく》薄《うす》きものは概《がい》して小《せう》才《さい》子《し》に過《す》ぎ、厚《あつ》きに過《す》ぐるは温《をん》良《りやう》なれども目《もく》前《ぜん》の機《き》に鈍《にぶ》く氣《き》のきかざる事《こと》多《おほ》し。

（六）耳《みゝ》の垂球《みゝたぶ》の肉《にく》甚《はなは》だ少《せう》量《りやう》にして無《な》きが如《ごと》きものは才《さい》ありと雖《いへど》も仁《じん》心《しん》徳《とく》性《せい》に缺《か》けたる事《こと》多《おほ》し但《たゞ》し他《た》に宜《よろ》しき相《さう》あればこの缺《けつ》を補《おぎな》ふものなれば凡《すべ》て骨《こつ》相《さう》は全《ぜん》斑《はん》を統《とう》一したる上《うへ》批《ひ》判《はん》する事《こと》肝《かん》要《えう》なり。

（七）鼻《はな》の肉《にく》しまりて硬《かた》きは片《かた》意《い》地《ち》の風《ふう》ありて智《ち》才《さい》あれども人《ひと》と圓《えん》滑《こつ》を缺《か》き、柔《やはら》くして肉《にく》しまりなきは智《ち》才《さい》あるも意《い》志《し》弱《よは》く、其《そ》の考《かう》思《し》する處《ところ》を決《けつ》行《かう》するに甚《はなは》だ遲《ち》疑《ぎ》するの嫌《きらひ》あり、然《さ》れども文《ぶん》學《かく》美《び》術《じゆつ》等《とう》のことには必《かなら》ず人《ひと》に勝《まさ》るの才《さい》あり。

（八）口《くち》の大《だい》なるは愚《ぐ》と云《い》ふ方《はう》なれども口《こう》角《かく》に力《ちから》ありて、しまり緊《きび》しきものは却《かへ》つて大《だい》才《さい》あり。

（九）腮《あご》の肉《にく》滿《み》ちて、しまりあるものは智《ち》力《りよく》あり、又《また》能《よ》く機《き》を見《み》るの明《めい》あり。

（一〇）腮《あご》の滿《み》つるも、しまりなきものは德《とく》性《せい》あれども才《さい》鈍《にぶ》し。

（一一）顏《がん》面《めん》の色《しき》澤《たく》蒼《さう》白《はく》色《しよく》なるは思《し》考《かう》の力《ちから》深《ふか》しと雖《いへど》も疑《ぎ》心《しん》のために事《こと》を躊《ちう》躇《ちよ》するの缺《けつ》點《てん》あり。黃《き》色《いろ》を帶《お》びたるは才《さい》力《りよく》ありて希《き》望《ばう》の欲《よく》念《ねん》強《つよ》く又《また》忍《にん》耐《たい》力《りよく》にも富《と》む。紅《こう》色《しよく》を帯《お》びたるは機《き》智《ち》あるも感《かん》情《じやう》の力《ちから》甚《はなは》だ強《つよ》く忍《にん》耐《たい》の力《ちから》又《また》乏《とぼ》し、黒《こく》褐《かつ》色《しよく》(日《ひ》やけにあらず)なるは剛《がう》氣《き》の性《せい》あり才《さい》力《りよく》富《と》むにあらざれども決《けつ》行《かう》に躊《ちう》躇《ちよ》せず(此《こ》の相《さう》若《も》し婦《ふ》人《じん》なれば頗《すこぶ》る熱《ねつ》心《しん》深《ふか》き性《せい》なり)白《しろ》くして光《くわう》澤《たく》あるは賢《けん》明《めい》の表《しるし》なるが中《ちう》以《い》下《か》の人《ひと》ならば却《かへ》つてあしく意《い》志《し》弱《よは》く、才《さい》智《ち》亦《また》甚《はなは》だ小《せう》機《き》なり。

(三)

毛《まう》髪《はつ》(頭《とう》部《ぶ》)の赤《あか》きは一定《てい》の見《けん》識《しき》なく大《だい》才《さい》なき方《はう》なり。されど小《せう》事《じ》には一般《はん》に目《め》の届《とゞ》く方《はう》なり。黒《くろ》きは遠《ゑん》大《だい》の思《し》考《かう》を爲《な》すの性《せい》にして縮《ちゞ》れたるは頓《とん》才《さい》あり、但《たゞ》し褐《あか》くして縮《ちゞ》れたるものは事《こと》に大《おほ》仰《ぎやう》(大《おほ》げさ)にて遠《ゑん》大《だい》の智《ち》、必《かなら》ず缺《か》く、黒《くろ》くして密《みつ》生《せい》せるは思《し》考《かう》力《りよく》に富《と》み、粗《そ》生《せい》にして褐《あか》きは凡《すべ》て思《し》考《かう》力《りよく》を缺《か》くものと知《し》るべし。

（三）額《ひたひ》の狹《せま》きは賤《せん》陋《ろう》の性《せい》なるが皮《ひ》膚《ふ》に肉《にく》ありて厚《あつ》く見《み》ゆるは智《ち》才《さい》あるを表《あらは》す、肉《にく》うすくして皮《かは》のつる如《ごと》きは智《ち》才《さい》少《すく》なし。

（四）鼻《はな》の根《こん》部《ぶ》卽《すなは》ち兩《りやう》眼《がん》と兩《りやう》眉《び》の間《あひだ》廣《ひろ》きは才《さい》機《き》に富《と》み、俗《ぞく》に云《い》ふ覺《さとり》の早《はや》き人《ひと》なり又《また》婦《ふ》人《じん》にありては却《かへつ》て才《さい》智《ち》靜《しづ》まりて溫《をん》良《りやう》の性《せい》を表《あらは》す。兩《りやう》眼《がん》兩《りやう》眉《び》の間《あひだ》狹《せま》きは疑《ぎ》心《しん》深《ふか》く肝《かん》癖《へき》强《つよ》き方《はう》なれども相《さう》應《おう》の智《ち》才《さい》あり但《たゞ》しこの智《ち》才《さい》は學《がく》術《じゆつ》的《てき》にあらずして所《いは》謂《ゆる》商《しやう》機《き》の才《さい》の人《ひと》と知《し》るべし。

（五）耳《みゝ》の上《じやう》部《ぶ》聳《そび》えたつの風《ふう》あるものは才《さい》あり丸《まる》く下《さが》りて鉛《えん》筆《ぴつ》も挾《はさ》まれざる如《ごと》きは痴《ち》鈍《どん》なる性《せい》とす。

（六）頭《づ》蓋《がい》骨《こつ》頂《ちやう》(腦《なう》天《てん》)に瘤《こぶ》の如《ごと》く高《たか》く丸《まる》き骨《ほね》あるものは傑《けつ》出《しゆつ》

せる才《さい》(學《がく》理《り》に關《くわん》する智《ち》才《さい》)あり而《しか》してこの高《たか》きものの長《なが》くなりて前《ぜん》頭《とう》部《ぶ》に至《いた》るものは自《じ》信《しん》深《ふか》く、剛《がう》情《じやう》なり。但《たゞ》し智《ち》才《さい》は前《ぜん》者《しや》に少《すこ》しく劣《おと》るを普《ふ》通《つう》とす。

(七)兩耳《りやうみゝ》の上《じやう》部《ぶ》に當《あた》る骨《ほね》左《さ》右《いう》にふくらみ居《ゐ》るものは謀《ぼう》略《りやく》の才《さい》あり然《しか》れども性《せい》陰《いん》險《けん》にして秘《ひ》密《みつ》多《おほ》し。

(八)前《ぜん》額《がく》部《ぶ》、板《いた》の如《ごと》く鋭《するど》く眉《まゆ》の邊《へん》に達《たつ》し、突《とつ》起《き》を形《けい》成《せい》せるものは局《きよく》部《ぶ》的《てき》才《さい》能《のう》あるも流《りう》通《つう》性《せい》の才《さい》能《のう》なし換《くわん》言《げん》すれば專《せん》門《もん》的《てき》の智《ち》才《さい》あるも常《じやう》識《しき》的《てき》才《さい》能《のう》なし。

(九)鬢髮《かみのけ》の甚《はなは》だ密《みつ》生《せい》せるは智《ち》ありて才《さい》に富《と》まず又《また》甚《はなは》だうすきは才《さい》あり智《ち》に乏《とぼ》し、卽《すなは》ち中《ちう》正《せい》を得《え》たるものを以《もつ》て才《さい》智《ち》全《まつた》きを見《み》る。縮《ちゞ》れたるは機《き》智《ち》あれど遠《ゑん》大《だい》なる智《ち》才《さい》なし。

(二〇)眼《め》尻《じり》の上《あが》りて鈍《にぶ》きものは商機《しやうき》の智《ち》あるも才力《さいりよく》なく、眼《め》尻《じり》の下《さが》りて皺《しわ》少《すく》なきは大《おほい》に商機《しやうき》の才《さい》に富《と》む。

(二一)眉《まゆ》と眼《め》との間《あひだ》廣《ひろ》きは詩《し》想《さう》ありて文學《ぶんがく》の才《さい》あり狹《せま》きは才智《さいち》鋭《するど》きも學術上《がくじゆつじやう》には適應《てきおう》せず。

(二二)眼《め》と眉《まゆ》との間《あひだ》の肉《にく》うすきは才《さい》あれども膽力《たんりよく》乏《とぼ》しく肉《にく》あつきは情《なさけ》あれども才氣《さいき》乏《とぼ》し。

(二三)婦人《ふじん》の手《て》の拇指《おやゆび》割合《わりあひ》に小《ちひ》さく尖頭《さき》細《ほそ》く尖《とが》りたるものは小才《せうさい》ありて些々《さゝ》たる事《こと》にやかましき性《せい》あり。

(二四)婦人《ふじん》の手《て》の指背《しはい》、節《ふし》高《たか》く掌《てのひら》の皮面《ひめん》、割合《わりあひ》にあつきは智才《ちさい》あり他《た》に之《これ》を補助《ほじよ》する相《さう》あらば男子《だんし》に勝《まさ》るの智計《ちけい》ありと知《し》るべし。

(二五)一般《はん》に指《ゆび》の頭《あたま》太《ふと》く廣《ひろ》くして篦《へら》の如《ごと》きは理想《りさう》に富《と》み、尖《とが》りて細《ほそ》く圓《ゑん》錐《すゐ》狀《じやう》をなしたるは物《ぶつ》質《しつ》的《てき》の智《ち》に長《ちやう》ず。宜《よろ》しく他《た》の長《ちやう》を綜《そう》合《がふ》して批《ひ》判《はん》を誤《あやま》るなかれ。

（二六）音《おん》聲《せい》の清《せい》朗《らう》なるは聰《そう》明《めい》の性《せい》なれども男《だん》子《し》にして婦《ふ》人《じん》の如《ごと》きは却《かへ》つて小《せう》人《じん》なり。又《また》言《げん》語《ご》早《はや》きに過《す》ぎ、或《あるひ》は遲《おそ》きに過《す》ぎ、或《あるひ》は吃《ども》り或《あるひ》は鈍《にぶ》きは凡《すべ》て智《ち》才《さい》の缺《か》けたるものなり。

（二七）舌《した》尖《さき》細《ほそ》きものは才《さい》智《ち》あれども徳《とく》義《ぎ》心《しん》なく、丸《まる》くして太《ふと》きは才《さい》乏《とぼ》しけれど文《ぶん》學《がく》的《てき》才《さい》あり。

（六）正《せい》邪《じや》曲《きよく》直《ちよく》を知《し》る事《こと》

（一）眼《め》に光《ひかり》ありて何《なん》となく落《おち》つかざる風《ふう》あるは心《しん》性《せい》宜《よろ》しからず。又《また》物《もの》を見《み》る時《とき》正《せい》視《し》する事《こと》を得《え》ず額《ひたひ》越《ご》しに見《み》るが如《ごと》きも邪《じや》心《しん》あるを表《あらは》す。

(二)物《もの》を見《み》る時《とき》、例《たと》へば横《よこ》を見《み》んとすれば眼《め》ばかり横《よこ》に轉《てん》ずることなく、頭《とう》部《ぶ》を轉《てん》じ卽《すなは》ち瞳《ひとみ》を眼《め》の中《ちう》心《しん》に置《お》き正《せい》視《し》する人《ひと》は正《せい》德《とく》ある人《ひと》なり。

(三)人《ひと》に物《もの》語《がた》りする時《とき》、眼《め》を鎖《と》ぢて云《い》ふものあり又《また》眼《め》を開《ひら》き居《ゐ》るも見《み》るにあらずして單《たん》に開《ひら》き居《ゐ》るに過《す》ぎずと云《い》ふ態《たい》度《ど》の人《ひと》あり、これ等《ら》は皆《みな》人《ひと》の氣《き》を計《はか》る心《こゝろ》あり、口《くち》より外《ほか》に腹《はら》に一物《もつ》ある人《ひと》なり。

(四)眉《まゆ》と眼《め》との間肉《あひだにく》ありて光《くわう》澤《たく》あるは同《どう》情《じやう》に富《と》み、この肉《にく》薄《うす》きは智《ち》才《さい》の勝《す》ぐるゝを意《い》味《み》す。

(五)腮《あご》の骨《ほね》、耳《みゝ》の下《か》邊《へん》に當《あた》れる部《ぶ》大《だい》にして開《ひら》きたるものは欲《よく》心《しん》深《ふか》くして甚《はなは》だ吝嗇《りんしよく》なる性《せい》を有《いう》し欲《よく》のため善《ぜん》を忘《わす》るゝの人《ひと》なり、

（六）鼻《はな》の頭《あたま》高《たか》く尖《とが》り鈎《かぎ》の如《ごと》く下《した》に向《むか》ひ例《たと》へば鷲《わし》の嘴《くちはし》の如《ごと》くなり居《を》るものは殘《ざん》酷《こく》の性《せい》ありて暴《ばう》欲《よく》多《た》貪《どん》、人《ひと》の情《じやう》義《ぎ》を顧《かへり》みざる人《ひと》なり。

（七）眼《め》細《ほそ》くして上《じやう》下《げ》の瞼《まぶた》肉《にく》あり、睫《まつ》毛《げ》も濃《こ》く、形《かたち》半《はん》月《げつ》形《がた》をなして笑《わら》へる如《ごと》く、又《また》眼《め》の黒《こく》白《はく》甚《はなは》だ判《はん》然《ぜん》ならざるものは外《ぐわい》貌《ばう》人《ひと》に媚《こ》びて内《ない》心《しん》浮《ふ》薄《はく》に人《ひと》の隙《すき》に乘《じやう》じて奸《かん》策《さく》をなさんとする悪《あく》漢《かん》なり。

（八）人《ひと》と談《だん》話《わ》するに思《おも》はず唇《くちびる》を甜《な》めつゝ語《かた》るものあり、これ虚《きよ》言《げん》を好《この》み些《さ》々たることまでに虚《うそ》を語《かた》る癖《くせ》あり。

（九）人《ひと》と對《たい》して談《だん》話《わ》するに常《つね》に頭《あたま》を低《ひく》くたれ、顔《かほ》をかしげ要《えう》なき言《こと》葉《は》に笑《わらひ》を含《ふく》みて談《だん》話《わ》する人《ひと》は心《こゝろ》卑《いや》くして而《しか》も邪《よこしま》の性《せい》あり心《こゝろ》内《うち》に疚《やま》しきことある表《へう》象《しやう》とす。

(一)耳《みゝ》の形《かたち》丸《まる》く小《ちひ》さきは心小《こゝろちひ》さく怯《きやう》なれども本性《ほんせい》は善《ぜん》なり形《かたち》長《なが》くして大《おほ》きく色顔《いろかほ》よりもよきは善良《ぜんりやう》にして人《ひと》を愍《あはれ》み善行《ぜんかう》を好《この》む人《ひと》なり。

(二)髪《かみ》の生《は》ゆべき處《ところ》何《いづ》れも生《は》え揃《そろ》ひ甚《はなは》だ濃《こ》からず、太《ふと》からざるは心性醇良《しんせいじゆんりやう》なり、若《も》し兩《りやう》の後頰《こうけふ》(耳《みゝ》の前下邊《ぜんかへん》)になき人《ひと》は尋常人《じんじやうじん》よりも異《こと》りたる氣質《きしつ》ありて俗《ぞく》に云《い》ふ偏屈《へんくつ》の人《ひと》なり、然《しか》れども心性《しんせい》は善《ぜん》なり、一般《はん》に髭《ひげ》ののび〳〵と伸《の》びたるは溫雅《をんが》の性《せい》なりとす。

(三)唇《くちびる》の色紅《いろくれなゐ》にして甚《はなは》だ光澤《くわうたく》宜《よ》きは溫雅正善《をんがせいぜん》なる相《さう》とす。

(亖)顏面蒼白枯灰《がんめんさうはくこくわい》なるは邪心《じやしん》あり、黃紅潤澤《くわうこうじゆんたく》なるは心正直《こゝろしやうちき》なり。

(七)言語《げんご》の色彩《しきさい》に據《よ》る觀破法《くわんぱはふ》

凡《おそ》そ人《ひと》の心事《しんじ》を觀破《くわんぱ》しその正邪善惡《せいじやぜんあく》を判別《はんべつ》するの至難《しなん》なるは今更言《いまさらげん》を須《もちひ》ない事《こと》であるが、而《しか》もこれは至難事《しなんじ》と云《い》ふ丈《だけ》の事《こと》で不可能《ふかのう》と云《い》ふのではない。換言《くわんげん》すれば其《そ》の方法宜《はうはふよろ》しきを得《え》、其《そ》の道當《みちたう》を得《え》たなれば最《もつと》も正確《せいかく》に觀破《くわんぱ》する事《こと》が出來《でき》るのである。而《しか》してそれが形態上《けいたいじやう》よりの方法《はうはふ》は前《ぜん》二章《しやう》に於《おい》て其要《そのえう》を盡《つく》したから、本章《ほんしやう》では最《もつと》も至難《しなん》なる言語《げんご》の色彩上《しきさいじやう》よりの觀破法《くわんぱはふ》を述《の》べて見《み》やう。

古語《こご》に云《い》ふ『相《さう》を蔽《おほ》ふものは舌《した》なり』と、この一語《ご》は抑《そもそ》も何《なに》を物語《ものがた》つて居《ゐ》るかと云《い》ふと言語《げんご》の巧《たくみ》なものは、ともすると己《おのれ》の巧《たくみ》なる言語《げんご》を以《もつ》て自己《じこ》の惡相《あくさう》を隱《かく》し了《おほ》せて終《しま》ふと云《い》ふ事《こと》を言《い》つたものである。之《これ》に依《よ》つてこれを看《み》ても言語《げんご》に依《よ》つて他人《たにん》の心事《しんじ》を觀破《くわんぱ》する事《こと》は實《じつ》に至難中《しなんちう》の至難事《しなんじ》だと云《い》ひ得《う》るのである。卽《すなは》ち言語《げんご》と云《い》ふものは言《い》ひ顯《あら》はし方《かた》に依《よ》つて同一《どう》の言語《げんご》が種々《しゆぐ》に其《そ》の意味《いみ》を異《こと》にするもので、例之《たとへ》て云《い》へば救《すく》ふべしと命《めい》ずるのと、救《すく》つて下《くだ》さいと云《い》ふのと、救《すく》へと云《い》ふのと、何《ど》うか御救《おすく》ひ下《くだ》さいと云《い》ふのと意味《いみ》は同一《どう》であるが趣《おもむき》は全然違《ぜんぐちが》つて來《く》る。この趣《おもむき》なるものが言語《げんご》の色彩《しきさい》と云《い》ふもので、言語《げんご》には凡《すべ》てこの色彩《しきさい》が加《くは》はるから言語《げんご》に依《よ》つて人《ひと》の心事《しんじ》を觀破《くわんぱ》すると云《い》ふ事《こと》が大變六《たいへんむつ》ケしいのである。而《しか》して姦惡《かんあく》なる人間《にんげん》ほど言語《げんご》の色彩《しきさい》を作《つく》ると云《い》ふ事《こと》が巧妙《こうめう》であるために、換言《くわんげん》すれば彼等《かれら》は實《じつ》に一種《しゆ》の(言語《げんご》の色彩《しきさい》を作《つく》ると云《い》ふ)俳優《はいいう》となり、蔽惡《へいあく》、裝善《さうぜん》の狂言《きやうげん》をなしつゝ生涯《しやうがい》を送《おく》つて居《ゐ》るのであるから、年《とし》を經《ふ》るに從《したが》つていつしかこれが第二《だい》の天性《てんせい》をかたちづくり、殆《ほとん》ど誰《だれ》の目《め》にも見分《みわけ》はのつかなくなる程《ほど》までに至《いた》るのである。加之《しかのみならず》其巧妙《そのこうめう》なことは單《たん》に言語《げんご》の上《うへ》のみでなく容貌風彩凡《ようはうふうさいすべ》ての上《うへ》にまで如何《いか》にも親實《しんじつ》らしく眞《まこと》しやかに假面《かめん》を裝《よそほ》ふのであるから、如何《いか》なるものも知《し》らぬ間《ま》に誑《たぶ》らかされて終《しま》つて其意《そのい》中《ちう》に陷《おちい》つて了《しま》ふのである。而《しか》して言語《げんご》が種々《しゆく》の情《じやう》を發現《はつげん》することはこれのみに止《と》まらず、恰度《ちやうど》これと反對《はんたい》の場合《はあひ》にも露《あら》はれて來《く》る。即《すなは》ち『……物《もの》も言《い》ひやうで角《かど》がたつ』と云《い》ふのがそれで、實《じつ》は本人《ほんにん》としては眞實《しんじつ》な心《こゝろ》を以《もつ》て言《い》ひつゝあるのであるが、其《そ》の氣僻《きへき》のために言語《げんご》をスラ〳〵と發《はつ》することが出來《でき》ず、爲《ため》に拙《くだ》らぬ邪推《じやすゐ》を受《う》け、惡《あ》しざまに思《おも》はれて却《かへ》つて意外《いぐわい》の結果《けつくわ》を來《きた》したと云《い》ふ事實《じじつ》が澤山《たくさん》にある。然《しか》るに彼等《かれら》奸惡《かんあく》の徒《と》はこの觀察《くわんさつ》者《しや》の邪推《じやすゐ》を防《ふせ》ぎ、或《あるひ》はこれを利用《りよう》することが巧《たくみ》であるために、觀察者《くわんさつしや》の疑《うたがひ》を受《う》けるものは毎《つね》に正直《しやうぢき》なる一種《しゆ》の氣癖《きへき》あるものが多《おほ》いのである。されば人《ひと》の心性《しんせい》を觀察《くわんさつ》するに際してては餘程注意《よほどちうい》して正直者《しやうぢきもの》の氣癖《きへき》に迷《まよ》はざるやう心掛《こゝろが》くると共《とも》に僞《ぎ》善者僞直者《ぜんしやぎちよくしや》の姦手段《かんしゆだん》に詐瞞《さまん》せらるゝ事《こと》なきやう活眼《くわつがん》を見《み》ひらく事《こと》が肝要《かんえう》である。今左《いまさ》に言語色彩上《げんごしきさいじやう》よりの觀破《くわんぱ》

法《はふ》に要《えう》する二三の注意《ちうい》事項《じかう》を掲《かゝ》げて置《お》く、

(一)正直《せいちよく》の士《し》は人《ひと》の氣《き》に合《がつ》すると合《がつ》せざるとに拘《かゝは》らず、自《じ》己《こ》の意《い》中《ちう》を直《たゞち》に言《い》ひ、直《たゞち》に行《おこな》はんとするの風《ふう》あり。されば其《そ》の言葉《ことは》自《おのづか》ら率《そつ》直《ちよく》にして甘《あま》からず。不《ふ》正《せい》の士《し》は自《じ》己《こ》の意《い》中《ちう》は暫《しはら》くさし置《お》き、先《ま》づ人《ひと》の氣《き》に順《じゆん》ぜん事《こと》を努《つと》め機《き》によりて己《おのれ》の所《しよ》志《し》を果《はた》さんとす。故《ゆゑ》に其《その》言《げん》自《おのづか》ら婉《えん》曲《きよく》にして和《わ》し易《やす》く甘《あま》きこと蜜《みつ》の如《ごと》し。されば對《たい》話《わ》中《ちう》己《おのれ》が持《ぢ》論《ろん》に叶《かな》はざる事《こと》あるも反《はん》抗《かう》の色《いろ》なく却《かへ》つて奉《ほう》順《じゆん》の色《いろ》を装《よそほ》ひ、心《しん》中《ちう》甚《はなは》だ快《くわい》ならざるも口《くち》を極《きは》めて賞《しやう》嘆《たん》し面《おも》白《しろ》からぬことまでも面《おも》白《しろ》げに打《うち》興《きよう》ずるを常《つね》とす。但《たゞ》し奸《かん》佞《ねい》ならざるも性《せい》怯《けふ》惰《だ》にして心《こゝろ》弱《じやく》小《せう》なるため人《ひと》の言《げん》語《ご》に反《はん》抗《かう》する能《あた》はず、凡《すべ》て唯《ゐ》々《ゝ》として對《たい》者《しや》の意《い》に從《したが》ふものあれば人《ひと》を判《はん》斷《だん》するに際《さい》してはこの兩《りやう》者《しや》を混《こん》同《どう》せざるやう注《ちう》意《い》を加《くは》ふること肝《かん》要《えう》なり。

（二）對《たい》話《わ》中《ちう》全《まつた》く必《ひつ》要《えう》もなく價《か》値《ち》もなきことを饒《ねう》舌《ぜつ》するものあり。か丶る徒《と》は浮《ふ》薄《はく》淺《せん》慮《りよ》の者《もの》多《おほ》ければ注《ちう》意《い》すべし。又《また》必《ひつ》要《えう》あるに述《の》べざるは不《ふ》解《かい》なるか將《は》た此《これ》を秘《ひ》するかの何《いづ》れかに當《あた》るもの、正《せい》直《ちよく》素《そ》朴《ぼく》の人《ひと》には無《な》きことなり。

（三）深《ふか》く知《し》らぬことにも知《し》りたる樣《やう》に饒《しや》舌《べ》り些《さ》々たることにも勝《かち》を制《せい》したき癖《くせ》あるものあり。此《この》種《しゆ》の者《もの》は生《なま》意《い》氣《き》なりとて人《ひと》に面《おも》白《しろ》がられざるを常《つね》とすれど斯《か》る性《せい》の者《もの》は陰《いん》險《けん》奸《かん》惡《あく》ならざるを證《しよう》するものなり。

（四）交《かう》際《さい》上《じやう》手《ず》と云《い》はる丶者《もの》に志《し》操《さう》の堅《けん》實《じつ》なるものの少《すな》なく

又《また》此《こ》の種《しゆ》の人《にん》間《げん》は必《かなら》ず廉《れん》恥《ち》心《しん》に乏《とぼ》し。何《なん》となれば主《しゆ》義《ぎ》節《せつ》操《さう》堅《けん》實《じつ》にして内《うち》に省《かへり》み自《じ》己《こ》の意《い》にもあらざるに賞《しやう》賛《さん》毀《き》貶《へん》の言《げん》語《ご》を自《じ》在《ざい》にするは忌《いま》はしとの廉《れん》恥《ち》心《しん》あらば決《けつ》して交《かう》際《さい》上《じやう》手《ず》即《すなは》ち誰《だれ》の氣《き》にも適《かな》ふと云《い》ふ甘《あま》味《み》たつぷりの人《ひと》とはならざればなり。

（五）

古《こ》語《ご》に己《おの》れの氣《き》に適《かな》ふものに注《ちう》意《い》せよと云《い》ふ語《ことは》あり。こは我《わ》が説《せつ》に唯《ゐ》々《ゝ》として應《おう》じ我《わ》が爲《な》す處《ところ》は一も二も皆《みな》嘆《たん》賞《しやう》すと云《い》ふが如《ごと》きものあれば、この人《にん》間《げん》は必《かなら》ず我《われ》を盲《まう》信《しん》せるか或《あるひ》は陰《いん》險《けん》なる人《じん》物《ぶつ》なる事《こと》を知《し》らざる可《べか》らず。何《なん》となれば人《ひと》は本《ほん》來《らい》自《じ》我《が》を擴《くわく》大《だい》せんとして心《こゝろ》を勞《らう》しつゝあるものなれば、この性《せい》情《じやう》を沒《ぼつ》却《きやく》し、敢《あへ》て媚《こ》ぶるには何《なん》等《ら》か其《そ》處《こ》に求《もと》むる處《ところ》あり爲《ため》にせんとするの心《しん》理《り》の潜《ひそ》めるは言《げん》を須《もちひ》ずして明《あきら》かなればなり。

（八）最《もつと》も厭《えん》惡《を》すべき三毒《どく》相《さう》

骨《こつ》相《さう》——人《にん》相《さう》上《じやう》よりの人《じん》心《しん》觀《くわん》破《ぱ》術《じゆつ》は以《い》上《じやう》に於《おい》て大《だい》體《たい》其《その》の要《えう》を説《せつ》明《めい》し終《をは》つたのであるが、玆《こゝ》に閑《かん》却《きやく》すべからざるは三毒《どく》相《さう》なる特《とく》殊《しゆ》の惡《あく》相《さう》である。この惡《あく》相《さう》は一を狐《こ》才《さい》子《し》、二を猿《ゑん》賊《ぞく》漢《かん》、三を蛇《じや》才《さい》奴《ど》と云《い》つて惡《あく》相《さう》中《ちう》での最《もつと》も姦《かん》惡《あく》なるものである。さればこの三惡《あく》相《さう》を充《じう》分《ぶん》に心《こゝ》得《ろえ》て居《を》れば人《じん》心《しん》觀《くわん》破《ぱ》は左《さ》迄《まで》困《こん》難《なん》なものでないと古《こ》來《らい》云はれて居《ゐ》る。

（一）狐《こ》才《さい》子《し》、これは狐《きつね》のやうな才《さい》子《し》——人《にん》間《げん》と云《い》ふ事《こと》であるが、一體《たい》狐《きつね》と云《い》ふものは獸《じう》類《るゐ》中《ちう》での最《もつと》も姦《かん》才《さい》に長《た》けたもので、一見《けん》甚《はなは》だ柔《じう》順《じゆん》なるものゝ如《ごと》く思《おも》はれるけれども、其《そ》の實《じつ》非《ひ》常《じやう》に殘《ざん》忍《にん》酷《こく》薄《はく》、又《また》狡《かう》猾《くわつ》であつて殊《こと》に猜《さい》疑《ぎ》心《しん》深《ぶか》く、且《か》つ强《がう》欲《よく》非《ひ》道《だう》——實《じつ》に云《い》はうやうなき姦《かん》惡《あく》なる動《どう》物《ぶつ》なのである、而《しか》も狐《きつね》なるものは上《じやう》述《じゆつ》の如《ごと》く誠《まこと》に嫌《いや》な動《どう》物《ぶつ》であるには相《さう》違《ゐ》ないが、それかと云《い》つて決《けつ》して大《だい》なる惡《あく》事《じ》を營《いと》むが如《ごと》き度《ど》量《りやう》はない。狐《こ》才《さい》子《し》と云《い》ふのは恰《ちやう》度《ど》斯《か》う云《い》つた人《にん》間《げん》で、彼《かれ》等《ら》は作《つく》り笑《ゑ》顏《がほ》に人《にん》間《げん》らしい裝《よそほひ》を見《み》せ、何《なに》喰《く》はぬ顏《かほ》して權《けん》門《もん》の前《まへ》に腰《こし》を折《を》り、節《せつ》をまげて居《ゐ》るが、三尺《じやく》下《さが》つた腹《はら》の底《そこ》には毒《どく》刃《じん》を疑《き》し、隙《すき》あらば直《たゞち》につけ入《い》つて自己《じこ》の欲心《よくしん》を滿《みた》しめんと計《はか》り、一方隷屬者《はうれいぞくしや》に向《むか》つては恰《あだか》も狐《きつね》が鷄血《けいけつ》を啜《すゝ》るかの如《ごと》き殘忍《ざんにん》なる行爲《かうゐ》を敢《あへ》て憚《はゞか》らないと云《い》ふ實《じつ》に唾棄《だき》すべき性質《せいしつ》を具有《ぐいう》して居《ゐ》るのである。處《ところ》でこの種《しゆ》の人間《にんげん》は如何《いか》なる形相《ぎやうさう》を有《いう》して居《ゐ》るかと云《い》ふと、

第《だい》一　顔面《がんめん》蒼白《さうはく》であること。

第《だい》二　毛髮《まうほつ》黑《くろ》く且《か》つ密生《みつせい》して居《ゐ》ること。

第《だい》三　眼《め》細《ほそ》くして鋭《するど》く、眼尾《がんび》、眉尻《まゆじり》が共《とも》に尻上《しりあが》りとなつて居《ゐ》ること。

第《だい》四　鼻《はな》高《たか》くして且《か》つ痩《や》せ、鼻頭《びとう》が鈎狀《こうじやう》をなして居《ゐ》ること。

第《だい》五　肉中等《にくちうとう》で多《おほ》くは痩《や》せ容姿《かたち》であること。

第《だい》六　手指《てゆび》凡《すべ》て骨《ほね》だち、皮《かは》硬《かた》きこと。

第《だい》七　人《ひと》と對話《たいわ》する時《とき》目《め》を鎖《と》ち、頭《あたま》をたれ清朗《せいらう》でない

低聲《ていせい》を以《もつ》て語《かた》るを常《つね》とする事《こと》。

第《だい》八　人《ひと》の話《はなし》を聞《き》く時《とき》には絶《た》えず左《さ》右《いう》を眺《なが》め又《また》時々《とき〴〵》額越《ひたひご》しに窺《うかが》ふが如《ごと》く相手《あひて》を眺《なが》めなどして決《けつ》して正《せい》視《し》すると云《い》ふことをなし得《え》ない事。

第《だい》九　常《つね》に何《なに》をか物思《ものおもひ》にふけつて居《ゐ》るが如《ごと》く而《しか》も躁《そは》躁《そは》として少《すこ》しも落《お》つきがない事《こと》。

以上《いじやう》が狐才子《こさいし》の最大《さいだい》なる特長《とくちやう》であるが、然《しか》らば第《だい》二の猿賊漢《ゑんぞくかん》とは何《ど》う云《い》ふのであるか。

(二)猿賊漢《ゑんぞくかん》、これは欲深《よくふか》く、狡猾《かうくわつ》なること猿《さる》の如《ごと》く、而《しか》して爲《な》すこと凡《すべ》てに盗心《たうしん》が伴《ともな》つて居《ゐ》ると云《い》ふ嫌《いや》な人間《にんげん》と云《い》ふの意味《いみ》——代名詞《だいめいし》である。卽《すなは》ち本相《ほんさう》を有《いう》する人間《にんげん》は多少《たせう》智《ち》もあり度量《どりやう》もあり涙《なみだ》もあり仁心《じんしん》もあつて、宜《よ》い場合《はあひ》には却々《なか〳〵》狐才子《こさいし》などの及《およ》びもつかない處《ところ》があるのであるが、而《しか》も彼等《かれら》は其《そ》の欲望《よくばう》を満《み》すがためには一切《さい》の德義《とくぎ》仁心《じんしん》を忘却《ばうきやく》し、大膽不敵《だいたんふてき》の大惡《だいあく》を遂《と》げんとする性質《せいしつ》を有《も》つて居《ゐ》る。されば何方《どつち》かと云《い》ふと惡《あく》と云《い》ふ點《てん》に於《お》ては狐才子《こさいし》より一枚《まい》も二枚《まい》も上手《うはて》の惡人《あくにん》だと云《い》つて可《か》なりなのである。換言《くわんげん》すれば狐才子《こさいし》は姦才獨《かんさいひと》り旺《さかん》に動《うご》くと云《い》ふ位《くらゐ》に過《す》ぎないが、猿賊漢《ゑんぞくかん》の方《はう》は貪欲《どんよく》、横暴《わうぼう》の情禁《じやうきん》じ難《がた》く卽《すなは》ち、發《はつ》して計策《けいさく》となり、動《うご》きて惡行《あくぎやう》となる趣《おもむき》があるのである。本相《ほんさう》の最大《さいだい》なる特長《とくちやう》は

第《だい》一　體《たい》大《おほ》きく肥滿《ひまん》して居《ゐ》ること。

第《だい》二　毛髪《まうはつ》硬《かた》くして太《ふと》く且《か》つ黑《くろ》きこと。

第《だい》三　眼巨大《めきよだい》であるけれども鋭《するど》くなく、眉《まゆ》は一文字《もんじ》又《また》は八文字《もんじ》となつて目尻《めじり》が下《さが》つて居《ゐ》ること。

第《だい》四　鼻梁肉《びりやうにく》多《おほ》く、且《か》つ高《たか》いけれども圓《まる》くして鈎狀《こうじやう》をして居《ゐ》ないこと。

第《だい》五　歩行《ほかう》する態度《たいど》堂々《だうだう》として周章《しうしやう》の風《ふう》なく、實《じつ》に立派《りつぱ》やかなこと。

第六　人《ひと》と對話《たいわ》するに語簡《ことはかん》であつて而《しか》も何處《どこ》となく

甘味《うまみ》があり、能《よ》く對手《あいて》の言《げん》を應聽《おうちやう》して決《けつ》して撃《う》たず逆《ぎやく》せず凡《すべ》て放任《はうにん》の風《ふう》を装《よそほ》つて眞《しん》に寬大《くわんだい》な器量《きりやう》あるごとく見《み》せて居《ゐ》る事《こと》。

第《だい》七 頓才《とんさい》機智《きち》、能《よ》く人《ひと》を感《かん》ぜしむるけれども度々《たびたび》接《せつ》する内《うち》には話說《わせつ》が悉《ことごと》く自己《じこ》を中心《ちうしん》とし、他《た》の一切《さい》を見下《みくだ》した冷評的《れいひやうてき》自說《じせつ》を吐《は》いて自己《じこ》を利《り》せんとする傾《かたむき》あること。

第《だい》八 面貌《めんばう》常《つね》に得意《とくい》の色《いろ》に滿《み》ち、態度《たいど》傲然《がうぜん》として實《じつ》に尊大《そんだい》を極《きは》め居《を》るに關《かゝは》らず平生《へいぜい》の細少《さいせう》な動作《どうさ》は辭誠《ことはまこと》に卑《いやし》く、品位《ひんゐ》を缺《か》き、能《よ》く下僕《かぼく》を賺《すか》し、奴輩《どはい》を煽用《せんよう》するに一種《しゆ》獨得《どくとく》の妙腕《めうわん》を有《も》つて居《ゐ》ること。

猿賊漢《ゑんぞくかん》の形相《ぎやうさう》は大體《だいたい》これ位《くらゐ》である。然《しか》らば蛇才奴《じやさいど》と云《い》ふのは如何《いか》なる形相《けいさう》を有《も》つて居《ゐ》るか。

（三）蛇才奴《じやさいど》、これは猿賊漢《ゑんぞくかん》のやうな胸量《きようりやう》なく、狐才子《こさいし》のやうな深慮《しんりよ》もない。唯《た》だ彼等《かれら》は小器用《こきよう》な才術《さいじゆつ》を以《もつ》て能《よ》く一時《じ》を詐瞞《さまん》するに過《す》ぎない。即《すなは》ち僅《わづ》かに人生《じんせい》の寄生蟲《きせいちう》として生命《せいめい》を有《たも》つて居《ゐ》る――奸《かん》と云《い》ふよりは寧《むし》ろ愚《ぐ》と云《い》ふに近《ちか》い小才子《こさいし》――これを稱《しよう》して蛇才《じやさい》奴《ど》と云《い》ふのである。されば彼等《かれら》は小名《せうめい》、小利《せうり》、小快《せうくわい》に岌々乎《きふくこ》として一生《しやう》を齷齪《あくそく》の裡《うち》にうろたへ送《おく》るの他《ほか》、何等《なんら》の能《のう》もないのである其形相《そのぎやうさう》の特長《とくちやう》は

第《だい》一　顔面《がんめん》蒼白《さうはく》若《もし》くは赤味《あかみ》を帯《お》んで居《ゐ》る事《こと》。

第《だい》二　肥満《ひまん》してしまりがない事《こと》。

第《だい》三　全體《ぜんたい》に毛《け》深《ぶか》く、中《なか》には胸《むね》などに毛《け》が多《おほ》く生《は》へて居《ゐ》ること。

第《だい》四　眼《め》細《ほそ》く、人《ひと》に接《せつ》しては必《かなら》ず作《つく》り笑《わらひ》をなし、眉《まゆ》は毛《け》が多《おほ》くて太《ふと》いこと。

第《だい》五　口唇《くちびる》甚《はなは》だ薄《うす》く、且《か》つ色《いろ》が悪《わる》いこと。

第《だい》六　鼻《はな》及《およ》び耳《みゝ》が小《ちひ》さく、他《た》の割合《わりあひ》に肉《にく》がないこと。

第《だい》七　常《つね》に頭《かしら》をたれ、思案《しあん》の態《てい》で歩《あゆ》む癖《くせ》があること。

第《だい》八　音聲《おんせい》低《ひく》く和《やは》らかであつて何事《なにごと》でも言葉《ことば》巧《たくみ》に事《こと》を協議《けふぎ》するがやうに持《も》ちかけて相手《あひて》の心《こゝろ》を讀《よ》まうとすること。

第《だい》九　手《て》の指《ゆび》細《ほそ》く、臂《ひ》膊《はく》短《みじか》く、拇指《おやゆび》が殊《こと》に短少《たんせう》な事《こと》。

以上《いじやう》に依《よ》つて骨相上《こつさうじやう》からの人心觀破術《じんしんくわんぱじゆつ》は其《そ》の大要《たいえう》を終《をは》つたのである。就《つい》ては次章《じしやう》からは人心收攬術《じんしんしうらんじゆつ》の奧儀《おくぎ》を物語《ものがた》りつゝ、事實《じじつ》に從《したが》つて言語擧止態度等《げんごきよしたいどとう》からの觀破術《くわんぱじゆつ》をも併《あは》せ研究《けんきう》して見《み》やうと思《おも》ふ。

人心收攬《じんしんしうらん》の方略《はうりやく》

人心《じんしん》を收攬《しうらん》するには種々《しゆ〴〵》なる方面《はうめん》から種々《しゆ〴〵》なる方法《はうはふ》を以《もつ》てせねばならぬ事《こと》は前述《ぜんじゆつ》した通《とほ》りであるが、今《いま》これを大別《たいべつ》して以物《いぶつ》の法《はふ》、以心《いしん》の法《はふ》の二《ふた》つに分類《ぶんるゐ》する事《こと》が出來《でき》る。以《い》物《ぶつ》の法《はふ》と云《い》ふのは財物《ざいぶつ》、食物《しよくもつ》、地位《ちゐ》、名譽《めいよ》、信用等《しんようとう》を與《あた》へて相手《あひて》の心《こゝろ》を收攬《しうらん》するのであるし、以心《いしん》の法《はふ》と云《い》ふのは度量《どりやう》、度胸《どきやう》、慈愛《じあい》、詐術等《さじゆつとう》を以《もつ》てする場合《はあひ》と相手《あひて》の短所《たんしよ》、長所《ちやうしよ》、疑心暗鬼等《ぎしんあんきとう》を利用《りよう》し、或《あるひ》は態《わざ》と油斷《ゆだん》した體《てい》に見《み》せかけなどしながら、換言《くわんげん》すれば種々《しゆ〴〵》なる駈引《かけひき》を行《おこな》ひ乍《なが》ら巧《たくみ》に相手《あひて》を悅服《えつぷく》せしむるのである、以下項《いかかう》を分《わか》ち先《ま》づ以物《いぶつ》の法《はふ》より說《と》き進《すゝ》めて行《ゆ》く事《こと》にしやう。

（九）以《い》物《ぶつ》の法《はふ》

由來生物《ゆらいせいぶつ》は凡《すべ》て食《く》はねば生《い》きて居《を》られぬものである、從《したが》つて如何《いか》なる人間《にんげん》もこの生命《せいめい》——死活《しくわつ》と云《い》ふ問題《もんだい》になつて來《く》ると隨分極端《ずゐぶんきよくたん》なる事《こと》を平氣《へいき》で行《おこな》ふやうになる。されば古《こ》歌《か》にも

『ひもじさと金《かね》と女《をんな》と比《くら》ぶれば
恥《はづか》しながらひもじさが先《さき》』

とまでうたはれて居《ゐ》る位《くらゐ》で、人間《にんげん》——生物《せいぶつ》に取《と》つてはこれ位重大《くらゐちうだい》な問題《もんだい》はないのである。この重大《ちうだい》な問題《もんだい》を巧《たくみ》に利用《りよう》して行《ゆ》くのが即《すなは》ち以物《いぶつ》の法《はふ》で、ある場合《はあひ》は食《しよく》を以《もつ》てこれを行《おこな》

ひ、ある場合《ばあひ》は位置《ゐち》、名譽《めいよ》等《とう》を利用《りよう》してこれを行《おこな》ひ又《また》ある場合《ばあひ》は財物信用等《ざいぶつしんようとう》を以《もつ》てこれを行《おこな》ふのである。而《しか》して人《ひと》はこの弱點《じやくてん》を突《つ》いて來《こ》られたが最後《さいご》、大抵參《たいていまゐ》らざるを得《え》ない。何《なん》となれば生命《せいめい》の維持《ゐぢ》に唯《ゆゐ》一の助力《じよりよく》をして呉《く》れたものは事實上《じじつじやう》、生命《せいめい》の親《おや》なのであるから其《そ》の人《ひと》のためなら如何《いか》なる事《こと》でも敢《あへ》て辭《じ》さない——即《すなは》ち水火共《すゐくわとも》に恐《おそ》れずと云《い》ふやうな心持《こゝろもち》になるのは當然《たうぜん》である。併《しか》し乍《なが》ら如何《いか》に恩《おん》になつたからと云《い》つて誰《だれ》もが凡《すべ》て水火共《すゐくわとも》に辭《じ》せずと云《い》ふやうな報恩《はうおん》の心《こゝろ》を有《も》つやうになるかと云《い》ふと、却々《なか〳〵》さうは行《ゆ》くものでない、矢張《やは》り與《あた》へられたる物《もの》の大小輕重如何《だいせうけいちやういかん》に依《よ》つて報恩《はうおん》と云《い》ふ上《うへ》にも、それに準《じゆん》じて大《だい》小輕重《せうけいちやう》が生《しやう》じて來《く》る事《こと》は云《い》ふ迄《まで》もない。而《しか》して其《そ》の報恩《はうおん》の多少如何《たせういかん》は恩《おん》を受《う》けたるものの心意氣如何《こゝろいきいかん》に依《よ》ることで、恩《おん》を與《あた》へたるものの要請《えうせい》すべき性質《せいしつ》のものでないが、兎《と》にも角《かく》にも食或《しよくあるひ》は其他《そのた》の財物《ざいぶつ》、地位《ちゐ》、名譽《めいよ》、信用等《しんようとう》の提供《ていきよう》に依《よ》つて、ある程度《ていど》まで人心《じんしん》を巧《たくみ》に收攬《しうらん》し得《う》ると云《い》ふ事《こと》は爭《あらそ》ふ可《べか》らざる事實《じじつ》である。

古來英雄《こらいえいゆう》、豪傑《がうけつ》が其《そ》の强《きやう》を誇《ほこ》り、社會《しやくわい》に事業《じげふ》を致《いた》さんとするには、是非共剛勇無比《ぜひともがうゆうむひ》の命知《いのちし》らずで、進《すゝ》んでは水火《すゐくわ》の中《なか》をも物《もの》とせず、退《しりぞ》いては六尺《しやく》の孤《こ》を托《たく》するに足《た》ると云《い》ふやうな家來《けらい》、子分《こぶん》が必要《ひつえう》なのであつた。即《すなは》ち兵書《へいしよ》にも

『主將《しゆしやう》の法《はふ》は務《つと》めて英雄《えいゆう》の心《こゝろ》を攬《と》るにあり』

と記《しる》されてある如《ごと》く、兎角強《とかくつよ》い者勝《ものが》ちの主義《しゆぎ》が遺憾《ゐかん》なく實行《じつかう》された時代《じだい》には

『財《ざい》を散《さん》じて豪傑《がうけつ》に結《むす》ぶ』

と云《い》ふ事《こと》が徹頭徹尾頭梁學《てつとうてつびとうりやうがく》の金科玉條《きんくわぎよくでう》になつて居《ゐ》たのである。されば戰國時代《せんごくじだい》の英雄豪傑《えいゆうがうけつ》はその型《かた》の大小《だいせう》こそあれ、何《いづ》れも皆務《みなつと》めてこの法《はふ》を修養《しうやう》したもので、本人力量《ほんにんりきりやう》の大半《たいはん》は確《たし》かにこの問題《もんだい》の解決《かいけつ》に費《つひや》されて居《ゐ》たと云《い》つて可《よ》いのである、處《ところ》で斯《か》く心《こゝろ》を勞《らう》し、財《ざい》を散《さん》じて養《やしな》つた者《もの》にイザと云《い》ふ場合《ばあひ》、三十六計《けい》の奥《おく》の手《て》を極《き》められたり、敵《てき》へ返《かへ》り忠《ちう》などせられては誠《まこと》に目《め》もあてられない始末《しまつ》であるから、茲《こゝ》に於《おい》てかこれらの害《がい》を未發《みはつ》に防《ふせ》ぐがために

『忠臣二君《ちうしんくん》に仕《つか》へず』とか

『君辱《きみはづかし》めらるれば臣死《しんし》す』とか云《い》ふやうな所謂武士道《いはゆるぶしだう》が生《うま》れて來《き》たのである。武士道《ぶしだう》なるものは今日《こんにち》に於《おい》てこそ誠《まこと》に必要《ひつえう》なる道徳《だうとく》であるが、その出現當時《しゆつげんたうじ》に於《おい》ては實《じつ》に斯《かく》の如《ごと》き楯《たて》の半面《はんめん》を有《も》つて居《ゐ》たもので、要《えう》は强者《きやうしや》の弱者《じやくしや》に對《たい》する壓迫的軌範《あつぱくてききはん》なのであつた。

以物《いぶつ》の法《はふ》の上乘《じやうじやう》なるものとして義家《よしいへ》の逸話《いつわ》を茲《こゝ》に掲《かゝ》げるであらう。

道《みち》もせに散《ち》る山櫻《やまざくら》を馬蹄《はてい》に蹴《け》つて吟咏風《ぎんえいかぜ》を怨《うら》んだ義家《よしいへ》は誠《まこと》に花《はな》も實《み》もあるなさけある武士《もののふ》であつた。多《おほ》くの人《ひと》を殺《ころ》し、多《おほ》くの財《ざい》を費《つひや》し、苦心慘憺《くしんさんたん》の年月《ねんげつ》を冷《つめ》たき蝦夷《えぞ》の草枕《くさまくら》に送《おく》つて、漸《やつ》との事《こと》で奥羽《あうう》平定《へいてい》の大功《だいこう》をたて遙々《はる〴〵》都《みやこ》に歸《かへ》つて見《み》れば、武士《ぶし》が賊徒《ぞくと》を平定《へいてい》するのは其《そ》の任《にん》だと云《い》ふので將士《しやうし》に對《たい》する恩賞《おんしやう》は毫《がう》も行《おこな》はれなかつた。情《なさけ》ある義家《よしいへ》は自《じ》分《ぶん》としては勿論《もちろん》恩賞《おんしやう》を欲《ほつ》しないけれども多《おほ》くの將士《しやうし》の中《うち》には瀕死《ひんし》の親《おや》を殘《のこ》し置《お》いて遠征《ゑんせい》の途《と》に上《のぼ》つたものもあり、餓《うゑ》にないて袖《そで》にすがる妻子《さいし》を振拂《ふりはら》つて征途《せいと》に就《つ》いたものもある。而《しか》して長《なが》の年月《としつき》戎《えびす》の風《かぜ》に吹《ふ》かれ、粉骨碎身《ふんこつさいしん》、困難《こんなん》に殉《じゆん》じたものも少《すく》くない、子《こ》は親《おや》に、妻《つま》は夫《をつと》に別《わか》れ、或《あるひ》は一人《にん》の子《こ》を戰《いくさ》に殺《ころ》して悲歎《ひたん》の涙《なみだ》にくれて居《ゐ》る遺族《ゐぞく》も決《けつ》して少《すく》くない。せめてこれ等《ら》の者《もの》にだけでも……と云《い》ふのは義家《よしいへ》の切《せつ》なる願《ねがひ》であつたが、それさへも遂《つひ》に許《ゆる》されなかつたので、情《なさけ》ある義家《よしいへ》は源氏《げんじ》相傳《さうでん》の財産《ざいさん》を自《みづか》ら割《さ》いて數多《あまた》の將士《しやうし》にこれを與《あた》へ其勞《そのらう》をねぎらふと共《とも》に其《そ》の悲慘《ひさん》を救《すく》つたのである。噫々《あゝ》この時《とき》、此《こ》の物《もの》を受《う》けた將士《しやうし》や其《そ》の遺族《ゐぞく》の心持《こゝろもち》はそも何《ど》んなであつたらう……？。頼《たの》みなき政府《せいふ》の無情《むじやう》と頼《たの》もしき義家《よしいへ》の溫情《をんじやう》とを兩々《りやう〳〵》對照《たいせう》し來《きた》つては如何《いか》なる冷血漢《れいけつかん》もそゞろに胸《むね》の琴線《きんせん》を高《たか》なりさせて嬉《うれ》し泣《な》きに泣《な》いたであらう。さもあらばあれこの熱《あつ》き一掬《きく》の涙《なみだ》こそは其《そ》の子《し》々孫《そん》孫《そん》の血肉《けつにく》に浸《し》み入《い》つて、後年白旗《こうねんしろはた》が石橋山《いしはしやま》に飜《ひるがへ》つた時《とき》、親《おや》に別《わか》れ、妻子《さいし》をすて、我《わ》れ先《さき》にと頼朝《よりとも》の幕下《ばくか》に走《は》せ集《あつま》るの精神《せいしん》を作《つく》つたのである。

右《みぎ》は以物《いぶつ》の法《はふ》に以心《いしん》の法《はふ》を加味《かみ》した一實話《じつわ》であるが、往昔《わうせき》に於《おい》てはこの他《た》にもつと強《きやう》烈苦肉《れつくにく》な物的擔保《ぶつてきたんぽ》——即《すなは》ち以物《いぶつ》の收攬法《しうらんはふ》があつた。それは政略結婚《せいりやくけつこん》と、人質《ひとじち》とである。この二者《しや》は自由意志《じいういし》の交換《かうくわん》でなく、強制的人心收攬術《きやうせいてきじんしんしうらんじゆつ》であつたから、時《とき》と場合《はあひ》によつては隨分殘忍酷薄《ずゐぶんざんにんこくはく》な犧牲《ぎせい》を伴《ともな》ふ場合《はあひ》が少《すく》なくなかつた。之《これ》を要《えう》するに時代《じだい》の傾向人心《けいかうじんしん》の推移《すゐい》に從《したが》つて多少《たせう》の相違《さうゐ》する處《ところ》がありはしたが、何時《いつ》の世《よ》でも人間《にんげん》の一切萬事《さいばんじ》は大抵金《たいていかね》で埒《らち》の明《あ》くのが習《ならひ》である。さればこそ古人《こじん》も『黄金多《わうごんおほ》からざれば交《まじはり》深《ふか》からず、縱令然諾《たとひぜんだく》を暫《しばら》くは相許《あひゆる》すもこれ悠々行路《いう〱かうろ》の心《こゝろ》』と嘆《たん》じたのである。處《ところ》が茲《こゝ》にこの慣例《くわんれい》にあてはまらない除外例《ぢよぐわいれい》がある、換言《くわんげん》すれば如何《いか》に亂《みだ》れた世《よ》の春《はる》にも美《うつく》しい花《はな》の一片《ひとひら》、二片《ふたひら》は咲《さ》くもので、即《すなは》ち渴《かつ》しても盜泉《たうせん》の水《みづ》を飮《の》まず、熱《ねつ》しても惡木《あくぼく》の陰《かげ》に憩《いこ》はずと云《い》ふ所謂富貴《いはゆるふうき》に淫《いん》せず威武《ゐぶ》に屈《くつ》せざる氣骨稜々《きこつりよう〱》たる男女《だんぢよ》が必《かなら》ず何時《いつ》の世《よ》にも生《うま》れて居《ゐ》る事《こと》を吾人《ごじん》は喜《よろこ》ばねばならぬ。夫《か》の新羅《しらぎ》王我《わうわ》が尻《しり》を食《くら》へと傲語《がうご》して敵刄《てきじん》に斃《たほ》れた比羅夫《ひらふ》や、高位高祿《かうゐかうろく》を空吹《そらふく》風《かぜ》とも思《おも》はずして遂《つひ》に果敢《はか》ない最後《さいご》を遂《と》げた鳥井強右衞門《とりゐすねうゑもん》の如《ごと》きは即《すなは》ちそれである、斯《かく》の如《ごと》き人間《にんげん》には絶體《ぜつたい》に經濟的服從《けいざいてきふくじう》を得《え》て望《のぞ》むことが出來《でき》ないのみか、往々物《わうくもの》を贈《おく》り、又《また》は強《し》ひたものゝ方《はう》が、シッペイ返《がへ》しを喰《く》つて甚《はなは》だしく自己《じこ》の估劵《こけん》を落《おと》すやうな場合《ばあひ》が尠《すくな》くない。之《これ》に依《よ》つて之《これ》を見《み》れば、以物《いぶつ》の法《はふ》なるものは必《かなら》ずある程度《ていど》にまで人心《じんしん》を收攬《しうらん》し得《う》る事《こと》は明《あきら》かであるが、其《そ》の動機《どうき》が多《おほ》くの場合人心《ばあひじんしん》の根本《こんぽん》に觸《ふ》れて居《ゐ》ない事《こと》が多《おほ》いから、若《も》し他方《たはう》に於《おい》て更《さら》により以上多《いじやうなほ》くの財《ざい》を與《あた》へて招《まね》く者《もの》があれば直《たゞち》に其方《そのはう》へ逃《に》げ去《さ》つて了《しま》ふ恐《おそれ》がある。これ以物《いぶつ》の法《はふ》が以心《いしん》の法《はふ》に及《およ》ばざるの點《てん》で、所謂以心《いはゆるいしん》の法《はふ》の弱點短所《じやくてんたんしよ》は實《じつ》に存《そん》して茲《こゝ》にあるのである。

（十）以《い》心《しん》の法《はふ》

古人《こじん》云《い》ふ『天高《てんたか》くして鳥《とり》の飛《と》ぶに任《にん》じ、海濶《うみひろ》くして魚《うを》の躍《をど》るに從《したが》ふ』と、又曰《またいは》く『山《やま》高《たか》きも雲《くも》は自由《じいう》に飛《と》び、竹密《たけみつ》なるも水《みづ》は自在《じざい》に通《かよ》ふ』と、何《なん》たる雄大《ゆうだい》、何《なん》たる壯觀《さうくわん》であらう、誠《まこと》に大丈夫《だいぢやうぶ》は斯《かく》の如《ごと》く度量宏大《どりやうくわうだい》に、斯《かく》の如《ごと》く氣宇濶達《きうくわつたつ》でありたいものである。由來各人《ゆらいかくじん》の有《いう》する自我《じが》なるものは實《じつ》に宇宙我《うちうが》、絶對我《ぜつたいが》に合《がつ》すべき自我《じが》で、これを大《だい》にすれば六合《りくがふ》に洽《あまね》く八紘《はつくわう》に及《およ》んで無限無極《むげんむきよく》のものである。されば人《ひと》にして自我《じが》を斯《かく》の如《ごと》く擴《くわく》大《だい》して考《かんが》へて見《み》れば如何《いか》なるものでも之《これ》を自我《じが》の中《うち》に包容《はうよう》して了《しま》う事《こと》が出來《でき》る。然《しか》り而《しか》して如何《いか》なるものでも包容《はうよう》が出來《でき》るとすれば、從《したが》つて氣宇《きう》はいくらでも大《おほ》きく、度量《どりやう》はいくらでも廣《ひろ》くする事《こと》が出來《でき》る譯《わけ》である。然《しか》るに我《われ》と我《わ》が心《こゝろ》を少《ちいさ》くして徒《いたづら》にクヨ〳〵と世《よ》を送《おく》るのは寔《まこと》に愚《ぐ》の極《きよく》、馬鹿《はか》の骨頂《こつちやう》と云《い》はねばならぬ、何《なん》となれば仰《あふ》げば大空《だいくう》は蒼々《さう〳〵》として無極《むきよく》なるが如《ごと》く、人生《じんせい》も亦無極《またむきよく》のものであり、更《さら》に俯《ふ》して地《ち》をのぞめば壤々無邊《じやう〳〵むへん》であるが如《ごと》く、人生《じんせい》も亦無邊《またむへん》なるものであるからである。即《すなは》ち行《ゆ》く川《かは》の流《ながれ》は絶《たえ》ずとも元《もと》の水《みづ》でないやうに、而《しか》も元《もと》の水《みづ》ではないが行《ゆ》く川《かは》の流《ながれ》は盡《つき》せぬやうに、人生《じんせい》はある意味《いみ》に於《おい》て不滅《ふめつ》であり、ある意味《いみ》に於《おい》ては則《すなは》ち否《ノー》である。故《ゆゑ》に人生《じんせい》を以《もつ》て不滅《ふめつ》とするのも外道《げだう》なら、否《ノー》とするのも亦外道《またげだう》でなければならぬ。唯併《たゞしか》し吾人《ごじん》は現實《げんじつ》の生《せい》を否認《ひにん》する譯《わけ》には行《ゆ》かぬ。而《しか》してこの現實《げんじつ》の生《せい》に對《たい》して唯一最大《ゆゐさいだい》の盡《つく》すべき道《みち》は實《じつ》に生《せい》の擴大《くわくだい》これである。さればこれがためには何《ど》うしても自己《じこ》の氣宇《きう》を無限《むげん》に大《だい》ならしめやうと努力《どりよく》するより他《ほか》になく、又《また》この努力《どりよく》が最《もつと》も肝要《かんえう》である。何《なん》となれば古人《こじん》も『滄浪《さうらう》の水清《みづす》まば以《もつ》て纓《かんむり》を洗《あら》ふべし。濁《にご》らば以《もつ》て足《あし》を濯《そゝ》ぐべし』と云《い》つた如《ごと》く、寔《まこと》に清濁併《せいだくあは》せ呑《の》むの雅量《がりやう》なくして多《おほ》くの人心《じんしん》を收攬《しうらん》する事《こと》は到底出來《たうていでき》ないからである。殊《こと》に淸《きよ》きものは誰《だれ》でも好《す》きであり、又《また》これを吞《の》むも自己《じこ》に取《と》つて決《けつ》して有害不利《いうがいふり》でないから、餘程器局《よほどききよく》の少《せう》なるものか、又《また》は甚《はなは》だしく滿腹《まんぷく》ならざる限《かぎ》り、凡庸《ぼんよう》の徒《と》と雖《いへど》も容易《ようい》にこれを吞《の》み得《う》るけれども、濁《にご》つて居《ゐ》るものを吞《の》むと云《い》ふ事《こと》は却々《なかなか》の難事《なんじ》である。卽《すなは》ち濁《にご》つて居《ゐ》ると云《い》ふ事《こと》は見《み》るからに一種《しゆ》の不快《ふかい》を感《かん》ずるものであるから、潔癖狹量《けつぺきけふりやう》なるものはこれに手《て》を觸《ふ》れる事《こと》さへ逡巡《しゆんじゆん》するのは勿論《もちろん》、これを吞《の》むなど云《い》ふ事《こと》は絶體《ぜつたい》になし得《う》るものでない。縱令又假《よしまたか》りに無理《むり》から之《これ》を吞《の》んだ處《ところ》で、餘程《よほど》の健康體《けんかうたい》でなければ反《かへ》つて其《そ》の毒《どく》に身體《しんたい》を害《がい》されて了《しま》ふ場合《ばあひ》も少《すく》ないから、二度目《どめ》からは決《けつ》して手《て》を出《だ》さぬ事《こと》になる、されば何《いづ》れから見《み》ても濁《だく》を吞《の》むと云《い》ふ事《こと》は兎《と》にも角《かく》にも至難《しなん》なる事《こと》は爭《あらそ》ふべからざる事《こと》である。併《しか》し乍《なが》らこの至難《しなん》なる濁《だく》も、これを充分《じうぶん》に吞《の》みこなす力《ちから》がある時《とき》には又《また》それ丈《だけ》の効《かう》を奏《そう》して其人《そのひと》に非常《ひじやう》な利得《りとく》を提供《ていきよう》するに至《いた》るのである。何《なん》となれば由來人《ゆらいひと》は毒藥變《どくやくへん》じて良藥《りやうやく》となると一般《ぱん》の理《り》で、惡《あく》に強《つよ》いものは又善《またぜん》にも強《つよ》いとは古來何人《こらいなんぴと》もが認《みと》めて居《ゐ》る處《ところ》である。されば危險《きけん》なる事《こと》は甚《はなは》だ危險《きけん》であるが、これを自己《じこ》の藥籠中《やくろうちう》に秘《ひそ》めて置《お》き、時《とき》と場合《ばあひ》を見計《みはか》つて使用《しよう》したなれば、其《そ》の功《こう》を呈《てい》する事《こと》も尋常《じんじやう》一樣《やう》の清涼劑《せいりやうざい》の如《ごと》きものでない事《こと》は云《い》ふを須《もち》ひない然《しか》るに濁《だく》を吞《の》み得《え》ないものはこの絶大《ぜつだい》なる利益《りえき》を享受《きやうじゆ》し得《え》ないのみか、ともすれば濁者《だくしや》の自《じ》己《こ》に反抗《はんかう》する結果《けつくわ》として其《そ》の毒《どく》をば毒《どく》それのまゝ受《う》けねばならなくなる場合《はあひ》が多《おほ》い。換《くわん》言《げん》すれば自己《じこ》に毒《どく》を藥《くすり》に變《へん》ずるの力量《りきりやう》がないから、反《かへ》つて其《そ》の毒《どく》のために自《みづか》らが毒《どく》せられ、果《はて》は其《そ》の毒《どく》に同化《どうくわ》されて了《しま》ふに至《いた》るのである。されば濁《だく》を呑《の》むと云《い》ふ事《こと》は困難《こんなん》であるに相違《さうゐ》ないが、而《しか》も之《これ》を呑下《どんか》する事《こと》は極《きは》めて必要《ひつえう》なる問題《もんだい》である。

堀秀政《ほりひでまさ》は天正時代《てんしやうじだい》に於《お》ける名將《めいしやう》の一人《にん》であるが、其《そ》の臣下《しんか》に一人《ひとり》極《きは》めて泣《な》き顔《がほ》の男《をとこ》があつた。平日何等《へいじつなんら》の事《こと》もないのに兩眼《りやうがん》から涙《なみだ》を流《なが》し。其《そ》の忌《いま》はしい事言語《ことげんご》に絶《ぜつ》して居《ゐ》たので、秀政《ひでまさ》の近習《きんじふ》であつたある一人《にん》が、ある時秀政《ときひでまさ》に向《むか》つて『彼《か》の男《をとこ》の顔色《がんしよく》は常《つね》に不吉《ふきつ》千萬《せんばん》で、見《み》るだに不快《ふくわい》を感《かん》じまする、世間《せけん》では種々《しゆぐ》評判《ひやうはん》をして笑《わら》つて居《を》りまするから、早《はや》くお暇《いとま》になつた方《はう》が宜《よろ》しいでせう』と云《い》つた。處《ところ》がこれを聞《き》いた秀政《ひでまさ》は『如何《いか》にも汝《なんぢ》の言《い》ふ事《こと》は尤《もつと》もであるが、又一面《またいちめん》から考《かんが》へるとあのやうな男《をとこ》は法事《はうじ》や弔《とむらひ》の使者《ししや》には實《じつ》に無類《むるゐ》のものであるから、大名《だいみやう》の家《いへ》にはかゝる者《もの》も亦扶持《またふち》して置《お》く必要《ひつえう》がある』と言《い》つたさうである。これなどは事實《じじつ》か作《つく》りごとであるか、今更《いまさ》ら探索《たんさく》する事《こと》も出來《でき》ないが、この一の話《はなし》の裡《うち》に良將《りやうしやう》の人《ひと》を用《もち》ひるに際《さい》して如何《いか》に肝膽《かんたん》をくだいて居《お》つたかと云《い》ふ事《こと》を知《し》り得《う》ると共《とも》に如何《いか》に其《そ》の清濁《せいだく》併《あは》せ呑《の》むの大度宏量《たいどくわうりやう》を有《も》つて居《ゐ》つたかと云《い》ふ事《こと》が知《し》れるのである。

以上《いじやう》は以心《いしん》の法《はふ》を述《の》ぶるに當《あた》つて如何《いか》に清濁併《せいだくあは》せ呑《の》むの大量《たいりやう》が必要《ひつえう》なるかを述《の》べたに過《す》ぎないが、以下項《いかかう》を分《わか》つて愈々《いよいよ》以心《いしん》の法《はふ》の秘蘊《ひうん》を説《と》く事《こと》にしやう。

（十二）度《ど》量《りやう》

凡《およ》そ人《ひと》と云《い》ふものは精神生活《せいしんせいくわつ》をなすに當《あた》つて何物《なにもの》にか據《よ》り、其《そ》のものをたよりとして行《ゆ》かねば不安《ふあん》に堪《た》へられない性質《せいしつ》のものである。殊《こと》に凡人凡夫《ぼんじんぼんぷ》にあつては尚更《なほさ》ら自己《じこ》に確信《かくしん》がないから獨立獨行《どくりつどくかう》と云《い》ふやうな氣強《きづよ》い事《こと》は出來《でき》ない結果《けつくわ》、自然強者《しぜんきやうしや》の手下《てした》となつて一定《てい》の範疇《はんちう》の下《もと》に自己《じこ》の精神《せいしん》を置《お》き、以《もつ》て平安《へいあん》を得《え》やうとする。これは一面窮屈《めんきうくつ》な處《ところ》があるには相違《さうゐ》ないが、結局《けつきよく》は氣樂《きらく》に世《よ》を送《おく》ることが出來《でき》るのである。この凡人凡夫《ぼんじんぼんぷ》のたよらんとする心《こゝろ》を巧《たくみ》に攬《と》り收め彼等《かれら》をして恰然《さなが》ら親舟《おやふね》に乘《の》つたやうな心持《こゝろもち》にならしめると共《とも》に、これを自己《じこ》の心《こゝろ》に心服《しんぷく》せしむるのが英雄《えいゆう》の英雄《えいゆう》たる所以《ゆゑん》で、而《しか》してこれが爲《ため》には度量《どりやう》が飽迄大《あくまでおほ》きい事《こと》が第《だい》一の要件《えうけん》である。夫《か》の『寛大《くわんだい》の量《りやう》ありて仁恵《じんけい》を好《この》むは是《こ》れ處事《しよじ》接物《せつぶつ》の善術《ぜんじゆつ》なり』とか

『寛《くわん》なれば則《すなは》ち衆《しう》を得《う》』とか

『君子《くんし》は小知《せうち》すべからずして大受《だいじゆ》す』とか云《い》ふ格言《かくげん》も、其《そ》の云《い》ひ廻《まは》し方《かた》は各々《おの〱》相違《さうゐ》して居《ゐ》るが要《えう》は寛裕《くわんゆう》にして容《い》るゝことが多《おほ》ければ能《よ》く善《ぜん》を聚《あつ》め衆《しう》を得《う》ることが出來《でき》る所以《ゆゑん》を道破《だうは》したものなのである。これは水《みづ》が漫々《まん〱》と湛《たゞ》へられて居《ゐ》る大池《だいち》には如何《どん》な大魚《たいぎよ》も悠々《いう〱》其《そ》の鰭《ひれ》をのばして充分《じうぶん》なる活動《くわつどう》をする事《こと》が出來《でき》るのと一般《ぱん》の理《り》で、古來《こらい》から盛德大業《せいとくたいげふ》を遂《と》げたもので、この心得《こゝろえ》の出來《でき》て居《ゐ》ないものは一人《にん》もなかつた。されば苟《いやしく》も人《ひと》の頭《かしら》たらん事《こと》を願《ねが》ふものは常《つね》に務《つと》めて其《そ》の規模《きぼ》を大《だい》にし、即《すなは》ち小利《せうり》を見《み》ずして大受《だいじゆ》するの覺悟《かくご》が必要《ひつえう》である。古語《ここ》に

『偃鼠《えんそ》河《かは》に飮《の》むも滿腹《まんぷく》に過《す》ぎず、鷦鷯《せうれう》樹《き》に巢《すく》ふも一枝《し》に過《す》ぎず』と云《い》ふ句《く》がある。これは人《ひと》の配下《はいか》にあつて動《うご》く位《くらゐ》の者《もの》は到底大《たうていだい》なる事《こと》をなし得《う》るものでない、即《すなは》ち彼等《かれら》は飮《の》むと云《い》つても腹《はら》に滿《み》たす丈《だけ》の事《こと》、占有《せんいう》すると云《い》つても一枝《し》に過《す》ぎないのであるから、かゝる事《こと》を口《くち》やかましく云《い》ふより其《そ》の大局《たいきよく》をさへ誤《あや》まらないやうにしめくゝつて彼等《かれら》には彼等《かれら》としての思《おも》ひ存分《ぞんぶん》な働《はたらき》をなさしめる事《こと》が大切《たいせつ》だと云《い》ふ事《こと》を云《い》つたものである。吾人《ごじん》若《も》しこの大腹中《だいふくちう》、大度量《だいどりやう》を以《もつ》て衆《しう》を御《ぎよ》したなれば彼等《かれら》鼠輩《そはい》を悅服《えつぷく》せしむる事《こと》、實《じつ》に易々《ゐゝ》たる

ものである。

我《わ》が國《くに》には古來《こらい》大度量《だいどりやう》を以《もつ》て衆《しう》を禦《ぎよ》し聲名《せいめい》を走《は》せたもの決《けつ》して少《すくな》くないが、吾人《ごじん》は茲《こゝ》に隱《かく》れたる大度量人《だいどりやうにん》として足利尊氏《あしかゞたかうぢ》を拉《ら》し來《きた》つた。云《い》ふ迄《まで》もなく尊氏《たかうぢ》は大義名分上《だいぎめいぶんじやう》よりの許《ゆる》す可《べか》らざる大逆臣《だいぎやくしん》である。而《しか》も彼《かれ》が有《も》つて居《ゐ》た人心收攬術《じんしんしうらんじゆつ》の大手腕《だいしゆわん》は確《たしか》に感服《かんぷく》に値《あたひ》するものがあると思《おも》ふ。何《なん》となれば尊氏《たかうぢ》は逆賊《ぎやくぞく》である。其《そ》の逆賊《ぎやくぞく》の身《み》を以《もつ》て、如何《いか》に大義名分《たいぎめいぶん》に暗《くら》かつた時代《じだい》であるにもせよ五十萬《まん》の大軍《だいぐん》を須臾《すゆ》にして自分《じぶん》の配下《はいか》にして了《しま》つたと云《い》ふ事《こと》は、彼《かれ》が如何《いか》に人心收攬《じんしんしうらん》の妙《めう》を得《え》て居《ゐ》たかと云《い》ふ事《こと》を立派《りつぱ》に證據《しようこ》だてゝ居《ゐ》るではないか。勿論其《もちろんそ》の術策《じゆつさく》に於《おい》ては厭惡《えんを》すべきものがあつたに相違《さうゐ》あるまい。而《しか》も彼《かれ》が大度量《だいどりやう》を有《も》つて居《ゐ》た事《こと》は誰《だれ》もこれを拒《こば》むことは出來《でき》まいと思《おも》ふ。梅松論《ばいしようろん》と云《い》ふ本《ほん》を見《み》ると。

『ある時夢窓國師《ときむそうこくし》が尊氏《たかうぢ》の德《とく》を褒《ほ》めて今《いま》の大將軍尊氏《たいしやうぐんたかうぢ》は仁德《じんとく》をかねた上《うへ》になほ大《だい》なる德《とく》あり、第《だい》一に慈悲天性《じひてんせい》にして人《ひと》を惡《にく》み給《たま》ふ事《こと》を知《し》り給《たま》はず多《おほ》く怨敵《おんてき》を寛宥《くわんいう》ある事《こと》、尚《なほ》一子《し》の如《ごと》し。第《だい》二に御心廣大《おんこゝろくわうだい》で物惜《ものをし》みの氣《き》がなく、金銀《きんぎん》、土石《どせき》をも平均《へいきん》に思召《おほしめ》して、武具《ぶぐ》御馬以下《おうまいか》の物《もの》を人々《ひと〲》に下《くだ》し給《たま》ひしに材《ざい》と人《ひと》とを御覽《ごらん》じ合《あは》せて、事《こと》なく御手《おんて》に任《まか》せて取《と》らせ給《たま》ひしなり。八月朔日《ぐわつついたち》などに諸人《しよにん》の進物《しんもつ》ども數《かず》を知《し》らずありしかども、皆人《みなひと》に下《くだ》し給《たま》ひし程《ほど》に夕《ゆふべ》に何《なに》ありとも覺《おほ》えずと承《うけたまは》りし云々《うんぬん》。

又《また》ある時將軍《ときしやうぐん》（尊氏《たかうぢ》）仰《おほ》せられけるは、昔《むかし》を聞《き》くに、頼朝卿《よりともきやう》二十ヶ年《ねん》の間《あひだ》、伊豆《いづ》の國《くに》に於《おい》て辛勞《しんらう》して、義兵《ぎへい》の遠慮《ゑんりよ》を廻《めぐ》らせし時《とき》に、平家《へいけ》惡行無道《あくぎやうむだう》にして、萬民《はんみん》の歎《なげ》き言《い》ふ許《はか》りなかりしを避《さ》けんがために、治承《ぢしよう》四年《ねん》に義兵《ぎへい》を擧《あ》げ、元暦元年《ぐわんれきぐわんねん》に朝敵《てうてき》を平《たひら》げし、其《そ》の間《あひだ》の合戰《かつせん》五ヶ年《ねん》なり、彼《かれ》の政道《せいだう》を傳《つた》へ聞《き》くに、御賞罰《ごしやうはつ》分明《ぶんめい》にして先賢《せんけん》の好《よみ》する所《ところ》なり、然《しか》りと雖《いへど》も、尚以《なほもつ》て罰《はつ》の苛法《かはふ》多《おほ》かりき、これに依《よ》りて民族《みんぞく》の輩以下《はいいか》、疑心《ぎしん》を殘《のこ》しける程《ほど》にさしたる錯亂《さくらん》なしといへども、誅罰《ちうはつ》繁《しげ》かりしこといと不憫《ふびん》なり、當代《たうだい》は人《ひと》の歎《たん》なくして天下《てんか》治《をさ》まらんこと本意《ほんい》たる間《あひだ》、今度《こんど》は怨敵《おんてき》をもよく宥《なだ》めて本領安堵《ほんりやうあんど》せしめ、功《こう》を致《いた》さん輩《ともがら》に於《おい》ては、殊更莫大《ことさらはくだい》の賞《しやう》を行《おこな》ふべし。此《こ》の趣《おもむき》を以《もつ》て面々《めんめん》扶佐《ふさ》し奉《たてま》るべき由《よし》、仰《おほ》せられし間《あひだ》、聞居《きゝゐ》る者《もの》其《そ》の御詞《おんことは》を感《かん》じ奉《たてまつ》りて、涙《なみだ》を拭《ぬぐ》はぬ輩《ともがら》はなかりし云々《うんぬん》』

と賞《ほ》めて居《ゐ》る。又大日《まただいに》本史《ほんし》にも尊氏《たかうぢ》の度量《どりやう》に就《つい》ては其《そ》の器宇《きう》弘裕《こうゆう》、規略遠大《きりやくゑんだい》、人《ひと》に任《にん》じて疑《うたが》はず、金帛《きんはく》を視《み》ること土石《どせき》の如《ごと》しと云《い》ふて褒《ほ》めてある。これに依《よ》つてこれを見《み》ても尊氏《たかうぢ》は度量洵《どりやうまこと》に大《おほ》きく、能《よ》く人心《じんしん》を收攬《しうらん》するの大度量家《だいどりやうか》であつた事《こと》が分明《わか》るのである。

凡《おそ》そ天下《てんか》の事《こと》は白日十字街上《はくじつじふじがいじやう》を走《はし》るが樣《やう》な調子《てうし》には行《ゆ》かず、それかと云《い》つて暗夜《あんや》の如《ごと》きものでもない。随《したが》つて人《ひと》の心《こゝろ》も千態萬狀《せんたいばんじやう》で言《い》はゞ春《はる》の朧月夜《おぼろづきよ》のやうなものであるから、清濁併呑《せいだくへいどん》の氣宇《きう》と宏遠寛大《くわうゑんくわんだい》の度量《どりやう》がなくては人心《じんしん》の收攬《しうらん》は到底難《たうていかた》いのである。

（十二）度胸《どきよう》

人心收攬《じんしんしうらん》に氣宇《きう》の宏遠寛大《くわうゑんくわんだい》が必要《ひつえう》なる如《ごと》く度胸《どきよう》は又最《またもつと》も大切《たいせつ》なる一要件《えうけん》である。而《しか》してそれには三つの理由《りいう》があるから、以下項《いかかう》を分《わか》つてその理由《りいう》を述《の》べて見《み》やう。

（イ）一體人《たいひと》の心《こゝろ》と云《い》ふものには一種妙《しゆめう》な癖《くせ》？があつて、初對面《しよたいめん》の時《とき》、對者《たいしや》から壓迫《あつぱく》されたとか、自分《じぶん》が立遲《たちおく》れたとか云《い》ふ事《こと》があると、對者《たいしや》が事實《じじつ》自分《ぶん》より力《ちから》の劣《おと》つて居《ゐ》ると云《い》ふ事《こと》が分明《わか》つて居《ゐ》ても何《なん》となく氣遲《きおく》れがして一種《しゆ》の壓迫《あつぱく》を感《かん》じ永久《えいきう》に其《そ》の壓迫《あつぱく》から逃《のが》れる事《こと》が出來惡《できにく》いのである。これは六ケしく云《い》ふと種々理由《しゆ〴〵りいう》があるであらうが、先《ま》づ一種《しゆ》の癖《くせ》――習慣《しふくわん》と思《おも》へば間違《まちがひ》がない。夫《か》の力士《りきし》が最初《さいしよ》の顔合《かほあは》せに一度《ひとた》び敗《はい》を取《と》ると、それから幾度《いくた》び顔《かほ》があつても何《なん》となくその相手《あひて》が恐《おそ》ろしくなつて何《ど》うしても力一杯《ちからはい》に働《はたら》く事《こと》が出來《でき》ぬと云《い》ふのは實《じつ》にその顯著《けんちよ》なる一例《れい》である。處《ところ》が度胸《どきよう》のあるものにはかうした憂《うれひ》が毛頭《まうとう》もない、即《すなは》ち如何《いか》に相手《あひて》が強《つよ》くとも少《すこ》しも恐《おそ》れると云《い》ふ事《こと》がないから、相手《あひて》に壓迫《あつはく》されるなど云《い》ふ事《こと》が全然《ぜん〳〵》ないのみか、反《かへ》つて相手《あひて》を壓迫《あつはく》すると云《い》ふ最《もつと》も有利《いうり》な立場《たちば》に廻《まは》ることが出來《でき》るのである。

（ロ）度胸《どきよう》のあると云《い》ふ事《こと》は自分《じぶん》がそれを自覺《じかく》するに從《したが》つて一種《しゆ》の强味《つよみ》を感《かん》じて來《く》るものである。而《しか》してこの强味《つよみ》を感《かん》じて來《く》るにつれて人《ひと》はこの强《つよみ》に依《よ》つて自己《じこ》をより安全《あんぜん》に保存《ほぞん》せんとするから、當然《たうぜん》の理《り》として人《ひと》は益々度胸《ます〳〵どきよう》の擴大《くわくだい》を計《はか》つて行《ゆ》く、玆《こゝ》に於《おい》てか度《ど》胸《きよう》の大《だい》なるものは益々度胸《ます〳〵どきよう》が大《おほ》きくなり、强《つよ》きものは愈々其强《いよ〳〵そのつよみ》を加《くは》へると云《い》ふ事《こと》になるのである。若《も》し然《しか》らば度胸《どきよう》が人心收攬上缺《じんしんしうらんじやうか》く可《べか》らざる條件《でうけん》である事《こと》は云《い》ふ迄《まで》もない。

（ハ）度胸《どきよう》は一種《しゆ》の風調《ふうてう》を破《やぶ》る行爲《かうゐ》であるから、度胸《どきよう》ある動作《どうさ》は人《ひと》の好奇心《かうきしん》を滿足《まんぞく》せしめ、更《さら》に進《すゝ》んではこの行爲《かうゐ》を迎《むか》ふるの念《ねん》を生《しやう》ぜしめ延《ひ》いてはその行爲者《かうゐしや》を歡迎《くわんげい》するの念《ねん》慮《りよ》を生《しやう》ぜしめる。これ人心收攬上度胸《じんしんしうらんじやうどきよう》の必要《ひつえう》なる第《だい》三の理由《りいう》である。

（ニ）度胸《どきよう》は他人《たにん》の心《こゝろ》の空虛《くうきよ》に響《ひゞ》く强音《きやうおん》の動作《どうさ》である。されば卽座《そくざ》に人心《じんしん》を壓服《あつぷく》せしめ而《しか》して强烈《きやうれつ》なる印象《いんしやう》を人《ひと》に與《あた》える力《ちから》を以《も》つて居《ゐ》る。一例《れい》を示《しめ》せばシト〳〵と降《ふ》る春雨《はるさめ》は恰《あだか》も人《ひと》に於《お》ける慈愛《じあい》の如《ごと》きもので草木《さうもく》の芽生《めば》え時代《じだい》に最《もつと》もよく、炎熱燒《えんねつや》くが如《ごと》き日《ひ》の白《ゆう》雨《だち》は卽《すなは》ち人《ひと》に於《お》ける度胸《どきよう》で、鬱蒼《うつさう》と茂《しげ》つた樹木《じゆもく》の發育《はついく》に宜《よ》い。併《しか》し斯《こ》の度胸《どきよう》は餘程注意《よほどちうい》しないと、對者《たいしや》が弱《よは》すぎる場合《はあひ》には、恰度炎熱《ちやうどえんねつ》が細草《さいさう》を枯《か》らし、雷雨《らいう》が老木《らうぼく》を折《を》ると一般《はん》の理《り》で、其《そ》の目的《もくてき》を達《たつ》し得《え》られない場合《はあひ》がある卽《すなは》ち度胸《どきよう》を出《だ》しすぎたためにかへつて失敗《しつぱい》を來《きた》すことがあるのであるから、度胸《どきよう》も亦其《またそ》の中庸《ちうよう》を得《え》る事《こと》が大切《たいせつ》である。

度胸《どきよう》を以《もつ》て部下《ぶか》を心服《しんぷく》せしめたものゝ優《いう》なるものに家光《いへみつ》があつた。彼《かれ》は自分《じぶん》が將軍《しやうぐん》につかうとする時《とき》、若《も》し諸侯《しよこう》にして天下《てんか》を望《のぞ》まれる方《かた》があるならば弓矢《ゆみや》を以《もつ》て之《これ》を御渡《おわた》し申《まを》さうと』飽迄度胸《あくまでどきよう》を以《もつ》て並居《なみゐ》る諸侯《しよこう》を敬服《けいふく》せしめた。思《おも》ふに德川《とくがは》三百年《ねん》の治平《ちへい》はこの度胸《どきよう》によつて保《たも》たれたと言《い》つても可《よ》い。

阪本龍馬《さかもとりうま》が勝海舟《かつかいしう》を殺《ころ》しに來《き》た時《とき》、海舟《かいしう》は『どうも此頃《このごろ》は物騷《ぶつさう》の世《よ》の中《なか》ですから御構《おかまひ》なく刄《やいは》を持《も》つて御入《おい》り下《くだ》さい』と先《ま》づ度胸《どきよう》を示《しめ》し更《さら》に『阪本君《さかもとくん》、君《きみ》は僕《ぼく》を殺《ころ》しに來《き》たナ』と高飛車《たかびしや》に出《い》て、然《しか》る後《のち》、悠々自己《いうくじこ》の所說《しよせつ》を陳《ちん》じて遂《つひ》に龍馬《りうま》を自己《じこ》の門弟《もんてい》にして了《しま》つたこの度胸《どきよう》は實《じつ》に美事《みごと》なものである。

家光《いへみつ》と相似《あひに》たる度胸《どきよう》を吾人《ごじん》は尼將軍《あましやうぐん》に於《おい》て見《み》る事《こと》が出來《でき》る。卽《すなは》ち承久《しようきう》の亂《らん》に際《さい》して尼《あま》將軍《しやうぐん》の態度《たいど》は實《じつ》に物《もの》すごいまでテキパキしたものであつた。卽《すなは》ち亂《らん》の起《お》きたる事《こと》を聞《き》い

た尼將軍《あましやうぐん》は徐《おもむ》ろに臣下《しんか》を集《あつ》め、安達介《あだちのすけ》をして言《い》はしめて曰《いは》く

『皆々《みなく》能く承《うけたま》はるべし、右大將《うだたしやう》が天下《てんか》を平定《へいてい》し、四海《かい》を治《をさ》め給《たま》ふた、其功《そのこう》は泰山《たいざん》よりも高《たか》く蒼海《さうかい》よりも深《ふか》い、然《しか》るに今讒言《いまざんげん》に因《よ》つて汚名《をめい》を被《かうむ》ると云《い》ふ事《こと》は實《じつ》に嘆《なげか》はしい次第《しだい》である。併《しか》し今《いま》となつては止《や》むを得《え》ないから、自分《じぶん》は故右大將《こうだいしやう》のため大《おほい》に戰《たゝか》ふ心組《こゝろぐみ》である。就《つい》ては右大將家《うだいしやうけ》の功《こう》を思《おも》ふ者《もの》はこの鎌倉《かまくら》に踏止《ふみとゞ》まるがよく、然《しか》らざるものは早《はや》く京都《きやうと》に去《さ》るがよからう、決《けつ》して遠慮《ゑんりよ》はいらぬから卽時《そくじ》去就《きよじう》を決《けつ》して斷乎《だんこ》たる處置《しよち》をとれ』と高《たか》飛車《びしや》に一喝《かつ》したので流石《さすが》の鎌倉武士《かまくらぶし》も度膽《どぎも》をぬかれた。若《も》しこの際尼將軍《さいあましやうぐん》にこの度胸《どきよう》がなかつたなれば對者《たいしや》に付込《つけこ》まれて恐《おそ》らく鎌倉方《かまくらがた》は滅亡《めつばう》の外《ほか》なかつたのである。處《ところ》で度胸《どきよう》が人心收攬《じんしんしうらん》に重要《ぢうえう》なる關係《くわんけい》がある事《こと》は正《まさ》に上述《じやうじゆづ》した如《ごと》くであるが、而《しか》もこれは修養《しうやう》の足《た》りた者《もの》がしたから斯《かく》の如《ごと》き効果《かうくわ》があつたので、凡人《ぼんじん》が下手《へた》に眞似《まね》るとそれこそ飛《と》んでもない結果《けつくわ》を生《しやう》ずるに至《いた》るのである。されば吾人《ごじん》にして度胸《どきよう》の大《だい》ならん事《こと》を欲《ほつ》するならば、先《ま》づ大《おほい》にこれが修養《しうやう》を心《こゝろ》がけなければならぬ。然《しか》らば其修養《そのしうやう》の方法《はうはふ》は如何《いかん》。

（十三）度《ど》胸《きやう》の修《しう》養《やう》法《はふ》

古來人《こらいひと》には天性《てんせい》の勇怯《ゆうけふ》がある如《ごと》く云《い》つて居《ゐ》るけれども、何方《どつち》かと云《い》へば後天的《こうてんてき》に養《やしな》はれる方《はう》が多《おほ》いと思《おも》ふ、即《すなは》ち天性《てんせい》の勇者《ゆうしや》であつてもこれを研《みが》かなかつたなれば遂《つひ》に其勇《そのゆう》は消滅《せうめつ》して了《しま》ふし、これに反《はん》して如何《どん》な怯者《けふしや》も修養《しうやう》に努《つと》めて怠《おこた》らなかつたなれば必《かなら》ず勇者《ゆうしや》たる事《こと》が出來《でき》るのである。例令《たとへ》ば乃木《のぎ》大將《たいしやう》の如《ごと》き、幼時《えうじ》は非常《ひじやう》な臆病者《おくびやうもの》であつたけれども父母《ふぼ》の薫陶《くんたう》、及《およ》び自己《じこ》の修養《しうやう》の方法《はうはふ》が宜《よろ》しかつたため、遂《つひ》に大膽無敵《だいたんむてき》の大將《たいしやう》を造《つく》り上《あ》げるに至《いた》つた事《こと》は天下《てんか》周知《しうち》の事實《じじつ》である。一體臆病者《たいおくびやうもの》の心理《しんり》は決《けつ》して先天的《せんてんてき》のものでなく、未《いま》だ天心爛漫白絲《てんしんらんまんしらいと》の樣《やう》な頭腦《づなう》を有《も》つて居《ゐ》る子供《こども》の時代《じだい》に其周圍《そのしうゐ》の人々《ひと〲》が寄《よ》つてたかつて後天的《こうてんてき》にあるものが恐《こは》いと云《い》ふ極《きは》めて深《ふか》い觀念《くわんねん》を刻《きざ》みつけた場合《はあひ》が多《おほ》いのである、而《しか》してこの觀念《くわんねん》が先入主《せんにふしゆ》となつて、相當《さうとう》に物事《ものごと》の理解《りかい》が出來《でき》るやうになつても其觀念《そのくわんねん》が消失《せうしつ》しない場合《はあひ》、人《ひと》はこれを稱《しよう》して怯《けふ》とか臆《おく》とか云《い》ふのであるから、修養《しうやう》さへすればこの心《こゝろ》が消滅《せうめつ》して了《しま》ふ事《こと》は當然《たうぜん》の理《り》で毫《がう》も疑《うたが》ふ餘地《よち》はないのである。さればこれと反對《はんたい》に世《よ》の中《なか》には恐《おそ》るべきものが一《ひと》つもないと云《い》ふ確信《かくしん》が若《も》し强《つよ》かつたなれば如何《いか》なる場合《はあひ》、又《また》如何《いか》なる者《もの》に對《たい》しても魂《たましい》を奪《うば》はれるなど云《い》ふやうな事《こと》はない譯《わけ》である。一體普通《たいふつう》の人間《にんげん》には誰《だれ》にでも心理的《しんりてき》の反對運動《はんたいうんどう》と云《い》ふものがあつて白刄《はくじん》を不意《ふい》に目前《もくぜん》につきつけられなどした場合《はあひ》、思《おも》はず瞬《また》きをする事《こと》などがある、これは自然的《しぜんてき》に防御《はうぎよ》したので、かくしやうと云《い》ふ意志《いし》があつてしたのではないのであるから、怯《けふ》とは云《い》へないのである。處《ところ》が英雄《えいゆう》にはこれがない。即《すなは》ち不意《ふい》に目前《もくぜん》に火《ひ》を差出《さしだ》してもビクともしなければ白刄《はくじん》をつきつけても驚《おどろ》きもしない。さればある人《ひと》は英雄《えいゆう》は不具者《ふぐしや》であるとさへ云《い》つたのである。併《しか》し全《まつた》くその通《とほ》りで英雄《えいゆう》と云《い》ふものは眞實《しんじつ》不具者《ふぐしや》であるかの如《ごと》く、普通《ふつう》に備《そな》はるべき機能《きのう》が著《いちじる》しく鈍《にぶ》くなつて居《ゐ》ることは事實《じじつ》である。而《しか》してこの鈍《にぶ》くなつて居《ゐ》ると云《い》ふ事《こと》が、最初《さいしよ》から——即《すなは》ち先天的《せんてんてき》に鈍《にぶ》いのだと所謂《いはゆる》血《ち》の廻《まは》りの惡《わる》い人《ひと》たるを免《まぬが》れないのであるが、彼等《かれら》は修養《しうやう》に依《よ》つて茲《こゝ》に至《いた》つたので、其處《そこ》に英雄《えいゆう》の英雄《えいゆう》たる所以《ゆゑん》があるのである。換言《くわんげん》すれば英雄《えいゆう》とて矢張《やは》り人間《にんげん》で通常人《つうじやうじん》の有《いう》する機能《きのう》は凡《すべ》て充分《じうぶん》に備《そな》へて居《ゐ》るのであるから、驚《おどろ》くべき必要《ひつえう》のある時《とき》には大《おほい》に驚《おどろ》くが、修養《しうやう》の結果《けつくわ》、用《よう》のない時《とき》には其《そ》の機能《きのう》を使用《しよう》しないで濟《す》ませる事《こと》が出來《でき》る丈《だけ》の力《ちから》が出來《でき》て居《ゐ》るのである。されば用《よう》のない場合《はあひ》には如何《いか》なる事《こと》があつても泰然自若《たいぜんじじやく》、更《さら》に物《もの》に動《どう》じない丈《だけ》で、愚鈍者《ぐどんしや》の糞度胸《くそどきよう》、無感覺《むかんかく》とは全然《ぜん〳〵》其《そ》の趣《おもむき》を異《こと》にして居《ゐ》るのである。即《すなは》ち金《かね》がなくて貧乏生活《びんはふせいくわつ》をするのは當然《たうぜん》且《かつ》必然《ひつぜん》で毫《がう》も不《ふ》思議《しぎ》でないが、金《かね》があつて貧乏生活《びんはふせいくわつ》をするのは鳥渡《ちよつと》並《なみ》の人間《にんげん》に出來《でき》ないのと一般《はん》の道理《だうり》である。されば こそ古來《こらい》『丈夫涙《ちやうふなみだ》なきにあらず離別《りべつ》の間《あひだ》にそゝがず』との語《ことは》があるのであつて、實《じつ》は血《ち》も涙《なみだ》も人《ひと》一倍有《ばいも》つて居《ゐ》るのであるが、濺《そゝ》ぐ可《べか》らざる涙《なみだ》はジツと押《おさ》へて強《つよ》い度胸《どきよう》で居《ゐ》るに過《す》ぎないのである。而《しか》してこれが英雄《えいゆう》の英雄《えいゆう》たる面目《めんもく》の躍如《やくじよ》たる處《ところ》で、修業《しうげふ》の効《かう》を積《つ》まねば到底《たうてい》なし得《う》る藝當《げいたう》でないのである。

一體度胸《たいどきよう》がないと云《い》ふのは自分以外《じぶんいぐわい》の物《もの》に恐《おそ》れるからである、物《もの》に恐《おそ》れると云《い》ふのは自己《じこ》が弱《よは》いからである。而《しか》して自己《じこ》が弱《よは》いと云《い》ふのは心《こゝろ》に確信《かくしん》がないからである。されば吾人《ごじん》が度胸《どきよう》の修養《しうやう》を積《つむ》には何《ど》うしても先《ま》づ確信《かくしん》を作《つく》るの修養《しうやう》が必要《ひつえう》である。即《すなは》ち確信《かくしん》が強《つよ》くなれば度胸《どきよう》は自《おのづか》ら出來《でき》て來《く》るのである。處《ところ》で一體確信《たいかくしん》とは如何《いか》なるものであるかと云《い》ふと、確信《かくしん》とは理性《りせい》の上《うへ》にたつた情的自覺《じやうてきじかく》で、一面《めん》から云《い》へば理智《りち》を超越《てうえつ》した信仰《しんかう》なのである。されば吾人《ごじん》にしてこの境地《きやうち》に至《いた》らんとするには自我《じが》を最《もつと》も強《つよ》くし、擴大《くわくだい》して眼中人《がんちうひと》なしと云《い》ふ考《かんがへ》にならばねならぬ。換言《くわんげん》すれば自我生活《じがせいくわつ》の原理《げんり》を究《きは》めて、確信《かくしん》の第一歩《だいいつぽ》たる自己《じこ》としての最高最善《さいかうさいぜん》の人生觀《じんせいくわん》を確立《かくりつ》しなければならぬのである。かくて人《じん》生觀《せいくわん》が確立出來《かくりつでき》たなれば次《つぎ》には天《てん》の巻以下《まきいか》に於《おい》て記述《きじゆつ》した氣合術或《きあひじゆつあるひ》は靜座《せいざ》內觀秘法《ないくわんひはふ》、催《さい》眠術《みんじゆつ》、或《あるひ》は丹田集力法等《たんでんしふりよくはふとう》に依《よ》つて務《つと》めて注意力《ちういりよく》を一點《てん》に集中《しふちう》する練習《れんしふ》をすると共《とも》に一は以《もつ》て偉大《ゐだい》なる活力《くつつりよく》の元泉《げんせん》を造《つく》ることに努力《どりよく》するのである。而《しか》してこれが出來《でき》るやうになれば次《つぎ》には矢張《やは》り氣合術《きあひじゆつ》や催眠術《さいみんじゆつ》や呼吸法《こきふはふ》に依《よ》つて無念無想《むねんむさう》になる修行《しゆぎやう》を積《つ》むのである。以上《いじやう》は度胸修養《どきようしうやう》の根本的《こんぽんてき》の方法《はうはふ》であるが、この他劍道《たけんだう》、柔術等《じうじゆつとう》の奥儀《おくぎ》に依《よ》つて眞《しん》の度胸《どきよう》を作《つく》る事《こと》が大切《たいせつ》である。

（十四）慈《じ》　愛《あい》

由來人《ゆらいひと》は情《じやう》の動物《どうぶつ》で些細《ささい》な事《こと》にでも感動《かんどう》し易《やす》い性質《せいしつ》を以《もつ》て居《ゐ》るのであるから、この弱《じやく》所《しよ》を利用《りよう》すること――卽《すなは》ち仁慈親切《じんじしんせつ》の行爲《かうゐ》を以《もつ》て人《ひと》の悲《かな》しめる時《とき》、人《ひと》の喜《よろこ》べる時《とき》に接《せつ》すると云《い》ふ事《こと》は、人心收攬術上《じんしんしうらんじゆつじやう》から見《み》て誠《まこと》に必要《ひつえう》な事《こと》である。例之《たとへ》ば釋迦《しやか》やキリストが萬世《ばんせい》の宗師《しうし》と仰《あふ》がれ、救世主《きうせいしゆ》と尊《たつと》ばるゝ所以《ゆゑん》のものは實《じつ》にこの慈愛《じあい》の心《こゝろ》が彼等《かれら》の凡《すべ》てゞあつた爲《ため》で、要《えう》は三世《せ》を通《つう》じ、人天《じんてん》を掩《おほ》ひ、其《そ》の大望《だいのぞ》む可《べか》らず、其高仰《そのたかさあふ》ぐべからざる程《ほど》の大慈悲《だいじひ》の致《いた》す處《ところ》と云《い》はねばならぬ。否《いな》！斯《かく》の如《ごと》き大宗教家《だいしうけうか》は別《べつ》として古來《こらい》よりの英雄《えいゆう》豪傑《がうけつ》で慈悲《じひ》を以《もつ》て民心《みんしん》を統《す》べ部下《ぶか》を御《ぎよ》した者《もの》に豐臣秀吉《とよとみひでよし》あり、立花宗茂《たちはなむねしげ》あり、伊達政宗《だてまさむね》あり、北條早雲《ほうでうさううん》あり、其例決《そのれいけつ》して少《すくな》くない。吾人《ごじん》は玆《こゝ》に其《そ》の二三の例《れい》を引《ひ》き來《きた》つて彼等《かれら》が部下《ぶか》を統禦《とうぎよ》するに如何《いか》なる慈悲《じひ》を以《もつ》てしたかを究《きは》めて見《み》やう。

聞《き》く、關《せき》ヶ原《はら》の戰《たゝかひ》は心《こゝろ》ある武將《ぶしやう》の眼《め》には戰《たゝか》はざる前《まへ》に其《そ》の勝敗《しようはい》は分明《わか》つて居《ゐ》た。西軍《せいぐん》の將大谷吉隆《しやうおほたによしたか》また當時具眼《たうじぐがん》の武將《ぶしやう》であつたから素《もと》より大抵《たいてい》の見當《けんたう》は付《つ》いて居《ゐ》たのである。而《しか》も殊更《ことさら》に西軍《せいぐん》に味方《みかた》して豐臣家《とよとみけ》の爲《た》めに盡《つく》したに就《つい》ては斯《か》う云《い》ふ話《はなし》がある。

豐太閤在世《ほうたいかふざいせい》の頃《ころ》であつた。一日茶《にちちや》の湯《ゆ》の會《くわい》を御前《ごぜん》に催《もよ》ほされて多《おほ》くの武將《ぶしやう》を招《まね》かれた。吉隆《よしたか》も亦召《またため》されて其《そ》の席《せき》に連《つら》なつたが、元來吉隆《ぐわんらいよしたか》には人《ひと》の最《もつと》も厭惡《えんを》する天刑病《てんけいびやう》があつたために吉隆《よしたか》の呑《の》んだ後《のち》は誰《だれ》も目引《めひ》き袖《そで》ひきして呑《の》むものがなかつた。これを見《み》た秀吉困《ひでよしこま》つた事《こと》が出來《でき》たと一寸其《ちよつとそ》の處置《しよち》に心《こゝろ》を痛《いた》めたが、流石《さすが》は大腹中《だいふくちう》の英雄丈《えいゆうだけ》あつて忽《たちま》ち心《こゝろ》に決《けつ》する處《ところ》があり何氣《なにげ》なく『この茶《ちや》は非常《ひじやう》に呑《の》み惡《にく》いから俺《おれ》が改《あらた》めて呑《の》む』と云《い》つて一息《ひといき》に呑《の》み干《ほ》し、吉隆《よしたか》に何等《なんら》の恥《はぢ》を與《あた》へずに了《しま》つた。吉隆《よしたか》はこの秀吉《ひでよし》の慈愛《じあい》に感泣《かんきふ》し、死《し》をもつて其恩《そのおん》に報《むく》いやうとかねぐ〳〵心《こゝろ》に思《おも》つて居《ゐ》たが秀吉《ひでよし》の生存中途《せいぞんちうつひ》に其素志《そのそし》を果《はた》す機會《きくわい》を得《え》なかつた然《しか》るに今《いま》や豐臣家浮沈興亡《とよとみけふちんこうはう》の秋《とき》が來《きた》つたので、さてこそ勝敗《しようはい》の數《すう》、當初《たうしよ》より明《あき》らかなる關《せき》ヶ原《はら》の軍《いくさ》に殊更西軍《ことさらせいぐん》に味方《みかた》して敢《あへ》て悲壯《ひさう》なる死《し》を遂《と》げたのであつた。

北條早雲《ほうでうさううん》は猛烈《まうれつ》な大將《たいしやう》であつたけれど、若《わか》い内《うち》から苦勞《くらう》をしただけに一面情誼《めんじやうぎ》に富《と》んでよく部下《ぶか》と領地《りやうち》の民《たみ》百姓《しやう》を我《わ》が子《こ》の如《ごと》く可愛《かあい》がり、賦税《ふぜい》の如《ごと》きもなるべく輕《かる》きやう輕《かる》きやうにと心懸《こゝろがけ》た。卽《すなは》ち早雲《さううん》の伊豆《いづ》を平《たひら》げた後《のち》、土地《とち》の父老《ふらう》を集《あつ》めて種々《しゆ〴〵》言ひきかせた言《こと》葉《は》に次《つぎ》の如《ごと》き慈愛《じあい》が含《ふく》まれて居《ゐ》た。

『國主《こくしゆ》の爲《ため》には民《たみ》は子《こ》である。國主《こくしゆ》は親《おや》である。これ私《わたくし》の事《こと》でなくて昔《むかし》から定《さだま》つて居《ゐ》る道《みち》である。然《しか》るに世《よ》の澆季《すゑ》になるにつれ、武家《ぶけ》が欲深《よくふか》くして、百姓《しやう》が年中《ねんぢう》の耕作《かうさく》を檢《しら》ぶるのに四つもない所《ところ》を五つあると云《い》ひかけてこれを取《と》り、其他《そのた》夫錢《ふせん》、棟別《むねわけ》、野山《のやま》の役《やく》などあらゆるものゝ押取《おしど》りを行《や》つて居《ゐ》る、自分《じぶん》は常《つね》に之《こ》れを不憫《ふびん》だと思《おも》ふて居《ゐ》た。自分《じぶん》が今日《けふ》より此國《このくに》の司牧《しぼく》となれば、吾《わ》れは汝等《なんぢら》のためには君《きみ》であり、汝等《なんぢら》は吾《わ》れのためには民《たみ》である。生《うま》れて君《きみ》となるのも民《たみ》となるのも深《ふか》い因緣《いんねん》があればこそである。處《ところ》で吾《われ》の願《ねがひ》は汝等《なんぢら》の富足《ふそく》にある。今《いま》から租稅《そぜい》五分《ぶ》の一を減《げん》じ、且《か》つ諸々《もろ〳〵》の雜課《ざつくわ》を除《のぞ》かうと思《おも》ふ。又《また》諸將《しよしやう》の內《うち》で吏《り》の令《れい》に違《たが》ひ、民《たみ》を虐《ぎやく》する樣《やう》な者《もの》があつたなれば自由《じいう》に訴《うつた》へて出《で》るがよい』

是《これ》に依《よ》つて衆皆悦服《しうみなえつぷく》して爭《あらそ》ひ勵《はげ》んでこれが用《よう》たることを欲《ほつ》したさうである。

立花宗茂《たちはなむねしげ》曰《いは》く『人《ひと》の和《わ》より恐《おそ》ろしいものは御座《ござ》らぬ。それだに依《よ》つて常《つね》に兵士《へいし》を依怙《いこ》贔負《ひいき》なくし、痛《いた》く勤勞《きんらう》せしむることなく、慈悲《じひ》を加《くは》へ、少《すこ》しの過失《くわしつ》は其《そ》の通《とほ》りに致《いた》し、唯國法《たゞこくはふ》に外《はづ》れ候時《さふらふとき》のみ其《そ》の法《はふ》に行《おこな》ふので御座《ござ》る、祿《ろく》なども用《もち》ふる者《もの》の祿《ろく》に應《おう》じ、なるべく多《おほ》くやる樣《やう》にすれば戰《たゝかひ》の時《とき》は言葉《ことは》のみにて皆《みな》一命《めい》を惜《をし》まぬものに候《さふらふ》』思《おも》ふに今《いま》の世《よ》にも上下《じやうげ》の關係《くわんけい》はあるが、其多《そのおほ》くは他《た》の力《ちから》に依《よ》つて自然《しぜん》に上下《じやうげ》の關係《くわんけい》がついたので戰國《せんごく》の武將《ぶしやう》が全《まつた》く自己《じこ》の力《ちから》で部下《ぶか》を愛撫養成《あいぶやうせい》したのとは餘程趣《よほどおもむき》が相違《さうゐ》して居《ゐ》る。而《しか》して往昔《むかし》の武將《ぶしやう》が行《や》つた人心收攬法《じんしんしうらんはふ》は何《いづ》れも上述《じやうじゆつ》の如《ごと》く慈愛親切《じあいしんせつ》を其《そ》の第《だい》一義《ぎ》としたのである。之《これ》を要《えう》するに情《なさ》けは人《ひと》の爲《ため》ならず（即《すなは》ち己《おのれ》の爲《た》め）で、唯目前《たゞもくぜん》の小利《せうり》にのみとらわれることなく、大局《たいきよく》に眼《め》を注《そゝ》ぎ打算《ださん》を大《だい》にして慈愛《じあい》を行《おこな》つたなれば、他愛《たあい》は軈《やが》て自愛《じあい》となつて來《く》るのである。さればこの考《かんがへ》を確然《かくぜん》と自己《じこ》の腦裏《なうり》に刻《きざ》みつけて置《お》く事《こと》が第《だい》一に必要《ひつえう》で、第《だい》二は高遠《かうゑん》の思想《しさう》から湧出《わきだ》した高尚《かうしやう》な趣味《しゆみ》を作《つく》ることが必要《ひつえう》である。

（十五）人言《じんげん》を容《い》れよ

人言《じんげん》を容《い》れ、事《こと》を人《ひと》に計《はか》ると云《い》ふ事《こと》は人心收攬術《じんしんしうらんじゆつ》上《じやう》亦《また》缺《か》く可《べか》らざる一要素《えうそ》である。事《こと》を計《はか》り、人言《じんげん》を入《い》れると云《い》ふ事《こと》は、自分《じぶん》の謀計《ぼうけい》が全《まつた》く盡《つ》きて、必《かなら》ず汝《なんぢ》の力《ちから》に依《よ》らうとの意味《いみ》があるために事《こと》を計《はか》られ問《と》はれたものは半《なか》ばは其《そ》の窮厄《きうやく》を憐《あはれ》み、半《なか》ばは己《おのれ》の能《のう》を誇《ほこ》るの思《おもひ》をもつて悦《よろこ》んで其《そ》の奇計《きけい》を獻《けん》ずるものである。而《しか》して古來《こらい》、天下國家《てんかこくか》に事《こと》をなし名《な》をあげた程《ほど》のものには必《かなら》ず其《そ》の帷幄《ゐあく》の中《うち》に忠良《ちうりやう》な謀士《ばうし》があつた。卽《すなは》ち豐太閤《ほうたいかふ》に於《お》ける福島《ふくしま》、加藤《かとう》、淺野《あさの》、石田《いしだ》、浮田《うきだ》の諸將《しよしやう》、信長《のぶなが》に於《お》ける柴田《しはた》、丹波《には》、羽柴《はしは》、明智《あけち》の諸將《しよしやう》、家康《いへやす》に於《お》ける井伊《ゐい》、本多《ほんだ》、榊原《さかきはら》、酒井《さかゐ》の諸將《しよしやう》、信玄《しんげん》に於《お》ける馬場《ばゞ》、內藤《ないとう》、山縣《やまがた》の諸將《しよしやう》卽《すなは》ちこれである。殊《こと》に家康《いへやす》の如《ごと》きは大少《だいせう》の百餘《よ》戰何《せんいづ》れも腹心《ふくしん》の言《げん》にまつて其《そ》の進退《しんたい》を決《けつ》したのであつた。而《しか》してこれらの勇將《ゆうしやう》は何《いづ》れも小事《せうじ》に齷齪《をくそく》たるの小丈夫《せうぢやうふ》ではなく、常《つね》に大《たい》局《きよく》に眼《まなこ》をつけてあやまらざる識見高邁《しきけんかうまい》の士《し》であつたから、夫《か》の甲《かふ》にきゝ乙《おつ》にきゝ泛々《へんく》として左眄右顧《さべんうこ》する無定見者流《むていけんしやりう》の如《ごと》く其言《そのげん》の取捨《しゆしや》に窮《きう》すると云《い》ふやうな事《こと》はなかつたのである。

これに反《はん》して身邊《しんぺん》に苦諫忠言《くかんちうげん》の士《し》がなく、又《また》あつてもこれを用《もち》ひなかつた爲《た》め其家《そのいへ》を滅《ほろ》ぼし國《くに》を破《やぶ》つたものも決《けつ》して少《すく》なくない。卽《すなは》ち重盛《しげもり》の直諫《ちよくかん》を用《もち》ひずして西海《せいかい》の水屑《みくず》となつた淸盛以《きよもりい》下《か》平家《へいけ》の一族《ぞく》、忠練《ちうれん》の士《し》を遠《とほざ》けて大阪城《おほさかじやう》の沒落《ぼつらく》を餘儀《よぎ》なからしめた淀君《よどぎみ》、其他《そのた》算《かぞ》へ來《きた》れば數限《かずかぎ》りもないが、殊《こと》にも狹量《けふりやう》のため敢《あえ》なくも身《み》を滅《ほろ》ぼしたのは豪勇義經《がうゆうよしつね》であつた。鹿《しか》も四足馬《そくうま》も四足《そく》、四足《そく》は一のみ、鹿《しか》の越《こ》ゆるを馬《うま》の越《こ》え得《え》ざる理《ことはり》なしとて遂《つひ》に一の谷《たに》を攻《せ》め下《くだ》つた程《ほど》の義經《よしつね》であるから、梶原《かぢはら》の保守的消極的《ほしゆてきせうきよくてき》の作戰《さくせん》に反對《はんたい》であつたのは萬止《ばんや》むを得《え》ないとしても、義經《よしつね》に今少《いますこ》しく雅量《がりやう》があつて梶原《かぢはら》の言《げん》を容《い》れてやつたなら恐《おそ》らくあの悲慘《ひざん》な末路《まつろ》を來《きた》さなかつたであらうと思《おも》ふ。由來人《ゆらいひと》は何人《なんぴと》でも自分《じぶん》の說《せつ》の通《とほ》ると云《い》ふ事《こと》は快《こゝろよ》いものである。これは自我《じが》が他人《たにん》の心中《しんちう》に迄喰入《までくひい》つて擴張《くわくちやう》され隨《したが》つて自己《じこ》の聲價《せいか》が高《たか》まる、聲價《せいか》が高《たか》まれば社會的生活《しやくわいてきせいくわつ》をなす上《うへ》に益々《ますます》都合《つがふ》がいゝから、人《ひと》が自分《じぶん》の說《せつ》の通《とほ》つた時《とき》快《こゝろよ》く思《おも》ふのは理《り》の當然《たうぜん》である。而《しか》して自分《じぶん》を得意《とくい》にして呉《く》れたものを有難《ありがた》く嬉《うれ》しく思《おも》ふもこれまた人情《にんじやう》の自然《しぜん》である。されば人《ひと》の話《はなし》を聞《き》く場合《はあひ》つまらぬ事《こと》でも何《なん》でも嫌《いや》に合槌《あひづち》を打《う》つのは止《や》めにして對者《たいしや》の最《もつと》も得意《とくい》とする點《てん》、即《すなは》ち持論《ぢろん》とも云《い》ふべき所《ところ》に對《たい》して贊成《さんせい》の意《い》を表《へう》し、其言《そのげん》を容《い》れるやうに心掛《こゝろがけ》るが宜《よ》いと思《おも》ふ、さもないと無闇《むやみ》に人《ひと》の說《せつ》に迎合《げいがふ》するやうで識見《しきけん》がないなど嘲笑《てうせう》される場合《はあひ》がある。一體識見《たいしきけん》と云《い》ふものは多數《たすう》の說《せつ》の選擇《せんたく》をする場合《はあひ》に最《もつと》も必要《ひつえう》を感《かん》ずる事《こと》で、若《も》し下手《へた》な意見《いけん》や、不《ふ》德《とく》の說《せつ》を採用《さいよう》しやうものなら、それこそ豎子《じゆし》共《とも》に議《ぎ》するに足《た》らずと云《い》ふやうな事《こと》になり相手《あひて》にされなくなる。これは人言《じんげん》を聞《き》く場合《はあひ》の注意《ちうい》として忽諸《こつしよ》にすべからざる問題《もんだい》である。

併《しか》し他人《たにん》も其《そ》の話《はなし》を容《い》れてくれるのが愉快《ゆくわい》である如《ごと》く、自分《じぶん》も其說《そのせつ》を人《ひと》に採用《さいよう》させたい結果《けつくわ》、人《ひと》の言《げん》を排斥《はいせき》するやうになり易《やす》いのは勿論《もちろん》の事《こと》である。

けれどもそれは人《ひと》の長《ちやう》たる道《みち》ではないのであるから、其《そ》の邊《へん》は大《おほい》に我慢《がまん》しなければならない。而《しか》してその我慢《がまん》は一寸《ちよつと》出來《でき》惡《にく》いものであるが、大局《たいきよく》に眼《め》をそゝぐと云《い》ふ事《こと》によつて差《さ》して苦《くる》しくなくやることが出來《でき》る。一體《たい》自分《じぶん》の說《せつ》を短兵急《たんぺいきふ》に通《とほ》さうとの情念《じやうねん》は、極《きは》めて目前《もくぜん》の快感《くわいかん》に憧憬《どうけい》する結果《けつくわ》生《しやう》ずる卑《いや》しむべきもので、これを大體《だいたい》終局《しうきよく》の上《うへ》から見《み》る時《とき》は實《じつ》に馬鹿《ばか》々々しい事《こと》なのである。而《しか》して言《げん》を容《い》れると云《い》ふ事《こと》は上《うへ》の者《もの》が下《しも》の者《もの》に對《たい》する道《みち》で下《しも》の者《もの》はドシ〱思《おも》ふ事《こと》を申述《まをしのぶ》ると云《い》ふ頭腦《づなう》と活氣《くわつき》とを持《も》つて居《ゐ》なければならぬ。思《おも》ふに人《ひと》は誰《だれ》しも自分《じぶん》の云《い》ふ事《こと》に迎合《げいがふ》してペコ〱やつて來《く》るものゝ方《はう》が氣持《きもち》はよし又《また》都合《つがふ》が可《よ》いから自然《しぜん》、さう云《い》ふ者《もの》を歡迎《くわんげい》するのは當然《たうぜん》の事《こと》であるが、併《しか》し叩頭《こうとう》百遍《へん》調子《てうし》の可《よ》い事《こと》をのみ言《い》つて居《ゐ》る人間《にんげん》に內心《ないしん》から服從《ふくじう》して居《ゐ》るものはなく、さればそれを知《し》らないで面從《めんじう》ばかりする樣《やう》な人間《にんげん》を優遇《いうぐう》するのは抑《そもそ》も自分《じぶん》のためにもあやまりで、一旦《たん》事《こと》あるの時《とき》には何《なん》の役《やく》にもたつものでない。之《これ》を要《えう》するに

『(前略《ぜんりやく》)詮《せん》ずるに色代申《しきだいまを》すものに過《す》ぎたる咎《とが》はなし、我《わ》が科《とが》を言《い》ひ知《し》らするものに過《す》ぎたる忠《ちう》はなしと深《ふか》く思召《おほしめ》しつめて、御心《おんこゝろ》に叶《かな》ひていとほしくともこれはえせものと知《し》り、にくゝ、見《み》たからずと思《おほ》しめすとも、これはよき者《もの》と思《おほ》し召《め》せ、世《よ》を治《をさ》むるの謀《はかりごと》、只此《たゞこの》事最詮至極《ことさいぜんしごく》にて候也《さふらふなり》』と文覺《もんがく》が頼家《よりいへ》に說《と》いた爲政者《ゐせいしや》の心懸《こゝろがけ》を心《こゝろ》に秘《ひ》めて事《こと》に當《あた》つたなら人心《じんしん》自《おのづか》ら己《おのれ》にあつまり、愈々《いよ〳〵》身《み》を全《まつた》ふする事《こと》が出來得《できう》るのである。

(十六) 士《し》は己《おのれ》を知《し》る者《もの》の爲《ため》に死《し》す

人《ひと》を信《しん》ずると云《い》ふことも亦頭梁《またとうりやう》たる材《ざい》には必要缺《ひつえうか》くべからざるものである。人《ひと》は妙《めう》なもので充分《じうぶん》に信用《しんよう》されて見《み》ると氣持《きもち》が宜《よ》い許《ばか》りでなく、害心《がいしん》があつても害《がい》を加《くは》へる事《こと》が出《で》來《き》なくなるもので、殊《こと》に何事《なにごと》でも一切《さい》を打《うち》あけて托《たく》されると例之出來《たとへでき》ない乍《なが》らも一生懸《しやうけん》命《めい》になつて一肌《ひとはだ》ぬぐ氣《き》にもなるし、又案外《またあんぐわい》にも好結果《かうけつくわ》を得《う》るのは珍《めづ》らしからぬ事《こと》である。元來相手《ぐわんらいあひて》を信《しん》ずると云《い》ふ事《こと》は、一面《めん》から見《み》れば相手《あひて》を非常《ひじやう》に尊重《そんちよう》することになり、一面《めん》から見《み》れば相手《あひて》を尊重《そんちよう》するの餘《あま》り自分《じぶん》の心《こゝろ》に大《だい》なる安心《あんしん》と油斷《ゆだん》とが生《しやう》ずると云《い》へる。而《しか》してこの油斷《ゆだん》と安心《あんしん》とは時《とき》に冷酷無情《れいこくむじやう》なる相手《あひて》のために付《つけ》こまれ、陷入《おとしい》れらるゝの餘地《よち》を作《つく》ることになるが、そこが又人情《またにんじやう》の尊《たつと》い處《ところ》で、餘程《よほど》の惡人《あくにん》でも自分《じぶん》があまり信《しん》ぜられると情《じやう》として假令《たとひ》隙《すき》があつてもつけ入《い》ることが出來《でき》ないものである。而《しか》して使《つか》はれる者《もの》としては自分《じぶん》が信《しん》ぜられる程《ほど》、心《こゝろ》に滿足《まんぞく》を感《かん》ずる事《こと》は稀《まれ》である。何故《なぜ》かと云《い》ふと自分《じぶん》が人《ひと》に信《しん》ぜられ重《おも》ぜられるだけの自覺《じかく》がある者《もの》は能《よ》く己《おの》れの長所《ちやうしよ》を見拔《みぬ》いてくれたと思《おも》つて喜《よろこ》ばしく思《おも》ふし、又其《またそ》の自覺《じかく》のない者《もの》も自惚《うねほれ》があるので成程《なるほど》探《さが》して見《み》れば自分《じぶん》にもさう云《い》ふ長所《ちやうしよ》があるのかしら、それならば大《おほい》に自重《じちよう》しなければならぬ。それにしても其《そ》の隱《かく》れた點《てん》を發見《はつけん》して呉《く》れたのは有難《ありがた》い譯《わけ》であると喜《よろこ》ぶやうになるからである。而《しか》して斯《かく》の如《ごと》く自分《じぶん》の心《こゝろ》を滿足《まんぞく》させて呉《く》れた爲《ため》に相手《あひて》が油斷《ゆだん》を生《しやう》じたとすれば其《そ》の油斷《ゆだん》につけ込《こ》むと云《い》ふ事《こと》は如何《いか》にも恩義《おんぎ》を知《し》らぬ遣《や》り方《かた》であると思《おも》つて遂《つひ》に惡事《あくじ》を思《おも》ひ止《とゞま》るの餘儀《よぎ》なきに至《いた》るのは人情《にんじやう》の常《つね》である。加之《しかのみならずも》若しそれが恩義《おんぎ》を解《かい》するものだとなると相手《あひて》を害《がい》さないのみでなく、果《はて》は其《そ》の人《ひと》のために驅馳《くち》の勞《らう》をさへいとはぬやうになる。雖然《しかれども》、人《ひと》を信《しん》ずるにも多數《たすう》の人《ひと》の上《うへ》に立《た》つものは是非《ぜひ》共《とも》確乎《かくこ》たる主義定見《しゆぎていけん》がなくてはならぬ。即《すなは》ち主義定見《しゆぎていけん》なくして無《む》闇《やみ》矢《や》鱈《たら》に加《しか》も平等《びやうとう》に人《ひと》を信《しん》ずると云《い》ふ事《こと》は自己《じこ》の識見《しきけん》、權威《けんゐ》を認《みと》めしむる事《こと》が出來《でき》ない爲《ため》に、單《たん》なるお人《ひと》よしと看做《みな》され且《かつ》は具眼者《ぐがんしや》の一笑《せう》を買《か》ふの種《たね》になるを免《まぬが》れない、更《さら》に又平等《またひやうどう》と云《い》ふ遣《や》り方《かた》は愚者《ぐしや》の氣受《きうけ》はよからうが、俊傑《しゆんけつ》の不滿《ふまん》は免《まぬか》れる事《こと》が出來《でき》ない。これは勿論《もちろん》の事《こと》で千里《り》の逸足《いつそく》を持《も》つて居《ゐ》るものが、如何《いか》に勞《いた》はつて用《もち》ひられたとしても駄馬《だは》と等《ひと》しくガタ馬車《はしや》を引《ひ》かせられては少《すこ》しも有難《ありがた》くないのは當然《たうぜん》である。要《えう》するに高邁《かうまい》なる識見《しきけん》を以《もつ》て愚者《ぐしや》は愚者《ぐしや》、俊才《しゆんさい》は俊才《しゆんさい》の長所《ちやうしよ》を見《み》ぬいて遣《や》り、それに應《おう》じて充分《じうぶん》なる信用《しんよう》を與《あた》へると共《とも》に、これを適所《てきしよ》に用《もち》ひて遣《や》ると云《い》ふ事《こと》が人心收攬術《じんしんしうらんじゆつ》の最大《さいだい》なる秘訣《ひけつ》である。昔《むかし》からも馬鹿《はか》と鋏《はさみ》は使《つか》ひやうで切《き》れると云《い》ふ如《ごと》く、如何《いか》に愚者《ぐしや》だ惡人《あくにん》だと云《い》つた處《ところ》で人《ひと》には必《かなら》ず何處《どこ》かに取《と》り處《ところ》があるものであるから多《おほ》くの人《ひと》を使《つか》ふには常《つね》にこの格言《かくげん》を服膺《ふくよう》して適材《てきざい》を適所《てきしよ》に用《もち》ふるやう心《こゝろ》がくる事《こと》が必要《ひつえう》である。

由來《ゆらい》人《ひと》を見《み》るの明《めい》に暗《くら》い者《もの》は何《ど》うしても相手《あひて》を充分《じうぶん》に信《しん》ずる丈《だけ》の確信《かくしん》がないから、仕《し》事《ごと》はさせて置《お》いても不安心《ふあんしん》で堪《たま》らない、茲《こゝ》に於《おい》てか陰《かげ》に廻《まは》つてコッソリ仕事《しごと》の透見《すきみ》をやる。ケチ臭《くさ》い監督《かんとく》を萬事《はんじ》につけてするやうになる。從《したが》つて相手《あひて》は益々《ます〳〵》不快《ふくわい》が加《くは》はり、服《ふく》さない原因《げんいん》が愈々《いよ〳〵》深《ふか》い根《ね》を張《は》つて行《ゆ》くのである。とは云《い》へ適材《てきざい》を適所《てきしよ》に用《もち》ゆると云《い》ふ事《こと》は實《じつ》に難事《なんじ》中《ちう》の難事《なんじ》で、餘程《よほど》人《ひと》を見《み》るの明《めい》がなかつたなれば後悔《こうくわい》する事《こと》や、反《かへ》つて人《ひと》から怨《うら》まれる結果《けつくわ》やを生《しやう》ずる事《こと》になるものである。故《ゆゑ》に一方《はう》の主長《しゆちやう》たるものは平素《へいそ》に於《おい》て須《すべか》らく自己《じこ》の識見《しきけん》を養《やしな》ひ、足《た》らざる處《ところ》は能《よ》く人言《じんげん》を入《い》れて其缺《そのけつ》を補《おぎな》ひ、以《もつ》て萬《まん》一の過誤《くわご》を來《きた》さゞるやう心《こころ》がくる事《こと》が大切《たいせつ》である。

『臣本布衣《しんもとふい》、躬《み》南陽《なんやう》に耘《たがや》す、苟《いやしく》も性命《せいめい》を亂世《らんせい》に全《まつた》うし、聞達《ぶんたつ》を諸侯《しよこう》に求《もと》めず、先帝臣《せんていしん》の卑鄙《ひひ》なるを以《もつ》てせず、猥《みだ》りに自《みづか》ら枉屈《わうくつ》して三度《たた》び臣《しん》を草廬《さうろ》の中《うち》に顧《かへり》み、臣《しん》に諮《と》ふに當世《たうせい》の事《こと》を以《もつ》てす。これに依《よ》つて感激《かんげき》し遂《つひ》に先帝《せんてい》に許《ゆる》すに馳驅《ちく》を以《もつ》てす。』

これは諸葛武侯《しよかつぶこう》が一布衣《ふい》の身《み》であつて南陽《なんやう》に躬耘《きううん》はして居《ゐ》つたが性命《せいめい》を亂世《らんせい》に全《まつた》うしたり聞達《ぶんたつ》を諸侯《しよこう》に求《もと》める樣《やう》な見識《けんしき》のない浮薄《ふはく》の眞似《まね》はする事《こと》なく他日雄飛《たじつゆうひ》の準備《じゆんび》のため蛟龍《かうりう》は敢《あえ》て池中《ちちう》に眠《ねむ》つて居《ゐ》た。然《しか》るに劉備《りうび》がこれを見《み》ぬいて三度《たび》までも親《した》しく孔明《こうめい》の草廬《さうろ》を訪《と》ひ赤誠以《せきせいもつ》て其《そ》の出師《しゆつすい》を懇願《こんぐわん》したので流石《さすが》の孔明《こうめい》も其《そ》の知遇《ちぐう》に感激《かんげき》しない譯《わけ》に行《ゆ》かなくなり、さてこそ遂《つひ》に出廬《しゆつりよ》するに至《いた》つたのである。寔《まこと》に人生意氣《じんせいいき》に感《かん》じては功名《こうみやう》も利《り》達《たつ》もいらない、唯《たゞ》一死《し》其《そ》の人《ひと》の爲《た》めに牛馬《ぎうは》の勞《らう》をとるも悔《く》いなく思《おも》つたのである。されぱこそ言《げん》々《く》凡《すべ》て人《ひと》の肺腑《はいぶ》をつき、句々《くゝ》熱涙《ねつるゐ》をよんで百世《せい》の下《もと》、なほ共鳴互感《きようめいごかん》するものがあるのである。歐陽修曰《おうやうしういは》く、『信義《しんぎ》は君子《くんし》に行《おこな》はれ、而《しか》して刑戮《けいりく》は小人《せうじん》に加《くは》ふ。刑死《けいし》に入《い》る者《もの》は乃《すなは》ち罪大《つみだい》にして惡極《あくきは》まる、これ又小人《またせうじん》の最《もつと》も甚《はなは》だしき者《もの》なり、寧《むし》ろ義《ぎ》を以《もつ》てするも苟《いやしく》も生《せい》を幸《ねが》はず、死《し》を見《み》ること歸《き》するが如《ごと》きはこれ亦君子《またくんし》の最《もつと》も難《かた》しとするものなり。

唐《たう》の太宗《たいそう》の六年《ねん》に方《あた》りて大辟囚《だいへきしう》三百餘人《よにん》を錄《ろく》し、縱《はな》して家《いへ》に還《かへ》し約《やく》するに自《みづか》ら歸《き》して以《もつ》て死《し》に就《つ》くを以《もつ》てすと、これ君子《くんし》の能《よ》くし難《かた》きを以《もつ》て其《そ》の小人《せうじん》の尤《いう》なる者《もの》に責《せ》むるに必《かなら》ず能《よ》くするを以《もつ》てするなり、其《そ》の囚期《しうき》に及《およ》びて卒《つひ》に自《みづか》ら歸《き》して後《おく》るゝ者《もの》なしと、これ君子《くんし》の難《かた》しとする處《ところ》にして小人《せうじん》の易《やす》しとする所《ところ》なり、これ豈《あ》に人情《にんじやう》に近《ちか》からんや。（中畧《ちうりやく》）太宗《たいそう》のこれをなすは此《こ》の名《な》を求《もと》むる所以《ゆゑん》なり、然《しか》れども安《な》んぞ夫《か》の之《これ》を縱《はな》し去《さ》るや、其《そ》の必《かなら》ず來《きた》りて以《もつ》て免《まぬか》るゝを冀《ねが》ふを意《おも》うて之《これ》を縱《はな》つ所以《ゆゑん》ならざるを知《し》らんや。これ天下《てんか》の常法《じやうはふ》となすべけんや、常法《じやうはふ》とすべからざるものはそれ聖人《せいじん》の法《はふ》ならんや、是《これ》を以《もつ》て堯舜《げうしゆん》三王《わう》の治《ち》は必《かなら》ず人情《にんじやう》に本《もと》づく異《い》をたてゝ以《もつ》て高《たか》しとせず、情《じやう》に逆《そむ》ひて以《もつ》て譽《ほまれ》を求《もと》めず』と實《じつ》に情理《じやうり》を兼併《けんへい》したる名論《めいろん》で、吾人《ごじん》が人《ひと》を信《しん》ずるに當《あた》つても亦斯《またかく》の如《ごと》く君子《くんし》の以《もつ》て難《かた》しとするやうな事《こと》を小人《せうじん》の尤《いう》なる者《もの》に求《もと》むるがやうな不人情極《ふにんじやうきは》まる事《こと》をしないやう大《おほい》に注意《ちうい》しなければならぬ。更《さら》に曰《いは》く、

『又安《またなん》ぞ夫《か》の縱《はな》されて去《さ》るや、其《そ》の自《みづか》ら歸《かへ》りて必《かなら》ず免《ゆる》さるゝを獲《う》るを意《おも》ひて復《ま》た來《きた》る所《ゆ》

以《ゑん》ならざるを知《し》らんや。夫《そ》れ其《そ》の必《かなら》ず來《きた》るを意《おも》ひて之《これ》を縱《はな》すは是《こ》れ上下《じやうげ》の情《じやう》を賊《そこな》ふなり、其《そ》の必《かなら》ず免《ゆるさ》るゝを意《おも》ひて復《ま》た來《きた》るはこれ上下《じやうげ》の心《こゝろ》を賊《そこな》ふなり、吾《わ》れ上下交々《じやうげこも〳〵》相賊《あひそこな》ひて以《もつ》て其《そ》の名《な》を成《な》すを見《み》るなり。焉《いづく》んぞ所謂恩澤《いはゆるおんたく》を施《ほどこ》すと夫《か》の信義《しんぎ》を知《し》る者《もの》あらんや、然《しか》らざれば太宗徳《たいそうとく》を天下《てんか》に施《ほどこ》すこと茲《こゝ》に六年《ねん》、小人《せうじん》をして極惡大罪《ごくあくだいざい》をなさゞらしむる能《あた》はずして一日《にち》の恩《おん》能《よ》く死《し》を視《み》ること歸《き》するが如《ごと》くにして信義《しんぎ》を存《そん》せしめん、これ又通《またつう》ぜざるの論《ろん》なり、然《しか》らば何《なに》をかなして可《か》ならん、曰《いは》く縱《はな》して來《きた》り歸《き》せば之《これ》を殺《ころ》して赦《ゆる》すなく、而《しか》して又《ま》た之《これ》を赦《ゆる》して又《ま》た來《きた》らば則《すなは》ち恩徳《おんとく》の致《いたし》たるを知《し》るべきのみ、然《しか》れどもこれ必無《ひつむ》の事也《ことなり》。若《も》し夫《そ》れ縱《はな》して來《きた》り歸《き》し、而《しか》して之《これ》を赦《ゆる》すは偶々一《たま〳〵ひと》たび之《これ》を爲《な》すべきのみ、若《も》し屢々之《しば〳〵これ》を爲《な》さば卽《すなは》ち人《ひと》を殺《ころ》す者皆《ものみな》死《し》せず』と、志《こゝろざし》を天下《てんか》に有《いう》し、經綸《けいりん》を行《おこな》はんとするものは將《まさ》に日《ひ》にこれを三誦《しよう》すべきである。

酒井政親《さかゐまさちか》は家康《いへやす》の臣《しん》である。家康《いへやす》がまだ三河《みかは》に居《お》つた頃《ころ》、その執事役《しつじやく》をつとめて居《お》つたが、其頃新《そのころあらた》に召《め》し抱《かゝ》へられたものに神谷某《かみやはう》なるものがあつた。一日政親《にちまさちか》と途上《とじやう》に會《くわい》した時某《ときはう》は敬《うや〳〵》しく禮《れい》を行《おこな》つたにも關《かゝは》らず、政親《まさちか》がこれを知《し》らずに行《ゆ》き過《す》ぎて了《しま》つたので、其《そ》の後某《のちはう》は政親《まさちか》にあつても禮《れい》を行《おこな》はなくなつた。加之《しかのみならず》何《なに》かにつけて無禮《ぶれい》な事《こと》を行《や》つたので、いつしか其事《そのこと》が家康《いへやす》の耳《み》に入《い》り、立腹《りつぷく》の結果《けつくわ》、千石《せんごく》やつてあつた祿《ろく》を八百石《こく》に減《げん》じて自《おのづか》ら引退《いんたい》せしめやうと家康《いへやす》が計《はか》つたのを政親其《まさちかそ》の處置《しよち》をいぶかつて家康《いへやす》に意中《いちう》を問《と》ふた家康答《いへやすこた》へて

『彼奴《きやつ》新參者《しんざんもの》のくせに汝《なんぢ》に對《たい》して無禮《ぶれい》をするとは不屆千萬《ふとゞきせんばん》ぢや、因《よ》つて自《みづか》ら引《ひ》かするための減祿《げんろく》、不思議《ふしぎ》もない』と云《い》つた。政親《まさちか》の云《い》ふ『併《しか》しそれはお眼鏡違《めがねちがひ》でおざる、殿《との》の家人《かじん》でそれがしを見《み》て卑遜《ひそん》せざる者《もの》一人《にん》もおざりませぬ。それを彼奴《きやつ》一人《にん》かく倔強《くつきやう》の振《ふる》舞《まひ》をいたすは思《おも》ふに凡士《ぼんし》に候《さふらふ》まじ、一旦君恩《たんくんおん》に感《かん》ずるあらば必《かなら》ず能《よ》く其《そ》の身《み》を忘《わす》れ忠《ちう》を致《いた》さん者《もの》に候《さふら》はめ、それがしの見《み》る處《ところ》にては二千石然《こくしか》るべしと存《ぞん》じまする』と云《い》つた。

政親《まさちか》の言《げん》は容《い》れられた。而《しか》してこの事《こと》を聞《き》いた神谷《かみや》は其知遇《そのちぐう》に感泣《かんきふ》して遂《つひ》に拔群《はつぐん》の功《こう》を遂《と》ぐるに至《いた》つたとか、家康《いへやす》、政親何《まさちかいづ》れも吾人《ごじん》の範《はん》となすべきではあるまいか、否《いな》、其《そ》の茲《こゝ》に至《いた》り得《う》るに及《およ》んで人心收攬術《じんしんしうらんじゆつ》は能《よ》く其《そ》の堂《だう》に達《たつ》し得《え》たと云《い》ひ得《う》るのである。

(十七) 隙《すき》を與《あた》へよ

隙《すき》を與《あた》へると云《い》ふ事《こと》は我《われ》の缺點《けつてん》に相手《あひて》の情愛《じやうあい》の働《はたら》く道《みち》を與《あた》へるのであるから非常《ひじやう》に親《しん》

密《みつ》の度《ど》合《あひ》を増《ま》し、人心收攬上《じんしんしうらんじやう》大《おほい》に必要《ひつえう》であるが、而《しか》も自分《じぶん》の缺點《けつてん》を握《にぎ》らせると云《い》ふ危《き》険《けん》を敢《あえ》てするのであるから、餘程注意《よほどちうい》をしないと飛《と》んだ破滅《はめつ》を招《まね》く基《もとゐ》となつて、害《がい》にならない迄《まで》も利益《りえき》にならない事《こと》が多《おほ》いから心《こゝろ》する事《こと》が必要《ひつえう》である。さは云《い》へ眞個《ほんと》の共同生《きようどうせい》活《くわつ》は互《たがひ》に短所缺點《たんしよけつてん》を相助《あひたす》け相補《あひおぎな》ふ事《こと》に依《よ》つて其處《そこ》に眞個《ほんと》の情合《じやうあひ》が生《しやう》じ、初《はじ》めて行《おこな》はれる事《こと》になるのであるから隙《すき》を與《あた》へると云《い》ふ事《こと》は眞《しん》に許《ゆる》しあつた間柄《あひだがら》——主従《しゆじう》——親友《しんいう》に於《おい》ては實《じつ》に必要《ひつえう》なる人心收攬法《じんしんしうらんはふ》である。唯《た》だ注意《ちうい》すべき事《こと》は自分《じぶん》から務《つと》めて隙《すき》を與《あた》へやうとしないで、人《ひと》から少《すこ》しく齒痒《はがゆ》がられる位《くらゐ》に卽《すなは》ち自分《じぶん》は知《し》らぬ態《てい》に隙《すき》を與《あた》へると云《い》ふ事《こと》が大切《たいせつ》である。

（十八）疑《ぎ》心《しん》暗《あん》鬼《き》

疑心暗鬼《ぎしんあんき》……世《よ》に何《なに》が恐《おそ》ろしいと云《い》つても疑心暗鬼《ぎしんあんき》ほど恐《おそ》るべきものはない。卽《すなは》ち青《あを》い眼鏡《めがほ》をかけて見《み》れば白《しろ》いものも青《あを》く見《み》へ、疑《うたが》ひの心《こゝろ》を以《もつ》て量《はか》れば映《えい》ずるもの悉《こと〴〵》く惡鬼《あくき》羅《ら》刹《せつ》ならざるはない。見《み》よ！信長《のぶなが》は疑《ぎ》心《しん》のために將《まさ》にならんとした鴻業《こうげふ》をなし遂《と》げ得《え》ずして臣下《しんか》の毒刄《どくじん》に斃《たほ》れたではないか、而《しか》して光秀《みつひで》はこの疑《ぎ》心《しん》のために遂《つひ》に逆賊《ぎやくぞく》の汚名《をめい》を千載《せんざい》に流《なが》したではないか、苟《いやしく》も人《ひと》の頭領《とうりやう》たらんとするもの丶徒《いたづ》らに抱《いだ》くべからざるは疑《ぎ》心《しん》である。敢《あえ》て云《い》ふ大丈夫《だいぢやうふ》の襟度《きんど》は實《じつ》に天空海濶《てんくうかいくわつ》でありたい。而《しか》して己《おの》れが疑心《ぎしん》を抱《いだ》かざると共《とも》に、他人《たにん》に疑心《ぎしん》を抱《いだ》かれた場合《はあひ》は利口《りこう》なる方法《はうはふ》を以《もつ》て巧《たくみ》にこれを解《と》くやうにしなければならない。この意味《いみ》に於《おい》て吾人《ごじん》は秀吉《ひでよし》の小氣味《こきみ》の善《よ》い太《ふと》つ腹《はら》をいつも乍《なが》ら感服《かんぷく》せずに居《を》られないのである。卽《すなは》ち秀吉《ひでよし》が小田原《をだはら》で獨眼龍《どくがんりう》にあつた時《とき》の如《ごと》き、秀吉《ひでよし》には政《まさ》宗《むね》の陰謀《いんぼう》があり〱見《み》えて居《ゐ》たけれども平然自若《へいぜんじじやく》、些《さ》の疑《うたが》はしい擧動《きよどう》も見《み》せなかつた結《けつ》果《くわ》、獨眼龍《どくがんりう》をして遂《つひ》に心服《しんぷく》を敢《あえ》てせしむるに至《いた》つたのである。それから秀次《ひでつぐ》の陰暴《いんぼう》や亂《らん》行《ぎやう》を度々《たび〱》淀君《よどぎみ》や三成《みつなり》から聞《き》かせられたが秀吉《ひでよし》はいつもこれを大《おほ》まかに聞《き》いて曾《かつ》て疑心《ぎしん》を抱《いだ》かなかつた許《ばか》りでなく、いつも最後《さいご》には反《かへ》つて秀次《ひでつぐ》の疑心《ぎしん》を霽《はら》さうと努《つと》めて居《ゐ》た。眞《しん》の大丈夫《だいぢやうふ》は常《つね》にかくありたいものである。

（十九）詐《さ》術《じゆつ》

英雄由來詐術多《えいゆうゆらいさじゆつおほ》しと昔《むかし》からも云《い》はれて居《ゐ》る如《ごと》く、古來《こらい》の英雄《えいゆう》がある事《こと》をなし遂《と》げんが爲《ため》に時《とき》に應《おう》じ、變《へん》に處《しよ》してあらゆる詐術《さじゆつ》を用《もち》ひた事《こと》は事實《じじつ》である。卽《すなは》ち下愚《かぐ》なるものには科學《くわがく》の力《ちから》を應用《おうよう》し、或《あるひ》は迷信《めいしん》の力《ちから》を利用《りよう》し、然《しか》らざるものには所謂權謀術數《いはゆるけんぼうじゆつすう》を用《もち》ゐたのである。これ人《ひと》の心《こゝろ》は常《つね》に現狀《げんじやう》に滿足《まんぞく》せずして、解《わか》らぬものは解《わか》るやうになり、出來《でき》ない事《こと》は出來《でき》るやうになりたいと云《い》ふ欲念《よくねん》を有《も》つて居《ゐ》る。されば若《も》し自分《じぶん》より智惠《ちゑ》があり、腕《うで》があつて自分《じぶん》の分明《わか》らない事《こと》、出來《でき》ない事《こと》に對《たい》して充分《じうぶん》の解決《かいけつ》を與《あた》へることになると、先《ま》づ非常《ひじやう》の驚愕畏敬《きやうがくゐけい》の念《ねん》にうたれる。而《しか》して其解決《そのかいけつ》せられた神變不可思議《しんぺんふかしぎ》と想《おも》ふことに依《よ》つて自分《じぶん》がある意味《いみ》の利害關係《りがいくわんけい》を有《いう》する場合《はあひ》には更《さら》に其《そ》の驚愕《きやうがく》と畏敬《ゐけい》とを深《ふか》くして遂《つひ》に心服《しんぷく》するに到《いた》るのである。詐術《さじゆつ》の應用《おうよう》と云《い》ふ事《こと》はかゝる意味《いみ》の下《もと》に人心收攬術《じんしんしうらんじゆつ》上其《じやうそ》の必要《ひつえう》を感《かん》じるのであるが、併《しか》し詐術《さじゆつ》は何處迄《どこまで》も詐術《さじゆつ》であり非常手段《ひじやうしゆだん》であつて、公《こう》明正大《めいせいだい》を尊《たつと》ぶ大丈夫《だいぢやうふ》の用《もち》ふるべからざる手段《しゆだん》である。雖然大功《しかれどもたいこう》は細瑾《さいきん》を省《かへり》みず、目的《もくてき》は手段《しゆだん》を神聖《しんせい》にすで、許《ゆる》す可《べか》らざる事《こと》ではあるが、又許《またゆる》さなければならぬ事《こと》なのである。況《いは》んや士氣《しき》を鼓舞《こぶ》するがため寶刀《はうたう》を海《うみ》に投《とう》じて海水《かいすゐ》の干滿《かんまん》を知《し》らない兩毛《りやうもう》の武者《つはもの》を僞《いつは》るが如《ごと》き、自他共《じたとも》に何等《なんら》の利害《りがい》を伴《ともな》はざる事《こと》に於《おい》ておやである。以上《いじやう》は奇術的迷信《きじゆつてきめいしん》を基礎《きそ》としての詐術《さじゆつ》であるが、此《こ》の外《ほか》に所謂權謀術數《いはゆるけんぼうじゆつすう》と名《な》づくる詐術《さじゆつ》がある。これは夫《か》の信長《のぶなが》が幼時《えうじ》近隣《きんりん》の大々名《だい〱みやう》を詐《いつは》るためにした放縱狂態《はうじうきやうたい》の如《ごと》きことを云《い》ふので、要《えう》は雲際《うんさい》の片鱗《へんりん》實《じつ》に端倪《たんげい》す可《べ》からざる術數《じゆつすう》を用《もち》ふる事《こと》なのである。これは決《けつ》して賞《ほ》むべき行爲《かうゐ》でないにもせよ、自他共《じたとも》に利害《りがい》を有《いう》せざる場合《はあひ》、單《たん》に人心收攬《じんしんしうらん》の目的《もくてき》のために之《これ》を善用《ぜんよう》する事《こと》は一向《かう》差支《さしつかへ》ないのみならず將《まさ》に大《おほい》に必要《ひつえう》であると思《おも》ふ。

（二十）至誠《しせい》

以上論《いじやうろん》じ來《きた》つたのは以心《いしん》の法《はふ》を、主《しゆ》として心《こゝろ》の作用《さよう》の上《うへ》から見《み》た説明《せつめい》であつた。就《つい》ては以下少《いかすこ》しく心其《こゝろそ》のものに就《つい》て研究《けんきう》を進《すゝ》めて見《み》やうと思《おも》ふ。

由來智者《ゆらいちしや》は水《みづ》を好《この》み、仁者《じんしや》は山《やま》を愛《あい》する。而《しか》して愚鈍者《ぐどんしや》はある意味《いみ》に於《おい》て山《やま》に似《に》た處《ところ》があり、輕薄者《けいはくしや》はある意味《いみ》に於《おい》て水《みづ》に似《に》た處《ところ》がある。智者《ちしや》は智慧《ちゑ》があるからともすれば心《こゝろ》が樣々《さまざま》に變《かは》り易《やす》く、輕薄者流《けいはくしやりう》は右顧左眄自分《うこさべんじぶん》の心《こゝろ》のあり處《どころ》さへ分《わか》らぬ事《こと》が多《おほ》い。一體《たい》心《こゝろ》の動搖《どうえう》の激《はげ》しい者《もの》は事々物々《じゞぶつぶつ》に對《たい》し自己《じこ》の滿心《まんしん》を吐露《とろ》してかゝる事《こと》が出來《でき》ぬ。換言《くわんげん》すれば精神《せいしん》を統《とう》一し、注意《ちうい》を一點《てん》に集注《しふちう》して一事《じ》に當《あた》るやうにはなりにくい。

元來至誠《ぐわんらいしせい》と云《い》ふものは心《こゝろ》の落付《おちつき》がないソワ〳〵した人《ひと》には決《けつ》して宿《やど》るものでない。即《すなは》ち精神統《せいしんとう》一が出來《でき》て、事《こと》に當《あた》つては滿心《まんしん》の熱血《ねつけつ》を傾倒《けいたう》し得《う》る人《ひと》でなくては駄目《だめ》である。

茲《こゝ》に於《おい》て智者《ちしや》は何《ど》うしても至誠《しせい》が乏《とぼ》しいといふ結論《けつろん》に達《たつ》するのであるが、併《しか》し智者《ちしや》にも善人《ぜんにん》もあれば悪人《あくにん》もありして一概《がい》に云《い》ふ事《こと》は出來《でき》ないのである。而《しか》して善人《ぜんにん》の方《はう》の智者《ちしや》は丁度清《ちやうどきよ》い流《なが》れのやうなもので、眺《なが》めても佳《よ》く、飲《の》んでも佳《よ》い。然雖《けれど》も流《ながれ》に浮《うか》ぶ水泡《うたかた》は同《おな》じやうでも、而《しか》も元《もと》の水《みづ》にあらずで、少《すこ》しの落付《おちつき》もないから親《したし》みがなく、頼《た》りにならない。況《いは》んや悪人《あくにん》の方《はう》の智者《ちしや》になると宛然濁流《えんぜんだくりう》汚水《をすゐ》のやうなもので始末《しまつ》におへないのである。處《ところ》が仁者《じんしや》になると前述《まへの》べた如《ごと》く山《やま》であるから實《じつ》に落《お》つきがあり、少《すこ》しも動《うご》かないから、よし春《はる》の花夏《はななつ》の緑《みどり》がなくとも人《ひと》の心《こゝろ》をイラ〳〵させる事《こと》は更《さら》になく、且《か》つ何《なん》となく親《した》しみもあり、たのみにもなる。

思《おも》ふに誠《まこと》は總《すべ》ての行《おこなひ》の源《もと》で、心《こゝろ》から云《い》へば靈妙《れいめう》な精神《せいしん》の動《ゆる》ぎなき統《とう》一である。故《ゆゑ》に誠《まこと》の力《ちから》は凡《すべ》ての行《おこなひ》の上《うへ》に最《もつと》も神祕的《しんぴてき》な働《はたら》きをなすもので、夫《か》の『至誠天《しせいてん》に通《つう》ず』とか『陽氣《やうき》の發《はつ》する處金石亦透《ところきんせきまたとほ》る』と云《い》ふのそれなのである。換言《くわんげん》すれば至誠《しせい》に依《よ》つて動《うご》かないものは宇宙廣《うちうひろ》しと雖《いへど》も唯《たゞ》の一もないのであつて、人心收攬術《じんしんしうらんじゆつ》も要《えう》はこの至誠《しせい》と云《い》ふ一點《てん》に歸着《きちやく》するのである。而《しか》して能《よ》く茲《こゝ》に至《いた》り得《う》るには甚《はなは》だしい自我《じが》一點張《てんはり》でも無論駄目《むろんだめ》であるし、他愛主義《たあいしゆぎ》――八方美人《はうびじん》の者《もの》でも駄目《だめ》である。然《しか》らば如何《いか》なる者《もの》が眞《しん》の誠《まこと》のある人《じん》物《ぶつ》になれるかと云《い》ふと、一言《げん》にして云《い》へば絶對及《ぜつたいおよ》び相對《さうたい》に通《つう》じて能《よ》く調和《てうわ》された人生觀《じんせいくわん》を有《も》つた人間《にんげん》でなくてはならぬと云《い》ふ事《こと》になるのである。而《しか》も眞《しん》に至誠《しせい》の修養《しうやう》をしやうと思《おも》ふならば片々《へんぺん》たる書物《しよもつ》や輕々《けいけい》たる講話《かうわ》に依《よ》つては得《え》られるものではなく、須《すべか》らく去《さ》つて大《おほい》に内觀自省《ないくわんじせい》、以《もつ》て其《そ》の域《ゐき》に進《すゝ》まねばならぬのである。

（二十一）群衆心理《ぐんしうしんり》

個々《こゝ》の人《ひと》に對《たい》しての人心收攬《じんしんしうらん》でなく、群集《ぐんしふ》に對《たい》してこれをなすには、何《ど》うしても群衆《ぐんしう》心理《しんり》の如何《いか》なるものであるかを知《し》り、これを利用《りよう》する事《こと》を心懸《こゝろがけ》ねばならぬ。

一體《たい》ある特殊《とくしゆ》の狀態《じやうたい》にある人々《ひとびと》が多數相《たすうあひ》あつまつた時《とき》には其《そ》の集團《しふだん》を組織《そしき》せる各個人《かくこじん》の性質《せいしつ》とは全然《ぜんぜん》趣《おもむき》を異《こと》にした心象《しんしやう》――性質《せいしつ》を表現《へうげん》するもので、この場合《ばあひ》には個人々々《こじんこじん》の感情及《かんじやうおよ》び思想《しさう》は悉《こと》く同《どう》一の方向《はうかう》に趨《はし》るものである。換言《くわんげん》すれば個人《こじん》――各自《かくじ》の意識的《いしきてき》個性《こせい》は消失《せうしつ》して、一種《しゆ》新《あら》たなる集合的心意《しふがふてきしんい》を作《つく》り、其《そ》の各個人《かくこじん》の類似共通《るゐじきようつう》する處《ところ》は無意《むい》識的部分《しきてきぶぶん》で其異《そのこと》なれる所《ところ》は有意識的部分《いういしきてきぶぶん》であるのであるから、知識《ちしき》に於《おい》ては非常《ひじやう》に差違《さゐ》ある人《ひと》も集合心意《しふがふしんい》となると其差《そのさ》が少《すく》なくなる。故《ゆゑ》に各個人《かくこじん》の知識《ちしき》の力《ちから》は微弱《びじやく》となり、感情《かんじやう》は昂《あが》り、而《しか》して知識《ちしき》は感情《かんじやう》のために壓《あつ》せられて有意識的狀態《いういしきてきじやうたい》は無意識的狀態《むいしきてきじやうたい》のために占《せん》領《りやう》せられる事《こと》になるのである。之《これ》を要《えう》するに群衆心理《ぐんしうしんり》の主要《しゆえう》なる特徴《とくちやう》は。

一、各個人《かくこじん》の意識的個性《いしきてきこせい》が消失《せうしつ》する事《こと》。

二、無意識的個性《むいしきてきこせい》が增大《ぞうだい》する事《こと》。

三、暗示及《あんじおよ》び傳染《でんせん》の結果《けつくわ》、群集《ぐんしふ》を構成《こうせい》せる人々《ひと〴〵》の感情思想《かんじやうしさう》を同《どう》一方向《はうかう》に趨《はし》らしむる事《こと》。

四、暗示《あんじ》せられた思想《しさう》を直《たゞち》に實行《じつかう》の上《うへ》に現《あら》はさんとする事《こと》。

等《とう》である。從《したが》つて其《そ》の行動《かうどう》は無責任《むせきにん》で、憤激性《ふんげきせい》に富《と》み、雷同附和《らいどうふわ》の行動《かうどう》となる。故《ゆゑ》に其《そ》の場合《はあひ》の善惡《ぜんあく》に係《かゝは》らず實《じつ》に恐《おそ》るべき力《ちから》が發現《はつげん》するのである。而《しか》してこの恐《おそ》るべき群集《ぐんしふ》心理《しんり》の力《ちから》を利用《りよう》するには、換言《くわんげん》すれば群衆《ぐんしう》の血《ち》を湧《わ》かせるには其《そ》の聲《こゑ》を大《だい》にし、其《そ》の詞《ことば》を誇張《こちやう》し、其《そ》の斷案《だんあん》を簡明《かんめい》にする事《こと》が必要《ひつえう》である。何《なん》となれば其《そ》の聲《こゑ》が大《だい》であれば情《じやう》に訴《うつた》へ易《やす》いし、其《そ》の言葉《ことば》が誇張《こちやう》であれば情《じやう》を激《げき》し易《やす》い、又其《またそ》の斷案《だんあん》が簡明《かんめい》であれば思慮《しりよ》を費《つひや》さないで首肯《しゆかう》せしめることが出來《でき》る。古來《こらい》の英雄《えいゆう》はこゝの呼吸《こきふ》が解《わか》つて居《ゐ》たから巧《たくみ》に之《こ》れを應用《おうよう》した、即《すなは》ち義經《よしつね》が鵯越《ひよどりごゑ》の逆落《さかおと》しをやる時《とき》に『鹿《しか》も四足《そく》、馬《うま》も四足《そく》、四足《そく》たるに於《お》て一であるから鹿《しか》の通《かよ》ふ處《ところ》を馬《うま》の通《とほ》れぬ道理《だうり》はない』と叫《さけ》んで群集《ぐんしふ》の血《ち》をわきたゝしめたのである。静《しづ》かに考《かんが》へて見《み》れば論理《ろんり》に外《はづ》れて居《ゐ》るけれども、湧《わ》きたつた群集《ぐんしふ》はなる程《ほど》さうだと勇氣《ゆうき》が百倍《ばい》してあの奇功《きこう》をなし得《え》たのであつた。其他《そのた》ナポレオンがアルプス山《さん》の嶮《けん》にかゝつて人馬《じんば》共《とも》に進《すゝ》まずと云《い》ふ時《とき》に『豈吾《あにわれ》を妨《さまた》ぐるアルプスあらんや』と熱《ねつ》狂的《きやうてき》の一語《ご》を發《はつ》して能《よ》く疲《つか》れはてた人馬《じんば》の血《ち》を蘇《よみがへ》らせた事《こと》や、又《また》『皇國《くわうこく》の興廢《こうはい》この一擧《きよ》にあり』と東郷大將《とうがうたいしやう》が誇張的勵語《こちやうてきれいご》を以《もつ》て三軍《ぐん》の意氣《いき》を衝天《しようてん》せしめ以《もつ》て古今未曾有《ここんみぞう》の大勝《たいしよう》を博《はく》したなどは何《いづ》れも群衆心裡《ぐんしうしんり》を巧《たくみ》に應用《おうよう》し利用《りよう》したものである。

（二十二）物《ぶつ》心《しん》融《ゆう》和《わ》の法《はふ》

以物《いぶつ》の法《はふ》は物《もの》を主《しゆ》として説《と》き、以心《いしん》の法《はふ》は心《こゝろ》を主《しゆ》として論《ろん》じた。そこで心《こゝろ》と物《もの》との調《てう》和融合《わゆうがふ》を圖《はか》るのが本章《ほんしやう》……物心融和《ぶつしんゆうわ》の法《はふ》の主眼《しゆがん》である。

由來人《ゆらいひと》は物質《ぶつしつ》を提供《ていきよう》しないでも眞情《しんじやう》を以《もつ》てすれば對者《たいしや》に偉大《ゐだい》な感銘《かんめい》を與《あた》へ得《う》る事《こと》は拒《こば》むべからざる事實《じじつ》であるけれども、本來人《ほんらいひと》は生《い》きて行《ゆ》かねばならぬものなのであるから、如何《いか》にしても物質《ぶつしつ》を離《はな》れて思想《しさう》に許《はか》り耽《ふけ》つて行《ゆ》く事《こと》は出來《でき》ないのである。換言《くわんげん》すれば『乃《お》公《れ》は物質《ぶつしつ》など云《い》ふつまらぬもので成功《せいこう》はせぬ、精神《せいしん》を研《みが》いて其《そ》の丹心《たんしん》を以《もつ》て成功《せいこう》すると大言壮語《だいげんさうご》するものがある。實《じつ》に立派《りつぱ》な精神《せいしん》ではあるけれども未《いま》だもつて人間《にんげん》の生活問題《せいくわつもんだい》に徹底《てつてい》して居《ゐ》ない空論《くうろん》である。即《すなは》ち意氣《いき》は誠《まこと》に壮大《さうだい》であるけれども悲《かな》しいかな青書生《あをしよせい》の空威張《からゐはり》たるを免《まぬが》れない。何《なん》となれば人《ひと》を救《すく》はうとか助《たす》けやうとかする場合《はあひ》の多《おほ》くは先《ま》づ物質《ぶつしつ》が必要《ひつえう》であるからである。即《すなは》ち精神《せいしん》々々とは云《い》ふけれども其大切《そのたいせつ》なる精神《せいしん》を造《つく》る上《うへ》には何《ど》うしても物質《ぶつしつ》が必要《ひつえう》なる事《こと》は何人《なんびと》も感《かん》ずる處《ところ》である。故《ゆゑ》に吾人《ごじん》若し人《ひと》の長《ちやう》となり、頭《がしら》となつて多人數《たにんずう》の上《うへ》にたつて行《ゆ》くには一面《めん》に於《おい》て精神《せいしん》の修養《しうやう》を行《おこな》ふと共《とも》に、一面《めん》に於《おい》て大《おほい》に物質的《ぶつしつてき》の努力《どりよく》とこれに對《たい》する徹底《てつてい》した主義《しゆぎ》を確立《かくりつ》する事《こと》が必要《ひつえう》である。而《しか》して後《のち》、心《こゝろ》と物《もの》との二《ふた》つを巧《たくみ》に調和《てうわ》せしめつゝ世《よ》に處《しよ》したなればそれこそ實《じつ》に鬼《をに》に金棒《かなはう》で、人心《じんしん》を收攬《しうらん》する位《くらゐ》の事《こと》は實《じつ》に易々《ゐゝ》たるものである。物心融合《ぶつしんゆうがふ》の法《はふ》に獨特《どくとく》の妙腕《めうわん》を有《も》つて居《ゐ》たのは頼朝《よりとも》であつた。

時《とき》は範頼《のりより》、義經《よしつね》の率《ひき》ゐた義仲追討《よしなかつゐたう》の軍《ぐん》が鎌倉《かまくら》を發《はつ》した翌日《よくじつ》、佐々木《さゝき》高綱《たかつな》が遥々《はるゞゝ》近江《あふみ》から暇乞《いとまごひ》にやつて來《き》た、高綱《たかつな》の言《い》ふには

『今度《こんど》の戰《たゝかひ》には名《な》に負《お》ふ川《かは》が大分《だいぶ》御座《ござ》る、善《よ》い馬《うま》でなくては川《かは》の戰《たゝかひ》には功名《こうみやう》は出來《でき》申《まを》さぬ高綱《たかつな》に一疋《びき》の馬《うま》が御座《ござ》つたが近江《あふみ》からこゝまで走《はし》りつゞけに乘《の》つて來《き》たのでもう役《やく》に

立《た》ち申《まを》さぬ。由《よ》つて名馬《めいば》を一疋賜《ぴきたま》はりたい』と願《ねが》つた。頼朝《よりとも》はかねて二疋《ひき》の名馬《めいば》を有《も》つて居《ゐ》た。一を唼《いけづき》と云《い》ひ、一を磨墨《するすみ》と云《い》つた。『磨墨《するすみ》は既《すで》に景季《かげすゑ》に遣《や》つて了《しま》つたし……』と頼《より》朝《とも》は暫《しば》し小首《こくび》を傾《かたむ》けて居《ゐ》たが、『よろしい、それならば唼《いけづき》をやる事《こと》にしやう……』と遂《つひ》にこれを高綱《たかつな》に呉《く》れて了《しま》つた。高綱《たかつな》は非常《ひじやう》に喜《よろこ》んで
『高綱《たかつな》がまだこの世《よ》に居《ゐ》ると聞《きこ》し召《め》さば宇治川《うぢがは》の先陣《せんぢん》は高綱《たかつな》なりと思《おぼ》し召《め》せ、若《も》し先陣《せんぢん》高綱《たかつな》ならずと聞《きこ》し召《め》さば高綱《たかつな》は既《すで》に死《し》せりと思《おぼ》し召《め》せ』と凜然《りんぜん》云《い》つて暇《いとま》をつげ、勇《いさ》ましく出立《しゆつたつ》しやうとした。折柄《をりから》
『四郎《らう》待《ま》て……!』と頼朝《よりとも》は高綱《たかつな》を止《とゞ》めて『くどい様《やう》だが其馬《そのうま》は蒲殿《かばどの》も懇望《こんまう》したのであつたが自分《じぶん》が乗料《じようれう》にと取《と》つて置《お》いたのであつた。それを汝《なんぢ》にやるのだから随分功名《ずゐぶんこうみやう》を頼《たの》み入《い》るぞ』『ハ、ッ承知《しようち》いたしました』と高綱《たかつな》は暗涙《あんるゐ》に咽《むせ》んで鎌倉《かまくら》を出發《しゆつぱつ》した。これは實《じつ》に頼朝《よりとも》が士《し》を用《もち》ふるの上手《じやうず》な處《ところ》で、心《こゝろ》と物《もの》とを巧《たくみ》に融合《ゆうがふ》して用《もち》ひたこの呼吸《こきふ》は實《じつ》に頼朝《よりとも》でなくてはと思《おも》はれるのである。

(二十三) 記《き》憶《おく》術《じゆつ》に就《つい》て

以上《いじやう》に於《お》て人心收攬術《じんしんしうらんじゆつ》及《およ》び人心收攬術《じんしんしうらんじゆつ》の前提《ぜんてい》とも云《い》ふべき人心觀破術《じんしんくわんはじゆつ》の大要《たいえう》をのべ終《をは》つたのである。處《ところ》で最後《さいご》に人心收攬術上《じんしんしうらんじゆつじやう》並《ならび》に人心觀破術上《じんしんくわんはじゆつじやう》閑却《かんきやく》すべからざる大切《たいせつ》なるものがある。記憶術即《きおくじゆつすなは》ちこれである。人心收攬術《じんしんしうらんじゆつ》や人心觀破術《じんしんくわんはじゆつ》に記憶術《きおくじゆつ》が必要《ひつえう》だと云《い》ふ事《こと》は一寸《ちよつと》きくと不思議《ふしぎ》に思《おも》はれてならないが、事實《じじつ》は實《じつ》に意想外《いさうぐわい》の必要《ひつえう》があるのである。即《すなは》ち相手《あひて》の古《ふる》い戰功《せんこう》や手柄話《てがらはなし》を記憶《きおく》して置《お》いて必要《ひつえう》な場合《はあひ》これを持出《もちだ》して其人間《そのにんげん》を賞《ほ》めるとか、お前《まへ》の家《いへ》にはかう〳〵したものがあつたが、あれは非常《ひじやう》に結構《けつこう》な物《もの》であるとか、と云《い》ふやうな事《こと》を云《い》はれると相手《あひて》はこれをお世辭《せじ》だと知《し》りつゝも非常《ひじやう》に嬉《うれ》しく思《おも》つて、あの大將《たいしやう》は實《じつ》にエライ大將《たいしやう》だ乃公《おれ》の家《いへ》の事《こと》まで能《よ》く記憶《きおく》して居《ゐ》る。あれでなくては……と云《い》ふやうな事《こと》になつて、知《し》らず〳〵人《ひと》を悅服《えつぷく》せしめる事《こと》が出來《でき》るのである。併《しか》し記憶術《きおくじゆつ》は近來非常《きんらいひじやう》に發達《はつたつ》して來《き》て、到底《たうてい》この小冊子《せうさつし》の內《うち》にその悉《こと〴〵》くを述《の》べる事《こと》は出來《でき》ないから玆《こゝ》では其《そ》の最《もつと》も大切《たいせつ》なる點丈《てんだけ》を簡單《かんたん》に述《の》べて置《お》く事《こと》にした。

（二十四）記憶力養成《きおくりよくやうせい》の二大秘訣《だいひけつ》

如何《いか》にすれば健全《けんぜん》なる記憶力《きおくりよく》を養成《やうせい》する事《こと》が出來《でき》るか、この問題《もんだい》を解決《かいけつ》するに當《あた》つては二つの重要《ちようえう》なる秘訣《ひけつ》がある事《こと》を忘《わす》れてはならぬ。即《すなは》ち第《だい》一は思想《しさう》が記憶《きおく》せんとする事《じ》項《かう》を把取《はしゆ》若《も》しくは蓄積《ちくせき》しやうとするに際《さい》し、その採《と》る處《ところ》の方法順序《はうはふじゆんじよ》を知《し》る事《こと》、第《だい》二は斯《か》く記憶《きおく》したるものと意志《いし》との交渉《かうせふ》をば絶《た》えず保持《ほぢ》するやう力《つと》むる事《こと》、の二である。

元來心的繪畫《ぐわんらいしんてきくわいぐわ》――即《すなは》ち目《め》によつて記憶《きおく》すべき性質《せいしつ》のものを音《おん》に依《よ》つて記憶《きおく》しやうとするのは無用《むよう》の事《こと》である。而《しか》して又音《またおん》に依《よ》つて記憶《きおく》すべき性質《せいしつ》のものを心的繪畫《しんてきくわいぐわ》――即《すなは》ち眼《め》によつて記憶《きおく》せんとするも亦徒勞《またとらう》に過《す》ぎない、されば物事《ものごと》を記憶《きおく》せんとするに際《さい》しては己《おのれ》が音《おん》から記憶《きおく》する方《はう》に長《た》けて居《ゐ》るか、眼《め》から記憶《きおく》する方《はう》にたけて居《ゐ》るかを先《ま》づ考《かんが》へ、而《しか》して其《そ》の適當《てきたう》なる方法《はうはふ》に依《よ》つて記憶《きおく》するやう心懸《こゝろが》くる事《こと》が大切《たいせつ》である。然《しか》る後左《のちさ》の二大秘訣《だいひけつ》に依《よ》つて腦裡《なうり》に所要《しよえう》のものを收《おさ》めたなれば左《さ》した苦痛《くつう》を感《かん》ずる事《こと》なく記憶《きおく》する事《こと》が出來《でき》るのである。

第一、聲音《せいおん》に依《よ》つて記憶《きおく》せんとするものは自己《じこ》が記憶《きおく》せんと欲《ほつ》する事實《じじつ》、數字《すうじ》、形體《けいたい》、人物《じんぶつ》、地點《ちてん》、財物等《ざいぶつとう》のあらゆるものを出來得《できう》る丈簡單《だけかんたん》に表示《へうじ》し得《う》る音《おん》の寫影《しやえい》、若《も》しくは觀念《くわんねん》を心裡《しんり》に形成《けいせい》するの習慣《しふくわん》を養《やしな》ふ事《こと》。

第二、自己《じこ》の心中《しんちう》に蓄積《ちくせき》せる思想《しさう》と若《も》しくは觀念《くわんねん》とを連結《れんけつ》するに就《つい》ても文音《ぶんおん》の連鎖法《れんさはふ》に因《よ》らなければならない。而《しか》してかゝる音《おん》も亦極《またきは》めて敏速《びんそく》に思想《しさう》を呼《よ》び起《おこ》し得《う》るが如《こと》きものを擇《えら》むに注意《ちうい》する事《こと》。

（二十五）如何《いか》に人《ひと》を記憶《きおく》すべか

人《ひと》を記憶《きおく》するには音聲《おんせい》に依《よ》るのが最容易《もつともようい》である。卽《すなは》ち其《そ》の聲音《せいおん》、言語《げんご》、及《およ》びこれ等《ら》に就《つい》て聞《き》きたる意見《いけん》等《とう》によつて其《そ》の記憶《きおく》せんと欲《ほつ》する人物《じんぶつ》を腦裡《なうり》に收《をさ》むるやう力《つと》むのである。由來人《ゆらいひと》はその面貌《めんばう》が各自《かくじ》相違《さうゐ》して居《ゐ》る如《ごと》く、又其《またそ》の聲音《せいおん》を異《こと》にして居《ゐ》るのが常《つね》であるから、敏活《びんくわつ》なる視覺《しかく》を有《いう》する者《もの》が一見直《けんたゞち》に他人《たにん》の容貌《ようばう》の特色《とくしよく》を發見《はつけん》する如《ごと》く、明快《めいくわい》なる聽覺《ちやうかく》を働《はたら》かせて能《よ》く他人聲音《たにんせいおん》の特色《とくしよく》を發見記憶《はつけんきおく》したなれば十中《ちう》の八九迄《まで》は先《ま》づ人物《じんぶつ》を混《こん》用錯誤《ようさくご》するがやうな事《こと》はない。

（二十六）如何《いか》に場所《はしよ》を記憶《きおく》すべか

場所《はしよ》を記憶《きおく》するにも充分音《じうぶんおん》に依《よ》つて其目的《そのもくてき》を達《たつ》する事《こと》が出來《でき》る。例之《たとへ》ば風浪《ふうらう》の澎湃《はうはい》せる音《おと》によつて海岸《かいがん》のある一地點《ちてん》を記憶《きおく》し、鷄鳴《けいめい》に依《よ》つて田家《でんか》を記憶《きおく》し、犬《いぬ》の吠聲《ほえごゑ》によつてある場所《ばしよ》を記憶《きおく》するが如《ごと》きは何人《なんぴと》も平素《へいそ》實驗《じつけん》して其《そ》の効《かう》を認《みと》むる所《ところ》である。

(二十七) 如何《いか》にして物品《ぶつぴん》を記憶《きおく》すべきか

己《おのれ》の所有《しよいう》せる凡《すべ》ての物品《ぶつぴん》を記憶《きおく》し、必要《ひつえう》の場合《ばあひ》、直《たゞ》ちに其《そ》の物品《ぶつぴん》の所在《しよざい》を知《し》る事《こと》は吾《ご》人《じん》が日常困難《にちじやうこんなん》を感《かん》じつゝある事《こと》である。この種《しゆ》の困難《こんなん》は之《これ》を記憶《きおく》すべき行爲《かうゐ》の複雜《ふくざつ》なる事《こと》が其《そ》の原因《げんいん》であるが、大部分《だいぶぶん》は秩序的習慣《ちつじよてきしふくわん》の缺乏《けつはふ》と云《い》ふ事《こと》が其《そ》の最大原因《さいだいげんいん》である。さればこの種《しゆ》の記憶《きおく》を正確《せいかく》ならしむるには一は秩序《ちつじよ》を正確《せいかく》ならしむると共《とも》に、一は自己《じこ》の手《て》より其物品《そのぶつぴん》を離《はな》れしむる時《とき》、即《すなは》ち其物品《そのぶつぴん》を置《お》く時《とき》、其《そ》の音《おと》に注意《ちうい》し、其原因《そのげんいん》を思考《しかう》し、更《さら》に周圍《しうゐ》の狀態《じやうたい》に着目《ちやくもく》して何等《なんら》かの印象《いんしやう》を留《と》め置《お》いたなれば、記憶《きおく》の開發《かいはつ》に多大《ただい》の効果《かうくわ》ある事《こと》は確實《かくじつ》である。

(二十八) 如何《いか》に數字《すうじ》を記憶《きおく》すべきか

數字《すうじ》の記憶《きおく》は最《もつと》も困難《こんなん》であるが、其《そ》の數字《すうじ》と連續《れんぞく》せる觀念《くわんねん》を以《も》ち來《きた》りこれと連鎖《れんさ》して記憶《きおく》する事《こと》は有効《いうかう》なる方法《はうはふ》である。即《すなは》ち一八一五と云《い》ふ數字《すうじ》はこれをイ《(一)》ハ《(八)》イ《(一)》ゴ《(五)》ト（祝《いは》ひごと）と記憶《きおく》するか、左《さ》もなければウォータルローの戰《たゝかひ》と連結《れんけつ》してウォータルローの戰《たゝかひ》は一千八百十五年《ねん》と云《い》ふやうな風《ふう》に誦讀《じゆどく》して記憶《きおく》するのである。而《しか》してこの連結《れんけつ》すべき事《じ》項《かう》はなるべく卑俗《ひぞく》なるものが可《よ》い。例之《たとへ》ば、

(一)狂人《きやうじん》(杏仁《きやうじん》)の喧嘩《けつくわ》逃(二)げて走(八)る。

これは杏仁水《きやうじんすゐ》と云《い》ふ藥《くすり》の使用量《しようりやう》を示《しめ》したもので杏仁水《きやうじんすゐ》は一回《くわい》に二グラム一日《にち》八グラムと云《い》ふ事《こと》なのである。

(三)産人《さんじん》(サントニーネ)と脹滿《ちやうまん》何時(一つ)も似(二)て居《ゐ》る。

これはサントニーネの使用量《しようりやう》が一回《くわい》一デシグラム一日《にち》二デシグラムであると云《い》ふ事《こと》でかう云《い》ふ風《ふう》に卑俗《ひぞく》な文句《もんく》に依《よ》つて記憶《きおく》すれば最《もつと》も記憶《きおく》に容易《ようい》である之《これ》を要《えう》するに記憶《きおく》力《りよく》は

第《だい》一、先《ま》づ己《おのれ》の記憶的《きおくてき》機能《のう》が視覺《しかく》、聽覺《ちやうかく》の何《いづ》れにあるかを知《し》り、一旦《たん》自己《じこ》の長所《ちやうしよ》が何《いづ》れにあるかを知《し》つたなれば必《かなら》ず常《つね》に其方法《そのはうはふ》に依《よ》つて記憶《きおく》するに力《つと》むる事《こと》。

第《だい》二、觀念《くわんねん》を把《は》取《しゆ》するの機能《きのう》と之《これ》を蓄積《ちくせき》するの機能《きのう》とが同《どう》一でない事《こと》を知《し》る時《とき》は自己《じこ》の心中《しんちう》に起《おこ》るべき寫影《しやえい》は兩者《りやうしや》の何《いづ》れにも通《つう》ずるものとならねばならぬ事《こと》。

第三《だい》、意志《いし》の訓練《くんれん》をなすと共《とも》に、理性《りせい》の下《もと》に意志《いし》を働《はたら》かしむるの習慣《しふくわん》を養《やしな》ひ、自働的《じどうてき》に之《これ》に遵《したが》つて働《はたら》き得《う》るやうになし、同時《どうじ》に記憶《きおく》すべきものと交渉《かうせふ》を斷《た》つことなきやう力《つと》むること。

第四《だい》、記憶《きおく》せんとして蓄積《ちくせき》すべき材料《ざいれう》を集《あつ》むるには常《つね》に觀察力《くわんさつりよく》を鋭敏《えいびん》にし萬事《ばんじ》を見聞《けんぶん》するに當《あた》りて直《たゞち》にその特色《とくしよく》を捕促《ほそく》するやう注意《ちうい》する事《こと》。

第五《だい》、聯想作用《れんさうさよう》は神經《しんけい》の自然的習慣《しぜんてきしふくわん》より起《おこ》るものであるから、自己《じこ》に適當《てきたう》なる記憶的《きおくてき》機能《のう》を確實《かくじつ》に知《し》る事《こと》が出來《でき》たなれば常《つね》にこの機能《きのう》によつて聯想《れんさう》を起《おこ》すやうに努《つと》むる事《こと》。

第六《だい》、最初《さいしよ》に受《う》くる印象《いんしやう》は最《もつと》も明白《めいはく》にして且《か》つ強固《きやうこ》なる事《こと》が必要《ひつえう》である。何《なん》となれば單《たん》に眼《め》或《あるひ》は耳《み》によつて不明確《ふめいかく》に知解《ちかい》したものは到底永《たうていなが》くその印象《いんしやう》を止《とゞ》むるものでないと共《とも》に、意識《いしき》の上《うへ》に流入《りうにふ》した印象《いんしやう》も薄弱不明《はくじやくふめい》な時《とき》は何時《いつ》しか消滅《せうめつ》するものであるから、混亂《こんらん》した全部《ぜんぶ》の觀念《くわんねん》を得《え》やうとするよりは寧《むし》ろ明白《めいはく》な部分的《ぶぶんてき》の概念《がいねん》を捕《とら》へる事《こと》が必要である。

第七《だい》、分類《ぶんるゐ》、秩序《ちつじよ》は尤《もつと》も記憶《きおく》を助《たす》くるものであるから、須《すべか》らく森羅萬象《しんらばんしやう》を先《ま》づ大綱《だいかう》に分《わか》ち以《もつ》て個々《こゝ》の事物《じぶつ》の特質《とくしつ》を知了《ちれう》する事《こと》が大切《たいせつ》である。

第八《だい》、反覆《はんぷく》は最《もつと》も記憶《きおく》の一大要件《だいえうけん》である。故《ゆゑ》に一撃《げき》して釘《くぎ》を打《う》ちこむ事《こと》が出來《でき》なかつたなれば二撃《げき》三撃《げき》し、一回《くわい》にして記憶《きおく》する事《こと》が出來《でき》なかつたなれば幾回《いくくわい》も反覆《はんぷく》して之《これ》を記憶《きおく》するに努《つと》むる事《こと》が肝要《かんえう》である。

第九《だい》、若《も》し一方《はう》に記憶《きおく》弱《よは》きことがあつても、他方《たはう》に於《おい》て原因《げいいん》を尋求《じんきう》するの機能《きのう》が發達《はつたつ》して居《を》つて巧《たくみ》にこの機能《きのう》を用《もち》ひたならば、明《あき》らかに失《うしな》ふべき者《もの》でも實際《じつさい》に所有《しよいう》たらしむる事《こと》が出來《でき》る。

終《をはり》に臨《のぞ》んで希望《きぼう》する事《こと》は徒《いたづ》らに記憶《きおく》にのみ重《おも》きを措《を》いて遂《つひ》に智識的鸚鵡《ちしきてきあうむ》に終《をは》り實際《じつさい》に作用《さよう》し得《え》られざるが如《ごと》き愚《ぐ》に陷《おちい》らざらん事《こと》である。卽《すなは》ち記憶《きおく》の目的《もくてき》は活用《くわつよう》の妙《めう》にある事《こと》を了知《れうち》されたいのである。

武術 最高極意「火の卷」終

禁他見譲渡

武術極意

風之巻 全

帝國尚武會藏版

風之巻　目　次

地利の巻

天利の巻

武術最高極意「風の巻」

野口一威齋監修
帝國尚武會編纂

(一) 神《じん》通《つう》術《じゆつ》

神《じん》通《つう》術《じゆつ》本《ほん》義《ぎ》

神《じん》通《つう》術《じゆつ》とは何《なん》ぞや　神《じん》通《つう》術《じゆつ》とは人《ひと》が神《かみ》と一つになつて、神《かみ》の通《つう》力《りき》即《すなは》ち各《かく》種《しゆ》の不《ふ》思《し》議《ぎ》な精《せい》神《しん》現《げん》象《しやう》をあらはすの術《じゆつ》を云《い》ふのである。然《しか》らば神《かみ》の通《つう》力《りき》——神《じん》通《つう》力《りき》とは如《い》何《か》なるものであるかと云《い》ふと、天《てん》眼《がん》通《つう》、天《てん》耳《じ》通《つう》、他《た》心《しん》通《つう》、宿《しゆく》命《めい》通《つう》、身《しん》如《によ》意《い》通《つう》、漏《ろう》盡《じん》通《つう》の六が即《すなは》ちそれでこの六つの神《じん》通《つう》力《りき》に通《つう》じさへすれば人《ひと》は如《い》何《か》なる事《こと》でもなし得《え》ない事《こと》はないと云《い》ふのである。即《すなは》ち天《てん》眼《がん》通《つう》と云《い》ふのは如《い》何《か》に遠《とほ》い處《ところ》のものでも、或《あるひ》は如《い》何《か》なる物《もの》に覆《おほ》はれてあるもので見《み》る事《こと》が出《で》來《き》ると云《い》ふ通《つう》力《りき》で、第《だい》二の天《てん》耳《じ》通《つう》と云《い》ふのは如《い》何《か》に遠《とほ》い處《ところ》の物《もの》音《おと》でも、又《また》如《い》何《か》に低《ひく》い聲《こゑ》でも、或《あるひ》は鳥《とり》や犬《いぬ》の如《ごと》き鳥《てう》獸《じう》の聲《こゑ》でもその意《い》味《み》を容《よう》易《い》に聞《き》き分《わ》け得《う》ると云《い》ふ通《つう》力《りき》なのである。第《だい》三の他《た》心《しん》通《つう》と云《い》ふのは今《こん》日《にち》讀《どく》心《しん》術《じゆつ》と云《い》はれて居《ゐ》るのがそれで、一見《けん》直《たゞち》に人《ひと》の心《こゝろ》を知《し》つて了《しま》ふと云《い》ふ通《つう》力《りき》である。第《だい》四の宿《しゆく》命《めい》通《つう》と云《い》ふのは自《じ》分《ぶん》の身《み》の上《うへ》にかゝる過《くわ》去《こ》未《み》來《らい》一切《さい》の出《で》來《き》事《ごと》を知《し》る事《こと》の出《で》來《き》る通《つう》力《りき》で、第《だい》五の身《しん》如《によ》意《い》通《つう》と云《い》ふのは一にこれを神《しん》迷《めい》通《つう》或《あるひ》は神足通《じんそくつう》と云《い》ひ、一日《にち》によく數《すう》百里《り》を行《ゆ》き、又《また》大《だい》を小《せう》となし小《せう》を大《だい》となし、或《あるひ》は水上《すゐじやう》を行《ゆ》き又《また》は空《そら》を行《ゆ》くなど所謂《いはゆる》神《しん》出鬼沒《しゆつきぼつ》變現《へんげん》自在《じざい》の通力《つうりき》である。然《しか》らば第《だい》六の漏盡《ろうじん》通《つう》と云《い》ふのは如何《いか》なる通力《つうりき》であるかと云《い》ふと佛書《ぶつしよ》にも三界《かい》の生死《せいし》を受《う》けずして神通《しんつう》を得《う》と說《と》かれてある如《ごと》く、一切《さい》の生死《せいし》を超脫《てうだつ》した所謂《いはゆる》神通力《じんつうりき》の最高極意《さいかうごくい》とでも云《い》ふべきもので自《みづか》ら其《その》境地《きやうち》に入《はい》つたものでなければ說明《せつめい》が出來《でき》ないのである。

神通術《じんつうじゆつ》とは以上《いじやう》の通力《つうりき》に達《たつ》した人間《にんげん》の行《おこな》ふ術《じゆつ》で折刀《せつたう》止彈術《しだんじゆつ》とか飛行《ひかう》水行《すゐぎやう》通力法《つうりきはふ》とか隱身《いんしん》變形《へんけい》の秘《ひ》術、其他《そのた》一身《しん》各所《かくしよ》多現術《たげんじゆつ》、水火《すゐくわ》轉換《てんくわん》の術《じゆつ》など何《いづ》れもこれに屬《ぞく》するものである。處《ところ》でこれ等《ら》の神通術《じんつうじゆつ》は如何《いか》にしてこれを行《おこな》ふ事《こと》が出來《でき》るかと云《い》ふと、それには定《き》まつた修《しう》行《ぎやう》法《はふ》があつて、それさへ滿《まん》足《ぞく》に仕《し》遂《と》げたなれば何《なん》人《びと》にでも容《よう》易《い》に神《じん》通《つう》力《りき》を發《はつ》揮《き》する事《こと》が出《で》來《き》るのである。

神《じん》通《つう》力《りき》修《しう》行《ぎやう》法《はふ》

修《しう》行《ぎやう》法《はふ》の原《げん》則《そく》　神《じん》通《つう》力《りき》を修《しう》行《ぎやう》するには別《べつ》段《だん》學《がく》問《もん》とか才《さい》智《ち》とかと云《い》ふものゝ必《ひつ》要《えう》はないが、信《しん》念《ねん》の堅《けん》固《こ》と云《い》ふ事《こと》が何《なに》よりも必《ひつ》要《えう》である。卽《すなは》ち堅《けん》固《こ》なる信《しん》念《ねん》なくして神《じん》通《つう》術《じゆつ》は到《たう》底《てい》行《おこな》ふ事《こと》が出《で》來《き》ないのみでなく、却《かへつ》て不《ふ》測《そく》の禍《くわ》害《がい》を招《まね》く事《こと》があるから、神《じん》通《つう》術《じゆつ》を修《しう》行《ぎやう》せんとするものは先《ま》づ何《なに》を措《を》いても左《さ》の二大《だい》信《しん》念《ねん》を確《かく》立《りつ》する事《こと》が肝《かん》要《えう》である。卽《すなは》ち

（一）神《じん》通《つう》術《じゆつ》は必《かなら》ず世《よ》の中《なか》に實《じつ》在《ざい》せるものであると信《しん》ずること。

（二）自《じ》己《こ》の信《しん》念《ねん》は必《かなら》ず神《じん》通《つう》術《じゆつ》を容《よう》易《い》に行《おこな》ひ得《う》ると信《しん》ずる事《こと》。

以《い》上《じやう》の二大《だい》信《しん》念《ねん》が確《かく》立《りつ》したなれば愈《いよ》〱修《しう》行《ぎやう》に取《とり》かゝつて可《よ》いのであるが、修《しう》行《ぎやう》の順《じゆん》序《じよ》として先《ま》づ最《さい》初《しよ》に行《おこな》ふのは神《しん》人《じん》同《どう》化《くわ》の法《はふ》卽《すなは》ち我《われ》の精《せい》神《しん》を宇《う》宙《ちう》の大《たい》靈《れい》に接《せつ》せしめ、乾《けん》坤《こん》と同《どう》化《くわ》せしめ、以《もつ》て無《む》我《が》靜《せい》寂《じやく》の極《きよく》地《ち》に達《たつ》するの法《はふ》である。而《しか》して玆《こゝ》に到《いた》るの法《はふ》として古《こ》來《らい》行《おこな》はれて居《ゐ》るのは身《み》滌《そゝぎ》の修《しう》行《ぎやう》法《はふ》、斷《だん》欲《よく》の修《しう》行《ぎやう》法《はふ》、山《やま》籠《こもり》の修《しう》行《ぎやう》法《はふ》、斷《だん》食《じき》の修《しう》行《ぎやう》法《はふ》の四であつて、何《いづ》れから入《はい》つて行《い》つても結《けつ》局《きよく》は同《おな》じ處《ところ》に進《すゝ》むのであるから何《いづ》れの道《みち》を取《と》つても差《さし》支《つかへ》はないが、何《ど》の修行法《しうぎやうはふ》も一通《とほ》り丈《だけ》は知《し》つて置《お》く方《はう》が後《あと》のためであるから、修行者《しうぎやうしや》は須《すべか》らく順《じゆん》を追《お》ふて全部《ぜんぶ》を試《こゝろ》みて見《み》るが可《よ》い。

身滌《みそゝぎ》の修行法《しうぎやうはふ》　身滌《みそゝぎ》の修行法《しうぎやうはふ》と云《い》ふのは伊弉諾尊《いざなぎのみこと》が伊弉册尊《いざなみのみこと》の神去《かむさ》りました御跡《みあと》を慕《した》ふて夜見國《よみのくに》に至《いた》り給《たま》ひ、其國《そのくに》の汚穢《けがれ》に觸《ふ》れて還《かへ》りました時《とき》、吾《われ》は否醜目汚穢國《いなしこめきたなきくに》に至《いた》りき、大御體《おほみたま》を祓《はら》はせなと宣《の》給《たま》ふて筑紫《ちくし》の橘《たちはな》の小《お》門《ど》の檍原《あはきはら》に徑《ゆ》き、その中津瀬《なかづせ》に降《ふ》り潜《かづ》きて身《み》を滌《そゝ》ぎ祓《はら》ひ給《たま》ふたと云《い》ふのが其《その》起《き》原《げん》で、要《えう》は身心《しんしん》を清淨《せいじよう》にすると云《い》ふ事《こと》に他《ほか》ならぬのである。されば意志《いし》の薄弱《はくじやく》なもの、心《こゝろ》に迷《まよ》ひ汚《よご》れのあるもの、身體《しんたい》の不健全《ふけんぜん》なものなどは大《おほい》に身滌《みそゝぎ》を勵行《れいかう》して心身《しんしん》の强固健全《きやうこけんぜん》を計《はか》るが可《よ》い。何故《なぜ》かと云《い》ふと不断《ふだん》身滌《みそゝぎ》を遣《や》れば、それ丈《たけ》で他《た》に種《しゆ》々《〴〵》な修行法《しうぎやうはふ》をしないでも、又《また》特別《とくべつ》な養生《やうじやう》をしないでも心身《しんしん》が非常《ひじやう》に輕妙《けいめう》になつて、所謂《いはゆる》神人合《しんじんがふ》一の妙境《めうきやう》に達《たつ》し得《う》るのみでなく、終《しまひ》には水中《すゐちう》に潜《ひそ》んでも何《なん》の苦《く》もなく、又《また》水上《すゐじやう》を自在《じざい》に歩行《ほかう》する事《こと》も出來《でき》れば雨《あめ》に打《う》たれても雪《ゆき》に犯《をか》されても決《けつ》して病氣《びやうき》などに犯《をか》されるやうな事《こと》がなくなつて來《く》るからである。殊《こと》に三年《ねん》、五年《ねん》、七年《ねん》と、修業《しうげふ》が積《つ》めば積《つ》む程《ほど》、何時《いつ》とはなく拙《つま》らぬ欲念《よくねん》が消失《せうしつ》し、生々《いき〳〵》した靈的《れいてき》精神《せいしん》が盛《さかん》に動《うご》いて來《く》るやうになるのである。

身滌《みそゝぎ》修行《しうぎやう》の場所《ばしよ》は海《うみ》とか山《やま》とかが最《もつと》も適當《てきたう》した場所《ばしよ》なのであるが、都會《とくわい》に住《すま》つて居《ゐ》ると海《うみ》や川《かは》へさう自由《じいう》に這入《はひ》る事《こと》が困難《こんなん》であるから、この場合《ばあひ》には湯殿《ゆどの》に水《みづ》を汲《く》んで行《おこな》つても可《よ》い。それで場所《はしよ》は海《うみ》でも川《かは》でも乃至《ないし》は湯《ゆ》殿《との》でも關《かま》はないとして其方法《そのはうはふ》は如何《いか》なる遣《や》り方《かた》を遣《や》るのかと云《い》ふと一言《げん》に云《い》へば水中《すゐちう》で丹田集《たんでんしふ》力法《りよくはふ》を行《おこな》ひさへすればば可《よ》いのである。卽《すなは》ち座禪《ざぜん》を組《く》み、手《て》は兩《りやう》の人差指《ひとさしゆび》を第《だい》一圖《づ》の如《ごと》く抱《だ》き合《あは》せて臍下《へそした》に置《お》き、眼《め》は瞑目《めいもく》して居《を》つても可《よ》く、鼻《はな》の尖《さき》を見守《みまも》つて居《を》つても可《よ》い。首《くび》まで水中《すゐちう》に浸《した》り心中《しんちう》に絶《たへ》ず左《さ》の觀念《くわんねん》を想像《さうざう》し乍《なが》ら精神《せいしん》を統《とう》一す

第一圖

るのである。卽《すなは》ち

(一)水《みづ》は清《せい》淨《じやう》なもので一切《さい》の不《ふ》淨《じやう》汚《を》穢《くわい》を洗《あら》ひ流《なが》し我《われ》を淨《きよ》めて呉《く》れるものであると信《しん》ずる事《こと》。

(二)水《みづ》は一切《さい》のものを長《ちやう》養《やう》せしむるものである。卽《すなは》ち萬《ばん》物《ぶつ》は水《みづ》の功《く》德《どく》に依《よ》つて生《せい》存《ぞん》發《はつ》達《たつ》するもので我《わ》が肉《にく》體《たい》も今《いま》水《みづ》に依《よ》つて養《やしな》はれつゝあるのであると信《しん》ずる事《こと》。

(三)水《みづ》は到《いた》つて靜《しづ》かなものである。而《しか》も一旦《たん》之《これ》を激《げき》怒《ど》せしむれば卽《すなは》ち暴《ばう》雨《う》となり、怒《ど》濤《たう》となつて何《なに》物《もの》をも破《は》壞《くわい》するの力《ちから》あるものであると信《しん》ずる事《こと》。

(四)水《みづ》の根《こん》源《げん》は月《つき》であつて月《つき》と世《せ》界《かい》の水《みづ》との間《あひだ》には無《む》形《けい》の水《みづ》の神《しん》靈《れい》が連《れん》絡《らく》されて居《ゐ》るのである。卽《すなは》ち海《かい》水《すゐ》に干《かん》滿《まん》のあるのは月《つき》の盈《えい》虛《きよ》に依《よ》るからであると信《しん》ずる事《こと》。

（五）水《みづ》の無《む》形《けい》の神《しん》靈《れい》は宇《う》宙《ちう》に充《み》ち滿《み》ちて居《ゐ》る。されば人《ひと》が若《も》しこの無《む》形《けい》の水《すゐ》靈《れい》と融《ゆう》合《がふ》同《どう》化《くわ》したなれば恰《あだか》も龍《りう》の昇《しよう》天《てん》するが如《ごと》く羽《う》化《か》登《とう》仙《せん》する事《こと》も出《で》來《き》れば地《ち》下《か》深《ふか》く潛《ひそ》み隱《かく》れる事《こと》も出《で》來《き》、雲《うん》霧《む》となつて天《てん》上《じやう》天《てん》下《か》、西《にし》に東《ひがし》に南《みなみ》に北《きた》に自《じ》由《いう》自《じ》在《ざい》の飛《ひ》行《かう》が出《で》來《き》ると信《しん》ずる事《こと》。

以《い》上《じやう》の觀《くわん》念《ねん》を絶《た》ず心《こゝろ》に繰《くり》返《かへ》しつゝ朝《あさ》に夕《ゆふ》に、疳《かん》癪《しやく》のたつた時《とき》に、或《あるひ》は不《ふ》快《くわい》な時《とき》に、不《ふ》淨《じやう》を見《み》た時《とき》に其《その》他《た》惡《あく》臭《しう》を嗅《か》いだ時《とき》、寒《さむ》い時《とき》、暑《あつ》い時《とき》、悲《かな》しい時《とき》等《など》あらゆる場《ば》合《あひ》に修《しう》行《ぎやう》これ努《つと》めたなれば、軈《やが》ては無《む》形《けい》の水《すゐ》精《せい》に自《おのづか》ら感《かん》應《おう》して拙《つま》らぬ欲《よく》念《ねん》は露《つゆ》の如《ごと》く消《せう》失《しつ》し遂《つひ》に神《しん》人《じん》合《がふ》一の無《む》我《が》境《きやう》に安《あん》住《ちう》する事《こと》が出《で》來《き》るやうになるのである。但《たゞ》し身《み》滌《そゝぎ》修《しう》業《げふ》中《ちう》は左《さ》の諸《しよ》項《かう》を一切《さい》愼《つゝ》しみ、又《また》嚴《げん》禁《きん》しなかつたなれば決《けつ》して効《かう》を見《み》る事《こと》が出《で》來《き》ない。

（一）嚴《げん》禁《きん》すべき事《こと》。

酒《さけ》、煙《たば》草《こ》をのむ事《こと》。獸《じう》肉《にく》或《あるひ》は辛《から》味《み》の物《もの》を食《しよく》する事《こと》。厚《あつ》着《ぎ》をせざる事《こと》。襟《えり》巻《まき》足《た》袋《び》帽《ばう》子《し》等《など》を用《もち》ひざる事《こと》。

（二）嚴《げん》守《しゆ》せざる可《べか》らざる事《こと》。

睡《すゐ》眠《みん》は五時《じ》間《かん》以《い》上《じやう》むさぼらざる事《こと》。

朝《あさ》の身《み》滌《そゝぎ》は必《かなら》ず日《ひ》出《ので》時《どき》に行《おこな》ふ事《こと》。

就《しう》床《しやう》前《まへ》にも必《かなら》ず身《み》滌《そゝぎ》を行《おこな》ふ事《こと》。

炭《すみ》火《び》焚《たき》火《び》に近《ちか》寄《よ》る可《べか》らざる事《こと》。

身《み》滌《そゝぎ》を行《おこな》ふ時《とき》は必《かなら》ず木《も》綿《めん》又《また》は麻《あさ》を以《もつ》て作《つく》つた膝《ひざ》迄《まで》の行《ぎやう》衣《い》を著《ちやく》する事《こと》。

（三）左《さ》の諸《しよ》項《かう》は方《はう》便《べん》としてこれを行《おこな》ふも差支《さしつかへ》ない。

鈴《すゞ》を振《ふ》る事《こと》。

神《かみ》の名號《みやうがう》、念《ねん》佛《ぶつ》等《など》を口《く》誦《じゆ》する事《こと》。

禊場《みそぎは》に諸《しよ》神《しん》諸《しよ》佛《ぶつ》を勸《くわん》請《せい》する事《こと》。

之《これ》を要《えう》するに身《み》滌《そゝぎ》修《しう》業《げふ》法《はふ》は最《さい》初《しよ》の間《あひだ》は之《これ》を行《おこな》ふ事《こと》が非《ひ》常《じやう》に困《こん》難《なん》であるが、我《わが》身《み》はこれ罪《ざい》惡《あく》の火《くわ》炎《えん》である。熱《ねつ》氣《け》ある不《ふ》淨《じやう》のかたまりである。されば今《いま》（この時《とき》前《まへ》に揭《かゝ》げた五つの觀《くわん》念《ねん》を心《こゝろ》に描《ゑが》くべし）この淸《せい》淨《じやう》な神《しん》水《すゐ》を以《もつ》てこれ等《ら》の罪《ざい》惡《あく》を洗《あら》い淸《きよ》め、この熱《ねつ》火《くわ》を消《け》すのであると丹《たん》田《でん》に總《そう》身《しん》の力《ちから》を籠《こ》め、只《たゞ》一心《しん》に神《かみ》を念《ねん》じたなれば、暫《しば》らく慣《な》るるに從《したが》つて苦《く》痛《つう》は忘《わす》るゝ如《ごと》く消《せう》失《しつ》し、嚴《げん》冬《たう》に之《これ》を行《おこな》つても寒《さむ》さを感《かん》ずるやうな事《こと》は全《ぜん》然《ぜん》なくなるのである。

斷欲《だんよく》の修行法《しうげふはふ》。人《ひと》には各々《おの〳〵》違《ちが》つた欲望《よくばう》があつて其状《そのじやう》千差萬別《せんさばんべつ》であるが、其中《そのうち》で必《かなら》ず誰《たれ》もが有《も》つて居《ゐ》る、萬人《まんにん》一致《ち》の欲望《よくばう》が四つある。卽《すなは》ち食欲《しよくよく》、色欲《しきよく》、財欲《ざいよく》、名譽《めいよ》の欲《よく》と云《い》ふのがそれで、如何《いか》なる人間《にんげん》にも其大小《そのだいせう》の相違《さうゐ》こそあれ、この四欲望《よくばう》のないものは絶無《ぜつむ》だと云《い》つて決《けつ》して過言《くわげん》でないのである、而《しか》してこれ等《ら》の欲望《よくばう》は人間《にんげん》自然《しぜん》の欲望《よくばう》であつて寧《むし》ろ人間《にんげん》の本能性《ほんのうせい》だと云《い》つても差支《さしつかへ》ないのであるから、之《これ》を惡用《あくよう》し亦濫用《またらんよう》さへしなかつたなれば決《けつ》して惡《わる》い事《こと》ではないのである。否《いな》！人間《にんげん》としては寧《むし》ろこれ等《ら》の欲望《よくばう》を善《よ》い方《はう》に發展《はつてん》させ善用《ぜんよう》して行《ゆ》く事《こと》がその本分《ほんぶん》なのである。換言《くわんげん》すれば若《も》し普通《ふつう》の人間《にんげん》が以上《いじやう》の四大欲《だいよく》を斷念《だんねん》したなれば人類社會《じんるゐしやくわい》は到底絶滅《たうていぜつめつ》の他《ほか》はないのであるから、人間《にんげん》としては節《せつ》欲《よく》は大《たい》切《せつ》であるが断《だん》欲《よく》は決《けつ》して可《よ》い事《こと》ではないのである。併《しか》し乍《なが》ら神《じん》通《つう》力《りき》を修《しう》業《げふ》しやうと思《おも》ひたつ位《くらゐ》の人間《にんげん》は是《ぜ》非《ひ》一度《ど》はこの四大《だい》欲《よく》望《ばう》に打《うち》勝《か》つて貰《もら》ひたい。何《な》故《ぜ》なれば人間《にんげん》と云《い》ふものは自《じ》分《ぶん》勝《かつ》手《て》の欲《よく》念《ねん》が強《つよ》ければ強《つよ》い程《ほど》愈《いよ》々慈《じ》悲《ひ》救《きう》濟《さい》の念《ねん》が薄《うす》く種《しゆ》々の欲《よく》望《ばう》が充《み》ち滿《み》ちて居《ゐ》れば居《ゐ》る丈《だけ》、益《ます》々神《じん》通《つう》の道《みち》が塞《ふさ》がつて居《ゐ》るものなのであるから、從《したが》つて神《かみ》と同《どう》一になり宇《う》宙《ちう》の大《だい》靈《れい》と融《ゆう》和《わ》する事《こと》が出《で》來《き》惡《にく》いのである、處《ところ》でこの四大《だい》欲《よく》の内《うち》でも名《めい》譽《よ》の欲《よく》と財《ざい》產《さん》の欲《よく》とは比《ひ》較《かく》的《てき》容《よう》易《い》にこれを抑《をさ》へる事《こと》が出《で》來《き》得《う》るが、食《しよく》欲《よく》と色《しき》欲《よく》の二欲《よく》となると之《これ》を斷《た》つ事《こと》が却《なか》々容《よう》易《い》でない。而《しか》してこの二欲《よく》さへ斷《た》ち得《う》れば他《た》の二欲《よく》は自《おのづか》らにして斷《た》ち得《う》るものであるから神《じん》通《つう》術《じゆつ》修《しう》業《げふ》者《しや》は須《すべか》らくこの二欲《よく》、就中《なかんづく》食欲《しよくよく》を斷《た》つ事《こと》を先《ま》づ努《つと》むる事《こと》が最《もつと》も肝要《かんえう》である。併《しか》し乍《なが》ら食欲《しよくよく》を斷《た》つと云《い》つても最初《さいしよ》から全然《ぜんぜん》斷食《だんじき》するのではない。何《なん》となれば食欲《しよくよく》とか色欲《しきよく》とか云《い》ふ事《こと》は人間《にんげん》の本能《ほんのう》中《ちう》での本能《ほんのう》であつて、最初《さいしよ》から全然《ぜんぜん》これを斷《た》つと云《い》ふ事《こと》は到底《たうてい》なし得《う》るものでないからである。されば最初《さいしよ》は二本《ほん》の煙草《たばこ》を一本《ほん》に、三合《がふ》の酒《さけ》を二合《がふ》に節《せつ》すると云《い》ふ風《ふう》に漸次《ぜんじ》序《じよ》を追《お》ふて斷欲《だんよく》の習慣《しふくわん》をつけ、遂《つひ》に其《そ》の目的《もくてき》の究極《きうきよく》に及《およ》ぶので最初《さいしよ》は今《いま》も云《い》つた如《ごと》く美味《びみ》のものや特殊《とくしゆ》の嗜好物《しかうぶつ》から追《おひ》々〳〵に節《せつ》欲《よく》して行《ゆ》けば可《よ》いのであるが斷欲《だんよく》の方法《はうはふ》としてはこの他《た》に今《いま》一つ違《ちが》つた方法《はうはふ》がある。それは自《じ》分《ぶん》の修行場《しうぎやうぢやう》の四壁《へき》に山海《さんかい》の珍味《ちんみ》が糞便《ふんべん》となつて排出《はいしゆつ》せられそれぞれに蠅《はい》や蛆《うぢ》蟲《むし》が群《ぐん》集《しふ》して居《ゐ》る圖《づ》をかけ、絶《たへ》ずこれを眺《なが》めつゝ一方《はう》心《しん》中《ちう》に於《おい》て美《び》味《み》これ均《ひと》しく糞《ふん》尿《ねう》、美《び》味《み》これ反《かへ》つて毒《どく》菌《きん》、美《び》味《み》これ却《かへ》つて腸《ちやう》胃《ゐ》を害《がい》し、生《せい》氣《き》を損《そん》し、靈《れい》妙《めう》なる人《にん》間《げん》をして粗《そ》雜《ざつ》劣《れつ》等《とう》な動《どう》物《ぶつ》に墮《だ》落《らく》せしむるものである。否《いな》！人《ひと》は如《い》何《か》に寡《くわ》食《しよく》をしても又《また》如《い》何《か》に粗《そ》食《しよく》をしても決《けつ》して生《せい》存《ぞん》に差《さし》支《つか》へるものでなく、反《かへ》つて其《そ》の活《くわつ》動《どう》を敏《びん》活《くわつ》ならしむるものであると云《い》ふ意《い》味《み》の觀《くわん》念《ねん》を凝《こ》らすのである。この方《はう》法《はふ》は數《すう》週《しう》間《かん》繼《けい》續《ぞく》して行《おこな》へば甚《はなは》だ有《いう》効《かう》で、遂《つひ》には眞《しん》實《じつ》の美《び》味《み》に向《むか》つても忽《たちま》ち厭《えん》惡《を》の心《こゝろ》が生《しやう》じて來《く》るやうになる。又《また》これと同《どう》一の筆《ひつ》法《はふ》で、色《しき》欲《よく》を斷《た》つて了《しま》ふ事《こと》も出《で》來《き》る。但《たゞ》しこの場《は》合《あひ》は曩《さき》の佳《か》肴《かう》珍《ちん》味《み》の掛《かけ》圖《づ》に代《か》ふるに美《び》人《じん》が錦《きん》衣《い》を着《き》かざり扇《あふぎ》を持《も》つて居《ゐ》る圖《づ》と、骸《がい》骨《こつ》が美《び》麗《れい》な扇《あふぎ》を有《も》つて跳《をど》つて居《ゐ》る圖《づ》とを以《もつ》てし其中《そのうち》に端座《たんざ》してこれを見《み》守《まも》りつゝ朝《あした》の紅顔《こうがん》夕《ゆふべ》には白骨《はくこつ》となり、妖艶《えうえん》花《はな》を欺《あざむ》くの美《び》もさめては槿花《きんくわ》一朝《てう》の夢《ゆめ》に過《す》ぎない。否《いな》！單《たん》に容貌《ようばう》のみでなく王位《わうゐ》も妻子《さいし》も將《は》た稀代《きだい》の珍寶《ちんはう》も只《たゞ》この世《よ》にのみ尊《たつと》いもので現世《げんせ》を離《はな》れては何等《なんら》の價値《かち》もないのである。況《いはん》や色欲《しきよく》は人《ひと》の精氣《せいき》を減《げん》じ體力《たいりよく》を傷《きず》つけ、人《ひと》を醉生夢死《すゐせいむし》の境界《きやうかい》に導《みちび》くもので一切《すべて》の繫累《けいるゐ》煩悶《はんもん》は皆《みな》色欲《しきよく》ならざるなしである。恐《おそ》るべきは色欲《しきよく》である。厭《いと》ふべきは色欲《しきよく》であると觀《くわん》ずるのである。

上述《じやうじゆつ》の如《ごと》くして一切《すべて》の色欲《しきよく》食欲《しよくよく》は漸次《ぜんじ》これを遠《とほ》ざける事《こと》が出來《でき》、又《また》財欲《ざいよく》、名譽欲《めいよよく》も亦《また》間接《かんせつ》にこれを斷念《だんねん》せしめ得《う》るのであるが由來《ゆらい》人《ひと》の欲望《よくばう》と云《い》ふものは恰度《ちやうど》小供《こども》の悪戯《いたづら》のやうなもので無理《むり》にこれを抑《おさ》へやうとしても決《けつ》して成功《せいこう》するものでない、されば断欲《だんよく》をしやうとする場《ば》合《あひ》は、世《よ》の利口《りこう》な母親《はゝおや》が其子《そのこ》の悪戯《いたづら》を止《や》めさせるために他《た》にそれに代《かは》るべき遊戯《いうぎ》を與《あた》へ、子供《こども》をして知《し》らず〳〵其悪戯《そのいたづら》を止《やめ》させるやう仕向《しむ》けて行《ゆ》く如《ごと》く、欲望《よくばう》も決《けつ》して無理《むり》に断念《だんねん》しやうと焦《あせ》らないで、神通力《じんつうりき》を早《はや》く得《え》たいものだと云《い》ふ一方《はう》の念慮《ねんりよ》を盛《さかん》に強《つよ》めて行《ゆ》きさへすれば無《む》理強《りじひ》に止《よ》さうと焦《あせ》らないでも欲望《よくばう》は自《おのづか》らにして止《や》むのである。之《これ》を要《えう》するに断欲《だんよく》の出來《でき》る出來《でき》ないと云《い》ふ事《こと》は其人《そのひと》の精神《せいしん》と信仰《しんかう》の強弱《きやうじやく》如《い》何《か》に比例《ひれい》するものである。

山籠《やまごもり》の修行法《しうぎやうはふ》　山籠《やまごもり》には二様《やう》の場合《はあひ》がある。即《すなは》ち人里《ひとざと》離《はな》れた幽寂《ゆうじやく》の地《ち》に深《ふか》く分《わけ》入《い》り自然《しぜん》の風光《ふうくわう》に親《した》しみ猿鹿《さるしか》を侶《とも》とし所謂《いはゆる》脱俗塵外《だつぞくぢんぐわい》の人《ひと》となつて修行《しうぎやう》を積《つ》む方法《はうはふ》と今《いま》一つは定《きま》つた靈場《れいぢやう》に入《はい》つて之《これ》を行《おこな》ふとの二方法《はうはふ》である。併《しか》し、これは何《いづ》れの方法《はうはふ》を取《と》つても差支《さしつかへ》ない。卽《すなは》ち山籠《やまごもり》の修行法《しうぎやうはふ》と云《い》ふものは要《えう》するに忍耐力《にんたいりよく》を強《つよ》め、精神膽力《せいしんたんりよく》を練《ね》り、如何《いか》なる辛苦艱難《しんくかんなん》にも堪《た》へ得《う》る勇氣《ゆうき》を養《やしな》つて遂《つひ》に神人合《しんじんがふ》一の安住地《あんぢゆうち》に達《たつ》するがためこれを行《おこな》ふのであるからこの目的《もくてき》に違《たが》ひさへしなければ其《そ》の方法《はうはふ》などは何《いづ》れを取《と》つても敢《あへ》て意《い》とするに及《およ》ばないのである。一體《たい》山籠《やまごも》りと云《い》ふ事《こと》は何人《なんぴと》も是非《ぜひ》一度《ど》は試《こゝろ》みて見《み》て可《い》い事《こと》で、一日《にち》行《おこな》つた丈《だけ》でも身心《しんしん》が非常《ひじやう》に爽快《さうくわい》になり何《なん》となく神々《かう／＼》しい氣持《きもち》になるものである。

處《ところ》で山籠《やまごも》り――それも靈場《れいぢやう》で行《や》る時《とき》には別段準備《べつだんじゆんび》する

と云《い》ふこともないが、深山《しんざん》へ分《わ》け入《い》つて眞《しん》の山籠《やまごも》りをする時《とき》には是非《ぜひ》共《とも》一通《とほ》りの準備《じゆんび》をしてから籠《こも》る事《こと》が必要《ひつえう》である。卽《すなは》ち第《だい》一には雨露《うろ》を凌《しの》ぐための天幕《てんまく》、第《だい》二が寢具《しんぐ》用《よう》の毛《まう》布《ふ》、第《だい》三が着《き》替《がへ》用《よう》の衣《い》類《るゐ》、シヤツ手《て》拭《ぬぐひ》の類《るゐ》、第《だい》四が食《しよく》料《れう》品《ひん》、蕎《そ》麥《は》粉《こ》梅《うめ》干《ほし》、第《だい》五が救《きう》急《きふ》用《よう》の藥並《くすりならび》に繃《ほう》帶《たい》材《ざい》料《れう》、燐寸《マツチ》、護《ご》身《しん》用《よう》の刄《は》物《もの》、或《あるひ》はピストル、痲《あさ》緒《を》、地《ち》圖《づ》、磁《じ》石《しやく》等《とう》と云《い》つたやうなもの〻用《よう》意《い》である。一體《たい》人《にん》間《げん》と云《い》ふものは煩《はん》雜《ざつ》な事《じ》務《む》や勞《らう》動《どう》をして居《ゐ》てこそ肉《にく》食《しよく》も必《ひつ》要《えう》であり、多《た》量《りやう》に飮《いん》食《しよく》せねばならぬ要《えう》もあるが、神《じん》通《つう》術《じゆつ》を研《けん》究《きう》する際《さい》、殊《こと》に山籠《やまごもり》などする場《ば》合《あひ》に肉《にく》食《しよく》は全《ぜん》然《ぜん》不《ふ》必《ひつ》要《えう》である。何《なん》となれば肉《にく》類《るゐ》や米《べい》穀《こく》類《るゐ》は動《やゝ》もすると人《にん》間《げん》の血《けつ》液《えき》を鬱《うつ》血《けつ》せしめるもので、その消《せう》化《くわ》器《き》に骨《ほね》折《をり》をさせ、身《しん》體《たい》各《かく》器《き》官《くわん》の生《せい》活《くわつ》力《りよく》を早《はや》く消《せう》耗《まう》させる事《こと》は實《じつ》に非《ひ》常《じやう》であるから、これ等《ら》のものは人《にん》間《げん》の身《しん》體《たい》に取《と》つて決《けつ》して善《ぜん》良《りやう》なものとは云《い》ひ得《え》ないのである、之《これ》に反《はん》して野《や》菜《さい》や果《くわ》實《じつ》類《るゐ》は血《けつ》液《えき》を新《しん》鮮《せん》ならしむる上《うへ》に非《ひ》常《じやう》に效《かう》のあるもので、殊《こと》に心《しん》氣《き》の鬱《うつ》血《けつ》を消《せう》散《さん》せしめる特《とく》殊《しゆ》の働《はたらき》を有《も》つて居《ゐ》るから、野《や》菜《さい》を常《じやう》食《しよく》として居《ゐ》る者《もの》の精《せい》神《しん》力《りよく》は實《じつ》に驚《おどろ》くべきものがある。現《げん》に野《や》菜《さい》を常《じやう》食《しよく》として居《ゐ》る田《ゐ》舍《なか》の人《ひと》に流《りう》行《かう》病《びやう》の少《すく》ないのを見《み》ても、又《また》彼《かれ》等《ら》が都《と》會《くわい》の人《にん》間《げん》より長《ちやう》生《せい》する點《てん》から見《み》ても、野《や》菜《さい》を常《じやう》食《しよく》とする事《こと》が如《い》何《か》に健《けん》康《かう》を保《たも》つ上《うへ》に效《かう》があるかを知《し》る事《こと》が出《で》來《き》るのである。されば人《ひと》若《も》し色《しき》欲《よく》や妄《まう》想《さう》から超《てう》脱《だつ》し、神《しん》聖《せい》幽《ゆう》玄《げん》な推《すゐ》理《り》力《りよく》を強《つよ》め、宇《う》宙《ちう》の眞《しん》理《り》、人《じん》生《せい》の歸《き》趨《すう》を體《たい》得《とく》して眞《しん》に神《しん》人《じん》合《がふ》一の無《む》想《さう》境《きやう》に到《たう》達《たつ》せんとするには是《ぜ》非《ひ》共《とも》山《やま》籠《ごも》りを行《おこな》つて一切《すべて》の肉食《にくしよく》から遠《とほ》ざからねばならぬのである。そこで山籠中《やまごもりちう》は如何《いか》なる修行法《しうぎやうはふ》を行《おこな》へば可《よ》いかと云《い》ふと別段《べつだん》行《ぎやう》と云《い》ふ程《ほど》の事《こと》でなく、要《えう》は端座《たんざ》瞑想《めいさう》して精神《せいしん》を集中《しふちう》し以《もつ》て無我《むが》無想《むさう》の境《きやう》に進《すゝ》むやうにすれば可《よ》いのである。されば神《かみ》や佛《ほとけ》を祭《まつ》つても宜《よ》く、深呼吸法《しんこきふはふ》、静座法《せいざはふ》、丹田《たんでん》集力法《しふりよくはふ》等《とう》を行《おこな》つても可《よ》い事《こと》は勿論《もちろん》で、要《えう》は一切《すべて》の欲望《よくばう》から離《はな》れる方法《はうはふ》を講《かう》じさへすれば可《よ》いのである。

斷食修行法《だんじきしうぎやうはふ》　斷食《だんじき》と云《い》ふ事《こと》は昔《むかし》から武術家《ぶじゆつか》や宗教家《しうけうか》が屢々《しば〳〵》行《おこな》つた事《こと》で、甚《はなは》だ顯著《けんちよ》な効果《かうくわ》のあるものである。併《しか》し如何《いか》に斷食《だんじき》が宜《よ》い修行法《しうぎやうはふ》だからと云《い》つて、最初《さいしよ》から全然《ぜん》食《しよく》を斷《た》つと云《い》ふ事《こと》は却《かへ》つて宜《よろ》しくない。卽《すなは》ち斷食《だんじき》にも順《じゆん》序《じよ》と云《い》ふものがあつて矢《や》張《は》り最《さい》初《しよ》は前《まへ》にも述《の》べた如《ごと》く先《ま》づ美《び》食《しよく》から粗《そ》食《しよく》に移《うつ》り、次《つい》で徐《じよ》々《く》に食《しよく》を減《げん》じ、追《おひ》々《く》馴《な》れて來《く》るに從《したが》つて火《くわ》食《しよく》卽《すなは》ち火《ひ》を以《もつ》て煑《しや》沸《ふつ》したものを斷ち、專《もつぱ》ら蕎《そ》麥《ば》粉《こ》、梅《うめ》干《ぼし》、果《くわ》實《じつ》等《とう》を用《もち》ひて餓《うゑ》をしのぐやうにするのである。而《しか》してこれも馴《な》れて一向《かう》苦《く》痛《つう》を感《かん》じなくなつて來《き》たなれば玆《こゝ》に始《はじ》めて食《しよく》を斷《た》ち水《みづ》を呑《の》んで生《いの》命《ち》をつなぐと云《い》ふ事《こと》になるのであるが、一體《たい》人《にん》間《げん》と云《い》ふものは斷《だん》食《じき》をしたからと云《い》つて決《けつ》して弱《よは》るものでなく、全《ぜん》然《ぜん》何《なに》も食《しよく》さないで居《ゐ》ても三週《しう》間《かん》位《ぐらゐ》は生《いの》命《ち》に別《べつ》條《でう》ないのである。否《いな》！一寸《ちよつと》考《かんが》へると人《ひと》は斷《だん》食《じき》をすると直《すぐ》に衰《すゐ》弱《じやく》して了《しま》ひさうに思《おも》はれるが、實《じつ》は決《けつ》してさうでなく、斷《だん》食《じき》をすればそれと同《どう》時《じ》に肉《にく》體《たい》は殆《ほとん》ど活《くわつ》動《どう》を休《きう》止《し》して了《しま》ふから精《せい》神《しん》力《りよく》は却《かへ》つて盛《さかん》に活《くわつ》動《どう》を初《はじ》めて來《く》る事《こと》になるのである。茲《こゝ》に於《おい》てか肉《にく》欲《よく》的《てき》の野《や》心《しん》は殆《ほとん》ど無《な》くなり、實《じつ》に神《しん》聖《せい》な精《せい》神《しん》作《さ》用《よう》を行《おこな》ふやうになつて來《く》る。從《したが》つて斷《だん》食《じき》と云《い》ふ事《こと》は神《じん》通《つう》術《じゆつ》の修《しう》行《ぎやう》と云《い》ふ方《はう》面《めん》から見《み》ても實《じつ》に絶《ぜつ》好《かう》の方《はう》法《はふ》なのである。處《ところ》で斷《だん》食《じき》は如《い》何《か》なる場《ば》所《しよ》でこれを行《おこな》へば可《よ》いかと云《い》ふと、それは別《べつ》に定《き》められて居《ゐ》ない。卽《すなは》ち普《ふ》通《つう》の人《じん》家《か》で行《や》つても可《よ》いし、又《また》神《じん》社《じや》とか寺《てら》とか云《い》ふ所《いは》謂《ゆる》お籠《こもり》堂《だう》に於《おい》て行《おこな》つても可《よ》い。併《しか》し最《もつと》も可《よ》いのは山《やま》籠《ごもり》をして斷《だん》食《じき》と山《やま》籠《ごもり》の修《しう》行《ぎやう》法《はふ》とを同《どう》時《じ》にかね行《おこな》ふ事《こと》である。この方《はう》法《はふ》は從《じう》來《らい》述《じゆつ》者《しや》の經《けい》驗《けん》に依《よ》ると非《ひ》常《じやう》に成《せい》績《せき》がよく、雙《さう》方《はう》共《とも》に立《りつ》派《ぱ》に成《じやう》就《じゆ》して居《ゐ》る。尚《な》ほ斷《だん》食《じき》の修《しう》行《ぎやう》中《ちう》は絶《たへ》ず心《こゝろ》に左《さ》の如《ごと》く觀《くわん》じ精《せい》神《しん》氣《き》力《りよく》を以《もつ》て肉《にく》體《たい》を養《やしな》つて行《ゆ》くやうにするが可《よ》い。

人《にん》間《げん》の精《せい》神《しん》は本《ほん》來《らい》神《かみ》の分《ぶん》靈《れい》であつて清《せい》淨《じやう》無《む》垢《く》、玲《れい》瓏《ろう》玉《たま》の如《ごと》きものなのであるが、肉《にく》體《たい》と云《い》ふ衣《ころも》を着《き》て居《ゐ》るためにともすればその欲《よく》望《ばう》に汚《けが》されて了《しま》ふのである。何《な》故《ぜ》なれば肉《にく》體《たい》を發《はつ》育《いく》せしむる母《ぼ》乳《にう》や其《その》他《た》種《しゆ》々《〴〵》の食《しよく》物《もつ》は素《も》と土《ど》石《せき》からなつたものである。卽《すなは》ち人《にん》間《げん》の食《く》ふ動《どう》物《ぶつ》は植《しよく》物《ぶつ》を食《く》ひ植《しよく》物《ぶつ》は土《ど》石《せき》から養《やう》分《ぶん》を吸《きふ》收《しう》して生《せい》育《いく》して居《ゐ》るのであるから、要《えう》するに肉《にく》體《たい》は土《ど》石《せき》の精《せい》撰《せん》されたものに過《す》ぎないのである。加之《しかのみならず》肉《にく》體《たい》は重《ぢう》量《りやう》があり固《こ》着《ちやく》して、而《しか》も甚《はなは》だ不《ふ》自《じ》在《ざい》であるが、今《いま》この肉《にく》體《たい》を斷《た》つて了《しま》へば精《せい》神《しん》は本《ほん》體《たい》の靈《れい》に復《ふく》歸《き》し變《へん》通《つう》自《じ》在《ざい》なる事《こと》が出《で》來《き》る。否！精《せい》神《しん》が變《へん》通《つう》自《じ》在《ざい》になるのみでなくさうなれば肉《にく》體《たい》も亦《また》肉《にく》欲《よく》を離《はな》れ、心力《しんりよく》がこれを生活《せいくわつ》せしめて行《ゆ》く事《こと》になるから、これ又《また》輕妙《けいめう》自在《じざい》になる事《こと》が出來《でき》るのである。

以上《いじやう》述《の》べた四通《とほ》りの修行法《しうぎやうはふ》の何《いつ》れかを擇《えら》み(何《ど》の方法《はうはふ》も一通《とほ》りは遣《や》つて置《お》くと可《よ》い事《こと》は前《まへ》に述《の》べた通《とほ》りで期《き》限《げん》は一週間《しうかん》位《ぐらゐ》づゝで可《よ》い)それをば少《すくな》くも三年間《ねんかん》位《ぐらゐ》繼續《けいぞく》して行《や》つたなれば如何《いか》なる人《ひと》でも必《かなら》ず無《む》念《ねん》無《む》想《さう》、神《しん》人《じん》合《がふ》一の境地《きやうち》に達《たつ》する事《こと》が出來《でき》る。サアさうなればモウ〆《しめ》たものので茲《こゝ》に愈々《いよ／＼》通力《つうりき》を修行《しうぎやう》する事《こと》になるのであるが通力《つうりき》修行法《しうぎやうはふ》は六想觀《さうくわん》と云《い》つて六つの方法《はうはふ》がある、而《しか》してこれが美事《みごと》行《おこな》へるやうになると最初《さいしよ》に述《の》べた六つの通力《つうりき》、卽《すなは》ち六神通《じんつう》を體得《たいとく》する事《こと》が出來《でき》るやうになるのである。

六想《さう》觀《くわん》奥《おく》儀《ぎ》

身《み》滌《そゝぎ》修《しう》行《ぎやう》法《はふ》以《い》下《か》四通《とほり》の修《しう》行《ぎやう》法《はふ》に通《つう》達《たつ》して美《み》事《こと》無《む》念《ねん》無《む》想《さう》の安《あん》住《ぢう》地《ち》に達《たつ》する事《こと》が出《で》來《き》たなれば玆《こゝ》に愈《いよ》々《〱》六想《さう》觀《くわん》を修《をさ》めて六神《じん》通《つう》力《りき》を體《たい》得《とく》する事《こと》になるのであるが、玆《こゝ》に特《とく》に一言《ごん》して置《お》かねばならぬ事《こと》は前《まへ》に述《の》べた四通《とほ》りの修《しう》行《ぎやう》法《はふ》が完《くわん》全《ぜん》に修《しう》行《ぎやう》されてないにも關《かゝは》らずこの六想《さう》觀《くわん》を開《かい》始《し》してはならない事《こと》である。卽《すなは》ち四修《しう》行《ぎやう》法《はふ》を修《しう》行《ぎやう》せず、無《む》念《ねん》無《む》想《さう》の安《あん》住《ぢう》地《ち》に達《たつ》し得《え》ないものが猥《みだ》りに六想《さう》觀《くわん》を修《をさ》めなどすると生《しやう》涯《がい》神《じん》通《つう》力《りき》が得《え》られなくなるのみでなく、而《しか》も思《おも》はぬ禍《くわ》害《がい》を蒙《かうむ》る事《こと》が往《わう》々《〱》にしてあるから、此《この》點《てん》を呉《くれ》々《〲》も注《ちう》意《い》し戒《かい》心《しん》して貰《もら》ひたいのである。

第《だい》一水《すゐ》想《さう》觀《くわん》　水《すゐ》想《さう》觀《くわん》と云《い》ふのは遣《や》り方《かた》が幾《いく》通《とほ》りもある。卽《すなは》ち黑《こく》板《はん》に水《みづ》と云《い》ふ字《じ》を白《しろ》く書《か》いてそれを見《み》つめてもよく、大《おほ》きな鉢《はち》に水《みづ》を滿々《まん〳〵》と盛《も》つてそれを見《み》つめても可《よ》い。或《あるひ》は又《また》巖《がん》頭《とう》に端《たん》座《ざ》して對《たい》岸《がん》の瀧《たき》や溪《けい》水《すゐ》の流《なが》れるのを見《み》つめても可《よ》い。斯《かく》して心《しん》中《ちう》に、水《みづ》は萬《ばん》物《ぶつ》を生《せい》育《いく》せしむるのである。天《てん》地《ち》間《かん》には水《みづ》の精《せい》靈《れい》卽《すなは》ち無《む》形《けい》の水《みづ》が充《み》ち滿《み》ちて居《ゐ》る。現《げん》にこの修《しう》行《ぎやう》の場《ば》所《じよ》も、自《じ》分《ぶん》の身《しん》體《たい》も悉《こと〳〵》く水《みづ》の結《けつ》晶《しやう》である。水《みづ》は一切《すべて》の邪《じや》惡《あく》、汚《を》穢《くわい》、妄《まう》念《ねん》を洗《あら》ひ去《さ》るものであるから、自《じ》分《ぶん》は今《いま》一點《てん》の汚《けが》れも妄《まう》想《さう》もない。今《いま》や自《じ》分《ぶん》の身《しん》體《たい》の罪《ざい》惡《あく》は雪《ゆき》や氷《こほり》の如《ごと》く段々《だん〳〵》に溶《と》けて水《みづ》になりつゝある。さうして清《せい》淨《じよう》の水《みづ》が泉《いづみ》の如《ごと》く身《しん》體《たい》に湧《わ》いて來《き》た。と觀《くわん》ずるのである。この水《すゐ》想《さう》觀《くわん》が眞《しん》に行《おこな》へるやうになると雲霧《うんむ》となつて空《そら》を行《ゆ》き、水上《すゐじやう》を歩《あゆ》み、水中《すゐちう》に入《はい》つても決《けつ》して溺《おぼ》れなくなるのである。

第《だい》二火炎観《くわえんくわん》　これは火《ひ》を焚《た》いてそれを見《み》つめてもよく、火《ひ》と云《い》ふ字《じ》を朱《しゆ》で書《か》いてそれを見《み》つめても可《よ》い。心中《しんちう》には一切《すべて》の生物《せいぶつ》は凡《すべ》て火《ひ》によつて存在《そんざい》して居《ゐ》る。火《ひ》は熱《ねつ》である。生命《せいめい》である。一切《すべて》の不浄障魔《ふじやうしやうま》を焚《た》き盡《つく》すものである、人間《にんげん》の息《いき》は身熱《しんねつ》の元《もと》である、身熱《しんねつ》は生命《せいめい》である。出《で》る息《いき》は炎《ほほの》である。我身《わがみ》は今《いま》盛《さかん》に燃《も》えて一切《すべて》の罪劫《ざいごふ》を焼《や》きつくして居《い》ると観《くわん》ずるのである。之《これ》が充分《じうぶん》行《おこな》へるやうになると火《ひ》に入《はい》つて焼《や》けず、湯《ゆ》をぐゞつても火傷《やけど》をしなくなる。

第《だい》三月輪観《げつりんくわん》　人間《にんげん》の俗情《ぞくじやう》を拂《はら》ひ、宇《う》宙《ちう》の大自然《だいしぜん》と同化《どうくわ》するの方法《はうはふ》としては月輪観《げつりんくわん》は實《じつ》にこの上《うへ》ない方法《はうはふ》であつて神《しん》人《じん》合《がふ》一の最《もつと》も近《ちか》道《みち》であると云《い》つても可《よ》い。何《なん》となれば春《はる》の艶《えん》な月《つき》に對《たい》しても夏《なつ》の麗《うら、か》な月《つき》に對《たい》しても或《あるひ》は秋《あき》の清《きよ》い月《つき》に對《たい》しても、冬《ふゆ》の嚴《げん》肅《しゆく》な月《つき》に對《たい》しても、凡《およ》そ如《い》何《か》なる月《つき》に對《たい》しても月《つき》程《ほど》人《ひと》に清《せい》淨《じよう》な感《かん》を抱《いだ》かせるものはないのであつて、如《い》何《か》な人《ひと》でも月《つき》に對《たい》しては一點《てん》の惡《あく》心《しん》邪《じや》念《ねん》を抱《いだ》くことが出《で》來《き》ないのである。換《くわん》言《げん》すれば宇《う》宙《ちう》萬《ばん》有《いう》を美《び》化《くわ》し、自《じ》己《こ》の腦《なう》裡《り》を清《せい》淨《じよう》にするものは實《じつ》に月《つき》を措《を》いて他《た》にないのであつて、如《い》何《か》な人《ひと》でも海《かい》邊《へん》湖《こ》畔《はん》にたち或《あるひ》は明《めい》窓《さう》淨《じよう》机《き》に椅《よ》つて靜《せい》夜《や》の月《つき》に對《たい》した時《とき》、遂《つひ》に神《しん》化《くわ》せられざるを得《え》ないのである。處《ところ》で月《げつ》輪《りん》觀《くわん》を行《おこな》ふには如《い》何《か》なる方《はう》法《はふ》によつて行《おこな》ふかと云《い》ふと銀《ぎん》紙《がみ》で月《つき》と云《い》ふ字《じ》を作《つく》りそれを見《み》つめても可《よ》いし、弦《げん》月《げつ》、半《はん》月《げつ》、滿《まん》月《げつ》三様《やう》の畫《ゑ》を描《ゑが》きそれを見《み》つめても可《よ》い。而《しか》して心中《しんちう》には月輪《げつりん》今《いま》我《われ》の胸中《きようちう》にあつて弦月《げんげつ》より半月《はんげつ》に、半月《はんげつ》より滿月《まんげつ》に到《いた》ると觀《くわん》じ、己《おのれ》の愚劣《ぐれつ》な智惠《ちゑ》學問《がくもん》は今《いま》や月《つき》の力《ちから》によつてこの月《つき》の如《ごと》く次第《しだい》に圓滿完全《ゑんまんくわんぜん》となり、明瞭玲瓏《めいれうれいろう》となりつゝあると觀《くわん》ずるのである。それから今《いま》一つの方法《はうはふ》は岩頭《がんとう》又《また》は水邊《すゐへん》、山中等《さんちうとう》に於《おい》て實際《じつさい》の月《つき》を觀《くわん》じ、月《つき》來《きた》つて我《わ》が鼻端《びたん》にかゝり、我《われ》進《すゝ》んで月《つき》に沒入《ぼつにふ》し卽《すなは》ち月《つき》と一體《たい》となり、月《つき》に融和《ゆうわ》したと思《おも》はれるまで月《つき》を見《み》つめるのである。思《おも》ふに曉月《げうげつ》惶《くわう》惶萬象悉《くわうはんしやうことごと》く眠《ねむ》つて宇宙《うちう》未《いま》だ醒《さ》めざるの時《とき》、月《つき》と我《われ》のみ默《もく》々《もく》として相對《あひたい》し、月《つき》我《われ》に入《い》り我《わ》れ月《つき》に入《い》り、月《つき》我《われ》か、我《わ》れ月《つき》か、月《つき》、月《つき》にあらず、我《われ》、我《われ》にあらず、卽《すなは》ち乾坤《けんこん》我《われ》と倶《とも》に鎔《よう》々と云《い》ふ境地《きやうち》に至《いた》つたなれば如何《いか》な無智蒙昧《むちまうまひ》な人間《にんげん》でもいつとなく神々《かう〳〵》しくなつて、眞實《しんじつ》神《かみ》と一つにならざるを得《え》なくなるのである。

第四日輪觀《だいにちりんくわん》　この日輪《にちりん》觀《くわん》は金字《きんじ》で日《ひ》と書《かい》ても宜《よ》く、金《きん》で日《ひ》の丸《まる》を作《つく》つても可《よ》い。又《また》海岸《かいがん》又《また》は廣野《くわうや》にたつて眞實《しんじつ》の朝日《あさひ》か夕日《ゆふひ》に對《たい》し觀念《くわんねん》をこらしても宜《よ》い。朝日《あさひ》は陽氣《やうき》と生氣《せいき》とを與《あた》へ夕日《ゆふひ》は清淨《せいじやう》と靜寂《せいじやく》の信念《しんねん》を人《ひと》に與《あた》へるものである。觀念《くわんねん》のこらし方《かた》は月輪《げつりん》を日輪《にちりん》にかへさへすれば他《た》は凡《すべ》て月輪《げつりん》觀《くわん》と同《どう》一で可《よ》いのである。

第五宇宙觀《だいうちうくわん》　この觀念《くわんねん》の仕方《しかた》は三日《か》でも五日《か》でも人《ひと》に接《せつ》する事《こと》をさけ一室《しつ》に靜座《せいざ》して宇宙《うちう》の眞相《しんさう》は如何《いかん》、人生《じんせい》の歸趨《きすう》は如何《いかん》、神《かみ》とは如何《いかん》、神人《しんじん》の關係《くわんけい》は如何《いかん》など云《い》ふ宗教《しうけう》又《また》は哲學《てつがく》上《じやう》未《いま》だ不可解《ふかかい》とされて居《ゐ》る千古《こ》の難問題《なんもんだい》を默念《もくねん》するのである。併《しか》しこの難問題《なんもんだい》を三日《か》や、五日《か》で解《かい》決《けつ》する事《こと》は絶對《ぜつたい》に出《で》來《き》得《う》る事《こと》でないのであるから、學問《がくもん》上《じやう》の理窟《りくつ》は考《かんが》へないで、自分《じぶん》の考丈《かんがへだけ》で旨《うま》く解決《かいけつ》して了《しま》へば可《よ》いのである。卽《すなは》ち神《かみ》とはこんなものである。人生《じんせい》とはこんなものである。されば人間《にんげん》はかう云《い》ふ工合《ぐあひ》に世《よ》に處《しよ》して行《ゆ》けば可《よ》いと云《い》ふ風《ふう》に自分丈《じぶんだけ》の考《かんがへ》で凡《すべ》てを處置《しよち》して行《ゆ》くのである。

第《だい》六成《せい》神《じん》觀《くわん》　これは最《もつとも》大《たい》切《せつ》な觀念法《くわんねんはふ》で、この觀念法《くわんねんはふ》が誤《あやま》つては折角《せつかく》の修行《しうぎやう》をば凡《すべ》て破壞《はくわい》して了《しま》はねばならぬから、餘程《よほど》大切《たいせつ》に觀念《くわんねん》をこらす事《こと》が必要《ひつえう》である。然《しか》らば何《ど》う云《い》ふ風《ふう》に觀念《くわんねん》すれば可《よ》いかと云《い》ふと、自分《じぶん》は既《すで》に神《かみ》と同化《どうくわ》して生身《いきみ》の神《かみ》となつたのであるが、偖《さ》て神《かみ》となつた上《うへ》はどんな事《こと》をすれば神《かみ》としての役目《やくめ》がすむか、どんな事《こと》をせねばならぬかと考《かんが》へ、最《もつと》も神《かみ》の役目《やくめ》として適當《てきたう》な事《こと》を考《かんが》へるのである。卽《すなは》ち神《かみ》となつたからと云《い》つて妄《みだ》りに神《じん》變《へん》不《ふ》可《か》思《し》議《ぎ》の事《こと》を許《はか》りやつては神《かみ》としての役目《やくめ》を怠《おこた》るものであるから其《その》點《てん》は餘《よ》程《ほど》注《ちう》意《い》して神《かみ》の神《かみ》たる所《ゆ》以《ゑん》を發《はつ》揮《き》せねばならぬ。

以《い》上《じやう》說《せつ》述《じゆつ》した四修《しう》行《ぎやう》法《はふ》六想《さう》觀《くわん》を熱《ねつ》心《しん》に修《しう》行《ぎやう》さへすれば何《なん》人《びと》も最《さい》初《しよ》に掲《かゝげ》た六神《じん》通《つう》力《りき》を體《たい》得《とく》悟《ご》了《れう》する事《こと》が出《で》來《き》るのであるが、併《しか》し本《ほん》卷《くわん》に記《しる》した事《こと》は何《いづれ》も其《その》筋《すぢ》道《みち》であつて未《いま》だ悉《ことごと》くを盡《つく》したとは云《い》ひ得《え》ないのである。否《いな》！これ以《い》上《じやう》の事《こと》は何《いづれ》も筆《ひつ》舌《ぜつ》を以《もつ》て盡《つく》し得《え》ない事であつて何《どう》しても修《しう》行《ぎやう》者《しや》の自《じ》覺《かく》得《とく》道《だう》に待《まつ》より他《ほか》に道《みち》がないのである。

(二) 仙《せん》術《じゆつ》

神《じん》通《つう》術《じゆつ》と仙《せん》術《じゆつ》

仙《せん》術《じゆつ》とは何《なん》ぞや　仙《せん》術《じゆつ》と云《い》ふのは普《ふ》通《つう》一般《はん》の理《り》を以《もつ》て解《かい》釋《しやく》する事《こと》の出《で》來《き》ぬ不《ふ》思《し》議《ぎ》な法《はふ》を云《い》ふので例《たと》之《へ》ば酒《さけ》を噀《ふい》て火《ひ》を消《け》すとか、雪《ゆき》を削《けづ》つて銀《ぎん》とするとか、或《あるひ》は石《いし》を羊《ひつじ》に化《くわ》せしめるとか、千里《り》の遠《とほ》きをも忽《たちま》ち寸《すん》尺《せき》の近《ちか》きに縮《ちゞ》めて了《しま》ふとか、又《また》空《そら》を飛《と》び水《みづ》を潛《くゞ》るとか云《い》ふのがそれで仙《せん》人《じん》が行《おこな》ふ術《じゆつ》と云《い》ふ處《ところ》から卽《すなは》ち仙《せん》術《じゆつ》と命《めい》じたのである。然《しか》らば仙《せん》人《にん》とは如《い》何《か》なるものかと云《い》ふと、釋《しやく》名《めい》と云《い》ふ書《しよ》物《もつ》には

老テ而不レ死曰フレ仙、仙ハ入ルレ山ニ故ニ其字人傍山也。

と記《しる》してある。これによつてこれを見《み》ると、年《とし》とつた人間《にんげん》が山《やま》に這入《はひ》つて神通術《じんつうじゆつ》を修行《しうぎやう》したものに相違《さうゐ》なく殊《こと》に仙人《せんにん》の生活振《せいくわつぶり》を見《み》ると愈々《いよ〳〵》其感《そのかん》が深《ふか》いのである。卽《すなは》ち彼《かれ》等《ら》は仙術《せんじゆつ》を修行《しうぎやう》するに際《さい》して或《あるひ》は蛇《へび》に責《せめ》られ、或《あるひ》は蜂《はち》に攻《せ》められ、或《あるひ》は斷食《だんじき》をし、又《また》石髓《せきずゐ》や松《まつ》の實《み》、或《あるひ》は松脂《まつやに》を喰《く》ひ、更《さら》に修行《しうぎやう》が積《つ》むに從《したが》つて吸霞食氣《きふかしよくき》の法《はふ》を行《おこな》つたと古《ふる》い書物《しよもつ》に記《しる》されてある。思《おも》ふに彼等《かれら》は神通術《じんつうじゆつ》を修行《しうぎやう》した結果《けつくわ》、汚《よご》れに汚《よご》れた此《こ》の世《よ》の中《なか》が嫌《いや》になり其儘《そのまゝ》山中《さんちう》に隱遁《いんとん》して了《しま》つたものに相違《さうゐ》ないのである。今古來《いまこらい》仙人《せんにん》が行《おこな》つたと云《い》はれて居《ゐ》る修行法《しうぎやうはふ》の大要《たいえう》を示《しめ》すと左《さ》の通《とほ》りで、彼《かれ》等《ら》とても最初《さいしよ》から一足《そく》飛《とび》に仙人《せんにん》となり霞《かすみ》を食《く》つた譯《わけ》ではないのである。

大豆《だいづ》五と麻《あさ》の實《み》三との割合《わりあひ》で混《ま》ぜ合《あは》せたものを能《よ》く蒸《ふか》し、其《その》皮《かは》を去《さ》り、餅《もち》の如《ごと》く搗《つ》き、更《さら》にそれを半日《はんにち》以上《いじやう》蒸《ふか》し上《あげ》た上《うへ》、日《ひ》に晒《さら》し乾《かわ》かして粉《こ》となし、四十九日間《にちかん》それを充《じう》分《ぶん》に食《く》ふのである。さうすると七日《か》間《かん》位《ぐらゐ》は何《なに》を喰《く》はなくとも決《けつ》して餓《う》えない。さうしてこれを數回《すうくわい》繰返《くりかへ》し行《おこな》つたなれば終《つひ》には只《たゞ》朝《あした》に新鮮《しんせん》の空氣《くうき》を吸《す》ひ、夕《ゆふべ》には谷《たに》に下《くだ》つて霞《かすみ》を喰《く》ふ丈《だけ》で永久《えいきう》に斷食《だんじき》しても少《すこ》しも餓《うゑ》を感《かん》じなくなると云《い》ふのである。又《また》支那《しな》の陶洪憬《たうこうけい》と云《い》ふ人《ひと》は朱砂《しゆしや》、黄《わう》金《こん》、雌《し》黄《わう》等《とう》を以《もつ》て飛丹《ひたん》を調劑《てうざい》しこれを服用《ふくよう》した結果《けつくわ》、遂《つひ》に飛行《ひかう》の術《じゆつ》を得《え》たと云《い》ふし、紫微夫人《しびふじん》と云《い》ふのは金漿《きんしやう》、玉《ぎよく》醴《ほう》、交梨《かうり》、火棗《くわさう》を練《ね》り合《あは》して飛騰藥《ひとうやく》を造《つく》り遂《つひ》に仙術《せんじゆつ》を得《え》たと云《い》はれて居《ゐ》る。又《また》王烈《わうれつ》と云《い》ふ人《ひと》は大行山《たいかうざん》に於《おい》て雷鳴《らいめい》に逢《あ》ひ、岩《がん》石《せき》が破《は》裂《れつ》して其《その》間《あひだ》から青《せい》泥《でい》の流《なが》れ出《いづ》るのを見《み》て之《これ》を食《く》ひ、遂《つひ》に斷《だん》食《じき》して仙《せん》人《にん》となつた支《し》那《な》の書《しよ》物《もつ》に記《しる》されてある。併《しか》し何《いづ》れを見《み》ても各《かく》種《しゆ》の艱《かん》難《なん》辛《しん》苦《く》に耐《た》へたものが仙《せん》人《にん》になつて居《ゐ》る處《ところ》を見《み》ると、神《じん》通《つう》術《じゆつ》修《しう》行《ぎやう》法《はふ》を嚴《げん》重《ぢう》にやりさへすれば誰《たれ》でも仙《せん》人《にん》となり得《う》る事《こと》は明《あき》らかで、それも仙《せん》人《にん》の如《ごと》く山《やま》の中《なか》に入《はい》り切《き》らず、社《しや》會《くわい》に居《を》つて思《おも》ひ存《ぞん》分《ぶん》の活《くわつ》動《どう》が出《で》來《き》るのである。されば諸《しよ》君《くん》は殊《こと》更《さら》仙《せん》術《じゆつ》を覺《おぼ》えなくも神《じん》通《つう》術《じゆつ》を充《じう》分《ぶん》に修《しう》行《ぎやう》するが可《よ》い。さうすれば優《ゆう》に仙《せん》人《にん》同《どう》樣《やう》の妙《めう》技《ぎ》が體《たい》得《とく》出《で》來《き》るのみならず、ある意《い》味《み》に於《おい》てはそれ以《い》上《じやう》の事《こと》が出《で》來《き》るのである。左《さ》に掲《かゝ》げたのは神《じん》通《つう》術《じゆつ》を修《しう》得《とく》すれば容《よう》易《い》に行《おこな》ひ得《え》られる仙《せん》術《じゆつ》の妙《めう》技である。

水《すゐ》火《くわ》轉《てん》換術《くわんじゆつ》

水《すゐ》火《くわ》轉《てん》換術《くわんじゆつ》と云《い》ふのは我國《わがくに》で古來《こらい》行《おこな》はれて居《ゐ》る妙術《めうじゆつ》で、火《ひ》を水《みづ》に變《へん》じたり、水《みづ》を火《ひ》に變《へん》じたり、頭《あたま》から煮《にえ》湯《ゆう》をかぶつたり、火中《くわちう》を洗足《はだし》で歩《ある》いたりするのがそれである。一見《けん》甚《はなは》だ不可思議《ふかしぎ》千萬《せんはん》で無上《むじやう》の秘法《ひはふ》のやうに思《おも》はれるが、而《しか》も神通術《じんつうじゆつ》から云《い》へば別段《べつだん》不可思議《ふかしぎ》千萬《せんはん》とは云《い》へないのである。何故《なぜ》かと云《い》ふと元來《ぐわんらい》天地《てんち》萬有《はんいう》は悉《ことごと》く水火《すゐくわ》二元《げん》の調和《てうわ》に依《よ》つて成立《せいりつ》して居《ゐ》るもので、生物《せいぶつ》卽《すなは》ち動物《どうぶつ》でも植物《しよくぶつ》でもこの水火《すゐくわ》の二元《げん》が平均《へいきん》調和《てうわ》さへして居《を》れば卽《すなは》ち健康《けんかう》狀態《じやうたい》を持續《ぢぞく》して盛《さかん》に發育《はついく》もすれば活動《くわつどう》もして行《ゆ》くが、若《も》し其《その》調和《てうわ》平均《へいきん》を失《しつ》したなれば忽《たちま》ち生存力《せいぞんりよく》を失《うしな》ひ病態《びやうたい》を呈《てい》するに至《いた》るのである。例之《たとへ》ば竈《かまど》の火《ひ》と鍋《なべ》の水《みづ》とがうまく調和《てうわ》すれば立派《りつぱ》に飯《めし》が出來《でき》るが若《も》しそれが不權衡《ふけんかう》になると忽《たちま》ちこげ飯《めし》が出來《でき》たり粥《かゆ》のやうな飯《めし》が出來《でき》るのはその最《もつと》も顯著《けんちよ》な證據《しようこ》である。而《しか》して火《ひ》と水《みづ》は元來《ぐわんらい》同《どう》一元《げん》から出《で》たもので根本《こんほん》は別《べつ》ではない卽《すなは》ち火傷《くわしやう》も凍傷《とうしやう》も同《おな》じ病態《びやうたい》であり、熱病《ねつびやう》や眼病《がんびやう》などが水《みづ》で冷《ひ》やしても宜《よ》ければ熱《ねつ》であたゝめても同《おな》じ効果《かうくわ》を呈《てい》するのはこの理由《りいう》に他《ほか》ならぬのである。併《しか》し乍《なが》ら火《ひ》は陽《やう》の極《きよく》に走《はし》り、水《みづ》は陰《いん》の極《きよく》に凝《こつ》て居《ゐ》るから、一見《けん》正反對《せいはんたい》のものとしか思へぬのである。而《しか》して火《ひ》の本源《ほんげん》は太陽《たいやう》―日《ひ》の神《かみ》で、水《みづ》の本源《ほんげん》は太陰《たいいん》―月讀《つきよみ》の神《かみ》である。されば形《かたち》に見《み》へる火《ひ》は物《もの》を焚《た》かねば解《わか》らないが、無形《むけい》の火《ひ》―火《ひ》の精靈《せいれい》―太陽《たいやう》の光熱《くわうねつ》は宇宙《うちう》に充《み》ち滿《み》ちて居《を》り、無形《むけい》の水精《すゐせい》亦《また》天地間《てんちかん》に充塞《じうそく》して居《を》つて月《つき》と地上《ちじやう》の有形《いうけい》の水《みづ》とを連絡《れんらく》し、海水《かいすゐ》を干滿《かんまん》ならしめて其《そ》の存在《そんざい》を示《しめ》して居《ゐ》るのである。それで無形《むけい》の水精換言《すゐせいくわんげん》すれば日《ひ》の神《かみ》の力《ちから》と月《つき》の神《かみ》の力《ちから》とを動《うご》かして水火《すゐくわ》の不平均《ふへいきん》を調和《てうわ》するのが水《すゐ》火轉換《くわてんくわん》の秘法《ひはふ》であつて、決《けつ》して單純《たんじゆん》に火《ひ》を水《みづ》となし、水《みづ》を火《ひ》となすのではない卽《すなは》ち炎々《えん〳〵》たる火《ひ》に水精《すゐせい》を調和《てうわ》し、水《すゐ》神《じん》の神力《じんりよく》で火勢《くわせい》を壓迫《あつぱく》し、之《これ》を平均《へいきん》せしめて害《がい》のないやうにするので、水《みづ》や氷《こほり》を火《ひ》にするのもこれと同《おな》じ理窟《りくつ》なのである。之《これ》を要《えう》するに水火轉換法《すゐくわてんくわんはふ》を行《おこな》ふ時《とき》は確信《かくしん》が最《もつと》も必要《ひつえう》で、確信《かくしん》に加《くわ》ふるに熟練《じゆくれん》があれば、尙更《なほさら》妙《めう》である。卽《すなは》ち確信《かくしん》と熟練《じゆくれん》とを以《もつ》て水火《すゐくわ》を平均調和《へいきんてうわ》させたなれば人《ひと》は例之《たとへ》火《ひ》の中《なか》に入《はい》つても燒《や》ける事《こと》はなく氷《こほり》に埋《うも》もれても決《けつ》して凍《こゞ》へぬのである。

一身《しん》各《かく》所《しよ》多《た》現《げん》術《じゆつ》　この術《じゆつ》は一人《ひとり》の人間《にんげん》が同時《どうじ》に各所《かくしよ》に現《あら》はれて活動《くわつどう》する事《こと》で、例之《たとへ》ば今日《こんにち》只今《たゞいま》、大阪《おうさか》にも、京都《きやうと》にも、神戸《かうべ》にも、東京《とうきやう》にも、同《おな》じ人間《にんげん》が同時《どうじ》に現《あら》はれて何《なに》かすると云《い》ふのである。一寸《ちよつと》考《かんが》へると到底《たうてい》そんな事《こと》が出來《でき》やうと思《おも》はれないが、仙人《せんにん》は之《これ》を容易《ようい》に行《おこな》つたのである。否《いな》！仙人《せんにん》がこれを行《おこな》つたのみならず、神通術《じんつうじゆつ》から見《み》ても敢《あへ》て怪《あや》しむに足《た》りないのである。卽《すなは》ち八百萬《よろづ》の神《かみ》は別々《べつ〱》に働《はたら》くけれども其本體《そのほんたい》は一神《しん》である如《ごと》く、人間《にんげん》も一身《しん》ではあるけれども向《むか》ふに受《う》けるものさへあれば幾干《いくら》にも分《わか》れて働《はたら》く事《こと》が出來《でき》るのである。全體《ぜんたい》人間《にんげん》精神《せいしん》の本性《ほんしやう》と云《い》ふものは時間《じかん》の前後《ぜんご》にも支《さ》へられねば、空間《くうかん》の山河《さんか》とか云《い》ふやうな土地《とち》にも制限《せいげん》されない、恰度《ちやうど》太陽《たいやう》の光《ひかり》のやうなものである。卽《すなは》ち太陽《たいやう》の形體《けいたい》から云《い》へば時間《かん》もあり場所《ばしよ》もあるけれども太陽《たいやう》の光《ひかり》にはそんな制限《せいげん》はなく東《とう》京《きやう》も大阪《おほさか》も、臺灣《たいわん》も北海道《ほくかいだう》も同時《どうじ》に之《これ》をてらす事《こと》が出來《でき》るのである。而《しか》して人間《こんげん》の精神《せいしん》も之《これ》を神《かみ》に一致《ち》せしめると今《いま》述《の》べた太陽《たいやう》の光線《くわうせん》の如《ごと》く各所《かくしよ》に其《その》姿《すがた》を現《あら》はす事《こと》が出來《でき》、又《また》各所《かくしよ》に發現《はつげん》する樣々《さま〴〵》の出來事《できごと》を一目《もく》に見《み》る事《こと》も出來《でき》るのである。要《えう》するに此法《このはふ》は一意《い》專念《せんねん》の確信力《かくしんりよく》に依《よ》つて成功《せいこう》するものなのであるから決《けつ》して雜念《ざつねん》があつては駄目《ため》で眞《しん》に神通術《しんつうじゆつ》修行法《しうぎやうはふ》が積《つ》めて神人不二《しんじんふじ》の境《さかひ》に至《いた》つたなれば容易《ようい》に行《おこな》へるのである。

飛行水行自在術《ひかうすゐかうじざいじゆつ》　我國《わがくに》の神道《しんだう》にも天翔《あまかけ》り國翔《くにかけ》りと云《い》ふ事《こと》があるが、この飛行水行《ひかうすゐかう》と云《い》ふ事《こと》は古來仙術《こらいせんじゆつ》の奥儀《おくぎ》とされて居《を》る。而《しか》してこれを能《よ》くするに至《いた》るには是非《ぜひ》共《とも》斷食《だんじき》と水想觀《すゐさうくわん》を行《おこな》ふ事《こと》が必要《ひつえう》で、又《また》一方《はう》に朱砂《しゆしや》、黄金《わうごん》、雌黄《しわう》を以《もつ》て飛丹《ひたん》を調劑《てうざい》し、毎日《まいにち》少量《せうりやう》づゝ一年《ねん》以上《いじやう》繼續《けいぞく》服用《ふくよう》すると共《とも》に常《つね》に口《くち》より死氣《しき》を吐《は》き、生氣《せいき》を取《と》り且《か》つ笑《わら》はず、詞少《ことはすく》なく、泣涙《なみだ》唾液《つは》を出《だ》さぬやう閑所《かんしよ》に靜居《せいきよ》して悟眞立《こしんりつ》我《が》を勉《つと》めねばならぬ。

不老延命《ふらうえんみやう》の仙術《せんじゆつ》　これも仙術《せんじゆつ》からでなく神通術《じんつうじゆつ》として容易《ようい》に行《おこな》へる事《こと》である。否《いな》！人間《にんげん》の身體《しんたい》は之《これ》を生理學《せいりがく》上醫學上《じやういじゆつじやう》から見《み》ても病氣《びやうき》がないとか、無理《むり》をして損傷《そんしやう》せぬ限《かぎ》り百五十歳《さい》迄《まで》は充分《じうぶん》生存《せいぞん》し得《う》るもので、更《さら》に之《これ》に精《せい》神上《しんじやう》の活力《くわつりよく》を加《くは》へたなれば少《すく》なくも二百歳《さい》までの壽命《じゆみやう》を保《たも》つ事《こと》は決《けつ》して困難《こんなん》ではないのである。現《げん》に神代《しんだい》及《およ》び上《じやう》古《こ》の人々《ひと〴〵》が大抵《たいてい》百歳以上《さいいじやう》の壽命《じゆみやう》のあつた事《こと》は歴史《れきし》を學《まな》んだ人《ひと》の知《し》つて居《ゐ》る事實《じじつ》で、現代人《げんだいじん》と雖《いへど》も太古《たいこ》の人《ひと》の如《ごと》く神《かみ》を信仰《しんかう》して凡《すべ》てを自然《しぜん》に任《まか》せ、餘《あま》り自分勝手《じぶんかつて》の智慧《ちゑ》工夫《くふう》を出《だ》さなかつたなれば容易《ようい》に茲《こゝ》に到《いた》り得《う》るのである。尚《な》ほ仙術《せんじゆつ》とか神通術《じんつうじゆつ》とか云《い》ふ事《こと》を離《はな》れ、左《さ》の條項《でうかう》を嚴守《げんしゆ》したなれば人《ひと》は必《かなら》ず長命《ちやうめい》する事《こと》が出來《でき》る。

一、身滌《みそゝぎ》を毎朝《まいてう》確實《かくじつ》に行《おこな》ふ事《こと》。

一、就寢《じゆしん》前《ぜん》にも必《かなら》ず身滌《みそゝぎ》を行《おこな》ひ、口《くち》を嗽《そゝ》ぐ事《こと》。

一、朝《あさ》は日輪《にちりん》に向《むか》つて所謂《いはゆる》日輪觀《にちりんくわん》を行《おこな》ふ事《こと》。

一、夜《よ》は月輪《げつりん》に向《むか》つて所謂《いはゆる》月輪觀《げつりんくわん》を行《おこな》ふ事《こと》。

一、主食《しゆしよく》を麥飯《はくはん》とし副食物《ふくしよくぶつ》を野菜《やさい》とする事《こと》。

一、肉食《にくしよく》、酒《さけ》、煙草《たばこ》を嚴禁《げんきん》する事《こと》。

一、色《しき》欲《よく》を節《せつ》抑《よく》する事《こと》。

一、便《べん》通《つう》を整《とゝの》へ毎《まい》朝《あさ》必《かなら》ず上《じやう》厠《そく》する事《こと》。

一、睡《すゐ》眠《みん》時《じ》間《かん》を五時《じ》間《かん》以《い》内《ない》とし起《き》臥《ぐわ》の時《じ》間《かん》を一定《てい》する事《こと》。

一、衣《い》服《ふく》、寢《しん》具《ぐ》、居《きよ》宅《たく》諸《しよ》器《き》具《ぐ》を整《せい》頓《とん》する事《こと》。

一、疳《かん》癪《しやく》を起《おこ》し、怒《ど》聲《せい》を發《はつ》せぬ事《こと》。

一、愚《ぐ》痴《ち》、泣《なき》事《ごと》を云《い》はざる事《こと》。

一、常《つね》に溫《をん》和《わ》の心《こゝろ》を持《も》ち言《げん》語《ご》明《めい》晰《せき》なる事《こと》。

一、自《じ》己《こ》の地《ち》位《ゐ》境《きやう》遇《ぐう》を感《かん》謝《しや》する事《こと》。

一、常《つね》に自《し》然《ぜん》の風《ふう》光《くわう》に接《せつ》し、心《しん》身《しん》を休《きう》養《やう》する事《こと》。

一、常《つね》に丹《たん》田《でん》集《しふ》力《りよく》法《はう》を怠《おこた》らざる事《こと》。

一、鼻《はな》より生《せい》氣《き》を吸《す》ひ口《くち》より死《し》氣《き》を吐《は》くやう努《つと》むる事《こと》。

一、毎《まい》朝《あさ》鹽《しほ》湯《ゆ》又《また》は梅《うめ》干《はし》茶《ちや》をのむ事《こと》。

一、毎日《まいにち》朝《あさ》晝《ひる》夕《ゆふ》の三回《くわい》、目《め》鼻《はな》耳《みゝ》を濺《そゝ》ぐ事《こと》。

一、何《い》時《つ》にても閑《ひま》ある時《とき》は身體《しんたい》顏面《がんめん》を摩擦《まさつ》する事《こと》。

以上《いじやう》二十ケ條《でう》を嚴守《げんしゆ》するの他《ほか》、左《さ》記《き》藥品《やくひん》の何《いづ》れかを任《にん》意《い》用《もち》ふる時《とき》は不老長命《ふらうちやうめい》疑《うたが》ひなし。

一、牡蠣粉《かきこ》三十、人參《にんじん》三の割合《わりあひ》にて調合《てうがふ》したる上茶《じやうちや》を少量《せうりやう》づゝ一日《にち》三回《くわい》用《もち》ふる事《こと》。

一、人參《にんじん》を常用《じやうよう》とする事《こと》。(溫《をん》を增《ま》し痰《たん》を去《さ》る)

一、麻《あさ》の實《み》の湯《ゆ》を呑《の》む事《こと》。

一、黑豆《くろまめ》を常食《じやうしよく》とする事《こと》。(精氣《せいき》を增《ま》す)

一、金砂《きんしや》、鐵劑《てつざい》を用《もち》ふる事《こと》。(金砂《きんしや》は惡熱《あくねつ》を去《さ》り、鐵劑《てつざい》は血《ち》を增《ぞう》加《か》す)

一、毒氣《どくき》を蒙《かうむ》りたる時《とき》は紅棗《こうさう》を用《もち》ふる事《こと》。

一、消《せう》化《くわ》不《ふ》良《りやう》なる時《とき》は交《かう》梨《し》を用《もち》ふる事《こと》。
一、濕《しつ》瘴《しやう》に觸《ふ》れたる時《とき》は犀《さい》角《かく》を用《もち》ふる事《こと》。
一、生《せい》物《ぶつ》を食《しよく》したる時《とき》は牛《きう》膽《たん》を嘗《な》むる事《こと》。

折《せつ》刀《たう》止《し》彈《だん》の妙《めう》術《じゆつ》

凡《おそ》そ人《ひと》が彈《た》丸《ま》に中《あた》つて死《し》んだり、刀《かたな》に切《き》られて死《し》ぬのは、劍《けん》が人《ひと》を斬《き》り、彈《た》丸《ま》が人《ひと》を殺《ころ》すのではないのであつて、劍《けん》を揮《ふる》ふ人《ひと》、彈《た》丸《ま》をうつた人《ひと》の精《せい》神《しん》氣《き》力《りよく》がその對《たい》者《しや》の精《せい》神《しん》氣《き》力《りよく》に優《まさ》つて居《ゐ》た場《は》合《あひ》、これを傷《きづ》け、これを殺《ころ》すのである。されば敵《てき》よりも自《じ》分《ぶん》の精《せい》神《しん》氣《き》力《りよく》が強《きやう》固《こ》であり、敵《てき》の精《せい》神《しん》氣《き》力《りよく》を壓《あつ》迫《はく》して鬪《たゝか》つたなれば決《けつ》して劍《けん》も彈《た》丸《ま》も恐《おそ》るゝ事《こと》はないのである。されば敵《てき》に對《たい》した時《とき》には決《けつ》して傍《わき》眼《め》をふらず、後《うしろ》を見《み》ず、逡《しゆん》巡《じゆん》の心《こゝろ》を起《おこ》さず、而《しか》して我《わが》身《み》は武《ぶ》神《じん》の精《せい》なり、刀《たう》刄《じん》も斬《き》る能《あた》はず彈《た》丸《ま》も

徹《とう》す能《あた》はずと堅《かた》く心《こゝろ》に觀《くわん》じ且《か》つ

『天地《あめつち》を知食《しろしめ》す大靈神《おほみかみ》、直日《なほび》の神《かみ》の守《まも》る身《み》は枉津日《まがつひ》の彈《たま》も外《はづ》れ、刄《やひは》も折《を》れん、いざ進《す》ゝめ進《す》ゝめ』

とひた押《おし》に押《お》し進《す》ゝめば刄《やひは》や彈丸《たま》は決《けつ》して恐《おそ》ろしいものでない。

動《どう》物《ぶつ》任《にん》意《い》驅《く》使《し》法《はふ》

人間《にんげん》は萬物《ばんぶつ》の靈長《れいちやう》で、諸動物《しよどうぶつ》は凡《すべ》て人間《にんげん》以下《いか》である。併《しか》し愚者《はか》も一役《ひとやく》と云《い》ふ諺《ことわざ》のある如《ごと》く、如《い》何《か》なるものにでも必《かなら》ず一能丈《のうだけ》は特殊《とくしゆ》の作用《さよう》があるもので、人間《にんげん》以上《いじやう》の活動力《くわつどうりよく》がある。例《たと》へば犬《いぬ》の嗅覺《しうかく》、牛馬《ぎうば》の聽覺《ちやうかく》、視覺《しかく》の如《ごと》き、確《たし》かに人間《にんげん》以上《いじやう》であつて、其《その》鋭敏《えいびん》な事《こと》は人《ひと》はその半《なか》ばにも及《およ》ばぬのである。而《しか》してこれ等《ら》の動物《どうぶつ》を任《にん》意《い》に驅使《くし》しやうとするには三樣《やう》の手段《しゆだん》がある。卽《すなは》ち人《ひと》が悟《こ》道《だう》の極《きよく》無《む》念《ねん》無《む》想《さう》に到《いた》つたなれば如《い》何《か》な猛《まう》獸《じう》も相《あひ》共《とも》になれ戲《たはむ》れるやうになつて決《けつ》して害《がい》を加《くは》へない。これは人《ひと》の人《ひと》たる雜《ざつ》念《ねん》がなくなるためで、さうなると人《にん》間《げん》も土《つち》も何《なん》等《ら》變《かは》りがないやうになるから猛《まう》獸《じう》も亦《また》これを害《がい》せぬのである。これ第《だい》一法《はふ》である。第《だい》二法《はふ》としては威《ゐ》力《りよく》を以《もつ》て對《あひ》手《て》を壓《あつ》倒《たう》する事《こと》である。卽《すなは》ち爛《らん》々たる眼《がん》光《くわう》を以《もつ》て睨《にら》みつけながら、滿《まん》身《しん》の精《せい》氣《き》を丹《たん》田《でん》に滿《みた》して大《だい》喝《かつ》したなれば如《い》何《か》な猛《まう》獸《じう》も忽《たちま》ち避《へき》易《えき》して了《しま》ふのである。第《だい》三は彼《かれ》等《ら》の好《この》む食《しよく》を與《あた》へ、所《いは》謂《ゆる》恩《おん》を以《もつ》てなづけるのである。凡《およ》そ動《どう》物《ぶつ》が害《がい》毒《どく》を恣《ほしいまゝ》にし猛《まう》烈《れつ》な性《せい》を發《はつ》揮《き》するのは皆《み》な陰《いん》性《せい》の凝《こ》つた作《さ》用《よう》であるから、人《にん》間《げん》が陽《やう》氣《き》を充《じう》分《ぶん》に貯《たくは》へてこれに向《むか》つたなれば如《い》何《か》な猛《まう》獸《じう》も決《けつ》して害《がい》を加《くは》へるものでないのであつて神通術《じんつうじゆつ》に達《たつ》しさへすれば彼等《かれら》を驅使《くし》する事《こと》は何《なん》でもなくなるのである。

不眠不疲《ふみんふひ》の秘術《ひじゆつ》。 人間《にんげん》が幾夜《いくよ》も〳〵眠《ねむ》らないで居《ゐ》て而《しか》も疲勞《らう》しないと云《い》ふ事《こと》は絶體《ぜつたい》に不可能《ふかのう》な事《こと》である。併《しか》し平素《へいそ》から左《さ》の方法《はうはふ》を實行《じつかう》して居《ゐ》ると三日《か》や五日《か》眠《ねむ》らないで居《ゐ》ても決《けつ》して疲勞《ひらう》するものでない。

一、眼《め》の用事《ようじ》なき時《とき》は常《つね》に半眼《はんがん》を閉《と》ぢ居《ゐ》るか、左右《さいう》を交代《かうたい》に一眼《がん》づゝ休《やす》め居《ゐ》る事《こと》。

一、毎朝《まいあさ》梅干《うめぼし》を茶《ちや》に入《い》れて呑《の》む事《こと》。

一、食鹽水《しよくえんすゐ》にて時々《ときどき》洗眼《せんがん》する事《こと》。

一、梟《ふくろ》の尾《を》を黑燒《くろやき》にし、水《みづ》にて溶《と》き、紙《かみ》にのばして之《これ》を丹田《たんでん》に貼用《てうよう》し置《お》く事《こと》。以上《いじやう》

(三) 肥《ひ》滿《まん》長《ちやう》身《しん》術《じゆつ》

ある人《ひと》が人生《じんせい》最大《さいだい》の幸福《かうふく》は肥滿《ひまん》せる事《こと》と、長大《ちやうだい》なる體《たい》軀《く》を有《いう》する事《こと》とであると云《い》つたが、事實《じじつ》其通《そのとほ》りで如何《いか》なる場合《ばあひ》にも低《ひく》いよりは高《たか》い方《はう》がよく、瘦《や》せて居《ゐ》るよりは肥《ふと》つて居《ゐ》る方《はう》が立派《りつぱ》でもあり氣持《きもち》が可《よ》い。然《しか》るに我國《わがくに》に於《おい》ては維新《ゐしん》以來《いらい》新《あた》らしい文物《ぶんぶつ》が盛《さかん》になり、人心《じんしん》は只《たゞ》智識《ちしき》を磨《みが》くと云《い》ふ事《こと》にのみ專《もつぱ》らとなつて武術《ぶじゆつ》とか體育《たいいく》とか云《い》ふ事《こと》を殆《ほとん》ど捨《す》てゝ顧《かへり》みなかつた爲《た》め、古來《こらい》武《ぶ》を以《もつ》て遠《とほ》く支那《しな》南洋《なんやう》にまで其威《そのゐ》を輝《かゞやか》して居《ゐ》た日本《にほん》國民《こくみん》も、悲《かな》しいかな明治《めいぢ》の晩年《ばんねん》に至《いた》つて遂《つひ》に世界《せかい》に於《お》ける獨立《どくりつ》國中《こくちう》での最少《さいせう》な國民《こくみん》となり了《おは》せて仕舞《しま》つたのである。茲《こゝ》に於《おい》てか我《わ》が爲《ゐ》政《せい》者《しや》並《ならび》に教《けう》育《いく》家《か》は今《いま》更《さら》の如《ごと》くこれを驚《おどろ》き、卽《すなは》ち青《せい》年《ねん》を教《けう》育《いく》する上《うへ》には是《ぜ》非《ひ》共《とも》體《たい》育《いく》を重《おもん》ぜねばならぬと云《い》ふ事《こと》に氣《き》がついて、爾《じ》來《らい》各《かく》學《がく》校《かう》を初《はじ》め國《こく》民《みん》一般《はん》に柔《じう》術《じゆつ》や劍《けん》術《じゆつ》は勿《もち》論《ろん》各《かく》種《しゆ》の體《たい》育《いく》を奬《しやう》勵《れい》するやうになつた結《けつ》果《くわ》、昨《さく》今《こん》では青《せい》年《ねん》の體《たい》格《かく》が著《いちじる》しく改《かい》良《りやう》され、子《し》女《ぢよ》の身《しん》長《ちやう》が其《そ》の父《ふ》母《ぼ》より優《まさ》ると云《い》ふ傾《けい》向《かう》になつて來《き》た。これは國《こく》家《か》のため實《じつ》に喜《よろこ》ぶべき現《げん》象《しやう》であるが、併《しか》し日《に》本《ほん》國《こく》民《みん》としては未《いま》だ滿《まん》足《ぞく》すべき狀《じやう》態《たい》には達《たつ》して居《ゐ》ないのであつて歐《おう》米《べい》の優《いう》良《りやう》人《じん》種《しゆ》に比《くら》べると遙《はる》かに遜《そん》色《しよく》があるのである。されば我《わ》が國《こく》民《みん》殊《こと》に青《せい》年《ねん》たるものは今《こん》後《ご》益《ます》々《〱》奮《ふん》鬪《とう》努《ど》力《りよく》して各《かく》自《じ》の身《しん》長《ちやう》體《たい》重《ぢう》を增《ぞう》加《か》せねばならぬのであるが、一體《たい》人《にん》間《げん》と云《い》ふものは父《ふ》母《ぼ》から其《その》身《しん》體《たい》を與《あた》へられ天《てん》地《ち》から生《せい》命《めい》を附《ふ》與《よ》されて居《ゐ》るものであるから、人《じん》爲《ゐ》的《てき》にはこれを如《い》何《か》ともなしがたく考《かんが》へられる。茲《こゝ》に於《おい》てか丈《せい》の低《ひく》い人《ひと》は其《そ》の高《たか》からん事《こと》を望《のぞ》みつゝも敢《あへ》て方《はう》法《はう》をとらず、痩《や》せた人《ひと》は其《その》肥《ひ》滿《まん》を希《こひねが》ひつゝも毫《がう》も道《みち》を講《かう》じないのである。所《ところ》が事《じ》實《じつ》は決《けつ》してさうでなく如《い》何《か》なる人《ひと》でも其《その》道《みち》を講《かう》じ方《はう》法《はふ》をめぐらしさへすれば必《かなら》ず相《さう》當《たう》の効《かう》果《くわ》を擧《あぐ》る事《こと》が出《で》來《き》るのである。併《しか》し長《ちやう》身《しん》と肥《ひ》滿《まん》と云《い》ふ事《こと》は之《これ》を同《どう》時《じ》に行《おこな》ふ事《こと》は不《ふ》可《か》能《のう》であるから、若《も》し諸《しよ》君《くん》が長《ちやう》身《しん》肥《ひ》滿《まん》術《じゆつ》を行《おこな》はんとするならば先《ま》づ長《ちやう》身《しん》術《じゆつ》を行《おこな》ひ、然《しか》して其《その》効《かう》果《くわ》を見《み》たる後《のち》肥《ひ》滿《まん》法《はふ》を行《おこな》ふが可《よ》い。

長《ちやう》身《しん》術《じゆつ》を行《おこな》ふ時《じ》期《き》　一體《たい》人《にん》間《げん》の發《はつ》育《いく》時《じ》期《き》は十七八歳《さい》から二十五歳《さい》までゞあつて四十歳《さい》になると漸《ぜん》次《じ》退《たい》歩《ほ》す

るのが通則《つうそく》であるから、人工的《じんこうてき》長身術《ちやうしんじゆつ》も矢張《やは》り前述《ぜんじゆつ》の發《はつ》育《いく》時期《じき》に行《おこな》ふのが最《もつと》も有効《いうかう》である。

長身術《ちやうしんじゆつ》修行中《しうぎやうちう》の禁忌《きんき》すべき事《こと》

長身術《ちやうしんじゆつ》修行中《しうぎやうちう》最《もつと》も忌《い》むべき事《こと》は勞動《らうどう》である。一體《たい》人間《にんげん》の身體《しんたい》は骨《ほね》と骨《ほね》との間《あひだ》に坐布團《ざぶとん》のやうな柔《やはら》かい敷物《しきもの》卽《すなは》ち軟骨《なんこつ》と云《い》ふものがあつて、これがあるため屈伸《くつしん》を自在《じざい》ならしめ、又《また》硬骨《かうこつ》と硬骨《かうこつ》の衝突《しようとつ》を防《ふせ》ぐのである。然《しか》るにこの軟骨《なんこつ》は不斷《ふだん》劇《はげ》しい壓《あつ》迫《はく》を受《う》けると自然《しぜん》に其《そ》の彈力《だんりよく》を失《うしな》つて收縮《しうしゆく》して了《しま》ひ、其《その》結果《けつくわ》は人間《にんげん》の脊丈《せだけ》にまで影響《えいきやう》を及《およ》ぼすのである。現《げん》に朝《あさ》よりも夕方《ゆふがた》の方《はう》が誰《たれ》でも必《かなら》ず脊《せい》が底《ひく》くなり、年《とし》を老《と》ると脊《せい》が低《ひく》くなると云《い》ふのはこの理由《りいう》に他《ほか》ならない。されば青年《せいねん》の發育《はついく》時代《じだい》殊《こと》に長身術《ちやうしんじゆつ》を修行《しうぎやう》中《ちう》は勞動《らうどう》就中《なかんづく》重荷《おもに》を負擔《ふたん》するなど云《い》ふ事《こと》を避《さ》けねばならぬ。次《つぎ》に禁《きん》ぜねばならぬことは端《たん》座《ざ》する事《こと》である。これも軟《なん》骨《こつ》を壓《あつ》迫《はく》する事《こと》の甚《はなは》だしいものであるから青《せい》年《ねん》は出《で》來《き》る丈《だけ》座《すは》ると云《い》ふ事《こと》を避《さ》け安座《あぐら》をかくか椅《ゐ》子《す》にかゝるやうせねばならぬ。第《だい》三に避《さ》けねばならぬ事《こと》は天《てん》井《じやう》の低《ひく》い家《いへ》に住《すま》ふと云《い》ふ事《こと》である。これは人《にん》間《げん》のみでなく一般《はん》の動《どう》物《ぶつ》凡《すべ》てに見《み》る現《げん》象《しやう》で、卽《すなは》ち池《いけ》に居《ゐ》る鯉《こひ》より井《ゐど》に居《ゐ》る鯉《こひ》が發《はつ》達《たつ》しないのを見《み》ても如《い》何《か》に人《ひと》が天《てん》井《じやう》の低《ひく》い家《いへ》に住《す》まふ事《こと》が惡《わる》いか分《わ》明《か》るのである。

長《ちやう》身《しん》術《じゆつ》修《しう》行《ぎやう》中《ちう》奬《しやう》勵《れい》すべき事《こと》

長《ちやう》身《しん》術《じゆつ》修《しう》行《ぎやう》中《ちう》奬《しやう》勵《れい》すべき事《こと》と云《い》ふと、卽《すなは》ち長《ちやう》身《しん》術《じゆつ》を補《ほ》助《じよ》する意《い》味《み》の行《かう》爲《ゐ》を云《い》ふのであるが、それは如《い》何《か》なる方《はう》法《はふ》かと云《い》ふとなるべく身《から》體《だ》を反《そ》り氣味《ぎみ》にする運動《うんどう》を意味《いみ》するのである。例之《たとへ》ば劍《けん》道《だう》であるとか、水泳《すゐえい》であるとかゝそれで、中《なか》にも水泳《すゐえい》の片《かた》手《て》拔《ぬき》、兩手《りやうて》拔《ぬき》、横臥《わうぐわ》、飛込《とびこみ》などは最《もつと》も適當《てきたう》である。この他《ほか》拙《つま》らぬ事《こと》ではあるが頭上《づじやう》に盆《ぼん》のやうな物《もの》を乘《の》せ落《おと》さぬやうに歩《ある》くのも割合《わりあひ》有効《いうかう》な方法《はうはふ》である。尚《な》ほ身體《しんたい》を休息《きうそく》させる際《さい》には必《かなら》ず横臥《わうぐわ》するか、椅子《いす》に腰《こし》かけるか、伏臥《うつぶせ》になるか、力《ちから》を入《い》れて伸《のび》をするが可《よ》い。

長身術《ちやうしんじゆつ》第《だい》一法《はふ》　本《ほん》法《はふ》は生理的《せいりてき》長身術《ちやうしんじゆつ》とも云《い》ふべきもので人身《じんしん》の筋肉《きんにく》を巧《たくみ》に運動《うんどう》させて目的《もくてき》を達成《たつせい》するのである。其《その》法《はふ》

（イ）兩手《りやうて》を後頭部《こうとうぶ》で組合《くみあは》せたまゝ仰向《あほむき》に臥《ぐわ》す事《こと》。

（ロ）兩脚《りやうあし》を動《うご》かす事《こと》なく、渾身《こんしん》の力《ちから》を兩踵《りやうきびす》にあつめ、鼻《はな》よ

り息《いき》を吸《す》ひ乍《なが》ら上體《じやうたい》を持《もち》上《あぐ》る事《こと》。

（ハ）上體《じやうたい》を持《もち》上《あ》げ終《おは》つたなれば爪尖《つまさき》に力《ちから》を込《こ》め充分《じうぶん》脚《あし》を伸《のば》したまゝ二三寸《すん》持《もち》上《あ》げ、臀部《でんぶ》で體《からだ》を支持《しじ》する事《こと》。

（ニ）腹筋《ふくきん》を確《しつか》り緊張《きんちやう》させ乍《なが》ら原位置《げんゐち》に復《ふく》し息《いき》を吐《は》き出《だ》し乍《なが》ら十分《ぶん》全身《ぜんしん》を伸張《しんちやう》させる事《こと》。

（ホ）上體《じやうたい》を動《うご》かす事《こと》なく兩足《りやうあし》を揃《そろ》へ且《か》つ伸《のば》したまゝ出《で》來《き》る丈《だけ》持《もち》上《あ》げ、持《もち》上《あ》げつゝ鼻《はな》から息《いき》を吸《す》ひ入《い》れる事《こと》。

（ヘ）兩足《りやうあし》を持《もち》上《あ》げ終《おは》つたなれば曩《さき》に足《あし》を持《もち》上《あ》げた時《とき》の如《ごと》く頭部《とうぶ》を二三寸《すん》持《もち》上《あ》げ、腰《こし》のあたりで暫《しばら》く全身《ぜんしん》を支《し》持《ぢ》する事《こと》。

（ト）腹筋《ふくきん》を確《しつか》り緊張《きんちやう》させ乍《なが》ら原位置《げんゐち》に復《ふく》し、息《いき》を吐《は》き出《だ》し乍《なが》ら充分《じうぶん》全身《ぜんしん》を伸《のば》す事《こと》。

右《みぎ》の數《すう》動《どう》作《さ》を以《もつ》て一回《くわい》とし、これをば毎《まい》朝《あさ》十回位《くわいぐらゐ》づゝ繰《くり》返《かへ》し行《おこな》ふのである。

長《ちやう》身《しん》術《じゆつ》第《だい》二法《はふ》　本《ほん》法《はふ》は第《だい》二圖《づ》の如《ごと》く滑《なめ》らかな圓《ゑん》柱《ちう》を、足《あし》を用《もち》ひず腕《うで》丈《だけ》でよぢ上《のぼ》り、又《また》腕《うで》丈《だけ》で滑《すべ》り落《おち》るのである。

第二圖

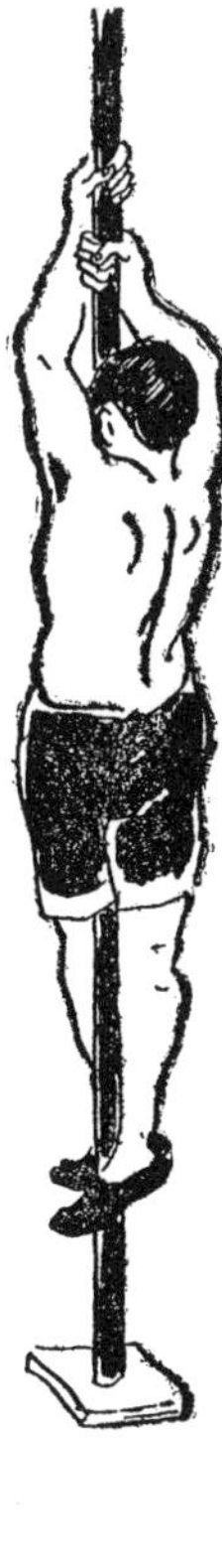

長《ちやう》身《しん》術《じゆつ》第《だい》三法《はふ》　本《ほん》法《はふ》は第《だい》三圖《づ》の如《ごと》く梯《はし》子《ご》を約《やく》一丈《ちやう》の高《たか》さにして空《くう》中《ちう》に横《よこ》たへ(兩《りやう》端《たん》を何《なに》物《もの》かで嚴《げん》重《ぢう》に支《し》柱《ちう》する事《こと》)それをば前《まへ》向《むき》、後《うしろ》向《むき》、横《よこ》向《むき》等《とう》各《かく》種《しゆ》の方《はう》法《はう》で一端《たん》から一端《たん》へ渡《わた》つて行《ゆ》くのである。

第三圖

長身術第四法《ちやうしんじゆつだいはふ》　本法《ほんはふ》は第四圖《だいづ》がそれで、近頃《ちかごろ》は學校《がくかう》の運動場《うんどうぢやう》へ備《そな》へられてある。

第四圖

長《ちやう》身《しん》術《じゆつ》第《だい》五法《はふ》　本《ほん》法《はふ》は一種《しゆ》の薬《やく》物《ぶつ》療《れう》法《はふ》で平《へい》素《そ》精《せい》神《しん》を爽《さう》快《くわい》に有《たも》ち、便《べん》通《つう》を正《せい》規《き》にし、營《えい》養《やう》をよくし、左《さ》の煎《せん》汁《じふ》卽《すなは》ち大《おほ》麥《むぎ》、燕《えん》麥《はく》、小《こ》麥《むぎ》、裸《はだか》麥《むぎ》、乾《ほし》甘《かん》蔗《しよ》、砂《さ》糖《たう》の六種《しゆ》を等《とう》分《ぶん》に混《こん》和《わ》したものを大《おほ》匙《さぢ》に二杯《はい》、六合《がふ》の水《みづ》に煎《せん》じ、三時《じ》間《かん》煎《せん》じつめた後《のち》毛《け》篩《ふるひ》で濾《こ》し、更《さら》に水《みづ》を加《くは》へて三合《がふ》とし、これを一日《にち》に服《ふく》用《よう》するのである。以《い》上《じやう》で長《ちやう》身《しん》術《じゆつ》は大《だい》體《たい》其《その》說《せつ》明《めい》を終《をは》つたから、

引《ひき》つゞいて肥《ひ》滿《まん》法《はふ》を講《かう》じやうと思《おも》ふが、一體《たい》肥《ひ》滿《まん》をすると云《い》ふ事《こと》は長《ちやう》身《しん》術《じゆつ》を行《おこな》ふよりは遙《はる》に容《よう》易《い》で、要《えう》はウンと食《く》つてゴロ〳〵寢《ね》て居《ゐ》さへすれば可《よ》いのである。

肥《ひ》滿《まん》法《はふ》の通《つう》則《そく》　如《い》何《か》にすれば人《ひと》は肥《ひ》滿《まん》する事《こと》が出《で》來《き》るか、從《じう》來《らい》世《せ》間《けん》では鶴《つる》や龜《かめ》の胃《ゐ》袋《ぶくろ》を證《しよう》據《こ》に非《ひ》常《じやう》に小《せう》食《しよく》と云《い》ふ事《こと》を奬《しやう》勵《れい》して居《ゐ》たが、それは非《ひ》常《じやう》な誤《あやま》りで、何《なん》と云《い》つても適《てき》度《ど》な運《うん》動《どう》をして、ウンと食《く》つてなるべく身《しん》體《たい》を安《あん》穩《おん》にして居《ゐ》る事《こと》が第《だい》一である。勿《もち》論《ろん》ウンと喰《く》ふには胃《ゐ》腸《ちやう》が丈《ぢやう》夫《ぶ》でなくてはならぬし、胃《ゐ》腸《ちやう》を丈《ぢやう》夫《ぶ》にするには消《せう》化《くわ》器《き》の第《だい》一關《くわん》門《もん》たる齒《し》牙《が》の保《ほ》護《ご》が最《もつと》も肝《かん》要《えう》である。何《な》故《ぜ》かと云《い》ふと齒《は》の弱《よは》いものや齒《は》の缺《けつ》損《そん》して居《ゐ》るものは食《しよく》物《もつ》を充《じう》分《ぶん》に咀《そ》嚼《しやく》する事《こと》が出《で》來《き》ないから、自《し》然《ぜん》消《せう》化《くわ》障《しやう》碍《がい》を起《おこ》し易《やす》い。而《しか》して消《せう》化《くわ》力《りよく》が減《げん》退《たい》すると從《したが》つて充《じう》分《ぶん》に飲《いん》食《しよく》すると云《い》ふ事《こと》が出《で》來《き》なくなるから肥《ひ》滿《まん》すると云《い》ふ事《こと》は絕《ぜつ》對《たい》に望《のぞ》まれないのである。されば人《ひと》は齒《は》を大《たい》切《せつ》にする事《こと》が何《なに》より大《たい》切《せつ》で、齒《は》が丈《ぢやう》夫《ぶ》で胃《ゐ》腸《ちやう》さへ強《きやう》壯《さう》なら、何《なん》でも構《かま》はぬから食《く》ひたいものをウンと食《く》ひ、自《じ》由《いう》に口《こう》腹《ふく》の滿《まん》足《ぞく》をさせるが可《よ》い。斯《か》く云《い》ふと中《なか》には然《しか》らば何《ど》んな食《しよく》物《もつ》が滋《じ》養《やう》があるかと云《い》ふ人《ひと》があるが併《しか》しそんな事《こと》は少《すこ》しも念《ねん》頭《とう》に置《お》く必《ひつ》要《えう》を見《み》ない。卽《すなは》ち人《ひと》の食《しよく》し得《う》るものなら何《なん》でも食《く》つて可《よ》いのであつて、あれは消《せう》化《くわ》が可《よ》い、あれは不《ふ》消《せう》化《くわ》であるなどゝ神《しん》經《けい》にかけて居《ゐ》るとそれがためにかへつて神《しん》經《けい》性《せい》消《せう》化《くわ》不《ふ》良《りやう》を起《おこ》し、結《けつ》局《きよく》肥《ひ》滿《まん》の目《もく》的《てき》に違《ゐ》反《はん》して來《く》るから食《しよく》物《もつ》などの選《せん》擇《たく》に心《こゝろ》を用《もち》ふる事《こと》は絕《ぜつ》對《たい》に止《や》めるが可《よ》い。而《しか》して左《さ》の肥《ひ》滿《まん》法《はふ》十二則《そく》を嚴《げん》守《しゆ》したなればば肥《まん》滿《まん》をする事《こと》は最《もつと》も容《よう》易《い》である。

一、衣《い》服《ふく》は可成《なるべく》的寛《ゆる》濶《やか》なるものを用《もち》ふる事《こと》。

一、食《しよく》物《もつ》は齒《し》牙《が》の健《けん》全《ぜん》を保《たも》ち滿《まん》腹《ぷく》主《しゆ》義《ぎ》を守《まも》る事《こと》。

一、住《ぢう》居《きよ》は陽《やう》氣《き》の家《いへ》を選《えら》ぶ事《こと》。

一、運《うん》動《どう》は適《てき》當《たう》にし餘《あま》り過《くわ》激《げき》に失《しつ》せざる事《こと》。

一、睡《すゐ》眠《みん》は出《で》來《き》得《う》る限《かぎ》り多《おほ》く睡《すゐ》眠《みん》する事《こと》。

一、飲《いん》酒《しゆ》は極《ごく》少《せう》量《りやう》づゝ用《もち》ひる事《こと》大《だい》量《りやう》は嚴《げん》禁《きん》の事《こと》。

一、入《にふ》浴《よく》は一週《しう》二回《くわい》乃《ない》至《し》三回《くわい》とし長《なが》湯《ゆ》熱《あつ》き湯《ゆ》を禁《きん》ずる事《こと》。

一、心《しん》配《はい》事《ごと》を絶《ぜつ》對《たい》に遠《とほ》ざける事《こと》。

一、希《き》望《はう》は肥《ひ》滿《まん》する基《もとゐ》、失《しつ》望《はう》は痩《やせ》る基《もとゐ》なればば何《なに》事《こと》も執《しふ》着《ちやく》せず努《つと》めて今《こん》日《にち》主《しゆ》義《ぎ》現《げん》在《ざい》主《しゆ》義《ぎ》を守《まも》る事《こと》。

一、不《ふ》自《じ》由《いう》を常《つね》と思《おも》へば不《ふ》足《そく》なしの心《こゝろ》を以《もつ》て何《なに》事《ごと》にも満《まん》足《ぞく》する事《こと》。

一、一切《さい》萬《はん》事《じ》樂《らく》天《てん》主《しゆ》義《ぎ》を以《もつ》て押《お》し通《とほ》す事《こと》。

一、神《かみ》を信《しん》じ心《こゝろ》に慰《ゐ》安《あん》を生《しやう》ぜしむる事《こと》。

之《これ》を要《えう》するに肥《ひ》満《まん》を希《こひねが》ふものはなるべく食《しよく》物《もつ》を多《た》量《りやう》にとり、故《ことさ》ら食《しよく》物《もつ》を控《ひか》へ、又《また》不《ふ》消《せう》化《くわ》胃《ゐ》病《びやう》を恐《おそ》れて無《む》益《えき》の心《しん》配《はい》をなさゞるやうにし、劇《げき》度《ど》の運《うん》動《どう》をさけ、物《もの》事《ごと》一切《さい》無《む》頓《とん》着《ちやく》となり済《す》んだ事《こと》や取《とり》越《こし》苦《く》労《らう》や其《その》他《た》妄《まう》想《さう》雑《ざつ》念《ねん》即《すなは》ち拙《つま》らぬ考《かんがへ》をする事《こと》を禁《きん》じ、十二分《ぶん》に睡《すゐ》眠《みん》を取《と》り、少《せう》量《りやう》づゝ飲《いん》酒《しゆ》し、入《にふ》浴《よく》を減《げん》じ、何《なに》事《ごと》も自《じ》己《こ》の氣《き》に入《い》るものを撰《えら》び、痩《やせ》我《が》慢《まん》をせぬやうにし、萬《はん》事《じ》樂《らく》天《てん》的《てき》に生《せい》活《くわつ》するのが何《なに》よりである。

長《ちやう》身《しん》肥《ひ》滿《まん》十二徳《とく》

◇第《だい》一、脂《し》肪《はう》は人《じん》體《たい》の內《ない》部《ぶ》に於《お》ける燃《ねん》料《れう》で、この燃《ねん》料《れう》に依《よ》る體《たい》內《ない》の燃《ねん》燒《せう》が精《せい》力《りよく》の根《こん》元《げん》となるのであるから、肥《ひ》滿《まん》して脂《し》肪《はう》が多《た》量《りやう》にあつたなれば常《つね》に精《せい》力《りよく》の旺《わう》盛《せい》なる事《こと》が出《で》來《き》る。

◇第《だい》二、肥《ふと》つて居《を》る者《もの》は瘦《や》せて居《を》る者《もの》に比《くら》べて饑《き》餓《が》に堪《た》へる事《こと》が出《で》來《き》る。何《なん》となれば餓《が》死《し》すると云《い》ふ事《こと》は全《ぜん》身《しん》の脂《し》肪《はう》の九割《わり》が消《せう》耗《まう》されて初《はじ》めて其《そ》處《こ》に到《いた》るのであるから、之《これ》に依《よ》つてこれを見《み》ても脂《し》肪《はう》の多《おほ》いものは少《すくな》いものより長《なが》く命《いのち》が保《たも》たれる事《こと》は明《あき》らかである。

◇第《だい》三、肥《ひ》滿《まん》して居《ゐ》るものは打《だ》撲《ぼく》に對《たい》して身《しん》體《たい》を保《ほ》護《ご》する効《かう》がある。

◇第《だい》四、肥《ひ》滿《まん》して居《ゐ》るものは體《たい》溫《をん》が高《たか》く寒《さむ》さを感《かん》じる事《こと》が痩《や》せたものより少《すく》ない。

◇第《だい》五、肥《ひ》滿《まん》は肉《にく》體《たい》に美《び》觀《くわん》をそへる。

◇第《だい》六、長《ちやう》身《しん》肥《ひ》滿《まん》は風《ふう》采《さい》を高《たか》め、人《じん》格《かく》を重《おも》からしめる。

◇第《だい》七、長《ちやう》身《しん》肥《ひ》滿《まん》は態《たい》度《ど》を應《おう》揚《よう》にし、人《ひと》をして感《かん》服《ぷく》畏《ゐ》敬《けい》の念《ねん》を起《おこ》さしめる。

◇第《だい》八、長《ちやう》身《しん》肥《ひ》滿《まん》は人《ひと》の信《しん》用《よう》を增《ま》さしめる。

◇第《だい》九、長《ちやう》身《しん》肥《ひ》滿《まん》は多《おほ》くの場《は》合《あひ》禮《れい》義《ぎ》上《じやう》の我《わが》儘《まゝ》を許《ゆる》される。

◇第《だ》十、長《ちやう》身《しん》は群《ぐん》集《しふ》の中《うち》に於《おい》て各《かく》種《しゆ》の利《り》益《えき》がある。

◇第《だい》十一、長《ちやう》身《しん》者《しや》は倭《わい》少《せう》の者《もの》より步《ほ》行《かう》迅《じん》速《そく》である。

◇第《だい》十二、肥《ひ》滿《まん》は凡《すべ》ての場《は》合《あひ》に物《もの》事《ごと》を苦《く》にしなくなる。

（四）兵《へい》法《はふ》秘《ひ》傳《でん》五十四ケ條《でう》

左《さ》に録《ろく》したるものは武田《たけだ》信玄《しんげん》の軍師《ぐんし》山本《やまもと》勘助《かんすけ》が長阪《ながさか》長閑《ちやうかん》に送《おく》つた兵《へい》法《はふ》の秘《ひ》傳《でん》で武術家《ぶじゆつか》の參考《さんかう》となる事《こと》が多《おほ》いから特《とく》に茲《こゝ》に録《ろく》する事《こと》にした。但《たゞ》し昔《むかし》の言葉《ことは》がある爲《ため》所々《しよ〳〵》不明《ふめい》の點《てん》がある事《こと》を前《まへ》以《もつ》て斷《ことは》つて置《お》く。

人《じん》利《り》の卷《まき》

第《だい》一氣《き》心《しん》之《の》事《こと》　夫《それ》兵《へい》法《はふ》は理《り》のみなり、其《そ》の理《り》を知《し》るは心《こゝろ》なり、心導《こゝろみちび》くは氣《き》なり、いはゆる氣《き》には清《せい》濁《だく》あり、心《こゝろ》には智《ち》愚《ぐ》ありて清《す》みて知《し》るものは萬《まん》物《ぶつ》に通《つう》達《たつ》し、濁《にご》りて愚《ぐ》なるものは事《じ》々《ゝ》物《ぶつ》々〳〵に暗《くら》し、かるがゆゑに氣《き》心《しん》の理《り》を先《ま》づ人《じん》利《り》の初《はじ》めに記《しる》して之《これ》を明《あきらか》にす、無垢子云、這輪心鏡本無レ塵因レ塵難レ照本來眞、塵盡鏡明無二一物一自然現出二法王身一。

第《だい》二、陰《いん》陽《やう》強弱《きやうじやく》之《の》事《こと》

夫《それ》敵《てき》をはかるに陰《いん》陽《やう》強弱《きやうじやく》の差別《さべつ》あり、先《ま》づ陰《いん》敵《てき》と云《いふ》は其《その》有《あり》樣《さま》静《しづ》かにして外《ぐわい》見《けん》には弱《よは》氣《け》色《しき》に見《み》え、いたつて強《つよ》きところあり、陽《やう》敵《てき》と云《いふ》は其《その》有《あり》樣《さま》はげしくて外《ぐわい》見《けん》には強《つよ》氣《け》色《しき》に見《み》え、いたつて弱《よは》きところあるなり、しかれ共《ども》兵《へい》法《はふ》は變《へん》化《くわ》を用《よう》とすれば僞《いつは》りて強弱《きやうじやく》のいろをあらはす、かるが故《ゆゑ》にさだめたるときには用《もち》ひず。

第《だい》三、一心《しん》二身《しん》之《の》事《こと》

夫《それ》兵《へい》法《はふ》に一眼《がん》二心《しん》三足《ぞく》と云《い》ひ傳《つた》

へはべる儀《ぎ》は眼《め》には敵《てき》のいろを見《み》心《こゝろ》には勝利《しようり》をはかり其上《そのうへ》にて飛込《とびこみ》、踐《ふみ》こみ走込《はしりこみ》て敵《てき》を打《う》つを云《い》ふなり、斯《かく》の如《ごと》く云《い》ひ傳《つた》ふる則《わけ》は三段《だん》に次第《しだい》あるように思《おも》ふにより予は一心《しん》二身《しん》と傳《つた》へ侍《はべ》る巨細《きよさい》は眼《まなこ》よりも心《こゝろ》より見《み》、足《あし》も心《こゝろ》より歩《あゆ》む、かるがゆゑに別《べつ》にいはづして合《がつ》して一心《しん》と云《い》ふ又身《またみ》は心《こゝろ》の舍《いへ》なり身《み》の外《ほか》に別《べつ》に體《からだ》なし眼《め》も身《み》の内《うち》、手《て》足《あし》も身《み》の内《うち》にあるゆゑに二身《しん》とはいへり、或人《あるひと》論《ろん》じて云《いふ》、身《み》猶《なほ》心《こゝろ》を得《え》てははたらく、然《しか》るを別《べつ》にする理《り》如何《いかん》、予《よ》答《こたへて》云《いふ》、此《この》儀《ぎ》に二つの心人《しんじん》あり、一には體用《たいよう》の儀《ぎ》、心《こゝろ》には知行《ちぎやう》の義《ぎ》を以《も》つて一心《しん》二身《しん》とは傳《つた》へ侍《はべ》る。

第《だい》四、兩度《りやうど》之《の》事《こと》　夫《それ》兩度《りやうど》と云《いふ》は己《おのれ》をはかり敵《てき》をはかるを云《いふ》ふなり、おのれをはかるとは五利《り》をわきまふるを云《い》ふ五利《り》とは人利、地利天利兵利助利也、次《つぎ》に敵《てき》をはかると云《いふ》は打《う》つべき時《とき》と打《う》つての後《のち》の□に心《こゝろ》つくるを云《い》ふ、若《も》しおのれをはかりても敵《てき》をはからはざるか又《また》敵《てき》をはかりてもおのれをはからざれば利《り》を正《たゞ》しく得《え》がたきものなり。

第《だい》五、不圖《はからず》撃敵《てきをうつ》之《の》事《こと》

夫《それ》はからず敵《てき》を打《うつ》と云《いふ》は敵《てき》身體《しんたい》眼目《がんもく》の色《いろ》にはあらはるゝと雖《いへど》も未《いま》だ兵器《へいき》に心《こゝろ》付《づか》ざるところを打《う》つべし、また敵《てき》兵器《へいき》に心《こゝろ》付《づき》たりとも兵器《へいき》の鞘《さや》をはづさざる間《あひだ》は打《う》ちても可《よし》。

第《だい》六虚撃《きよげき》心持《こゝろもち》之《の》事《こと》

夫《それ》敵《てき》を打《う》つに、かねあひよしと思《おも》ひすでに敵《てき》を打《う》たんとするに、あやまりて敵《てき》にあたらざる事《こと》あり、此《これ》を虚撃《きよげき》と云《い》ふ此儀《このぎ》は、かねあひ、あやまりたる理《り》のみにならず或《あるひ》は敵身《てきみ》をひらき或《あるひ》は敵《てき》しりぞくによりて、あたらざる理《り》もあるなり然《しか》る時《とき》んばすぐにいるをよしとし引《ひく》をば大事《だいじ》と心得《こゝろえ》べきなり。

第《だい》七、敵顔色顔持見事《てきのかほいろかほもちをみること》　夫《それ》斬合《きりあひ》仕合《しあひ》の時《とき》に當《あた》りて敵《てき》の顔《かほ》色《いろ》を見《み》るに赤《あか》くなるは性氣《せいき》上《あが》りたるいはれなり、性氣《せいき》のぼれるとは勝利《しようり》工夫《くふう》する事《こと》もなく心《こゝろ》せはしくなるものなり、次《つぎ》に顔色《がんしよく》青白《あをじろ》なるは心憶《こゝろおく》したる謂《いひ》なり、心憶《こゝろおく》する時《とき》は命《いのち》をおしむものなり命《いのち》をおしむ時《とき》は向《むかう》を打《う》つべき勝利《しようり》をわきまへず遁《のが》れん事《こと》をのみ思《おも》ふものなり、扨《さて》敵《てき》の顔《かほ》持《もち》を見《み》て利《り》をはかるには敵上《てきうへ》を見《み》る時《とき》は遠《とほ》きをはかると知《し》り下《した》を見《み》るときは近《ちか》きをはかると知《し》るべし。

第《だい》八、敵強弱音知事《てきのきやうじやくをこゑにてしること》　夫《それ》敵《てき》の強弱音《きやうじやくをこゑ》にて知《し》ると云《いふ》は臆《おく》しての音《こゑ》、表《へう》裏《り》の音《こゑ》なり臆《おく》しての音《こゑ》は腎《じん》の臓《ざう》より出《い》でゝ表《へう》裏《り》の音《こゑ》は心《しん》の臓《ざう》より出《いづ》るなり、又《また》五音《おん》生《せい》死《し》順逆《じゆんぎやく》といふ事《こと》あり。

傳云《でんにいふ》

アイウエヲ	春夏土秋冬
カキクケコ	肝心脾肺腎
サシスセソ	牙舌唯齒唇
タチツテト	青赤黄白黒
ナニヌネノ	甘辛苦酸鹹
ハヒフヘホ	眼舌身鼻耳
マミムメモ	東南中央西北
ヤヰユヱヨ	順木生火生土生金生水生

ラリルレロ　　逆木尅土尅水尅火尅金尅
ワヰウヱオ
右《みぎ》五行生死《ぎやうしやうし》順逆《じゆんぎやく》に順《じゆん》に逆《ぎやく》あり逆《ぎやく》に順《じゆん》ありといふ口《く》傳《でん》あり。

第《だい》九、不《ふ》動敵《どうのてき》之《の》事《こと》　夫《それ》動《うごか》ざる敵《てき》といふは、すでに兵器《へいき》の鞘《さや》をはずし戰《たゝか》へと欲《ほつ》する時《とき》に及《およ》んでも去《さ》らずきたらず色《いろ》をも變《へん》ざる敵《てき》あり、さの如《ごと》くなる敵《てき》をば利《り》なくしては急《きふ》に撃《う》つべからず兵器《へいき》を以《もつ》て心《こゝろ》を奪《うはひ》はからふべし奪《うはふ》といへどもうばはれざるは退《しりぞい》て利《り》を得《え》て撃《う》つべし又《また》敵《てき》兵器《へいき》の術《じゆつ》に心《こゝろ》奪《うは》れ其《その》色《いろ》變《へん》ずる時《とき》撃《うつ》に利《り》あるべし。

第《だい》十、先勝《せんかち》先負《せんまけ》の事《こと》　夫《それ》兵法《へいはふ》に先負《せんまけ》先勝《せんかち》と云《い》ふ事《こと》あり、先《ま》づ先勝《せんかち》といふは打《う》つべき利《り》を速《はや》く見《み》て之《これ》を以《も》つて打《う》つを云《い》ふなり、次《つぎ》に先負《せんまけ》といふは打《う》つべき利《り》もなきに先《さき》に敵《てき》を撃《うた》んとして反《かへ》つて敵《てき》に撃《うた》るゝを云《い》ひ又《また》は我《われ》先《さき》にうつと雖《いへど》も兵器《へいき》鈍《にぶき》は斬《きる》ことなふして反《かへつ》て敵《てき》の兵器《へいき》に斬《き》りうたれ或《あるひ》は我《われ》先《さき》に少撃《すこしうち》て敵《てき》に大《おほ》いにきらるゝ類《るゐ》なり。

第《だい》十一、敵《てき》二人《にん》我《われ》一人《いちにん》仕合《しあひ》之《の》事《こと》

夫《それ》敵《てき》は二人《にん》我《われ》は一人《いちにん》にて仕合《しあふ》時《とき》は二人《にん》の敵《てき》を向《むかう》に受《う》けて右方《うはう》の敵《てき》にかゝる氣色《けしき》をみせて左《ひだり》の敵《てき》の方《はう》へ立廻《たちまは》るべし、右方《うはう》の敵《てき》後《うしろ》へ廻《まは》らんとせば左方《さはう》の敵《てき》を撃《う》つべし。

第《だい》十二、敵《てき》多勢《たぜい》我《われ》一人《いちにん》仕合《しあひ》之《の》事《こと》

夫《それ》敵《てき》は多勢《たぜい》にて我《われ》は一人《いちにん》の時《とき》は地利《ちり》を第《だい》一とす地利《ちり》の用《よう》なくば敵《てき》を前《まへ》一面《めん》に受《う》くるやうに働《はたら》き我《われ》左《ひだり》の敵《てき》を目當《めあて》に戰《たゝか》ふべし右《う》方敵《はうのてきを》撃《うつ》間《ま》に、はづれなる故《ゆゑ》後《うしろ》へ廻《まは》るべし廻《まは》らば我《われ》も左《ひだり》の端《はし》の敵《てき》に付《つ》きてともに廻《まは》るべし、若《も》し廻《まは》られずして眞中《まんなか》に取《と》りこめられんとせば、走《はし》るべし、逐《お》ふ事《こと》一ならずして前後《ぜんご》にあり、其先《そのさき》立來《だちきた》るをひらきてうつべし走《はし》りかゝりたる足《あし》は踏《ふみ》とめられずして行《ゆ》きすぐるにより打《う》つに利《り》あり。

第《だい》十三、敵《てき》一《いち》人《にん》味《み》方《かた》多《た》勢《ぜい》仕《し》合《あひ》之《の》事《こと》

夫《それ》敵《てき》一《いち》人《にん》にて味《み》方《かた》二《に》人《ん》ならば前《ぜん》後《ご》より撃《う》つべし、三人《にん》の時《とき》は三方《はう》より打《うつ》べし、四人《にん》の時《とき》は四方《はう》より打《うつ》べし、十人《にん》の時《とき》は十方《はう》より撃《う》つに利《り》あり。

第《だい》十四、翔《かけ》通《とほる》者《ものを》撃《うつの》事《こと》

夫《それ》翔《かけ》通《とほる》者《もの》をうつには向様《むかふさま》にはうたれぬ者《もの》なり、我前《わがまへ》をやり過《すご》し敵《てき》の右《う》方《はう》後《うしろ》よりうつに利《り》あり。

第《だい》十五、走《はしる》者《ものを》逐《おふ》事《こと》

夫《それ》走《はし》る者《もの》を逐《お》ふ事《こと》は十歩《ほ》までは風《かぜ》の

發《はつ》するが如《ごと》く逐《おひ》付《つ》けて撃《う》つべし、それよりのびては逐《お》ふに心《こゝろ》ある儀《ぎ》なり敵《てき》ひらきて我《われ》をうたんとするあり、臥《ふ》してうたんとするあり、先《ま》づひらきて我《われ》をうたんとするには其《そ》のいろを見《み》ば引《ひき》とまり敵《てき》に兵《へい》器《き》をいだして我《われ》も止《とま》つてうつべし若《も》し踐《ふ》みとめられずば敵《てき》の右《う》方《はう》後《こ》に廻《まは》り行《ゆ》き過《す》ぎて撃《う》つべし、次《つぎ》に臥《ふ》して我《われ》をうたんとせば脇《わき》へひらくか後《うしろ》へひくかして敵《てき》の大《た》刀《ち》をいだして我《われ》うつに利《り》あり。

第《だい》十六、取《とり》籠者《かこのものを》撃《うつ》之《の》事《こと》

夫《それ》取《とり》籠者《かこのものを》うつには先《ま》づ侍《さむらひ》か下《げ》郞《らう》かをよく見《み》わけ聞《き》わけて侍《さむらひ》ならば卽《そく》座《ざ》にうつべし下《げ》郞《らう》ならば時《じ》刻《こく》をのばしうつべし、子《し》細《さい》は侍《さむらひ》たる者《もの》は臆《おく》したる事《こと》を仕《し》出《だ》しては其《その》座《ざ》のがれても命《いのち》つぐべきたよりなし、かるがゆへに時《じ》刻《こく》のびるに従《したが》つて名《な》を殘《のこ》さんことをたくむものなり、次《つぎ》に下《げ》郎《らう》は時《じ》刻《こく》のびるに従《したが》ひ命《いのち》をおしむ、かるがゆゑに次《じ》第《だい》に心《こゝろ》臆《おく》するを以《も》つてなり。

第《だい》十七、倒臥者撃《たほれたるものをうつ》事《こと》

夫《それ》倒者《たほれたるもの》をうつに上《うは》向《むき》に臥《ふせ》れは頭《あたま》のかたより撃《う》つべし、若《も》し頭《あたま》の方《はう》よりよられずんば敵《てき》の左《さ》方《はう》よりうつべし、左《ひだり》の方《はう》へも寄《よ》れずして右《う》方《はう》に廻《まは》らんには心《こゝろ》入《いれ》あるべし倒臥《たほれたる》敵《てき》の右《う》方《はう》は太《た》刀《ち》抛《す》てにいづるものなり、故《ゆゑ》に敵《てき》にぬかして以《もつ》て我《われ》は撃《うつ》に利《り》あり。

第《だい》十八、敵《てき》我《わが》後來披之《うしろよりきたりひらくの》事《こと》

夫《それ》敵《てき》我《わが》後《うしろ》より來《き》たりて言《ことは》をかけんとする時《とき》は右《う》方《はう》にひらきて利《り》あるなり。

第《だい》十九、敵《てき》馬《は》上《じやう》我《われ》歩《かち》立《だち》仕《じ》合《あひ》之《の》事《こと》

夫《それ》敵《てき》は馬《は》上《じやう》我《われ》は歩《かち》立《だち》にて仕《し》合《あふ》ときは第《だい》一に馬《うま》の足《あし》を抛《なげうつ》て敵《てき》の下《くだ》る所《ところ》をうつ

に利《り》あり。

第《だい》二十、群《ぐん》集《しふ》中《ちう》仕《し》合《あひ》之《の》事《こと》　夫《それ》諸《しよ》人《にん》群《ぐん》集《しふ》の中《なか》にて仕《し》合《あふ》ときは諸《しよ》人《にん》を後《うしろ》に受《う》けざるように働《はたら》くべし、後《うしろ》に人《ひと》ありては思《おも》はざる、おくれをとるものなり。

第《だい》二十一、相《あひ》撃《うち》勝《しよう》負《ぶ》之《の》事《こと》　夫《それ》相《あひ》撃《うち》の勝《かち》と云《い》ふは、

我《われ》は手《て》を切《きら》せ　敵《てき》の首《くび》を切《き》る

我《われ》は外《そと》を切《きら》せ　敵《てき》の内《うち》を切《き》る

我《われ》左《ひだり》の手《て》を切《きら》せ　敵《てき》の左《ひだり》の足《あし》を切《き》る

右《みぎ》之《の》類《るゐ》を以《もつ》て餘《よ》は之《これ》に準《じゆん》す。

地《ち》利《り》の巻《まき》

第《だい》一、相《あひ》間《ま》有《ある》敵《てきと》仕《し》合《あふ》事《こと》　夫《それ》敵《てき》と我《われ》と相《あひ》間《ま》ある仕《し》合《あひ》には

敵《てき》のきたるをまちて、行《ゆ》くべからず、待《まつ》に大《だい》なる利《り》あり、一には身《み》をくるしめざる利《り》、二には心《こゝろ》動作《どうさ》せざる利《り》、三には工夫《くふう》鍛錬《たんれん》の間《あひだ》ある利《り》、さはいへども我《わが》居所《きよしよ》悪《あ》しき時《とき》は前《ぜん》後左右《こさいう》に心《こゝろ》くばり地利《ちり》をもとめて敵《てき》を待《ま》つべし。

第《だい》二、遠《ゑん》來《らいの》敵《てきと》仕《し》合《あふ》之《の》事《こと》　夫《それ》遠道《ゑんだう》を來《き》たる敵《てき》と仕合《しあふ》には氣《き》をうばひてうつべし、其《その》理《り》は遠道《ゑんだう》を來《きた》るものは性氣《しやうき》つかれ身《み》くたびれ動《うご》き自由《じいう》ならず、然《しか》れども智《ち》ある敵《てき》は動《うご》かずして勝利《しようり》をはかる、かるがゆへに氣《き》心《こゝろ》をうばふ利《り》を專《もつぱ》らとす、されば身《み》は心《こゝろ》にひかれ心《こゝろ》は氣《き》にひかる所以《ゆゑ》に氣《き》動《うごけ》ば心動《こゝろうごき》、心動《こゝろうごけ》ば身動《からだうごく》の理《り》あへて輕《かろん》ずることなかれ。

第《だい》三山坂《やまさか》仕《し》合《あひ》之《の》事《こと》　夫《それ》山坂《やまさか》の仕合《しあひ》は高《たか》き方《はう》に居《ゐ》るに利《り》あり、一には敵《てき》を見下《みおろ》す利《り》、二には進《すゝ》むにやすき利《り》、三には體《たい》上《じやう》にあやうきことなき利《り》なり、然《しか》りとは雖《いへど》も高《たか》き方《たう》に居《ゐ》ても足場《あしば》惡《あ》しくば其地《そのち》を去《さる》べし、去《さる》に三ツの心得《こゝろえ》あり第《だい》一、後《うしろ》高《たか》き方《はう》へ去《さ》るには心《こゝろ》を沈《しづ》めて足《あし》を高《たか》く上《あ》ぐべからず第《だい》二、に左《さ》右《いう》にひらくには心《こゝろ》を動《うご》かして足《あし》を輕《かる》くはこぶべし第《だい》三、に前《まへ》卑《ひくき》方《はう》へ行《ゆ》くには風《かぜ》の發《はつ》する如《ごと》く走《はし》るべし敵《てき》隨《したがつ》て逐《おへ》ばひらきて、うつに利《り》あり其利《そのり》はひきくる方《はう》へ逐《お》ひ來《く》る勢《いきほひ》は思《おも》ひのまゝに踏《ふみ》とめられずして行《ゆき》過《すぐ》る者《もの》なり、かるがゆへに我《われ》ひらきて敵《てき》をうつに利《り》あり、又《また》云《いは》く敵《てき》は高《たか》き方《はう》に居《ゐ》る我《われ》は卑《ひくき》方《はう》に居《ゐ》るときも右《みぎ》の利《り》を用《もち》ひて可《か》なり。

第《だい》四、細《ほそ》道《みち》仕《し》合《あひ》之《の》事《こと》　夫《それ》細《ほそ》道《みち》と云《いふ》は兩《りやう》脇《わき》の方《はう》難《なん》所《しよ》にて道《みち》もなく行《ゆく》道《みち》一つにして然《しか》もせまきを云《いふ》、左《さ》樣《やう》の地《ち》にては敵《てき》多《た》勢《ぜい》我《われ》一人《ひとり》のとき、たよりて利《り》あり其《その》利《り》は敵《てき》大勢《おほぜい》なりと雖《いへど》も我《わが》前《ぜん》後《こ》左《さ》右《いう》に取《とり》巻《まき》す事《こと》あたはず若《も》し又《また》敵《てき》前《ぜん》後《こ》より來《きた》る時《とき》は脇《わき》へ開《ひ》らきて敵《てき》を我《わが》向《むき》に受《うけ》我《われ》左《さ》方《はう》の敵《てき》に合《あふ》べし又《また》傳《つたへ》云《ていふ》脇《わき》方《かた》に淺《あさ》き川《かは》淺《あさ》き池《いけ》などあらんには飛《とび》込《こむ》も利《り》あり其《その》利《り》は我《われ》先《さきに》飛《とび》込《こむ》べし敵《てき》又《また》續《つゞ》いて飛《とび》入《いる》ときは我《われ》は形《かたち》を得《う》るときにして敵《てき》形《かたち》を失《うしな》ふ時《とき》なり、かるが故《ゆゑ》にうつに利《り》あるなり。

第《だい》五、絶《ぜつ》道《だう》仕《し》合《あひ》之《の》事《こと》

夫《それ》絶《ぜつ》道《だう》の仕《し》合《あひ》と云《いふ》は左《さ》右《いう》後《うしろ》の三方《はう》には道《みち》なく前《まへ》には敵《てき》多《おほ》くあるを云《い》ふなり、左《さ》様《やう》の地《ち》にては少《すこ》しものがれんと思《おも》ふべからず、死《し》をもとゝして名《な》を殘《のこ》さん利《り》をはかるべし、又《また》傳《でん》に云《いふ》、兩《りやう》脇《わき》は川《かは》或《あるひ》は池《いけ》、或《あるひ》は深《ふか》田《た》などの類《るゐ》にして後《うしろ》は嶮《けん》山《ざん》なるときは去《さ》らず退《しりぞ》かずして利《り》をはかるべし、又《また》兩脇《りやうわき》の内《うち》に山《やま》ありて後《うしろ》に池《いけ》ある時《とき》は先《ま》づ山《やま》の上《うへ》にのぼりて利《り》ある地《ち》にて仕《し》合《あふ》べきなり。

第《だい》六、大《だい》道《だう》仕《し》合《あひ》之《の》事《こと》　夫《それ》大《だい》道《だう》の仕《し》合《あひ》は敵《てき》は少《せう》勢《ぜい》味《み》方《かた》多《た》勢《ぜい》なるとき前《ぜん》後《ご》左《さ》右《いう》より取《とり》廻《まは》しうつに利《り》あり、又《また》曰《いは》く敵《てき》は多《た》勢《ぜい》我《われ》一人《ひとり》のときは敵《てき》を向《むかひ》一面《めん》受《う》くる用《よう》に働《はたら》くべし、然《しか》れども敵《てき》多《た》勢《ぜい》なるゆゑに向《むかう》兩脇《りやうわき》より、かゝる我《われ》其《その》時《とき》右《みぎ》の敵《てき》に合《あふ》よしに見《み》せては左《ひだり》の敵《てき》に合《あひ》、左《ひだり》の敵《てき》に合《あふ》よしに見《み》せては右《みぎ》の敵《てき》に合《あふ》やうに働《はたら》き其《その》畢竟《つまり》は我《われ》一人《ひとり》の敵《てき》につき廻《まは》るべし、されども敵《てき》なるゆゑに前《ぜん》後《こ》左《さ》右《いう》にとり廻《まは》らんとす、我《われ》其《その》時《とき》走《はし》るべし敵《てき》逐《おふ》こと大《おほ》勢《ぜい》と雖《いへど》も一同《どう》ならず、かゝるゆへに先《さき》達《だち》來《きた》る敵《てき》を我《われ》は開《ひら》きてうち或《あるひ》は臥《ふ》してうつに利《り》あり、此《この》利《り》人《じん》利《り》の巻《まき》にも書《しよ》す。

第《だい》七、仕《し》合《あひ》用《よう》右《みぎ》地《ち》之《の》事《こと》　夫《それ》山《やま》川《かわ》岸《きし》堤《つゝみ》戸《と》壁《かべ》障《しやう》子《じ》の類《るゐ》はいづれも我《わが》右《みぎ》の脇《わき》に用《もち》ひて仕《し》合《あふ》べし利《り》用《よう》かならず右《みぎ》に用《もち》ふることは古《こ》來《らい》よりの敎《をしへ》なり、又《また》曰《いは》く我《われ》を助《たすく》るやうに敵《てき》よることありといふ事《こと》忘《わす》るべからず。

第《だい》八、仕《し》合《あふ》後可不用《うしろにもちふべからざる》地《ち》之《の》事《こと》　夫《それ》山《やま》川《かわ》池《いけ》沼《ぬま》深《しん》田《でん》石《いし》原《はら》砂《すな》地《ぢ》草《くさ》原《はら》後《あと》下《くだ》りの地《ち》何《いづれ》も後《うしろ》に用《もらふ》べからず、懸《かけ》引《ひき》自《じ》由《いう》ならずして思《おも》はざるおくれをとるものなり又《また》云《いは》く難《なん》所《しよ》を後《うしろ》に受《う》くるときは左《ひだり》へ身《み》を開《ひら》くべし、然《しか》るときは右《みぎ》に用《もち》ふる事《こと》自《し》然《ぜん》なり。

第《だい》九、楷《かい》段《だん》上《うへ》仕《し》合《あひ》之《の》事《こと》　夫《それ》楷《かい》段《だん》にて仕《し》合《あふ》ときは我《われ》平《へい》地《ち》へ近《ちか》くば、ひら地《ち》へさりて敵《てき》を楷《かい》石《せき》段《だん》にあらしめて仕《し》合《あふ》べし次《つぎ》に敵《てき》も我《われ》も平《へい》地《ち》へ遠《とほ》くして楷《かい》石《せき》段《だん》の中《なか》にて仕《つかまつ》る仕《し》合《あひ》には、なそれなる楷《かい》石《せき》段《だん》ならば敵《てき》を下《した》にして我《われ》は上《うへ》に居《ゐ》るべし急《きふ》なる楷《かい》石《せき》段《だん》ならば敵《てき》を上《うへ》に我《われ》は下《した》に居《ゐ》るべきなり、或《あるひ》は云《いは》く、きざはし石《せき》段《だん》にては横《よこ》に動《うご》きて可《か》なり。

第《だい》十、城《しろ》乗《のり》仕《じ》合《あひ》之《の》事《こと》　夫《それ》城《しろ》乗《のり》の仕《し》合《あひ》は垜《だ》を右《みぎ》に受《じゆ》用《よう》すべし人《ひと》の中《なか》にありては動《うご》き自《じ》由《いう》にならざるものなり、別《べつ》しては第《だい》一進《す》みやすき利《り》、第《だい》二に兵《へい》器《き》の術《じゆつ》自《じ》由《いう》なる利《り》、第《だい》三に敵《てき》の矢《や》をふせぐに利《り》、第《だい》四に功《こう》名《みやう》まぎれなき利《り》あるなり。

第《だい》十一、野《の》撃《うち》町《まち》撃《うち》之《の》事《こと》　夫《それ》野《の》にては先《まづ》敵《てき》の足《あし》を切《き》り町《まち》にては先《ま》づ敵《てき》の首《くび》を切《き》るべし其《その》理《り》は野《の》にて足《あし》を切《き》られては働《はたら》く事《こと》をえず音《こゑ》を出《い》だすとも人《じん》家《か》に遠《とほ》くして助《じよ》勢《せい》なき利《り》なり次《つぎ》に町《まち》にては首《くび》を切《き》るは音《こゑ》を出《い》ださしてもとめさすまじき利《り》あり、或《ある》人《ひと》の曰《いは》く足《あし》を切《き》りては命《いのち》あり首《くび》を切《き》りては命《いのち》なし然《しか》れば野《の》にても町《まち》にても首《くび》を切《き》るべきか云《いは》く足《あし》は長《なが》くして切《きり》やすく首《くび》は短《みぢか》くして切《き》りそんずることもあるべきなれば野《の》にても町《まち》にても人《ひと》遠《とほ》くば先《ま》づ足《あし》を切《き》るべきなり、人《ひと》近《ちか》きは首《くび》を切《き》るなり。

第《だい》十二、門《もん》戸《こを》隔《へだて》仕《し》合《あふ》之《の》事《こと》　夫《それ》門《もん》戸《こを》隔《へだて》て仕《し》合《あふ》は敵《てき》は多勢《たぜい》我《われ》一人《ひとり》のとき利《り》あり、其《その》利《り》は敵《てき》多勢《たぜい》ありと雖《いへど》も我《われ》を圍《かこ》つてうつ事《こと》能《あたわ》ず、しかし時《じ》刻《こく》あれば敵《てき》他《ほか》より廻《まは》り來《く》る事《こと》あり故《ゆゑ》に身《み》を披《ひら》きて居《ゐ》るべきなり。

第《だい》十三、戸《と》壁《かべ》障《しやう》子《じを》隔《へだて》敵《てきと》仕《し》合《あふ》之《の》事《こと》　夫《それ》戸《と》壁《かべ》障子《しやうじ》のあなたに敵《てき》あるに、しりあはんと欲《ほつ》するときは敵《てき》我《わが》左《ひだり》の方《はう》に居《ゐ》ば敵《てき》の太刀《たち》刀《かたな》は上段《じやうだん》に構《かま》へて切《き》るべき心得《こゝろえ》と知《し》るべし、若《も》し中段《ちうだん》ならば突《つ》くべき心得《こゝろえ》ならんとは且《かつ》て、おのれ平《ひ》下《ら》前《せい》剣《かん》に構《かま》へて出《いづ》るべきなり、次《つぎ》に敵《てき》我《わが》右《う》方《はう》に居《をら》は太刀《たち》中段《ちうだん》にて拋《な》ぐ心得《こゝろえ》なるべし、若《も》し上段《じやうだん》ならば撃《うつ》心得《こゝろえ》ならんとはかりて身《み》を沈《しづ》めて右《げ》下《だん》前《みぎ》下《なが》剣《し》に構《かまへ》て出《いづ》べきなり。

又傳《またつたへて》云《いふ》、無《む》形《けい》に敵《てき》する事《こと》勿《なか》れ。

第《だい》十四、家内《いへのうちにて》仕合《しあふ》之《の》事《こと》

夫《それ》家内《いへのうち》にて仕《し》合《あふ》には先《ま》づ天井《てんじやう》と兩脇《りやうわき》とをはかるべし次《つぎ》に助用《じよよう》と難所《なんしよ》とを工夫《くふう》して我《われ》は助用《じよよう》に居《ゐ》て敵《てき》を難所《なんしよ》に置《お》くべし又《また》おのれが家内《いへのうち》にしては時《じ》刻《こく》を延《の》ぶべし他《た》の家内《いへのうち》にては卽時《そくじ》に勝《かつ》ことをはかるべきなり。

第《だい》十五、茂内《しげりのうちにてし》仕合《あふ》之《の》事《こと》

夫《それ》茂《しげり》の内《うち》といふは森《もり》藪《やぶ》などの

類《るゐ》なり左様《さやう》の所《ところ》にては短兵《たんぺい》を以《もつ》て利《り》を得《う》べし鈎鎗《かまやり》十文《もん》字《じ》等《とう》用《もちゆ》べからず。

第《だい》十六、足場《あしば》悪地《わるきち》にて仕合《しあふ》之《の》事《こと》

夫《それ》足場《あしば》悪《わる》き地《ち》にて仕《し》合《あふ》には身《み》を動《うごかさ》ずして利《り》をはかるべきなり、若《も》し又《また》前《まへ》は足《あし》場《ば》悪《わる》しくして後《うしろ》は足《あし》場《ば》能《よ》きところならば我《われ》先《まづ》足《あし》場《ば》悪地《あしきち》にゐて時《とき》に當《あた》つて我《われ》足《あし》場《ば》能《よき》地《ち》に退《しりぞ》き敵《てき》を足《あし》場《ば》悪《わる》き地《ち》に置《お》くなり。

第《だい》十七、川中《かはなか》仕合《しあひ》之《の》事《こと》

夫《それ》川《かは》中《なか》にて歩立《かちだち》の仕《し》合《あひ》は敵《てき》を川《かは》上《かみ》におき我《われ》は敵《てき》の右《う》方《はう》下《しも》すじかひに立《たち》向《むかふ》べし、其《その》理《り》は第《だい》一、水《みづ》上《かみ》に向《むか》へば陽《やう》性《せい》を受《う》くる理《り》第《だい》二に川《かは》上《かみ》より流《なが》れ來《く》る雑《ざつ》物《ぶつ》の難《なん》を受《う》けざる理《り》あるを以《も》つてなり。

第《だい》十八、假《かり》橋《はし》上《うえの》仕《し》合《あひ》之《の》事《こと》

夫《それ》假《かり》橋《はし》は危《あやう》き橋《はし》なり其《その》上《うへ》に

て仕《し》合《あふ》ときは我《われ》橋《はし》を去《さ》りて敵《てき》を橋《はし》の上《うへ》にあらしめて仕《し》合《あふ》べし危橋《あやふきはし》にては自《じ》由《いう》ならざるを以《もつ》てなり、若《も》し去《さ》ることを不《え》得《ず》ば敵《てき》をも橋《はし》の上《うへ》にあらしむる様《やう》にはからうべし又《また》曰《いは》く我《われ》は危《あやふ》き橋《はし》の上《うへ》にありて敵《てき》前《ぜん》後《ご》より來《きた》る時《とき》は川《かは》中《なか》に飛《と》び込《こみ》て利《り》を得《う》べきなり。

第《だい》十九、船《せん》中《ちう》仕《し》合《あひ》之《の》事《こと》　夫《それ》沖《おき》中《なか》にして船《ふね》にて仕《し》合《あふ》には其《その》相《あひ》遠《とほ》き時《とき》は鐵《てつ》炮《はう》にてうつべし、近《ちか》くば十文《もん》字《じ》熊《くま》手《で》飛《とび》口《ぐち》等《とう》にて船《ふね》を引傾《ひきかたむけ》て敵《てき》をうつなり。

第《だい》二十、船《ふな》着《つき》仕《し》合《あひ》之《の》事《こと》　夫《それ》船《ふな》着《つき》にて仕《し》合《あふ》には我《われ》は先《ま》づ陸《りく》にあがり敵《てき》を船《ふね》の中《なか》に置《おい》て上《のぼ》らんとするところをうつべし、若《も》し我《われ》上《のぼ》るにたよりなくば退《しりぞ》いて敵《てき》をも船《ふね》の中《なか》にあらしむるやうにはかるべし。

天《てん》利《り》の巻《まき》

第《だい》一、四季心《きのこゝろ》之《の》事《こと》　夫《それ》人《ひと》は天《てん》地《ち》の間《あひだ》に生《うま》れて其理《そのり》を受《う》くる、かるがゆへに春《はる》は動《うご》き夏《なつ》は盛《さか》んにして秋《あき》はしづまり冬《ふゆ》はかゝること此《この》自《し》然《ぜん》の理《り》なりこゝを以《もつ》て自敵《みづからてき》の心《こゝろ》をはかるに春夏《しゆんか》は陽氣《やうき》に心《こゝろ》ひかれて勇《いさむ》こと甚《はなはだ》しく又《また》屈《くつ》することやすし。

競《きそひ》來《く》る敵《てき》にさうなく出《いで》あふな
あしらひをしてしほをぬかせよ

扨《さて》秋《しう》冬《とう》は陰《いん》氣《き》にして心《こゝろ》しづまり猛《たけか》らずして又《また》勇《ゆう》の理《り》ありかるがゆへに理《り》を得《え》て、はやくうつをよしとす。

第《だい》二、日《につ》中《ちう》仕《し》合《あひ》之《の》事《こと》　夫《それ》日《につ》中《ちう》に仕《し》合《あふ》ときは日《ひ》を背《せ》に受《うく》べし氣《き》盛《さか》んなる利《り》あり、又《また》敵《てき》を日《ひ》に向《むか》はすれば、目《め》はゆくして我《わが》色《いろ》めをみぬものなり。

第《だい》三、月《つき》夜《よ》仕《し》合《あひ》之《の》事《こと》　夫《それ》月《つき》夜《よ》に仕《し》合《あふ》ときは我《われ》は陰《いん》の方《はう》に居《ゐ》て敵《てき》を月《つき》に向《むか》はすべし、おのれかくれて敵《てき》をあらはしみるの利《り》あり。

第《だい》四、闇《やみ》夜《よ》仕《し》合《あひ》之《の》事《こと》　夫《それ》闇《やみ》に仕《し》合《あふ》ときは我《われ》は身《み》を沈《しづ》めて敵《てき》の形《かた》を見《み》すかし兵《へい》器《き》のいろをはかるべし、若《も》し難《なん》所《しよ》あらば我《わが》前《まへ》に當《あ》て仕《し》合《あふ》べきなり。

第《だい》五、風《かぜ》吹《ふき》仕《し》合《あひ》之《の》事《こと》　夫《それ》風《かぜ》は四《し》季《き》にかはりて吹《ふ》くなり、先《ま》づ春《しゆん》風《ぷう》は地《ち》より空《そら》へ吹《ふ》くなり、夏《か》風《ふう》は中《なか》を吹《ふ》くなり、秋《しう》風《ふう》は上《うへ》より下《した》へ吹《ふ》き下《おろ》すなり、冬《とう》風《ふう》は下《した》を吹《ふ》くなり、右《みぎ》の心《こゝろ》得《え》を以《もつ》て風《かぜ》を背《せ》に受《う》くる用《よう》に動《うご》くべし、背《せ》に受《う》くるときは風《ふう》難《なん》を得《え》ずして進《すゝ》むの利《り》あり、又《また》敵《てき》を風《かぜ》に向《むか》はすときは眼《め》くらみて先《さき》をみず只《たゞ》後《うしろ》へ心《こゝろ》ひかるゝ様《やう》に思《おも》はるゝの利《り》あるを以てなり。

又《また》曰《いは》く大《おほ》風《かぜ》には向《むか》ふに利あり。

第《だい》六、風《かぜ》吹《ふく》夜《よ》家内《いへのうちにて》仕《し》合《あふ》之《の》事《こと》　夫《それ》家《いへ》の内《うち》にて仕《し》合《あふ》には自《じ》家《か》他《た》家《け》のかはりあり、他《た》家《け》に入《い》りて仕《し》合《あふ》には壁《かべ》などを後《うしろ》か右《みぎ》かに受《う》くべし戸《と》障《しやう》子《じ》は受《う》くるにかひなし、其《その》上《うへ》風《かぜ》吹《ふき》にはなりひゞきて驚《おどろく》ことあるものなり。

第《だい》七、雨《う》中《ちう》仕《し》合《あひ》之《の》事《こと》　夫《それ》雨《う》中《ちう》に仕《し》合《あけ》とは□。□。りより相《あひ》隔《へだ》て頭《あたま》を低《た》れ敵《てき》の兵《へい》器《き》のいろを見《み》るべし、扨《さて》我《わが》兵《へい》器《き》は上《じやう》段《だん》に構《かま》へて利《り》を得《う》べきなり。

第《だい》八、雪《せつ》中《ちう》仕《し》合《あひ》之《の》事《こと》　夫《それ》雪《せつ》中《ちう》に仕《し》合《あふ》ときは雪《ゆき》積《つも》りなば相《あひ》間《ま》を隔《へだ》て敵《てき》の來《く》るのを待《ま》ちておのれ行《ゆ》くべからず、又《また》地《ち》にもたまらず降雪《かうせつ》も少《すこ》しならば我《わが》兵器《へいき》上段《じやうだん》に構《かま》へて、敵《てき》向様《むかひさま》に術《じゆつ》をなすべし。

第《だい》九、寒《かん》日《じつ》仕《し》合《あひ》之《の》事《こと》　夫《それ》寒《かん》日《じつ》に仕《し》合《あふ》ときは手《て》足《あし》冷《ひえ》こほりて兵器《へいき》を持《も》つにおぼえなし又《また》は、取落《とりおと》すこともあるなり、かるがゆへに口《くち》に生姜《しやうが》を含《ふく》みて手《て》足《あし》に能《よ》く酒《さけ》をぬりてよし。

第《だい》十、寒《かん》日《じつ》遠《ゑん》來敵仕《らいのてきとし》合《あふ》之《の》事《こと》　夫《それ》寒《かん》日《じつ》寒《かん》夜《や》に遠《ゑん》路《ろ》來《らい》敵《てき》と仕《し》合《あふ》には我《われ》自《し》然《ぜん》の勝《しよう》利《り》得《え》たる所《ところ》然《しか》れども弱《よは》きをあなどらず、強《つよ》きを恐《おそ》れずといへる傳《でん》を以《もつ》て利《り》に利《り》をはかること尤《もつと》も法《はふ》なり。

第《だい》十一、雷《らい》鳴時《めいのとき》仕《し》合《あふ》之《の》事《こと》　夫《それ》雷《らい》の大《おほ》いに鳴《な》り渡《わた》る時《とき》仕《し》合《あふ》には、よく理《り》をきはめて味方《みかた》となり、誤《あやま》りては敵《てき》となるなり、子細《しさい》は驚《おどろく》と驚《おどろ》かずとの理《り》なり、されば驚《おどろく》といへども落《おつ》べきに落《おち》、をちざるべからざるには落《おち》ず、又驚《またおどろか》すと然《しかれ》ども左《さ》の如《ごと》し、可《べく》然《しかる》何《なん》ぞ驚《おどろ》かん哉《や》、唯《たゞ》雷《らい》を味方《みかた》にして敵《てき》の驚《おどろ》くところをうつべきなり。

第《だい》十二、電《いなづま》の時《とき》仕《し》合《あふ》之《の》事《こと》　夫電《それいなづま》の光《ひか》る時《とき》仕《し》合《あふ》には其《その》光《ひかり》を我《わが》後《うしろ》に受《う》けて敵《てき》を光《ひかり》に向《むかは》すべし、第《だい》一に形《かたち》を見《み》第《だい》二に眼《め》をさへぎり第《だい》三に氣《き》をうばふ第《だい》四に心《こゝろ》うつす理《り》を以《も》つてなり。

第《だい》十三、日《ひ》取《とり》月《つき》取《とり》不《ふ》用《よう》之《の》事《こと》　夫《それ》兵《へい》法《はふ》には日《ひ》取《とり》月《つき》取《とり》といふことを敵《てき》に及《およは》して自《じ》身《しん》に深《ふか》く用《もちひ》ず歌《うた》に

あしき日《ひ》は敵《てき》も味《み》方《かた》もかはらねば

たゞかはんよりは工夫《くふう》たんれん

己《すで》に兵法《へいはふ》上手《じやうづ》といはれし人《ひと》も心法《しんはふ》愚《ぐ》なれば此迷《このまよひ》多《おほ》し戰《たゝかひ》をまなびし碁將棊《ごしやうぎ》をみよ方角《はうがく》あしき方《はう》に居《ゐ》ても勝《かち》は上手《じやうづ》にあり、迷故三界城悟故十方空本來東西何所有南北。

武術最高極意「風の巻」終

禁他見讓渡

武術極意

空之卷

全

帝國尚武會藏版

空之巻　目次

武術 最高極意「空の巻」

野口一威齋監修
帝國尚武會編纂

（一）忍《にん》術《じゅつ》秘《ひ》事《じ》

忍《にん》術《じゅつ》の事《こと》は既《すで》に水《すゐ》の巻《まき》にその大略《たいりやく》を記《しる》して置《お》いたから茲《こゝ》には古來《こらい》忍術《にんじゆつ》最高《さいかう》の極意《ごくい》——秘中《ひちう》の秘事《ひじ》として若《も》しこれを漏《も》らしたものは直《たゞち》に忍術者《にんじゆつしや》が寄《よ》つてたかつて暗殺《あんさつ》して了《しま》ふと迄《まで》尊《たふと》まれ、大切《たいせつ》にされた重要至極《ぢうえうしごく》な秘事《ひじ》を掲《かゝ》げ聊《いさゝ》か諸子《しよし》の參考《さんかう》に供《きよう》する事《こと》にした。

一體《たい》忍《にん》術《じゆつ》と云《い》ふものは水《すゐ》の卷《まき》にも述《の》べて置《お》いた如《ごと》く、如《い》何《か》に身《み》を忍《しの》ばせる術《じゆつ》だと云《い》つても諸《しよ》子《し》が活《くわつ》動《どう》寫《しや》眞《しん》で見《み》て想《さう》像《ざう》して居《ゐ》る如《ごと》き宛《えん》然《せん》手《て》品《じな》か輕《かる》業《わざ》のやうなものでない事《こと》は勿《もち》論《ろん》である。從《したが》つて其《そ》の秘《ひ》中《ちう》の秘《ひ》事《じ》、重《ぢう》要《えう》至《し》極《ごく》な奥《おく》儀《ぎ》だと云《い》つても決《けつ》してエイと懸《かけ》聲《ごゑ》一つしたからと云《い》つて姿《すがた》が霧《きり》の如《ごと》く消《き》へて了《しま》ふなど云《い》ふ事《こと》は出《で》來《き》ない。卽《すなは》ち忍《にん》術《じゆつ》の極《ごく》意《い》も人《にん》間《げん》として出《で》來《き》得《う》る限《かぎ》りの技《ぎ》術《じゆつ》を行《おこな》つて人《じん》目《もく》を驚《おどろか》すだけのものに過《す》ぎないのである。處《ところ》で今《いま》述《の》べた秘《ひ》中《ちう》の秘《ひ》事《じ》とは一體《たい》如《い》何《か》なる事《こと》であるかと云《い》ふと、第《だい》一は刀《かたな》の慥《こしら》へ方《かた》、第《だい》二は手《て》拭《ねぐひ》の持《もち》方《かた》並《ならび》に染《そめ》方《かた》、第《だい》三は步《ある》き方《かた》、第《だい》四は天《てん》候《こう》の見《み》方《かた》と云《い》ふ四つの秘《ひ》事《じ》なのである。

忍《にん》術《じゆつ》者《しや》の刀《かたな》と其《その》特《とく》殊《しゆ》點《てん》　一體《たい》忍《にん》術《じゆつ》とは忍《しの》びの術《じゆつ》を行《おこな》

ふのであるから、これを行《おこな》ふ者《もの》はその目的《もくてき》を達《たつ》するために勢《いきほ》い狭《せま》い所《ところ》や兎角《とかく》じやま物《もの》の多《おほ》い所《ところ》を潜《くゞ》つて歩《ある》かねばならなかつた。否《いな》！狭《せま》い所《ところ》や引《ひ》つかゝる物《もの》の多《おほ》い所《ところ》を潜《くゞ》つて歩《ある》かねばならなかつたのみでなく、ある場合《ばあひ》にはかゝる所《ところ》で追手《おつて》と渡《わた》り合《あ》はねばならなかつたから、長《なが》い刀《かたな》は何《ど》うしても邪魔《じやま》になつた。卽《すなは》ち彼等《かれら》の刀《かたな》は勢《いきほ》い短《みじか》いものでなければならなかつたのである。處《ところ》が彼等《かれら》の刀《かたな》は斯《か》く刀身《たうしん》が短《みじか》いに反《はん》して其下《そのさ》げ緒《を》が非常《ひじやう》に長《なが》く且《か》つ鐔《つば》が大《おほ》きく鐺《こじり》が非常《ひじやう》に頑丈《ぐわんじやう》に出來《でき》て居《ゐ》た。これは何《なん》のためであつたかと云《い》ふと、第《だい》一圖《づ》の如《ごと》く刀《かたな》を踏臺《ふみだい》として高《たか》い塀《へい》を乘《の》り越《こ》える場合《ばあひ》の必要《ひつえう》からなのであつた。卽《すなは》ち鐺《こじり》の頑丈《ぐわんじやう》なのは踏臺《ふみだい》としても破損《はそん》せぬやう又《また》地面《ちめん》へ喰《く》ひこ

ませぬためであり、鐔《つは》の大《おほ》きいのは足《あし》のかゝり易《やす》いため、

第一圖

それから下《さ》げ緒《を》の長《なが》いのは首《しゆ》尾《び》能《よ》く塀《へい》を登《のぼ》つた時《とき》、刀《かたな》をあとに殘《のこ》し置《お》かないやう下《さ》げ緒《を》の端《はし》を口《くち》に啣《くは》へて居《ゐ》るのである。卽《すなは》ち彼《かれ》等《ら》の下《さげ》げ緒《を》の長《なか》さは少《すくな》く、も自《じ》分《ぶん》の身《みの》丈《たけ》の長《なが》さが必《ひつ》要《えう》なのであつた。

忍《にん》術《じゆつ》者《しや》特《とく》有《いう》の手《て》拭《ねぐひ》の持《もち》方《かた》並《ならび》に染《そ》め方《かた》。

忍《にん》術《じゆつ》者《しや》は如《い》何《か》なる場《ば》合《あひ》にも、どす黑《ぐろ》い程《ほど》あか味《み》のある蘇《す》枋《はう》色《いろ》の手《て》拭《ねぐひ》を細《ほそ》く折《を》り横《よこ》に帶《おび》の間《あひだ》へ挾《はさ》んで帶《おび》と共《とも》に腰《こし》へまきつけるか、襦《じゆ》袢《はん》の襟《えり》のやうに見《み》せかけ頸《くび》にかけて持《も》つて居《ゐ》た。この持《もち》方《かた》こそは實《じつ》に考《かんが》へに考《かんが》へぬいた忍《にん》術《じゆつ》者《しや》特《とく》有《いう》の持《も》ち方《かた》なので、斯《か》うさへして居《を》れば如《い》何《か》に立《たち》働《はたら》いても取《とり》落《おと》す憂《うれひ》がなく、而《しか》も最《もつと》も取《と》り出《だ》しやすい利《り》益《えき》があるのである。

次《つぎ》に彼《かれ》等《ら》は何《なに》故《ゆゑ》その手《て》拭《ねぐひ》を蘇《す》枋《はう》色《いろ》など云《い》ふ嫌《いや》な色《いろ》に染《そ》

めたかと云《い》ふとこれにも多《た》大《だい》の苦《く》心《しん》が潜《ひそ》んで居《ゐ》るのである。卽《すなは》ち彼《かれ》等《ら》は職《しよく》として時《とき》に暗《あん》中《ちう》に潜《ひそ》まねばならなかつた。此《この》時《とき》身《しん》體《たい》は黑《くろ》裝《しやう》束《ぞく》であるから容《よう》易《い》に分《わ》明《か》らないが、頭《とう》部《ぶ》丈《だけ》が何《ど》うも目《め》にたつて困《こま》るので、さてこそ頭《とう》部《ぶ》を隱《かく》すため黑《くろ》についで最《もつと》も闇《やみ》に同《どう》化《くわ》し易《やす》いかゝる特《とく》有《いう》の色《いろ》に染《そ》めたのである。處《ところ》で若《も》しそれ丈《だけ》ならば反《かへ》つて黑《くろ》の方《はう》が可《い》いのであるがこの染《せん》色《しよく》を擇《えら》んだについては他《た》にもう一つ最《さい》大《だい》な理《り》由《いう》があつたからなのである。それは何《なに》かと云《い》ふと忍《にん》術《じゆつ》者《しや》が追《おつ》手《て》と奮《ふん》鬪《たう》して危《き》急《きふ》を逃《のが》れたとか精《せい》力《りよく》のつゞく限《かぎ》り走《はし》りつゞけたとか、或《あるひ》は何《ど》處《こ》かに忍《しの》び込《こ》んで居《ゐ》る場《ば》合《あひ》とかに非《ひ》常《じやう》に咽《の》喉《ど》が渴《かは》いて來《き》て堪《た》へられないことがある。而《しか》してかゝる時《とき》は多《おほ》く夜《よる》であつて、幸《さいは》ひ水《みづ》を探《さが》し求《もと》めても、それが清《し》水《みづ》だか濁《だく》水《すゐ》だか分《わ》明《か》らない事《こと》が多《おほ》い。さうかと云《い》つて咽《の》喉《ど》がかはいて堪《たま》らぬから、水《みづ》の清《せい》濁《だく》を問《と》はずこれを飲《の》まなければならぬそれも濁《にご》り水《みづ》位《ぐらゐ》ならばまだしもであるが甚《はなは》だしい時《とき》には溝《どぶ》の水《みづ》でも溜《たま》り水《みづ》でも避《さ》けて居《を》られないことがある。この際《さい》、速《そく》座《ざ》の用《よう》をなすのが例《れい》の手《て》拭《ぬぐひ》で、水《みづ》の上《うへ》に手《て》拭《ぬぐひ》を浮《うか》べて手《て》拭《ぬぐひ》ごしに水《みづ》を吸《す》へば單《たん》に塵《ちん》芥《かい》が口《くち》へ入《はい》らないのみでなく、其《そ》の染《せん》料《れう》の蘇《す》枋《はう》には汚《を》水《すゐ》の毒《どく》をけして了《しま》ふ性《しやう》分《ぶん》があるから、如《ど》何《ん》な汚《を》水《すゐ》を飲《の》んでもそれがため病《びやう》氣《き》にかゝるなど云《い》ふ恐《おそ》れがないと云《い》ふので、さてこそ忍《にん》術《じゆつ》者《しや》はこの特《とく》有《いう》の手《て》拭《ぬぐひ》を携《たずさ》へたのである。

忍《にん》術《じゆつ》者《しや》特《とく》有《いう》の歩《ある》き方《かた》

曩《さき》にも述《の》べた如《ごと》く忍《にん》術《じゆつ》者《しや》は時《とき》

に狹《せま》い所《ところ》を通《とほ》らねばならぬし、又《また》追手《おつて》のかゝつた時《とき》などは全速力《ぜんそくりよく》で逃《に》げのびなければならぬのであるが如何《いか》に急《いそ》ぐと云《い》つても普通《ふつう》の駈《か》け足《あし》は音《おと》が激《はげ》しいから忍《しの》びの身《み》として甚《はなは》だ禁物《きんもつ》である。茲《こゝ》に於《おい》て駈足《かけあし》以外《いぐわい》の迅速《じんそく》な歩《ある》き方《かた》で、而《しか》も壁《かべ》や羽目《はめ》を傳《つた》ふて狹《せま》い隙間《すきま》を巧《たくみ》に通《とほ》り拔《ぬ》ける事《こと》の出來《でき》る特殊《とくしゆ》の歩《ある》き方《かた》の必要《ひつえう》が生《しやう》じて來《き》た。而《しか》してこの必然《ひつぜん》の要求《えうきう》に應《おう》じて苦心《くしん》の末案《すゑあん》出《しゆつ》されたのが今《いま》茲《こゝ》で說明傳授《せつめいでんじゆ》しやうとする忍術者《にんじゆつしや》特有《とくいう》の歩《ある》き方《かた》なのである。この歩《ある》き方《かた》によると普通《ふつう》五歩《ほ》かゝる距離《きより》を三歩《ほ》で進《すゝ》む事《こと》が出來《でき》るから、一日《にち》十里《り》の道《みち》を歩《あゆ》む人《ひと》がこの歩《ある》き方《かた》をやれば優《いう》に十六里《り》強《きやう》を行《ゆ》き得《う》る事《こと》になるので、更《さら》にそれが熟練《じゆくれん》されたなれば一日《にち》三十里《り》を行《ゆ》く事《こと》は左《さ》して困難《こんなん》ではないのである。處《ところ》で其《そ》の歩《ある》き方《かた》は何《ど》んな歩《ある》き方《かた》かと云《い》ふと、普《ふ》通《つう》足《あし》を前《まへ》に踏《ふ》み出《だ》すのをこの歩《ある》き方《かた》では身《しん》體《たい》を横《よこ》にし、卽《すなは》ち横《よこ》歩《ある》きをするのである。卽《すなは》ち今《いま》假《か》りに右《う》足《そく》から進《すゝ》めるとすれば第《だい》二圖《づ》の直《ちよく》立《りつ》の姿《し》勢《せい》から股《また》を右《う》方《はう》に踏《ふ》み開《ひら》いて第《だい》三圖《づ》の姿《し》勢《せい》となり、次《つい》で左《ひだり》の足《あし》をグツト進《すゝ》め、右《みぎ》の足《あし》を通《とほ》りこし、左《さ》右《いう》の足《あし》を交《かう》叉《さ》して第《だい》四圖《づ》の姿《し》勢《せい》となり、次《つぎ》には右《う》足《そく》を踏《ふみ》開《ひら》いて再《ふた》び第《だい》三圖《づ》の姿《し》勢《せい》となるのである。斯《かく》て第《だい》四圖《づ》第《だい》三圖《づ》第《だい》四圖《づ》第《だい》三圖《づ》と交《かう》互《ご》に進《すゝ》めて行《ゆ》けばそれで可《い》いので、最《さい》初《しよ》は一《ちよつ》寸《と》遣《や》り悪《にく》いが、少《すこ》し馴《な》れゝば一日《にち》三四十里《り》の道《みち》程《のり》を進《すゝ》む事《こと》は敢《あへ》て困《こん》難《なん》

第二圖

第三圖

第四圖

ではないのである。尚《な》ほこの歩《あゆ》み方《かた》の他《ほか》に風《ふう》の巻《まき》に書《か》きもらした速《そく》歩《ほ》術《じゆつ》と云《い》ふのがある。これは神《しん》通《つう》術《じゆつ》特《とく》有《いう》の歩《ある》き方《かた》とされて居《ゐ》るもので別《べつ》段《だん》普《ふ》通《つう》の歩《ある》き方《かた》とは違《ちが》はないが、要《えう》は精《せい》神《しん》を統《とう》一し卽《すなは》ち無《む》念《ねん》無《む》想《さう》となつて一切《さい》他《た》事《じ》を思《おも》はず夢《む》中《ちう》になつて歩《ある》けば可《よ》いのである。今《いま》少《すこ》し具《ぐ》體《たい》的《てき》に云《い》へばこの歩《ほ》行《かう》術《じゆつ》は外《ぐわい》見《けん》上《じやう》、普《ふ》通《つう》の歩《ある》き方《かた》と違《ちが》はないが、只《たゞ》何《なん》となく足《あし》の運《はこ》びが迅《じん》速《そく》なので、かりに胸《むね》に菅《すげ》笠《がさ》

をあてゝ置《お》いても空《くう》氣《き》の抵《てい》抗《かう》でそれが胸《むね》を離《はな》れない程《てい》度《ど》の速《はや》さなのである。而《しか》してこの速《はや》さを持《じ》續《ぞく》して歩《あゆ》むには如《い》何《か》にすれば可《よ》いかと云《い》ふとそれには三つの要《えう》素《そ》がある。卽《すなは》ち第《だい》一の要《えう》素《そ》は身《しん》體《たい》の工《く》夫《ふう》で、體《からだ》の統《とう》一殊《こと》に兩《りやう》足《あし》の歩《ほ》調《てう》が宜《よろ》しきを得《え》なかつたなれば到《たう》底《てい》其《そ》の目《もく》的《てき》を達《たつ》する事《こと》は出《で》來《き》ないのである。一體《たい》人《ひと》と云《い》ふものは左《さ》右《いう》兩《りやう》足《あし》の中《うち》、何《いづ》れか一方《はう》が少《すこ》し長《なが》く、又《また》右《みぎ》利《き》きの爲《た》め何《ど》うも右《みぎ》足《あし》が延《の》び過《すぎ》る傾《かたむき》がある。この弊《へい》を矯《た》めなければ歩《ほ》行《かう》術《じゆつ》は到《たう》底《てい》成《せい》功《こう》しないと云《い》ふも可《か》なりなのでこの調《てう》和《わ》が取《と》れさへすれば疲《ひ》勞《らう》も少《すく》なく調《てう》子《し》よく進《すゝ》む事《こと》が出《で》來《き》るのである。

第《だい》二の要《えう》素《そ》と云《い》ふのは心《こゝろ》の工《く》夫《ふう》で六《むつ》ケ《か》敷《しく》云《い》ふと全《ぜん》意《い》

識《しき》の統《とう》一なのである。全《ぜん》意《い》識《しき》の統《とう》一と云《い》ふのは專《もつぱ》ら目《もく》的《てき》地《ち》を念《ねん》じ、更《さら》に他《た》の事《こと》を考《かんが》へない事《こと》で、例《たとへ》之《は》歩《ほ》行《かう》の途《と》中《ちう》自《じ》働《どう》車《しや》にあつても荷《に》車《ぐるま》にあつても更《さら》にこれ等《ら》に意《い》を止《と》めないで一意《い》專《せん》心《しん》目《もく》的《てき》地《ち》を念《ねん》じて進《すゝ》むのである。

第《だい》三は體《たい》心《しん》の統《とう》一で所謂《いはゆる》柔《じふ》術《じゆつ》の心《しん》氣《き》體《たい》の一致《ち》劍《けん》術《じゆつ》の眼《がん》心《しん》劍《けん》の一致《ち》、平《へい》易《い》に云《い》へば自《じ》分《ぶん》の心《こゝろ》と體《からだ》とが離《はな》れ〳〵にならぬやうにする事《こと》なのである。併《しか》しこの要《えう》素《そ》は前《まへ》の二要《えう》素《そ》が調《とゝの》つて來《き》さへすれば自《おのづか》らにして成《じやう》就《じゆ》するものであるから、速《そく》歩《ほ》術《じゆつ》を行《おこな》はんとするものは先《ま》づ第《だい》一第《だい》二の二要《えう》素《そ》を成《じやう》就《じゆ》する事《こと》が肝《かん》要《えう》で、それさへ出《で》來《き》上《あが》れば餘《あま》す處《ところ》は練《れん》習《しふ》を充《じう》分《ぶん》にする心《こゝろ》懸《がけ》一つで速《そく》歩《ほ》術《じゆつ》に成《せい》功《かう》するのである。而《しか》して練《れん》習《しふ》を積《つ》む間《あひだ》はなるべく短《たん》距《きよ》離《り》に於《おい》てこれを行《おこな》ひ、馴《な》るゝに從《したが》つて漸次《ぜんじ》長距離《ちやうきより》に及《およ》ぼすが可《よ》い。

天候《てんこう》の見方《みかた》

忍術者《にんじゆつしや》は天候氣象《てんこうきしやう》の變化《へんくわ》を豫知《よち》し、それに適應《てきおう》して然《しか》るべき忍術的《にんじゆつてき》行動《かうどう》を取《と》らねばならぬ場合《ばあひ》が多々《たた》あつたゝめに彼等《かれら》は今日《こんにち》の氣象學《きしやうがく》、卽《すなは》ち天氣《てんき》を見《み》分《わく》る術《じゆつ》に精通《せいつう》して居《ゐ》ねばならなかつた。以下《いか》記《しる》す處《ところ》は忍術者《にんじゆつしや》の極秘《ごくひ》とした日和《ひより》の見方《みかた》であるが、これ等《ら》は獨《ひと》り忍術《にんじゆつ》に限《かぎ》らず何人《なんぴと》も知《し》つて居《を》らねばならぬ大切《たいせつ》な事《こと》である。

(一)雨《あめ》に屬《ぞく》する事《こと》

(イ)夜《よる》の九つ時《どき》、晝《ひる》の五つ時《どき》、晝《ひる》の七つ時《どき》から降《ふ》り出《だ》した雨《あめ》は長《なが》つゞきがする。

(ロ)晝《ひる》の四つ時《どき》、晝《ひる》の六つ時《どき》の降《ふ》り出《だ》しは少《すこ》しの間《あひだ》に日《ひ》和《より》となる。

（ハ）夜《よる》の五つ時《どき》、夜《よる》の七つ時《どき》、晝《ひる》の九つ時《どき》の降《ふ》り出《だ》しはしばらく雨《あめ》で早速《さつそく》止《や》むのが常《つね》である。

（ニ）晝《ひる》の八つ時《どき》、晝《ひる》の六つ時《どき》、夜《よる》の四つ時《どき》に降《ふ》り出《だ》した雨《あめ》は半《はん》日《にち》以《い》上《じやう》降《ふ》りつゞく事《こと》はない。

（二）風《かぜ》に屬《ぞく》する事《こと》

（イ）東風《ひがしかぜ》は雨《あめ》になるべきものであるけれども入《にふ》梅《ばい》と土《ど》用《よう》とには降《ふ》り續《つゞ》いた雨《あめ》もあがるのが常《つね》である。

（ロ）東風《ひがしかぜ》が急《きふ》に吹《ふ》くと夜《よる》は晴《はれ》になる。

（ハ）春《はる》夏《なつ》の候《こう》西《せい》北《ほく》の風《かぜ》が吹《ふ》けば雨《あめ》の徴《しるし》である。

（ニ）秋《あき》西《にし》風《かせ》が吹《ふ》けば必《かなら》ず雨《あめ》になる。

（ホ）冬《ふゆ》の日《ひ》南《なん》風《ぷう》が吹《ふ》けば三日《か》の内《うち》に霜《しも》が降《ふ》る。

（ヘ）西風《にしかぜ》、北西風《ほくせいふう》は晴天《せいてん》の徴《しるし》で、東風《ひがしかぜ》又《また》は南《みなみ》の風《かぜ》は雨風《あめかぜ》の徴《しるし》である。

（ト）日《ひ》の入《い》り赤《あか》く、又《また》青《あを》い時《とき》は風《かぜ》が吹《ふ》く、鱗《うろ》雲《こぐも》のある時《とき》は雨《あめ》が降《ふ》る。

（チ）夕雲《ゆふぐも》の赤《あか》い時《とき》は必《かなら》ず晴《は》れ、雲《くも》が亂《みだ》れ飛《ど》ぶ時《とき》は大風《おほかぜ》が吹《ふ》く。

（リ）風雲《かぜぐも》がなくなれば風《かぜ》止《や》み、雲《くも》の色《いろ》が紅白《こうはく》に見《み》えると大風《おほかぜ》が吹《ふ》く。

（ヌ）夜霧《よぎり》が降《ふ》れば翌日《よくじつ》は大風《おほかぜ》である。

（ル）流星《りうせい》が東《ひがし》へ飛《と》べば風《かぜ》、南《みなみ》へ飛《と》べば晴《はれ》、西《にし》へ飛《と》べば雨《あめ》である。

（ヲ）月《つき》の出《で》に色《いろ》が白《しろ》ければ雨《あめ》、月《つき》に曇《くもり》があれば雨《あめ》、暈《かさ》が重《かさ》なると大風《おほかぜ》である。

(ワ) 月《つき》の入《いり》に光《ひかり》が強《つよ》ければ雨《あめ》、色《いろ》が白《しろ》ければ風《かぜ》が吹《ふ》く。

(カ) 朝《あさ》虹《にじ》が西《にし》にあれば三日《か》の中《うち》に必《かなら》ず雨《あめ》が降《ふ》り、夕《ゆふ》虹《にじ》が東《ひがし》にあれば日《ひ》和《より》である。

(ヨ) 電《でん》光《くわう》が四方《はう》に閃《ひらめ》く時《とき》は風《ふう》雨《う》がある。

(三) 事《じ》物《ぶつ》に依《よ》つて風《ふう》雨《う》陰《いん》晴《せい》を知《し》る事《こと》

(イ) 柱《はしら》の根《ね》元《もと》が濕《うるほ》ふて居《ゐ》る時《とき》は雨《あめ》が降《ふ》る。

(ロ) 山《やま》が鮮《あざや》かに見《み》える時《とき》は陽《やう》風《ふう》が吹《ふ》き山《やま》が陰《かく》れて見《み》えない時《とき》は陰《いん》風《ぷう》が吹《ふ》く。

(ハ) 風《かぜ》なくして山《やま》の鮮《あざや》かに見《み》えるのは雨《あめ》の徴《しるし》である。

(ニ) 烏《からす》が水《みづ》を浴《あ》びる時《とき》は必《かなら》ず雨《あめ》が降《ふ》る。

(ホ) 鳩《はと》の鳴《な》き聲《こゑ》が反《はん》響《きやう》する時《とき》は必《かなら》ず晴《せい》天《てん》で、反《はん》響《きやう》が聞《きこ》えない時《とき》は雨《あめ》が降《ふ》る。

(へ) 朝《あさ》鳶《とび》が鳴《な》けば雨《あめ》となり、夕《ゆふ》になけば必《かなら》ず晴《はれ》る。又《また》鳶《とび》が輪《わ》を描《ゑが》いて舞《まひ》上《あが》れば晴《は》れ、輪《わ》を描《ゑが》いて舞《ま》ひ下《さが》れば雨《あめ》が降《ふ》る。

(ト) 便《べん》所《じよ》の戸《と》がきしる時《とき》は必《かなら》ず雨《あめ》が降《ふ》る。

(チ) 蛇《へび》が道《みち》端《はた》に出《で》て居《ゐ》る時《とき》は三日《か》以《い》内《ない》に雨《あめ》が降《ふ》る。

第五圖

(リ) 竈《かまど》の煙《けむり》が地《ち》を這《は》へば雨《あめ》、眞《まつ》直《すぐ》に立《たち》上《あが》れば晴《はれ》の徴《しるし》である。

(ヌ) 出雲《ぐも》入《いり》雲《ぐも》でも日《ひ》和《より》を見《み》る事《こと》が出《で》來《き》る。これは國《くに》々《ぐ》で多《た》少《せう》相《さう》違《ゐ》して居《ゐ》るが、關《くわん》西《さい》地《ち》方《はう》では雲《くも》脚《あし》が丑《うし》寅《とら》(第《だい》五圖《づ》參《さん》照《せう》)

へ行《ゆ》くを入雲《いりぐも》と云《い》ひ、雨《あめ》の徴《しるし》となつて居《ゐ》るし、未申《ひつじさる》の方《かた》に行《ゆ》くのを出雲《でぐも》と云《い》つて、これも雨《あめ》の徴《しるし》とされて居《ゐ》るが、風《かぜ》の強《つよ》く吹《ふ》く時《とき》は日和《ひより》になる事《こと》がある。

(四) 日《ひ》に依《よ》つて天氣《てんき》を知《し》る事《こと》

昔《むかし》の暦《こよみ》を見《み》ると天《てん》一天上《てんじやう》と云《い》ふ事《こと》が書《か》いてあるが、この天《てん》一天上《てんじやう》と云《い》ふ日《ひ》が月《つき》の朔日《ついたち》に當《あた》るとこれを天《てん》一太《た》郎《らう》と云《い》ひ、八專《せん》に入《はい》つて二日目《かめ》を八專次郎《せんじらう》と云《い》ひ、土用《どよう》に入《はい》つて三日目《かめ》を土用《どよう》三郎《らう》と云《い》ふ、寒《かん》に入《い》つて四日目《かめ》を寒《かん》四郎《らう》と云《い》ふ。而《しか》して何《いづ》れもこの日《ひ》に風雨《ふうう》があれば其後《そのご》は引《ひき》つゞいて天氣《てんき》があしくなると云《い》はれて居《ゐ》る。

(五) 國々《くにぐに》に依《よ》つて天候《てんこう》が相違《さうゐ》する事《こと》

天氣時候《てんきじこう》は國々《くにぐに》で何《いづ》れも變《かは》るものであるから一概《がい》に

言《い》ふ事《こと》は出來《でき》ないが、關東《くわんとう》は西風《にしかぜ》で晴《は》れ、東風《ひがしかぜ》で雨《あめ》が降《ふ》り、
關西《くわんさい》は東風《ひがしかぜ》で晴《は》れて西風《にしかぜ》が吹《ふ》くと雨《あめ》が降《ふ》る。

(六) 天氣《てんき》覺《おぼ》えの歌《うた》

筑波《つくは》晴《は》れ、淺間《あさま》曇《くも》りて百舌《もず》なかば、
　雨《あめ》ふらずとも旅《たび》もよひせず、
五月《ぐわつ》西《にし》、春《はる》は南《みなみ》に秋《あき》は北《きた》、
　いつも東風《こち》にて雨降《あめふ》ると知《し》れ、
春《はる》北風《きたかぜ》に冬《ふゆ》南《みなみ》、いつも東《ひがし》は空降《からふり》の暮雨《ぼう》、
フッキリはテッキリ。タッキリはフッキリ。
(これは降《ふ》る霧《きり》は照《て》る霧《きり》、立《た》つ霧《きり》は降《ふ》る霧《きり》と云《い》ふ事《こと》で、要《えう》は霧《きり》が降《ふ》れば晴天《せいてん》となり、霧《きり》がたてば雨《あめ》が降《ふ》ると云《い》ふ事《こと》なのである。)

（二）劍《けん》法《はふ》邪《じや》正《せい》辨《べん》

本章《ほんしやう》は故《こ》山山《やまをか》鐵舟《てつしう》氏《し》が其門下《そのもんか》に傳《つた》へた劍法《けんはふ》の極意《ごくい》で、一字《じ》を減《げん》ずべからず、一句《く》を増《ま》すべからざる武術《ぶじゆつ》の神髓《しんずゐ》である。

夫《そ》れ劍《けん》法《はふ》正《しやう》傳《でん》眞《しん》の極意《ごくい》者《は》、別《べつ》に法《はふ》なし、敵《てき》の好《この》む處《ところ》にしたがひて勝《かち》を得《う》るにあり、敵《てき》の好《この》む所《ところ》とは何《なん》ぞや、兩刄《りやうじん》相《あひ》對《たい》すれば、必《かなら》ず敵《てき》を打《うた》んと思《おも》ふ念《ねん》あらざるはなし。故《ゆゑ》に我《わが》體《たい》を總《すべ》て敵《てき》に任《まか》せ敵《てき》の好《この》む處《ところ》に來《く》るに隨《したが》ひ勝《か》つを眞正《しんしやう》の勝《かち》と云《い》ふ。譬《たへと》へば筐《はこ》の中《なか》にある品《しな》を出《だ》すに、先《ま》づ其蓋《そのふた》を去《さ》り、細《こまか》に其中《そのなか》を見《み》て品《しな》を知《し》るが如《ごと》し。是則《これすなは》ち自然《しぜん》の勝《かち》にして別《べつ》に法《はふ》なき所以《ゆゑん》なり。然《しか》りと雖《いへど》も此術《このじゆつ》や易《やす》きことは甚《はなは》だ易《やす》し、難《かた》き事《こと》は甚《はなは》だ難《かた》し、學者《まなぶもの》容易《ようい》のことに觀《み》ること勿《なか》れ。即今《すなはちいま》諸《しよ》流《りう》の劍《けん》法《はふ》を學《まな》ぶ者《もの》を見《み》るに是《これ》に異《こと》なり、敵《てき》に對《たい》するや直《たゞち》に勝《かつ》氣《き》を先《さき》んじ、妄《みだ》りに血《けつ》氣《き》の力《ちから》を以《もつ》て進《すゝ》み勝《かた》んと欲《ほつ》するが如《ごと》し。之《これ》を邪《じや》法《はふ》と云《い》ふ、如上《によじやう》の修《しう》業《げふ》は一旦《たん》血《けつ》氣《き》盛《さかん》なる時《とき》は少《すこし》く力《ちから》を得《え》たりと思《おも》へども中《ちう》年《ねん》過《す》ぎ或《あるひ》は病《やまひ》に罹《かゝ》りしときは身《しん》體《たい》自《じ》由《いう》ならず力《ちから》衰《おとろ》へ業《わざ》にふれて劍《けん》法《はふ》を學《まな》ばざるものにも及《およ》ばず無《む》益《えき》の力《ちから》を盡《つく》くせしものとなる是《こ》れ邪《じや》法《はふ》を不省《かへりみざる》所《ゆ》以《ゑん》と云《い》ふべし。學《まなぶ》者《もの》深《ふか》く此《この》理《り》を覺《さと》り修《しう》行《ぎやう》鍛《たん》錬《れん》あるべし。

附《ふ》して云《い》ふ此《この》法《はふ》は單《たん》に劍《けん》法《はふ》の極《ごく》意《い》のみならず人《にん》間《げん》處《しよ》世《せい》の萬《ばん》事《じ》一つも此《この》規《き》定《てい》を失《しつ》すべからず。此《この》呼《こ》吸《きふ》を得《え》て以《もつ》て軍《ぐん》陣《ぢん》に臨《のぞ》み之《これ》を得《え》て以《もつ》て大《たい》政《せい》に參《さん》與《よ》し、之《これ》を得《え》て以《もつ》て外交《ぐわいかう》に當《あた》り、之《これ》を得《え》て以《もつ》て敎《けう》育《いく》宗《しう》敎《けう》に施《ほどこ》し、之《これ》を得《え》て以《もつ》て商工耕作《しやうこうかうさく》に従事《じうじ》せば、往《ゆ》くとして善《よ》からざるはなし、是《こ》れ余《よ》が所謂《いはゆる》剣法《けんはふ》の眞理《しんり》は萬物《はんぶつ》大極《たいきよく》の理《り》を究《きは》むると云《い》ふ所以《ゆゑん》なり。

（三）一刀《たう》流《りう》の秘《ひ》事《じ》

左《さ》に録《ろく》したものは一刀《たう》兵《りう》法《へい》流《はふ》箇《か》條《でう》目《もく》録《ろく》に記《しる》してある。同《どう》流《りう》の秘《ひ》事《じ》で大《おほい》に諸《しよ》子《し》の參《さん》考《かう》に資《し》すべきものがあるから特《とく》に玆《こゝ》に揭《かゝ》げたのである。

抑《そも〳〵》當《たう》流《りう》刀《たう》術《じゆつ》を一刀《たう》流《りう》と名《な》付《づ》けたる所以《ゆゑん》のものは、元《ぐわん》祖《そ》伊《い》藤《とう》一刀《たう》齋《さい》なるを以《もつ》ての故《ゆゑ》に一刀《たう》流《りう》と云《い》ふにはあらず。一刀《たう》流《りう》と名《な》付《づ》けたるには其《その》氣《き》味《み》あり、萬《ばん》物《ぶつ》太《たい》極《きよく》の一より始《はじ》まり一刀《たう》より萬《ばん》化《くわ》して一刀《たう》に治《おさ》まり又《また》一刀《たう》に起《おこ》るの理《り》有《あ》り又《また》曰《いは》く一刀《たう》流《りう》は活《くわつ》刀《たう》を流《なが》すの字《じ》義《ぎ》あり。流《なが》すはすゝたるの意《い》味《み》なり。當《たう》流《りう》すゝたることを要《えう》とす。すゝたると云《い》ふは、一刀《たう》に起《おこ》り一刀《たう》にすゝたることなり。然《しか》れども其《その》すゝたるの理《り》通《つう》じ難《がた》し。於是《こゝにおいて》か、さきより門《もん》前《ぜん》の瓦《かはら》と云《い》へる比喩《たとへ》あり。瓦《かはら》を以《もつ》て門《もん》をたゝき、人《ひと》出《い》で門《もん》開《ひら》く、此《この》時《とき》用《よう》をなしたる程《ほど》に、瓦《かはら》をすつ可《べ》きを其《その》儘《まゝ》持《もつ》て席《せき》上《じやう》に通《とほ》らば、かへつて不《ふ》用《よう》の品《しな》とならん。是《これ》すてざるがゆへなり。業《わざ》も亦《また》然《しか》り打《う》つべきところあらば、一刀《たう》に打《う》ちて用《よう》をなしたる故《ゆゑ》、こゝにすたることあらば、また起《おこ》る萬《ばん》化《くわ》すといへども、皆《みな》然《しか》り。打《うつ》て打《う》たざる元《もと》の心《こゝろ》となる、これ力《ちから》すたるの至《し》極《ごく》なり。

又《また》曰《いは》く、流《りう》は水《みづ》の流《なが》るゝなり。流《なが》るゝ水《みづ》の如《ごと》く機《き》にすこしも停滯《とゞこほり》なきの理《り》もあり。流《なが》るゝ水《みづ》の勢《いきほひ》又《また》廣《くわう》大《だい》なり。山《やま》を流《なが》し谷《たに》をも越《こ》す。かくある時《とき》は流《りう》の元《ぐわん》祖《そ》のくせを見《み》るなり、一刀《たう》齋《さい》が劍《けん》術《じゆつ》のくせの勢《いきほひ》を學《まなぶ》と云《い》ふなり、俗《ぞく》に云《い》ふまねをするの意《い》味《み》なり、一刀《たう》齋《さい》のまねをして、くせを覺《おぼ》ゆるの心《こゝろ》なり。近《ちか》くは後《こう》人《じん》師《し》のくせを學《まな》ぶが流《りう》なり。兵《へい》法《はふ》とあるは、武《ぶ》道《たう》なり、武《ぶ》藝《げい》の總《そう》名《めい》兵《へい》法《はふ》なり。劍《けん》術《じゆつ》とあるべきところ、兵《へい》法《はふ》としたるは、ことを廣《ひろ》く見《み》せんが爲《た》めなり。一藝《げい》の一理《り》を以《もつ》て萬《はん》理《り》におしうつるの意《い》味《み》なり。十二ケ條《でう》は、一ケ條《でう》づゝ十二ケ條《でう》目《もく》錄《ろく》をあげて其《その》次《し》第《だい》を傳《つた》ふるところなり一をつみて十二とあげたるは意《い》味《み》深《しん》長《ちやう》なるところなり一刀《たう》より起《おこ》つて萬《はん》劍《けん》に化《くわ》し萬《はん》刀《たう》一刀《たう》に歸《き》す。年《ねん》月《げつ》の數《すう》十二ケ月《げつ》あり一陽《やう》に起《おこ》つて萬《はん》物《ぶつ》造《ざう》化《くわ》し陽《やう》中《ちう》陰《いん》をめぐみて萬《はん》物《ぶつ》生《しやう》じ陰《いん》こゝに極《きはま》りて年《ねん》月《げつ》つくるものと見《み》れば陰《いん》中《ちう》陽《やう》を發《はつ》して、またいつか靑《せい》陽《やう》の春《はる》にかへる陰《いん》陽《やう》循《じゆん》環《くわん》して玉《たま》のはしなきが如《ごと》く當《たう》流《りう》守《しゆ》行《ぎやう》も亦《また》如斯《かくのごとし》。一よりおこりて十二におはる、而《しか》してまたもとの一にかへりて。つくることとなし、またもとの初《しよ》心《しん》にかへり、またもとにかへり無量《むりやう》にして極《きはま》りなき心《こゝろ》を以《もつ》て十二の箇條《かでう》をあげたり。

二之《の》目《め》付《つけ》之《の》事《こと》

二の目《め》付《つけ》とは敵《てき》に二の目《め》付《つけ》ありと云《い》ふ事《こと》なり。先《ま》づ敵《てき》を一體《たい》に見《み》る中《なか》に目《め》の付《つ》け所《どころ》二つあり、切《きつ》先《さき》に目《め》をつけ、拳《こぶし》に目《め》を付《つ》く是《こ》れ二つなり。故《ゆゑ》に拳《こぶし》うごかねば、うつことかなわず切《きつ》先《さき》うごかねば、うつことかなわず、是《こ》れ二目《め》をつくる所以《ゆゑん》なり。敵《てき》にのみ目《め》をつけ手前《てまへ》を忘《わす》れてはならぬ故《ゆゑ》、己《おのれ》をも知《し》り、彼《かれ》をも知《し》る必要《ひつえう》あるを以《もつ》て旁《かた》々《ゞ》之《これ》を二の目《め》付《つけ》と云《い》ふなり。

切《きり》落《おとし》之《の》事《こと》

切《きり》落《おとし》とは敵《てき》の太刀《たち》を切《きり》落《おと》して、然《しか》る後《のち》に勝《か》つと云《い》ふにはあらず、石《せき》火《くわ》の位《くらゐ》とも、間《かん》に髪《はつ》を容《い》れずとも云《い》ふ處《ところ》なり。金《きん》石《せき》打《うち》合《あは》せて陰《いん》中《ちう》陽《やう》を發《はつ》する自《し》然《ぜん》により、火《ひ》を生《しやう》ずるの理《り》なり、火《ひ》何《いづ》れよりか生《しやう》ず、間《かん》に髪《はつ》を不容《いれざる》の處《ところ》なり。切《きり》落《おと》すとは共《とも》に何時《いつ》の間《ま》にやら敵《てき》にあたる一拍子《ひやうし》なり陰《いん》極《きはま》つて落《おち》つ葉《は》を見《み》よ。陰《いん》中《ちう》に陽《やう》あつて落《お》つると共《とも》に何《い》時《つ》の間《ま》にやら新《しん》萠《はう》を生《しやう》じてあり、切《きり》落《おと》すと共《とも》に敵《てき》にあたりて勝《かち》あるの理《り》なり。

遠《ゑん》近《きん》之《の》事《こと》

遠《ゑん》近《きん》とは敵《てき》の爲《た》めに打《う》つ間《ま》遠《とほ》くなり、自《じ》分《ぶん》之《これ》が爲《た》めに近《ちか》くなれと云《い》ふ事《こと》なり何《なに》故《ゆゑ》なれば身《しん》體《たい》反《ぞ》り仰《あふ》ぐ者《もの》は、打《うち》間《ま》遠《とほ》くなり、前《まへ》へさし伏《ふ》し莅《のぞ》みかゝつて打《う》つ者《もの》は打《うち》間《ま》近《ちか》し。敵《てき》を見《み》おろすと、見《み》あぐるとは、大《だい》なる違《ちが》ひあり、遠《とほ》き面《めん》に莅《のぞ》みて、近《ちか》き拳《こぶし》に勝《かち》あることを忘《わす》れ近《ちか》きに勝《かち》あるを知《し》つて、遠《とほ》き面《めん》を打《う》つ、是《これ》を以《もつ》て遠《ゑん》近《きん》と云《い》ふなり。

横《よこ》竪《たて》上《じやう》下《げ》之《の》事《こと》

横《よこ》竪《たて》上《じやう》下《げ》とは、眞《まん》中《なか》の處《ところ》なり、上《うへ》より來《く》るものは下《した》より應《おう》じ下《した》より來《きた》るものは上《うへ》より應《おう》じ横《よこ》より來《きた》るものは竪《たて》に應《おう》じ、竪《たて》に來《きた》るものは横《よこ》に應《おう》じ、心《こゝろ》は中《ちう》央《あう》に在《あ》つて、氣《き》配《はい》自《じ》由《いう》なれと云《い》ふ事《こと》なり。之《これ》を圖《づ》に示《しめ》せば左《さ》の如《ごと》し。

第六圖

横竪上下之略圖

(一)角《かく》形《けい》の圖《づ》は、正《せい》方《はう》立《りつ》方《はう》形《けい》と心《こゝろ》得《え》可《べ》し。

(二)圓《ゑん》を描《ゑが》きて其《その》内《うち》に心《こゝろ》を箝《は》めたるは是《こ》れ則《すなは》ち心《こゝろ》中《ちう》央《あう》にあれと云《い》ふ事《こと》なり。

(三)是《こ》れ劍《けん》法《ほふ》のみならず天《てん》地《ち》萬《ばん》物《ぶつ》の極《ごく》意《い》こゝにあり。此《かく》の如《ごと》く心《こゝろ》中《ちう》央《わう》に在《あ》りて、ふれ動《うご》かざれば横《よこ》竪《たて》上《じやう》下《げ》の規《か》矩《ね》にはづれずと云《い》ふことなり。

色《いろ》付《つけ》の事《こと》　色《いろ》付《つけ》とは敵《てき》の色《いろ》に付《つ》くなと云《い》ふ事《こと》なり常《つね》

になれざる構《かまへ》など見《み》ると、其《そ》の構《かまへ》に取《と》りつき或《あるひ》はかけ聲《ごゑ》などになづむは皆《みな》色《いろ》に付《つ》くと云《い》ふものなり。たとへ何様《どのやう》の構《かまへ》なりとも、己《おの》れ修《しう》し得《え》たる所《ところ》の横竪《よこたて》上下《じやうげ》の規矩《かね》にはづれずばあやうき事《こと》なかるべしとなり。

目《もく》心《しん》之《の》事《こと》

目《もく》心《しん》とは目《め》で見《み》るな心《こゝろ》で見《み》よと云《い》ふ事《こと》なりこゝは考《かんが》へ場《ば》なり。目《め》に見《み》るものは迷《まよひ》あり、心《こゝろ》よりして見《み》るものは表裏《へうり》に迷《まよ》はず。目《め》は捨目付《すてめつけ》につかひて心《こゝろ》の目《め》にて見《み》るなり。

狐《こ》疑《ぎ》心《しん》之《の》事《こと》

狐《こ》疑《ぎ》心《しん》とは疑《ぎ》心《しん》を起《おこ》すなと云《い》ふ事《こと》なり。狐《きつね》は疑《うたが》ひ多《おほ》きものなり。狩人《かりうど》などにおはれぬれば此《こ》處《こ》彼《かし》處《こ》と止《と》まり見《み》返《かへ》り居《を》るうち脇《わき》よりまわりて終《つひ》にうたるゝものなり、是《こ》れ疑《ぎ》心《しん》深《ふか》きが爲《た》めなり。一筋《すぢ》に逃《に》げ往《ゆ》かば遁《のが》るべきを劍術《けんじゆつ》も亦《また》如レ斯《かくのごとし》、其《その》敵《てき》に對《たい》して斯《か》くしたらば、こうやあらん、かくやあらんと疑《うたが》ひ居《を》る内《うち》に敵《てき》にうたるゝと云《い》ふ意《い》味《み》なり。

松風之事《しようふうのこと》 松風《しようふう》とは合氣《あひき》をはづせと云《い》ふことなり。松《まつ》に風《かぜ》あれば、さは〱して常《つね》に合氣《あひき》なり、合氣《あひき》にはづれねば、よき勝《かち》にあらず、弱《よわ》きに弱《よわ》き、石《いし》に石《いし》、綿《わた》に綿《わた》の如《ごと》し、打合《うちあひ》して勝負《しようぶ》見《み》えず是《これ》に依《よつ》て當流《たうりう》は拍子《ひやうし》の無拍子《むひやうし》と打《うつ》なり、敵弱《てきよわ》からん所《ところ》を強《つよ》く、強《つよ》からん所《ところ》を弱《よわ》く敵星眼《てきせいがん》に來《きた》れば下段《げだん》にして拳下《けんか》よりせめ敵下段《てきげだん》なれば星眼《せいがん》にして上太刀《じやうだち》におさへと云《い》ふ樣《やう》に合氣《あひき》はづれて勝《かち》あるべし風《かぜ》ならば松《まつ》をたほし乘取《のつと》りて勝《か》つ松《まつ》ならば風《かぜ》のはげしく來《きた》る所《ところ》をさけ通《とほ》して其虎口《そのここう》の間《あひだ》に然《し》かも勝《かち》あるなり。

地形之事《ちけいのこと》

地形《ちけい》とは順地逆地《じゆんちぎやくち》の事《こと》なり、爪尖下《つまさきさが》りの地《ち》を順《じゆん》と云《い》ひ、つま先上《さきあが》りの地《ち》を逆《ぎやく》と云《い》ふ、順《じゆん》は勝地《からち》とも云《い》ふて敵《てき》を拳下《こぶしさが》りに打《うつ》ゆへ利《り》多《おほ》し、逆《ぎやく》はあせ地《ち》と云《い》ふて敵《てき》を見上《あぐ》る形《かたち》なりあをむくゆえ負《まく》べきの地《ち》とは云《い》はん。風《ふう》雨日月《うじつげつ》などにむかひて損《そん》あるも是《これ》に籠《こも》れり場所《ばしよ》により逆地《ぎやくち》にありとも進退《しんたい》かけ引《ひ》きして敵《てき》を逆地《ぎやくち》におけと云《い》ふ事《こと》なり。

無他心通之事《むたしんつうのこと》

無他心通《むたしんつう》とは敵《てき》を打《う》つ一偏《ぺん》の心《こゝろ》になれと云《い》ふ事《こと》なり。常《つね》の修業中《しうげふちう》にも見物《けんぶつ》多《おほ》きためなどに心《こゝろ》うごき或《あるひ》は餘念《よねん》に心引《こゝろひか》れては自己《じこ》一ぱいの働《はたら》きならぬもの故《ゆゑ》他《た》に心《こゝろ》を通《つう》せず己《おの》れ修《しう》し得《え》たる業《わざ》丈《だけ》を以《もつ》て敵《てき》にあたれとの事《こと》なり。

間《ま》之《の》事《こと》 間《ま》とは敵《てき》合《あひ》の間《ま》の事《こと》なり自《じ》分《ぶん》の太《た》刀《ち》下《した》三尺《じやく》敵《てき》の太《た》刀《ち》下《した》三尺《じやく》と見《み》て六尺《しやく》の間《ま》なり。一足《あし》出《だ》さねば敵《てき》にあたらぬ故《ゆゑ》打《うつ》も突《つ》くも當《たう》流《りう》一足《そく》一刀《たう》と教《をし》へり此《この》間《ま》合《あひ》の大《だい》事《じ》、常《つね》の稽《けい》古《こ》に自《じ》得《とく》すべき所《ところ》なり又《また》曰《いは》く間《ま》は周《しう》光《くわう》客《きやく》間《ま》など云《い》ふの敵《てき》の隙《すま》間《ま》次《し》第《だい》に入《はいつ》て勝《か》つの意《い》味《み》あり。

殘《ざん》心《しん》之《の》事《こと》 殘《ざん》心《しん》とは心《こゝろ》を殘《のこ》さず打《う》てと云《い》ふ事《こと》なり。あたるまじと思《おも》ふ所《ところ》など態《わざ》と打《う》つなどは皆《みな》殘《ざん》心《しん》なり。心《こゝろ》を殘《のこ》さねばすたるなり、すたれば本《もと》にもどると云《い》ふ理《り》なり斯《か》く云《い》へばゆきすぎて腰《こし》身《み》になるやうなれども斯《か》くあやうき所《ところ》を務《つと》めねば狐《こ》疑《ぎ》心《しん》になりて手《て》前《まへ》を惜《をし》み間《かん》髪《はつ》を容《い》るべからざる業《わざ》の神《しん》妙《めう》に至《いた》ること叶《かな》はず是《これ》を以《もつ》て勝《か》つ所《ところ》に負《ま》けあり負《ま》ける所《ところ》に勝《か》ちあるべし其《その》危《あやう》き負《まけ》ある所《ところ》を務《つと》めて自《し》然《ぜん》に勝《か》ちあることを會《ゑ》得《とく》すべし自《し》然《ぜん》の勝《か》ちとは節《ふし》を打《う》つなり。鷹《たか》の諸《しよ》鳥《てう》を取《と》るに皆《みな》節《ふし》にあたる。劍《けん》術《じゆつ》も亦《また》然《しか》り。節《ふし》にあたらざるは勝《かち》の勝《かち》にあらず節《ふし》にあたれば百勝《しよう》疑《うたが》ひあるべからず善《ぜん》をすてゝ惡《あく》を務《つと》め惡《あく》を務《つと》めて善《ぜん》を知《し》る當《たう》傳《でん》を捨《す》て又《また》本《もと》の初《しよ》心《しん》の一にかへり怠《たい》慢《まん》なく務《つと》むべきことなり心《こゝろ》を殘《のこ》さねば殘《のこ》ると云《い》ふ理《り》もあり、もどるの心《こゝろ》なり。たとへば茶《ちや》碗《わん》に水《みづ》を汲《く》み速《すみや》かにすて、又《また》中《なか》を觀《み》れば則《すなは》ち一滴《てき》の水《みづ》あり是《これ》すみやかに捨《すて》るゆへに、もどる是《これ》を以《もつ》ておしますすたることを當《たう》流《りう》之《の》要《えう》とす。是《これ》ぞ奥《おく》義《ぎ》圓《ゑん》滿《まん》之《の》端《はし》糸《いと》口《ぐち》となり終《つひ》にみがき玉《たま》のはしなき如《こと》くの時《とき》に至《いた》るべしとなり。

（四）宮本《みやもと》武藏《むさし》二天《てん》一流《りう》の秘事《ひじ》

左《さ》に錄《ろく》したものは宮本《みやもと》武藏《むさし》がその門弟《もんてい》寺尾《てらを》夢生《むせい》勝延《かつのぶ》に與《あた》へ夢生《むせい》から更《さら》に山本《やまもと》源介《げんすけ》に與《あた》へた二天《てん》一流《りう》秘傳《ひでん》五倫書《りんしよ》中《ちう》の水《すゐ》の卷《まき》、火《くわ》の卷《まき》の貳卷《にくわん》を錄《ろく》したもので、兵法《へいはふ》の極秘《ごくひ》を網羅《まうら》して餘蘊《よううん》なきものである。

水《みづ》の卷《まき》

兵法《へいはふ》二天《てん》一流《りう》の心《こゝろ》　水《みづ》を本《もと》として利方《りかた》の法《はふ》を行《おこな》ふに依《よ》つて水《すゐ》の卷《まき》として一流《りう》の太刀筋《たちすぢ》、此《こ》の書《しよ》に書《か》き顯《あらは》すものなり此道《このみち》いづれも細《こま》やかに心《こゝろ》の儘《まゝ》には書分《かきわけ》がたし、縱《たと》へ言葉《ことは》つゞかざると云《い》へ共《とも》、利《り》は自《おのづか》ら聞《きこ》ゆべし、此書《このしよ》に書付《かきつけ》たる所《ところ》一言《こん》一言《こん》、一字《じ》〳〵にて思案《しあん》すべし。大形《おほがた》に思《おも》ひては道《みち》の違《たが》ふ事《こと》多《おほ》かるべし、兵《へい》法《はふ》の利《り》に於《おい》て一人《ひと》〳〵《り》との勝負《しやうぶ》の様《やう》に書付《かきづけ》たる所《ところ》なり共《とも》萬人《まんにん》と萬人《まんにん》との合戦《かつせん》の利《り》に心得《こゝろえ》大《おほ》きに見立《みた》つ所《ところ》肝要《かんえう》なり、此道《このみち》に限《かぎ》つて小《せう》なり共《とも》、道《みち》を見《み》違《ちが》へ道《みち》の迷《まよ》ひありては悪道《あくだう》へ落《おち》るもの也《なり》。此書《このかき》付《つけ》計《はかり》を見《み》て兵法《へいはふ》の道《みち》には及事《およぶこと》に非《あら》ず此書《このしよ》に書付《かきつけ》たるを此身《このみ》にとつて書付《かきつけ》を見《み》ると思《おも》はずならうと思《おも》はず、偽物《にせもの》にせずして則我《すなはちわが》心《こゝろ》より見出《みだ》したる利《り》にして常《つね》に其身《そのみ》になつて能《よ》く工夫《くふう》すべし。

一、兵法心持《へいはふこゝろもち》の事《こと》　兵法《へいはふ》の道《みち》に於《おい》て心《こゝろ》の持様《もちやう》は常《つね》の心《こゝろ》に替《かへ》る事《こと》なかれ、常《つね》にも兵法《へいはふ》の時《とき》にも心《こゝろ》の替《かは》らずして、心《こゝろ》を廣《ひろ》く直《すぐ》にして強《つよ》く引張《ひきは》らず、少《すこし》も弛《ゆる》まず、心《こゝろ》のかたよらぬ様《やう》に心《こゝろ》を眞中《まんなか》におきて心《こゝろ》を靜《しづか》に搖《ゆる》がせて其《そ》の搖《ゆる》ぎ刹《せつ》那《な》も搖《ゆる》ぎ止《や》まぬやうに能々《よく／＼》吟味《ぎんみ》すべし、靜《しつ》かなる時《とき》も心《こゝろ》は靜《しづか》ならず、何《なん》と早《はや》き時《とき》も心《こゝろ》は少《すこ》しも早《はや》からず、心《こゝろ》は體《たい》につれず、體《たい》は心《こゝろ》につれず、心《こゝろ》に用心《ようじん》して、身《み》は用心《ようじん》せず、心《こゝろ》のたらぬ事《こと》なくして心《こゝろ》を少《すこ》しもあまらず、上《かみ》の心《こゝろ》は弱《よわ》くとも底《そこ》の心《こゝろ》を強《つよ》く、心《こゝろ》を人《ひと》に見分《みわ》けられざる樣《やう》にして小身《せうしん》なるものは心《こゝろ》に大《おほ》きなる事《こと》を殘《のこ》らず知《し》り、大身《たいしん》なるものは心《こゝろ》に少《ちい》さき事《こと》を能《よく》知《し》りて大身《たいしん》も小身《せうしん》も心《こゝろ》を直《すぐ》にして我《わが》身《み》の贔屓《ひいき》をせざるやうに心《こゝろ》を持《も》つ事《こと》肝要《かんえう》なり。心《こゝろ》の内《うち》濁《にご》らず廣《ひろ》くして廣《ひろ》き所《ところ》へ智《ち》惠《ゑ》を置《おく》べき也《なり》。智《ち》惠《ゑ》も心《こゝろ》もひたと磨《みが》く事專《こともつはら》なり。智《ち》惠《ゑ》を磨《みが》き、天下《てんか》の利《り》非《ひ》を辨《わきま》へ、物《もの》毎《こと》の善惡《ぜんあく》を知《し》る萬《よろづ》の藝能《げいのう》、其《その》道《みち》に渉《わた》り、世間《せけん》の人《ひと》に少《すこ》しも欺《だま》されざる樣《やう》にして、後《のち》兵法《へいはふ》の智《ち》惠《ゑ》となる心也《こゝろなり》。兵法《へいはふ》の智《ち》惠《ゑ》に於《おい》てとりわき違《ちが》ふ事《こと》あるものなり戦《たゝかひ》の場《は》萬事《はんじ》せはしき時《とき》なり共《とも》、兵法《へいはふ》の道理《だうり》を究《きは》め、動《うご》きなき心《こゝろ》能々《よく〳〵》吟味《ぎんみ》あるべし。

一、兵法《へいはふ》の身《み》なりの事《こと》

身《み》のなり、顔《かほ》はうつむかず、あをのかず、かたむかず、ひずまず、目《め》を亂《みだ》さず、額《ひたひ》に皺《しわ》をよせず、眉間《まゆあひ》に皺《しわ》を寄《よ》せて目《め》の玉《たま》の動《うご》かざるやうにして瞬《またゝき》せぬやうに思《おも》ひて、目《め》を少《すこ》し竦《すく》めるやうにして、うらやかに見《み》る顔《かほ》を鼻筋《はなすぢ》直《すぐ》にして少《すこ》し頤《おとがひ》を出《だ》す心《こゝろ》、首《くび》は後《うしろ》の筋《すぢ》を直《すぐ》に項《うなじ》に力《ちから》を入《い》れて肩《かた》より總身《そうしん》は等《ひと》しく覺《おぼ》へ、兩《りやう》の肩《かた》を下《さ》げ、脊筋《せすぢ》をろくに尻《しり》を出《だ》さず膝《ひざ》より足先《あしさき》まで力《ちから》を入《い》れて腰《こし》の傴屈《かゞま》ざるやうに腹《はら》を張《は》り、楔《くさび》をしむると云《い》ひて脇差《わきざし》の鞘《さや》に腹《はら》を持《も》たせて、帯《おび》の寛《くつ》ろがざるやうに楔《くさび》をしむると云《い》ふ教《をしへ》あり、總《すべ》て兵《へい》法《はふ》の身《み》に於《おい》て常《つね》の身《み》を兵《へい》法《はふ》の身《み》とし、兵《へい》法《はふ》の身《み》を常《つね》の身《み》とする事《こと》肝《かん》要《えう》なり能《よく》々吟《ぎん》味《み》すべし。

一、兵《へい》法《はふ》の目《め》付《つけ》と云《い》ふ事《こと》　目《め》の付《つ》けやうは大《おほ》きに廣《ひろ》くつくるなり、觀《くわん》見《けん》二つの事《こと》、觀《くわん》の目《め》つよく見《けん》の目《め》弱《よわ》く、遠《とほ》き所《ところ》を近《ちか》く見《み》、近《ちか》き所《ところ》を遠《とほ》く見《み》る事《こと》兵《へい》法《はふ》の專《せん》也《なり》。敵《てき》の太《た》刀《ち》を知《し》り、聊《いさゝか》敵《てき》の太《た》刀《ち》を見《み》ずと云《い》ふ事《こと》、兵《へい》法《はふ》の大《だい》事《じ》なり、工《く》夫《ふう》あるべし。此《この》目《め》付《つけ》小《ちい》さき兵《へい》法《はふ》にも大《おほ》きなる兵《へい》法《はふ》にも同《おな》じ事《こと》なり、目《め》の玉《たま》動《うご》かずして兩《りやう》脇《わき》を見《み》る事《こと》肝《かん》要《えう》なり箇《か》樣《やう》の事《こと》急《いそ》がしき時《とき》、俄《にはか》に辨《べん》じ難《がた》し、此《この》書《かき》付《つけ》を覺《おほ》え常《じやう》住《ぢう》此《この》目《め》付《つけ》になりて何《なに》事《ごと》にも目《め》付《つけ》の替《かは》らざる所《ところ》能《よく》々吟《ぎん》味《み》あるべきものなり。

一、太《た》刀《ち》の持《もち》樣《やう》の事《こと》　太《た》刀《ち》の取《とり》樣《やう》は大《おほ》指《ゆび》人《ひと》さし指《ゆび》を浮《うか》べる心《こゝろ》に持《も》ち、たけ高《たか》指《ゆび》締《し》めずゆるまず、すくし小《こ》指《ゆび》を締《し》むる心《こゝろ》にして持《もつ》也《なり》。手《て》の内《うち》には寛《くつろ》ぎのある事《こと》悪《あ》し、敵《てき》を切《き》るものなりと思《おも》ひて太《た》刀《ち》を取《と》るべし。敵《てき》を切《き》る時《とき》も手《て》の内《うち》に替《かは》りなく手《て》の竦《すく》まざるやうに持《も》つべし。若《も》し敵《てき》の太《た》刀《ち》をはる事《こと》、受《うけ》る事《こと》、當《あて》る事《こと》、抑《おさ》ゆる事《こと》あり共《とも》、大《おほ》指《ゆび》人《ひと》さし指《ゆび》を少《すこ》し替《かは》る心《こゝろ》にして兎《と》に角《かく》にも切《き》ると思《おも》ひて太《た》刀《ち》を取《と》るべし、試《ため》し者《もの》など切《き》る時《とき》の手《て》の内《うち》も兵《へい》法《はふ》にして切《き》る時《とき》の手《て》の内《うち》も人《ひと》を切《き》ると云《い》ふ手《て》の内《うち》に替《かは》るなし、總《すべ》て太《た》刀《ち》にても手《て》にても居《ゐ》つくと云《い》ふ事《こと》を嫌《きら》ふ。居《ゐ》つくは死《し》ぬるなり、居《ゐ》つかざるは生《いく》る手《て》也《なり》。能《よく》々心《こゝろ》得《え》べきものなり。

一、足《あし》つかひの事《こと》

足《あし》の運《はこ》び様《やう》の事《こと》、爪《つま》尖《さき》を少《すこ》し受《う》けて、踵《くびす》を強《つよ》く踏《ふ》むべし、足《あし》違《ちが》ひは時《とき》によりて大《だい》小《せう》遅《ち》速《そく》はありとも常《つね》に歩《あゆ》むが如《ごと》し、足《あし》に飛《とび》込《こみ》、浮《うき》足《あし》踏《ふみ》すゆる足《あし》とてこの三つ嫌《きら》ふ足《あし》也《なり》。此《この》道《みち》の大《だい》事《じ》に曰《いは》く、陰《をん》陽《やう》の足《あし》と云《い》ふ是《こ》れ肝《かん》要《えう》なり。陰《をん》陽《やう》の足《あし》とは片《かた》足《あし》許《はか》り動《うご》かさぬものなり、切《き》る時《とき》、退《ひ》く時《とき》、受《うけ》る時《とき》、迄《まで》も陰《をん》陽《やう》とて右《みぎ》左《ひだり》、右《みぎ》左《ひだり》踏《ふ》む足《あし》也《なり》。返《かへ》す〱片《かた》足《あし》踏《ふ》む事《こと》あるべからず能《よく》々《〱》吟《ぎん》味《み》すべきもの也《なり》。

一、五方《はう》の構《かまへ》の事《こと》

五方《はう》の構《かまへ》は上《じやう》段《だん》中《ちう》段《だん》下《げ》段《だん》右《みぎ》の脇《わき》に構《かま》ゆる事《こと》左《ひだり》の脇《わき》に構《かま》ゆる事《こと》是《これ》五法《はふ》也《なり》、構《かまへ》五つに分《わか》つと云《い》へども皆《みな》人《ひと》を切《き》らん爲《た》めなり、構《かまへ》五つより外《ほか》はなし、何《いづ》れの構《かまへ》なり共《とも》構《かま》ゆると思《おも》はず切《き》る事《こと》なりと思《おも》ふべし。構《かまへ》の太《た》刀《ち》は事《こと》により利《り》に從《したが》ふべし。上《じやう》中《ちう》下《げ》は體《たい》の構《かまへ》なり。兩構《りやうがまへ》はゆふの構《かまへ》なり。右《みぎ》左《ひだり》の構《かまへ》は上《かみ》のつまりて脇《わき》一方《はう》つまりたる所《ところ》などにての構《かまへ》なり。右《みぎ》左《ひだり》は所《ところ》によりて分《ふん》別《べつ》あり。此《この》道《みち》の大事《だいじ》に曰《いは》く構《かまへ》の極《き》まりは中段《ちうだん》と心得《こゝろえ》べし、中段《ちうだん》は構《かまへ》の本意《ほんい》也《なり》、兵法《へいはふ》大《おほ》きにして見《み》よ中段《ちうだん》は大将《たいしやう》の座《ざ》なり、大将《たいしやう》についではあと四段《だん》の構《かまへ》なり、能々《よく〳〵》吟味《ぎんみ》すべし。

一、太刀《たち》の道《みち》と云《い》ふ事《こと》　太刀《たち》の道《みち》を知《し》ると云《い》ふ事《こと》は、常《つね》に我《わ》が帯《さ》す刀《かたな》を指《ゆび》二つにて振《ふ》る時《とき》も道《みち》すじ能《よ》く知《し》りては自由《じいう》に振《ふる》ものなり、太刀《たち》を早《はや》く振《ふ》らんとするに依《よ》つて太刀《たち》の道《みち》違《ちが》ひ振《ふり》がたし、太刀《たち》は振《ふ》りよき程《ほど》に静《しづか》に振《ふ》るなり。或《あるひ》は扇《あふぎ》、或《あるひ》は小刀《せうたう》など遣《つか》ふ様《やう》に早《はや》く振《ふ》らんと思《おも》ふに依《よ》つて太刀《たち》の道《みち》違《ちが》ひて振《ふり》がたし、夫《それ》は小刀《せうたう》きざみと云《い》ひて、人《ひと》の切《き》れざるものなり、太刀《たち》を打《うち》さげてはあげよき道《みち》にあげ、横《よこ》に振《ふ》りては横《よこ》にもどり、よき道《みち》へ戻《もど》し、如何《いか》にも大《おほ》きに肘《ひぢ》をのべて強《つよ》く振《ふ》る事《こと》、是《これ》太刀《たち》の道《みち》也《なり》。我《わが》兵法《へいはふ》の五つの表《おもて》を遣《つか》ひ覺《おぼ》ゆれば太刀《たち》の道《みち》定《さだ》まりて振《ふり》よき所《ところ》なり。能《よく》々《よく》鍛《たん》錬《れん》すべし。

一、五つの表《おもて》第《だい》一の次《し》第《だい》の事《こと》　第《だい》一の構《かまへ》中《ちう》段《だん》太《た》刀《ち》先《さき》を敵《てき》の顔《かほ》へ付《つけ》て敵《てき》に行《ゆき》合《あ》ふ時《とき》、敵《てき》太《た》刀《ち》打《うち》かくる時《とき》、右《みぎ》へ太《た》刀《ち》を外《はづ》して、乗《の》り又《また》敵《てき》打《うち》かくる時《とき》、切《きつ》尖《さき》かへしにて打《う》ち、打《うち》落《おと》したる太《た》刀《ち》其《その》儘《まゝ》置《お》き、又《また》敵《てき》の打《うち》かくる時《とき》、下《した》より敵《てき》の手《て》はる是《これ》第《だい》一也《なり》。總《そう》別《べつ》此《この》五つの表《おもて》書《かき》付《つけ》る斗《ばかり》にては合《が》點《てん》なり難《がた》し、五つの表《おもて》のぶんは、手《て》に取《と》つて太《た》刀《ち》の道《みち》稽《けい》古《こ》する所《ところ》也《なり》、此《こ》の五つの太《た》刀《ち》筋《すぢ》にて我《わが》太《た》刀《ち》の道《みち》をも知《し》り、如《い》何《か》樣《やう》にも敵《てき》の打《うち》太《た》刀《ち》知《し》るゝ所《ところ》也《なり》。是《これ》二刀《たう》の太《た》刀《ち》の構《かまへ》五つより外《ほか》にあらずと知《し》らする所《ところ》なり。鍛《たん》錬《れん》すべきなり。

一、表《おもて》の第《だい》二の次《し》第《だい》の事《こと》　第《だい》二太《た》刀《ち》上《じやう》段《だん》に構《かま》へ敵《てき》打《うち》かくる所《ところ》、一度《ど》に敵《てき》を打《う》つ也《なり》。敵《てき》を打外《うちはつ》したる太刀《たち》其儘《そのまゝ》置《お》きて、又《また》敵《てき》の打《う》つ所《ところ》を下《した》より掬《すく》ひ上《あげ》て打《う》つ。今《いま》一つ打《うつ》も同《おな》じ事《こと》也《なり》。此《この》表《おもて》の内《うち》に於《おい》ては様々《さま〴〵》の心持《こゝろもち》色々《いろ〳〵》の拍子《ひやうし》、此《この》表《おもて》のうちを以《もつ》て一流《りう》の鍛錬《たんれん》をすれば五つの太刀《たち》の道《みち》細《こま》やかに知《し》つて如《い》何《か》様《やう》にも勝《か》つ所《ところ》あり稽古《けいこ》すべき也《なり》。

一、表《おもて》第《だい》三の次《し》第《だい》の事《こと》　第《だい》三の構《かまへ》太刀《たち》を下《げ》段《だん》に持《も》ちひつさげたる心《こゝろ》にて敵《てき》の打《うち》かくる所《ところ》を下《した》より手《て》をはる也《なり》。手《て》をはる所《ところ》を亦《また》敵《てき》そのはる太刀《たち》を打《うち》落《おと》さんとする所《ところ》をこす拍子《ひやうし》にて敵《てき》打《うち》たるあと二の腕《うで》を横《よこ》に切《き》る心《こゝろ》なり、下《げ》段《だん》にて敵《てき》の打《う》つ所《ところ》を一度《ど》に打《うち》留《とめ》る事《こと》也《なり》下《げ》段《だん》の構《かまへ》を運《はこ》ぶに早《はや》き時《とき》も遅《おそ》き時《とき》も出《で》合《あふ》もの也《なり》。太刀《たち》を取《と》つて鍛錬《たんれん》あるべきなり。

一、表《おもて》第《だい》四の次《し》第《だい》の事《こと》　第《だい》四の構《かまへ》左《ひだり》の脇《わき》に横《よこ》に構《かま》へて敵《てき》の打《うち》かくる手《て》を下《した》よりはるべし。下《した》よりはるを敵《てき》打落《うちおと》さんとするを、手《て》をはる心《こゝろ》にて其儘《そのまゝ》太刀《たち》の道《みち》を受《う》け、我肩《わがかた》の上《うへ》へ筋違《すぢかひ》に切《き》るべし。是《これ》太刀《たち》の道《みち》也《なり》。又《また》敵《てき》の打《うち》かくる時《とき》も太刀《たち》の道《みち》を受《う》けて勝《か》つ道《みち》也《なり》。能《よく》々吟味《ぎんみ》あるべし

一、表《おもて》第《だい》五の次《し》第《だい》の事《こと》　第《だい》五の次《し》第《だい》太刀《たち》の構《かまへ》我右《わがみぎ》の脇《わき》の横《よこ》に構《かま》へて敵《てき》打《うち》かくる所《ところ》の位《くらゐ》を受《う》け、我《わが》太刀《たち》の横《よこ》より筋違《すぢちかひ》に上段《じやうだん》に振《ふり》あげ、上《うへ》より直《すぐ》に切《き》るべし。是《これ》も太刀《たち》の道《みち》能《よ》く知《し》らんためなり、此《この》表《おもて》にて振《ふ》りつけぬれば重《おも》き太刀《たち》も自由《じいう》に振《ふ》らるゝなり、此《この》五つの表《おもて》に於《おい》て細《こま》かに書《かき》つくる事《こと》能《あた》はず、我家《わがいへ》の太刀《たち》一通《とほり》の道《みち》を知《し》り、亦《また》大形《おほがた》拍子《ひやうし》をも覺《おぼ》え、敵《てき》の太刀《たち》を見《み》分《わく》る事《こと》、先《ま》づ此《この》五つにて不斷《ふだん》手《て》を拈《ね》ら

す所《ところ》なり、敵《てき》と戰《たゝかひ》の内《うち》にも此《この》太《た》刀《ち》筋《すぢ》を拈《ね》らして敵《てき》の心《こゝろ》を受《う》け色々《いろ〳〵》の拍子《ひやうし》にて如《い》何《か》様《やう》にも勝《か》つ所也《ところなり》。能々《よく〳〵》分別《ふんべつ》すべし。

一、有《う》構《こう》無《む》構《こう》の教《をしへ》の事《こと》　有《う》構《こう》無《む》構《こう》と云《い》ふは元來《ぐわんらい》太《た》刀《ち》を構《かま》ふると云《い》ふ事《こと》あるべき事《こと》に非《あち》ず、され共《ども》、五方《はう》に置《お》く事《こと》あれば構《かま》へともなるべし。太《た》刀《ち》は敵《てき》の縁《えん》に依《よ》り所《ところ》に依《よ》り、景《けい》氣《き》に従《したが》ひ、何《いづ》れの方《はう》に置《お》きたりとも其《その》敵《てき》きりよき様《やう》に持心《もつこゝろ》なり、上段《じやうだん》も時《とき》に随《したが》ひさがる心《こゝろ》なれば、中《ちう》段《だん》となり、中《ちう》段《だん》も折《をり》に依《よ》り少《すこ》し上《あ》ぐれば上段《じやうだん》となる。下《げ》段《だん》も折《をり》にふれ少《すこ》し上《あ》ぐれば中《ちう》段《だう》となる。兩《りやう》脇《わき》の構《かまへ》も位《くらゐ》により少《すこ》し中《なか》へ出《だ》さば中《ちう》段《だん》下《げ》段《だん》ともなる心《こゝろ》なり、然《しか》るに依《よつ》て構《かまへ》は有《あ》りて構《かまへ》は無《な》きと云《い》ふ理《り》なり、先《ま》づ太《た》刀《ち》を執《と》つては何《いづ》れにしてなりとも敵《てき》を切《き》ると云《い》ふ心《こゝろ》なり。若《も》し敵《てき》の切《き》る太刀《たち》を、受《うけ》る、はる、當《あて》る、ねばる、觸《さは》るなど云《い》ふ事《こと》あれども皆《みな》〳〵敵《てき》を切《き》る縁《えん》也《なり》と心《こゝろ》得《え》べし。受《うけ》ると思《おも》ひ、はると思《おも》ひ、あたると思《おも》ひ、ねばると思《おも》ひ、さわると思《おも》ふに依《よ》つて切《き》る事《こと》不《ふ》可《か》なるべし、何《なに》事《ごと》も切《き》る縁《えん》と思《おも》ふ事《こと》肝《かん》要《えう》なり能《よく》〳〵吟《ぎん》味《み》すべし、兵《へい》法《はふ》大《おほ》きにして人《にん》數《ずう》たてと云《い》ふも構《かまへ》なり、皆《みな》合《かつ》戰《せん》に勝《か》つ儀《ぎ》也《なり》、居《ゐ》つくと云《い》ふ事《こと》惡《あ》し能《よく》〳〵工《く》夫《ふう》すべし。

一、敵《てき》を打《う》つに一拍《ひやう》子《し》の打《うち》の事《こと》　敵《てき》を打《う》つ拍《ひやう》子《し》に一拍《ひやう》子《し》と云《い》ひて敵《てき》に當《あた》るほどの位《くらゐ》を得《え》て敵《てき》の辨《わきま》へぬうちに心《こゝろ》に得《え》て我《わが》身《み》も動《うご》かさず心《こゝろ》もつかず、如《い》何《か》にも早《はや》く直《すぐ》に打《う》つ拍《ひやう》子《し》也《なり》。敵《てき》の太《た》刀《ち》ひかん、外《はづ》さん、打《う》たんと思《おも》ふ心《こゝろ》のなき内《うち》を打《う》つ拍《ひやう》子《し》是《こ》れ一拍《ひやう》子《し》なり此《この》拍《ひやう》子《し》能《よ》く習《ならひ》得《え》て間《ま》の拍子《ひやうし》を早《はや》く打《う》つ事《こと》鍛《たん》錬《れん》すべし。

一、二のこしの拍子《ひやうし》の事《こと》　二のこしの拍子《ひやうし》我《わが》打《う》たんとする時《とき》、敵《てき》早《はや》くひき、早《はや》くはりのくる樣《やう》の時《とき》は、我《われ》打《う》つと見《み》せて敵《てき》のはりて弛《ゆる》む所《ところ》を打《う》ち、ひきて弛《ゆる》む所《ところ》を打《う》つ、是《こ》れ二のこしの打《う》ち也《なり》。此《この》書《かき》付《つけ》計《ばか》りにては打《うち》得《え》がたかるべし。教《をしへ》受《う》けては忽《たちま》ち合《が》點《てん》の行《ゆ》く所《ところ》なり。

一、無《む》念《ねん》無《む》雙《さう》の打《うち》と云《い》ふ事《こと》　敵《てき》も打《うち》出《だ》さんとし我《われ》も打《うち》出《だ》さんと思《おも》ふとき、身《み》も打《う》つ身《み》になり、心《こゝろ》も打《う》つ心《こゝろ》になつて、手《て》はいつとなく空《くう》になりしらず〳〵打《うつ》事《こと》、是《これ》無《む》念《ねん》無《む》想《さう》とて一大《だい》事《じ》の打《うち》也《なり》、此《こ》の打《う》ち度々《たび〳〵》出《で》合《あ》ふ打《うち》なり能《よ》く習《なら》ひ得《え》て鍛《たん》錬《れん》すべき儀《ぎ》なり。

一、流《りう》水《すゐ》の打《うち》と云《い》ふ事《こと》　流《りう》水《すゐ》の打《うち》と云《い》ひて、敵《てき》合《あひ》になりて糶《せ》り合《あ》ふ時《とき》、敵《てき》早《はや》くひかん、早《はや》く外《はづ》さん、早《はや》く太刀《たち》をはりのけんとする時《とき》、我《わが》身《み》も心《こゝろ》も大《おほ》きになつて、太刀《たち》を我《わが》身《み》の後《あと》より如何《いか》程《ほど》もゆる〳〵と澱《よど》みのある様《やう》に大《おほ》きに打《う》つ事《こと》あり、此《この》打《うち》習《なら》ひ得《え》ては慥《たしか》に打《うち》よきものなり、敵《てき》の位《くらゐ》を見《み》分《わ》くる事《こと》肝《かん》要《えう》なり。

一、縁《えん》のあたりと云《い》ふ事《こと》　我《わが》打《うち》出《だ》す時《とき》、敵《てき》打《うち》とめ、はりのけんとする時《とき》、我《わが》打《うち》一つにして頭《あたま》をも打《う》ち足《あし》をも打《う》ち、太《た》刀《ち》の道《みち》一つを以《もつ》て何《いづ》れなり共《とも》打《うつ》所《ところ》、是《これ》縁《えん》の打《うち》也《なり》。此《この》打《うち》よく〳〵打《うち》習《なら》ふべし、何《なん》時《どき》も出《で》合《あひ》打《うち》也《なり》。細《こま》々《〴〵》打《うち》合《あ》ひて分《ふん》別《べつ》あるべきなり。

一、石《せき》火《くわ》のあたりと云《い》ふ事《こと》　石《せき》火《くわ》のあたりは、敵《てき》の太刀《たち》と我《わが》太刀《たち》と付《つき》合《あ》ふほどにて、我《わが》太刀《たち》少《すこ》しもあげずして如《い》何《か》にも強《つよ》く打《うつ》也《なり》。是《これ》は足《あし》も強《つよ》く、身《ろ》もつよく、手《て》もつよく、三所《ところ》を以《もつ》て早《はや》く打《う》つべきなり此《この》打《うち》度々《たび〳〵》打《うち》習《なら》はずしては打《うち》がたし、よく鍛《たん》錬《れん》すれば強《つよ》くあたるものなり。

一、紅葉《もみぢ》の打《うち》と云《い》ふ事《こと》　紅葉《もみぢ》の打《うち》、敵《てき》の太《た》刀《ち》を打《うち》落《おと》し、太《た》刀《ち》取《とり》はなす心《こゝろ》也《なり》。敵《てき》前《まへ》に太《た》刀《ち》を構《かま》へ、打《う》たん、はらん、受《う》けんと思《おも》ふ時《とき》、我《わが》打《う》つ心《こゝろ》は無《む》念《ねん》無《む》想《さう》の打《うち》、又《また》石《せき》火《くわ》の打《うち》にても敵《てき》の太《た》刀《ち》を強《つよ》く打《う》ち、其《その》儘《まゝ》あとをねばる心《こゝろ》にて切《きつ》尖《さき》下《さが》りに打《う》てば敵《てき》の太《た》刀《ち》必《かなら》ず落《おち》るものなり、此《この》打《うち》鍛《たん》錬《れん》すれば打《うち》落《おと》す事《こと》易《やす》し、能《よく》々稽《けい》古《こ》あるべし。

一、太《た》刀《ち》に代《かは》る身《み》と云《い》ふ事《こと》　身《み》に代《かは》る太《た》刀《ち》とも云《い》ふべし、總《すべ》て敵《てき》を打《う》つに太《た》刀《ち》も身《み》も一度《ど》には打《う》たざるもの也《なり》。敵《てき》の打《う》つ縁《えん》により身《み》をばさきへ打《う》つ身《み》になり、太《た》刀《ち》は身《み》に闘《かま》はず打《う》つ所《ところ》なり、若《もし》くは身《み》はゆるがず太刀《たち》にて打《う》つ事《こと》はあれ共《ども》、大形《おほがた》は身《み》を先《さき》へ打《う》ち、太刀《たち》を後《あと》より打《う》つものなり、能《よく》々《〳〵》吟味《ぎんみ》して打習《うちなら》ふべきなり。

一、打《うち》とあたると云《い》ふ事《こと》　打《うち》と云《い》ふ事《こと》、あたると云《い》ふ事《こと》二つ也《なり》、打《うつ》と云《い》ふ心《こゝろ》は何《いづ》れの打《うち》にも思《おも》ひうけて慥《たしか》に打《う》つなりあたるは行《ゆき》あたる程《ほど》の心《こゝろ》にて強《つよ》くあたり、忽《たちま》ち敵《てき》の死《し》ぬる程《ほど》にても是《これ》はあたる也《なり》、打《うつ》と云《い》ふは心《こゝろ》得《え》て打《うつ》と云《い》ふ所《ところ》なり、吟味《ぎんみ》すべし、敵《てき》の手《て》にても足《あし》にてもあたると云《い》ふは先《ま》づあたるなり、當《あた》りて後《あと》を強《つよ》く打《う》たん爲《ため》也《なり》。當《あた》るは觸《さは》る程《ほど》の心《こゝろ》能《よ》く習《なら》ひ得《え》ては格《かく》別《べつ》の事《こと》なり工《く》夫《ふう》すべし。

一、秋猴《しうこう》の身《み》と云《い》ふ事《こと》　秋《しう》猴《こう》の身《み》とは手《て》を出《だ》さぬ心《こゝろ》也《なり》。敵《てき》へ入《い》り身《み》になりて少《すこ》しも手《て》を出《だ》す心《こゝろ》なく、敵《てき》打《う》つ前《まへ》、身《み》を早《はや》く入《はい》る心《こゝろ》なり、手《て》を出《だ》さんと思《おも》へば必《かなら》ず身《み》は遠《とほ》のくものなるに依《よ》つて總身《そうしん》を早《はや》く移《うつ》り入《い》る心《こゝろ》也《なり》。手《て》にて受合《うけあひ》する程《ほど》の間《あひだ》には身《み》も入《いれ》やすきものなり、能《よく》々《〳〵》吟味《ぎんみ》すべし。

一、漆膠《しつかふ》の身《み》と云《い》ふ事《こと》　漆膠《しつかふ》とは入身《いりみ》に能《よ》く付《つい》て離《はな》れぬ心《こゝろ》也《なり》。敵《てき》の身《み》に入《い》る時《とき》、頭《あたま》をもつけ足《あし》をも付《つ》く、強《つよ》くつく所《ところ》なり。人毎《ひとごと》に頭足《とうそく》は早《はや》く入《はい》れども、身《み》の退《の》くものなり、敵《てき》の身《み》へ我身《わがみ》を能《よ》く付《つ》け、少《すこ》しも身《み》のあひのなき様《やう》につくものなり、能《よく》々《〳〵》吟味《ぎんみ》あるべし。

一、たけ比《くら》べと云《い》ふ事《こと》　たけ比《くら》べと云《い》ふは、何《いづ》れにても敵《てき》へ入《いり》こむ時《とき》は我身《わがみ》のちゞまざるやうにして足《あし》をも延《の》べ、腰《こし》をのべ、首《くび》をも延《の》べて強《つよ》く入《い》り、敵《てき》の顔《かほ》と我顔《わがかほ》とをならべ、身《み》の丈《たけ》を比《くら》ぶるに、比《くら》べ勝《か》つと思《おも》ふ程《ほど》高《たか》くなつて強《つよ》く入《はい》る所《ところ》肝心《かんじん》也《なり》。能《よく》々《〱》工夫《くふう》すべし。

一、ねばりをかくると云《い》ふ事《こと》　敵《てき》も打《うち》かけ、我《わ》れも太刀《たち》打《うち》かくるに、敵《てき》受《うけ》る時《とき》、我《わが》太刀《たち》、敵《てき》の太刀《たち》についてねばる心《こゝろ》にして入《はい》る也《なり》。ねばるは我《わが》太刀《たち》敵《てき》の太刀《たち》と離《はな》れ難《がた》き心《こゝろ》、餘《あま》り強《つよ》くなき心《こゝろ》に入《い》るべし、敵《てき》の太刀《たち》につけてねばりをかけ入《はい》る時《とき》は如何程《いかほど》も静《しづか》に入《はい》つても苦《くる》しからず。ねばると云《い》ふ事《こと》も縺《もつ》るゝと云《い》ふ事《こと》、ねばるは強《つよ》く縺《もつ》るゝは弱《よわ》し、此《この》事《こと》分別《ふんべつ》あるべし。

一、身《み》のあたりと云《い》ふ事《こと》　身《ゐ》のあたりは敵《てき》のきわへ入《いり》込《こ》み、身《み》にて敵《てき》にあたる心《こゝろ》也《なり》。少《すこ》し我《わが》顔《かほ》をそばめ、我《わが》左《ひだり》の肩《かた》を出《だ》し敵《てき》の胸《むね》にあたる事《こと》、我《わが》身《み》を如何程《いかほど》も強《つよ》くなりあたる事《こと》、いき合《あ》ふ拍子《ひやうし》にてはづむ心《こゝろ》に入《い》べし。此《この》入《い》る事《こと》習《なら》ひ得《う》るは敵《てき》二間《けん》も三間《けん》も跳《は》ねのく程《ほど》強《つよ》きものなり、敵《てき》死入《しにい》るほどもあたる也《なり》。能《よく》々〳〵鍛錬《たんれん》あるべし。

一、三つの受《うけ》の事《こと》　三つの受《うけ》と云《い》ふは敵《てき》へ入込《いりこ》む時《とき》、敵《てき》打出《うちだ》す太刀《たち》をうくるに我《わが》太刀《たち》にて敵《てき》の目《め》をつく様《やう》にして敵《てき》の太刀《たち》を我《わが》右《みぎ》の肩《かた》へ引流《ひきなが》して受《うけ》るべし。亦《また》つきうけと云《い》ひて敵《てき》打《うつ》太刀《たち》を敵《てき》の左《ひだり》の目《め》をつく様《やう》にして、くびをはさむ心《こゝろ》につきかけて受《うけ》る所《ところ》、又《また》敵《てき》の打《う》つ時《とき》短《みじか》き太刀《たち》にて入《はい》るに、受《うけ》る太刀《たち》は左《さ》のみ關《かま》はず、我《わが》左《ひだり》の手《て》にて敵《てき》の面《めん》を突《つ》くやうにして入込《いりこ》む、是《これ》三つの受《う》けなり、左《ひだり》の手《て》を握《にぎ》りて拳《こぶし》にて面《めん》を突《つ》くやうに思《おも》ふべし、能《よく》々〳〵鍛錬《たんれん》あるべきもの也《なり》。

一、面《めん》を刺《さ》すと云《い》ふ事《こと》　面《めん》を刺《さ》すとは敵《てき》と太刀《たち》合《あはせ》になりて、敵《てき》の太刀《たち》と我《わが》太刀《たち》の間《あひだ》に敵《てき》の顔《かほ》を我《わが》太刀《たち》尖《さき》にて突《つ》く心《こゝろ》に常《つね》に思《おも》ふ所《ところ》肝心《かんじん》なり、敵《てき》の顔《かほ》を突《つ》く心《こゝろ》あれば敵《てき》の顔《がん》身《しん》ものるものなり、敵《てき》をのらするやうにしては色々《いろ〳〵》勝《か》つ所《ところ》の利《り》あり、能々《よく〳〵》工夫《くふう》すべし、戦《たゝかひ》の内《うち》に敵《てき》の身《み》、のる心《こゝろ》有《も》てば、はや勝《か》つ所《ところ》なり、夫《それ》によつて面《めん》を刺《さ》すと云《い》ふ事《こと》忘《わす》るべからず、兵法《へいはふ》稽古《けいこ》の内《うち》に此《こ》の利《り》鍛錬《たんれん》あるべきものなり。

一心《こゝろ》を刺《さ》すと云《い》ふ事《こと》

心《こゝろ》を刺《さ》すと云《い》ふは戦《たゝかひ》の内《うち》にうへつまり、脇《わき》つまりたる所《ところ》などにて切《き》る事《こと》、何《いづ》れもなり難《がた》き時《とき》、敵《てき》を突《つ》く事《こと》、敵《てき》の打《う》つ太刀《たち》を外《はづ》す心《こゝろ》は、我《わが》太刀《たち》の峰《みね》を直《すぐ》に敵《てき》に見《み》せて、太刀《たち》尖《さき》ゆがまざる様《やう》に引《ひき》とりて、敵《てき》の胸《むね》をつく事《こと》なり。若《も》し我《わが》疲労《つか》れたる時《とき》か又《また》は刀《かたな》の切《き》れざる時《とき》などに此儀《このぎ》専《もつは》ら用《もち》ゐる心《こゝろ》なり、能々《よく〳〵》分別《ふんべつ》すべし。

一、喝《かつ》咄《とつ》と云《い》ふ事《こと》　喝《かつ》咄《とつ》と云《い》ふは何《いづ》れも我《われ》打《うつ》か、敵《てき》を追《お》ひ込《こ》む時《とき》、敵《てき》また打《うち》かへす様《やう》なる時《とき》、下《した》より敵《てき》を突《つ》く様《やう》にあげて返《かへ》しにて打《う》つ事《こと》、何《いづ》れも早《はや》き拍子《ひやうし》を以《もつ》て喝《かつ》と突《つ》きあげ、咄《とつ》と打《う》つ心《こゝろ》なり。此《この》拍子《ひやうし》何時《いつ》も打合《うちあひ》の内《うち》には専《もつぱ》ら出《で》合《あひ》事《こと》なり、喝咄《かつとつ》のしやう、切尖《きつさき》あぐる心《こゝろ》にして敵《てき》を突《つく》と思《おも》ひあぐると、一度《ど》に打《うつ》拍子《ひやうし》能《よ》く稽古《けいこ》し吟味《ぎんみ》有《あ》るべき事《こと》なり。

一、はりうけと云《い》ふ事《こと》　はりうけと云《い》ふは敵《てき》と打合《うちあ》ふ時《とき》、どたん〳〵と云《い》ふ拍子《ひやうし》になるに敵《てき》の打《う》つ所《ところ》を我太刀《わがたち》にてはり合《あは》せ打《う》つ也《なり》。はり合《あ》はする心《こゝろ》は左《さ》のみ強《つよ》くはるには非《あら》ず、亦《また》受《う》くるに非《あら》ず、敵《てき》の打太刀《うつたち》に應《おう》じて打太刀《うつたち》をはりて、はるより早《はや》く敵《てき》を打《う》つ事《こと》なり、はるにて、先《せん》を取《と》る、うつにて先《せん》を取《と》る所《ところ》肝《かん》要《えう》なりはる拍子《ひやうし》能《よ》く合《あ》へば、敵《てき》何《なん》と強《つよ》く打《うつ》ても少《すこ》しはる心《こゝろ》あれば太《た》刀《ち》先《さき》の落《おち》る事《こと》に非《あら》ず能《よ》く習《なら》ひ得《え》て吟《ぎん》味《み》あるべし。

一 多《た》敵《てき》の位《くらゐ》の事《こと》

多《た》敵《てき》の位《くらゐ》と云《い》ふは一身《しん》にて大《おほ》勢《ぜい》と戰《たゝか》ふ時《とき》の事《こと》なり、我《わが》刀《かたな》脇《わき》差《ざし》を拔《ぬい》て左《さ》右《いう》へ廣《ひろ》く太《た》刀《ち》を横《よこ》に捨《す》て構《かま》へる也《なり》。敵《てき》は四方《はう》より懸《かゝ》る共《とも》、一方《はう》へ追《おひ》まはす心《こゝろ》也《なり》。敵《てき》かゝる位《くらゐ》前《ぜん》後《ご》を見《み》分《わけ》て先《さき》へ進《すゝ》む者《もの》に早《はや》く行《ゆき》合《あ》ひ、大《おほ》きに目《あ》をつけて敵《てき》打《うち》出《だ》す位《くらゐ》を得《え》て右《みぎ》の太《た》刀《ち》も左《ひだり》の太《た》刀《ち》も一度《ど》に振《ふり》ちがへて行《ゆ》く太《た》刀《ち》にて前《まへ》の敵《てき》を切《き》り、戻《もど》る太《た》刀《ち》にて脇《わき》に進《すゝ》む敵《てき》を切《き》る太《た》刀《ち》を振《ふり》ちがへて待《ま》つ事《こと》悪《あ》し、早《はや》く兩《りやう》脇《わき》の位《くらゐ》に構《かま》へ敵《てき》の出《で》たる所《ところ》を強《つよ》く切《きり》込《こ》み、追《おひ》くづして其《その》儘《まゝ》又《また》敵《てき》の出《で》たる方《はう》へ懸《かゝ》り崩《くづ》す心《こゝろ》なり、如《い》何《か》にもして敵《てき》をひとへに魚《うを》つなぎに追《おひ》なす心《こゝろ》にしかけて、敵《てき》の重《かさな》ると見《み》えば其《その》儘《まゝ》間《ま》をすかさず強《つよ》く拂《はら》ひこむべし。敵《てき》あいこむ所《ところ》ひたと追《おひ》廻《まは》しぬれば捗《はか》行《ゆ》きがたし、又《また》敵《てき》の出《で》るかた〳〵と思《おも》へば待《まつ》心《こゝろ》ありて捗《はか》行《ゆ》きがたし、敵《てき》の拍子《ひやうし》を受《う》けて崩《くづ》るゝ所《ところ》を知《し》り勝《か》つ事《こと》なり、折《をり》々《〳〵》對手《あひて》を數《かず》多《おほく》よせ追《おひ》込《こみ》付《つい》て其《その》心《こゝろ》を得《う》れば一人《ひとり》の敵《てき》も十、二十の敵《てき》も心《こゝろ》やすき事《こと》也《なり》。稽《けい》古《こ》して吟《ぎん》味《み》あるべき也《なり》。

一、打《うち》合《あ》ひの利《り》の事《こと》　此《この》打《うち》あひの利《り》と云《い》ふ事《こと》にて兵法《へいはふ》太《た》刀《ち》にての勝《しよう》利《り》を辨《わきま》ふる所《ところ》也《なり》。細《こま》かに書《か》きしるし難《がた》し、能《よ》く稽《けい》古《こ》ありて勝《か》つ所《ところ》を知《し》るべきものなり。大《おほ》方《かた》兵《へい》法《はふ》の實《じつ》の道《みち》を顯《あら》はす太《た》刀《ち》也《なり》(口《く》傳《でん》)。

一、一つの打《うち》と云《い》ふ事《こと》　此《この》一つの打《うち》と云《い》ふ心《こゝろ》をもつて慥《たしか》に勝《かつ》所《ところ》を得《う》る事《こと》也《なり》。兵《へい》法《はふ》能《よ》く學《まな》ばざれば心《こゝろ》得《え》がたし、此《この》儀《ぎ》能《よ》く鍛《たん》錬《れん》すれば兵《へい》法《はふ》心《こゝろ》の儘《まゝ》になつて思《おも》ふ儘《まゝ》に勝《かつ》道《みち》也《なり》。能《よ》く〳〵稽《けい》古《こ》すべし。

一、直《ちよく》通《つう》の位《くらゐ》と云《い》ふ事《こと》　直《ちよく》通《つう》の心《こゝろ》二刀《たう》一流《りう》の實《じつ》の道《みち》をうけて傳《つた》ふる所《ところ》なり。能《よ》く〳〵鍛《たん》錬《れん》して此《こ》の兵《へい》法《はふ》に身《み》をなす事《こと》肝《かん》要《えう》なり(口《く》傳《でん》)。

右《みぎ》書《かき》付《つけ》る所《ところ》、一流《りう》の劍《けん》術《じゆつ》大《おほ》方《かた》此《この》巻《まき》に記《しる》し置《お》く事《こと》也《なり》。兵《へい》法《はふ》太《た》刀《ち》を取《と》つて人《ひと》に勝《か》つ事《こと》を覺《おほ》ゆるは先《ま》づ五つの表《おもて》を以《もつ》て五方《はう》の構《かまへ》を知《し》り太《た》刀《ち》の道《みち》を覺《おほ》へて惣《そう》體《たい》自《じ》由《いう》になり、心《こゝろ》の利《き》き出《で》て道《みち》の拍《ひやう》子《し》を知《し》り、おのれと太《た》刀《ち》も手《て》さへて、身《み》も足《あし》も心《こゝろ》の儘《まゝ》にほどけたる時《とき》に隨《したが》ひ、一《ひと》人《り》に勝《か》ち、二《ふた》人《り》に勝《か》ち、兵《へい》法《はふ》の善《せん》惡《あく》を知《し》る程《ほど》になり、此《この》一書《しよ》の内《うち》を一ケ條《でう》一ケ條と稽《けい》古《こ》して敵《てき》と戰《たゝか》ひ、次《し》第《だい》〳〵と道《みち》の利《り》を得《え》て不《ふ》斷《だん》心《こゝろ》にかけ急《いそ》ぐ心《こゝろ》なくして折《をり》々〳手《て》に觸《ふ》れては德《とく》を覺《おぼ》え何《いつ》れの人《ひと》共《ども》打《うち》合《あ》ひ其《その》心《こゝろ》を知《し》つて千里《り》の敵《てき》も一足《あし》づゝ運《はこ》ぶなり、緩《ゆる》々〳と思《おも》ひ此《この》法《はふ》を行《おこな》ふ事《こと》武《ぶ》士《し》の役《やく》なりと心《こゝろ》得《え》て、今《け》日《ふ》は昨《き》日《のふ》の我《われ》に勝《か》ち、明《あ》日《す》は下《へ》手《た》に勝《か》ち後《のち》は上《じやう》手《ず》に勝《かつ》と思《おも》ひ、此《この》書《しよ》物《もつ》の如《ごと》くにして少《すこ》しも脇《わき》の道《みち》へ心《こゝろ》の行《ゆ》かざる樣《やう》に思《おも》ふべし、縱《たと》ひ何《なに》程《ほど》の敵《てき》に打《うち》勝《かち》ても習《なら》ひに背《そむ》く事《こと》にては實《じつ》の道《みち》に有《あ》るべからず、此《この》理《り》心《こゝろ》にうかびては一身《しん》を以《もつ》て數《すう》十人《にん》にも勝《か》つ心《こゝろ》の辨《わきま》へあるべし、然《しか》る上《うへ》は劍《けん》術《じゆつ》の智《ち》力《りよく》にて大《だい》分《ぶ》一分《ぶ》の兵《へい》法《はふ》をも得《とく》道《だう》すべし、千日《にち》の稽《けい》古《こ》を鍛《たん》とし萬《まん》日《にち》の稽《けい》古《こ》を鍊《れん》とす能《よく》々〳吟《ぎん》味《み》あるべきものなり。

火の巻

二刀《たう》一流《りう》の兵法《へいはふ》

戰《たゝかひ》の事《こと》を火《ひ》に思《おも》ひとつて戰勝負《たゝかひしようぶ》の事《こと》を火《くわ》の巻《まき》として此書《このしよ》を書顕《かきあらは》すなり。先《ま》づ世間《せけん》の人《ひと》、毎《つね》に兵法《へいはふ》の利《り》を小《ちい》さく思《おも》ひなして、或《あるひ》は指先《ゆびさき》にて手首《てくび》五寸《すん》三寸《すん》の利《り》を知《し》り、或《あるひ》は扇《あふぎ》を取《とつ》て肘《ひぢ》より先《さき》の先《さき》、後《あと》の勝《かち》を辨《わきま》へ、又《また》は竹刀《しない》などにて僅《わづ》かの早《はや》き利《り》を覺《おぼ》え、手《て》をきかせ習《なら》ひ、足《あし》をきかせ習《なら》ひ、少《すこし》の利《り》の早《はや》き所《ところ》を專《もつぱら》とする事《こと》也《なり》。我《わ》れ兵《へい》法《はふ》に於《おい》て數度《すうど》の勝負《しようぶ》に一命《めい》をかけて打合《うちあ》ひ生死《しやうし》二つの利《り》をわけ、刀《かたな》の節《ふし》を覺《おぼ》え、敵《てき》の太刀《たち》の強弱《きやうじやく》を知《し》り、刀《かたな》の刄《は》むねの節《ふし》を辨《わきま》へ、敵《てき》を打果《うちはた》す所《ところ》の鍛錬《たんれん》を得《う》るに少《すくな》き事《こと》、弱《よわ》きさ事《こと》思《おも》ひよらざる所《ところ》也《なり》。殊《こと》に六具《ぐ》かためてなどの利《り》に、少《ちい》さき思《おも》ひ出《いづ》る事《こと》にあらず。更《さら》ば命《いのち》をはかりの打合《うちあひ》に於《おい》て、一人《り》して五人《にん》十人《にん》共《とも》戰《たゝか》ひ、其《そ》の勝《かつ》道《みち》を慥《たしか》に知《し》る事《こと》、我《わが》道《みち》の兵《へい》法《はふ》なり。然《しか》るによつて一《ひと》人《り》して十人《にん》に勝《か》ち、千人《にん》を以《もつ》て萬《まん》人《にん》に勝《か》つ道《だう》理《り》、何《なん》の差《さ》別《べつ》あらんや、能《よく》々《〳〵》吟《ぎん》味《み》あるべし、去《さり》ながら常《つね》々《〳〵》の稽《けい》古《こ》の時《とき》、千人《にん》萬《まん》人《にん》を集《あつ》め、此《この》道《みち》爲《し》習《なら》ふ事《こと》成《な》る事《こと》にあらず、獨《ひとり》太《た》刀《ち》を取《と》つても其《そ》の敵《てき》の知《ち》略《りやく》を計《はか》り、敵《てき》の强《きやう》弱《じやく》手《て》だてを知《し》り兵《へい》法《はふ》の智《ち》德《とく》を以《もつ》て萬《まん》人《にん》に勝《かつ》所《どころ》を極《き》め、此《この》道《みち》の達《たつ》者《しや》となり、我《わが》兵《へい》法《はふ》の直《ちよく》道《だう》世《せ》界《かい》に於《おい》て誰《たれ》か得《え》ん、又《また》何《いづ》れか極《きわ》めんと慥《たし》かに思《おも》ひ取《と》つて、朝《てう》鍛《たん》夕《せき》錬《れん》して磨《みが》きおほせて後《のち》、獨《ひとり》自《じ》由《いう》を得《う》、自《みづか》ら奇《き》特《とく》を得《う》、通《つう》力《りよく》不《ふ》思《し》議《ぎ》有《ある》所《ところ》、是《これ》兵《へい》として法《はふ》を行《おこな》ふ息《いき》也《なり》。

一、場《は》の次《し》第《だい》と云《い》ふ事《こと》

場《は》の位《くらゐ》を見《み》分《わく》る所《ところ》、場《は》に於《おい》て日《ひ》

を行《おこな》ふと云《い》ふ事《こと》あり、日《ひ》をうしろにして構《かま》ふるなり、若《も》し所《ところ》により日《ひ》をうしろにする事《こと》ならざる時《とき》は、右《みぎ》のわきへ日《ひ》をさす樣《やう》にすべし。座《ざ》敷《しき》にても燈《あか》火《り》をうしろ右《みぎ》脇《わき》となす事《こと》同《どう》前《ぜん》なり。うしろの場《は》つまらざる樣《やう》に左《ひだり》の場《は》をくつろげ右《みぎ》の脇《わき》の場《は》を詰《つ》めて構《かまへ》度《たき》事《こと》也《なり》。夜《よる》にても敵《てき》の見《み》ゆる所《ところ》にては火《ひ》を後《うしろ》に負《お》ひ、燈《あか》火《り》を右《みぎ》脇《わき》する事《こと》同《どう》前《ぜん》と心《こゝろ》得《え》て構《かま》ふべきもの也《なり》。敵《てき》を見《み》おろすと云《いひ》て少《すこ》しも高《たか》き所《ところ》に構《かま》ふる樣《やう》に心《こゝろ》得《え》べし。座《ざ》敷《しき》にては上《じやう》座《ざ》を高《たか》き所《ところ》と思《おも》ふべし。扨《さて》戰《たゝかひ》になりて敵《てき》を追《おひ》廻《まは》す事《こと》、我《わが》左《ひだり》の方《はう》へ追《おひ》廻《まは》す心《こゝろ》難《なん》所《しよ》を敵《てき》の後《うしろ》にさせ、何《いづ》れにても難《なん》所《しよ》へ追《おひ》懸《かゝ》る事《こと》肝《かん》要《えう》なり。難《なん》所《しよ》は敵《てき》に場《は》を見《み》せずと云《い》ひて、敵《てき》に顏《かほ》をふらせず、油《ゆ》斷《だん》なく攻《せ》め詰《つめ》る心《こゝろ》也《なり》。座《ざ》敷《しき》にも敷《しき》居《ゐ》鴨《かも》居《ゐ》戸《と》障《しやう》子《じ》椽《えん》など、又《また》柱《はしら》などの方《はう》へ追詰《おひつめ》るにも場《ば》を見《み》せずと云《い》ふ事《こと》同前《どうぜん》なり、何《いづ》れも敵《てき》を追懸《おひかく》る方《はう》足場《あしば》の悪《わる》き所《ところ》、又《また》は脇《わき》にかまひの有所《あるところ》、何《いづ》れも場《ば》の徳《とく》を用《もち》ひて場《ば》の勝《かち》を得《う》ると云《い》ふ心《こゝろ》専《もつぱ》らにして、能《よく》々く吟味《ぎんみ》し鍛錬《たんれん》ある可《べ》きものなり。

一、三つの先《せん》と云《い》ふ事《こと》　三つの先《せん》一つは我《わが》方《かた》より敵《てき》へかゝる先《せん》、けんの先《せん》と云《い》ふなり、又《また》一つは敵《てき》より我《わが》方《かた》へかゝる時《とき》の先《せん》、是《これ》は體《たい》の先《せん》と云《い》ふ又《また》一つは我《われ》もかゝり敵《てき》もかゝり合《あ》ふ時《とき》の先《せん》、體《たい》々くの先《さき》と云《い》ふ是《これ》三つの先《せん》也《なり》。何《いづ》れの戰《たゝか》ひ始《はじめ》にも此《この》三つの先《せん》より外《ほか》はなし、先《せん》の次第《しだい》を以《もつ》て勝《かつ》事《こと》を得《う》るものなれば先《せん》と云《い》ふ事《こと》兵法《へいはふ》の第《だい》一也《なり》。此《この》先《せん》の仔《し》細《さい》、様《さま》々くはありと雖《いへど》も、其《そ》の時《とき》の利《り》を先《せん》とし、敵《てき》の心《こゝろ》を見《み》、我《わが》兵法《へいはふ》の智恵《ちゑ》を以《もつ》て勝《か》つ事《こと》なれば、こまやかに書分《かけわけ》る事《こと》にあらず、第《だい》一懸《かゝり》の先《せん》、我《われ》かゝらんと思《おも》ふ時《とき》、靜《しづ》かにして居《ゐ》、俄《には》かに早《はや》くかゝる先《せん》、うへを強《つよ》く早《はや》くして底《そこ》を殘《のこ》す心《こゝろ》の先《せん》、又《また》我《わが》心《こゝろ》をいかにも強《つよ》くして足《あし》は常《つね》の足《あし》に少《すこ》しはやく敵《てき》の脇《わき》へよると、早《はや》くもみたつる先《せん》、又《また》心《こゝろ》をはなつて初《しち》中《ちう》後《こ》同《おな》じ事《こと》に敵《てき》をひしぐ心《こゝろ》にて底《そこ》まで強《つよ》き心《こゝろ》に勝《かつ》、これ何《いづ》れも懸《かゝり》の先《せん》也《なり》。第《だい》二待《まち》の先《せん》、敵《てき》我方《わがかた》へかゝり來《きた》る時《とき》、少《すこ》しもかまはず、弱《よわ》き樣《やう》に見《み》せて、敵《てき》近《ちか》くなつてづんとつよくはなれて飛《と》びつく樣《やう》に見《み》せて、敵《てき》のたるみを見《み》て、直《すぐ》に強《つよ》く勝《か》つ事《こと》。これ一つの先《せん》、又《また》敵《てき》かゝり來《きた》る時《とき》、我《われ》も尙《な》は強《つよ》くなつて出《いづ》る時《とき》、敵《てき》のかゝる拍子《ひやうし》のかはる間《ま》をうけ、其《その》勝《かち》を得《う》る事《こと》、是《これ》待《まち》の先《せん》の理《り》なり。第《だい》三體《たい》々の先《せん》、敵《てき》早《はや》くかゝるには我《われ》靜《しづか》に強《つよ》くかゝり、敵《てき》近《ちか》くなつて、づんと思《おも》ひ切《き》る身《み》にして、敵《てき》のゆとりの見《み》ゆる時《とき》、直《すぐ》に強《つよ》く勝《か》つ。又《また》敵《てき》静《しづか》にかゝる時《とき》、我身《わがみ》うきやかに少《すこ》しはやくかゝりて、敵《てき》近《ちか》くなりて一揉《も》み揉《も》み、敵《てき》の色《いろ》に随《したが》つて強《つよ》く勝《か》つ事《こと》、是《これ》體々《たい〳〵》の先《せん》也《なり》。此儀《このぎ》濃《こまやか》に書分《かきわけ》がたし、此書付《このかきつけ》を以《もつ》ておほかた工夫《くふう》あるべし。此《この》三つの先《せん》、時《とき》に随《したが》ひ、理《り》に随《したが》ひ、いつにても我方《わがかた》よりかゝる事《こと》には非《あらざ》るものなれども、同《おな》じくは我方《わがかた》よりかゝりて、敵《てき》をまわしたき事《こと》なり。何《いづ》れも先《せん》の事《こと》、兵法《へいはふ》の智《ち》力《りよく》を以《もつ》て、必《かなら》ず勝《かつ》事《こと》を得《う》る心得《こゝろえ》能々《よく〳〵》鍛錬《たんれん》あるべし。

一、枕《まくら》をおさふると云《い》ふ事《こと》　枕《まくら》をおさふるとは頭《あたま》をあげさせずと云《い》ふ心《こゝろ》也《なり》。兵《へい》法《はふ》勝負《しようぶ》の道《みち》に限《かぎ》つて、人《ひと》に我身《わがみ》をまわされて、後《あと》につく事《こと》悪《あ》し、如《い》何《か》にもして敵《てき》を自由《じいう》にまわし度《たき》事《こと》也《なり》。然《しか》るに依《よ》つて敵《てき》も左様《さやう》に思《おも》ひ、我《われ》も其心《そのこゝろ》あれ共《ども》、人《ひと》のする事《こと》をうけがはずしては叶《かな》ひがたく、兵《へい》法《はふ》に敵《てき》の打《うつ》所《ところ》をとめ、つく所《ところ》を抑《おさ》へ、くむ所《ところ》を捥《も》ぎはなしなどする事《こと》也《なり》。枕《まくら》を抑《おさ》ふると云《い》ふは我《わが》實《じつ》の道《みち》を得《え》て敵《てき》にかゝり合《あ》ふ時《とき》、敵《てき》何《なに》事《ごと》にても思《おも》ふ象《きざ》徴《し》を敵《てき》のせぬ内《うち》に見《み》知《し》りて、敵《てき》の打《う》つと云《い》ふ、打《う》つのうの字《じ》の頭《あたま》を押《おさ》へて後《あと》をさせざる心《こゝろ》、枕《まくら》を抑《おさ》ふる心《こゝろ》也《なり》。例《たと》之《へ》ば敵《てき》の懸《かゝ》ると云《い》ふかの字《じ》を抑《おさ》へ飛《と》ぶと云《い》ふとの字《じ》の頭《かしら》を抑《おさ》へ、切《き》ると云《い》ふきの字《じ》の頭《かしら》を抑《おさ》ふる、皆《みな》以《もつ》て同《おな》じ心《こゝろ》也《なり》、敵《てき》、我《われ》に技《わざ》をなす事《こと》に付《つ》けて役《やく》に立《た》たざる事《こと》を敵《てき》に任《まか》せ役《やく》に立《た》つ事《こと》をば抑《おさ》へて、敵《てき》にさせぬ様《やう》にする所《ところ》、兵《へい》法《はふ》の專《せん》也《なり》。是《これ》も敵《てき》のする事《こと》を抑《おさ》へん抑《おさ》へんとする心《こゝろ》後《ご》手《て》也《なり》、先《ま》づ我《われ》は何《なに》事《ごと》にても道《みち》に任《まか》せて技《わざ》をなす内《うち》に、敵《てき》も技《わざ》をせんと思《おも》ふかしらを抑《おさ》へて、何《なに》事《ごと》も役《やく》にたゝせず、敵《てき》をこなす。敵《てき》をこなす所《ところ》、是《これ》兵《へい》法《はふ》の達《たつ》者《しや》、鍛《たん》錬《れん》の故《ゆゑ》也《なり》。枕《まくら》を抑《おさ》ふる事《こと》能《よく》々《く》吟《ぎん》味《み》あるべきなり。

一、渡《わたし》を越《こ》すと云《い》ふ事《こと》　渡《わたし》を越《こ》すと云《い》ふは、例《たと》之《へ》ば海《うみ》を渡《わた》るに瀬《せ》戸《ど》と云《い》ふ所《ところ》もあり、又《また》は四十里《り》五十里《り》と云《い》ふ長《なが》き海《うみ》を越《こ》すをも渡《わたし》と云《い》ふなり。人《にん》間《げん》の世《よ》を渡《わた》るにも、一代《だい》の内《うち》には渡《わたし》を越《こ》すと、云《い》ふ所《ところ》多《おほ》かるべし、船《ふな》路《ぢ》にして其《そ》の處《ところ》を知《し》り、船《ふね》の位《くらゐ》を知《し》り、日《ひ》なみを知《し》りて、友《とも》船《ぶね》は出《だ》さずとも、其《そ》の時《とき》の位《くらゐ》をうけ、或《あるひ》はひらきの風《かぜ》にたより、或《あるひ》は追《おひ》風《かぜ》をも受《う》け、若《も》し風《かぜ》替《かは》りても二里《り》三里《り》は艫《ろ》舵《かぢ》を以《もつ》ても港《みなと》に着《つく》を心《こゝろ》得《え》て船《ふね》を乘《のつ》とり、渡《わたし》を越《こ》す所《ところ》なり。其《その》心《こゝろ》を得《え》て人《ひと》の世《よ》を渡《わた》るにも一大《だい》事《じ》にかけて渡《わたし》を越《こ》すと思《おも》ふ心《こゝろ》あるべし、兵《へい》法《はふ》戰《たゝかひ》のうちにも渡《わたし》を越《こ》す事《こと》肝《かん》要《えう》なり、敵《てき》の位《くらゐ》を受《う》け、我《わが》身《み》の達《たつ》者《しや》を覺《おぼ》え、其《その》理《り》を以《もつ》て渡《わたし》を越《こ》す事《こと》、よき船《せん》頭《どう》の海《かい》路《ろ》を越《こす》に同《おな》じ、渡《わたし》を越《こし》ては亦《また》心《こゝろ》安《やす》き所《ところ》也《なり》、渡《わたし》を越《こ》すと云《い》ふ事《こと》敵《てき》に弱《よわ》味《み》をつけ、我《わが》身《み》も先《せん》になりて、おほかたはや勝《か》つ所《ところ》也《なり》。大《だい》小《せう》の兵《へい》法《はふ》上《じやう》にも、渡《わたし》を越《こ》すと云《い》ふ心《こゝろ》肝《かん》要《えう》なり能《よく》々《〱》吟《ぎん》味《み》あるべし。

一、景《けい》氣《き》を知《し》ると云《い》ふ事《こと》　景《けい》氣《き》を見《み》ると云《い》ふは大《だい》分《ぶん》の兵《へい》法《はふ》にしては敵《てき》の榮《は》え衰《おとろ》へを知《し》り、相《あひ》手《て》の人《にん》數《ずう》の心《こゝろ》を知《し》り、此《この》兵《へい》法《はふ》の理《り》にて慥《たしか》に勝《か》つと云《い》ふ所《ところ》をのみこみて先《せん》の位《くらゐ》を知《しつ》て戰《たゝか》ふ所《ところ》なり、又《また》一分《ぶ》の兵《へい》法《はふ》も敵《てき》のながれを辨《わきま》へ、相《あひ》手《て》の人《ひと》柄《がら》を見《み》かけ、人《ひと》の強《つよ》き弱《よわ》き所《ところ》を見《み》つけ、敵《てき》の氣《き》色《しよく》に違《たが》ふ事《こと》を仕《し》かけ、敵《てき》のめりかりを知《し》り、其《その》間《ま》の拍《ひやう》子《し》を能《よ》く知《し》りて先《せん》をしかくる所《ところ》肝《かん》要《えう》なり、物《もの》事《ごと》の景《けい》氣《き》と云《い》ふ事《こと》は我《わ》が智《ち》力強《りよくつよ》ければ必《かなら》ず見《み》ゆる所也《ところなり》。兵法自由《へいはふじいう》の身《み》に成《なり》ては、敵《てき》の心《こゝろ》を能《よ》く計《はか》つて勝《か》つ道《みち》多《おほ》かるべき事也《ことなり》。工夫《くふう》あるべし。

一剣《けん》を踏《ふ》むと云《い》ふ事《こと》

剣《けん》を踏《ふ》むと云《い》ふ心《こゝろ》は兵法《へいはふ》に専《もつは》ら用《もちひ》る儀《ぎ》也《なり》、先《ま》づ大《おほ》きなる兵法《へいはふ》にしては弓《ゆみ》鐵砲《てつほう》に於《おい》ても、敵《てき》我《わが》方《かた》へ打《うち》かけ、何事《なにごと》にてもしかくる時《とき》、我《われ》は其後《そのご》にかゝらんとするに依《よ》りて敵《てき》は更《さら》に又《また》弓《ゆみ》をつがひ又《また》鐵砲《てつほう》に藥《くすり》をこめて打出《うちだ》す故《ゆゑ》、こみ入《いり》がたし、我《われ》は敵《てき》の弓《ゆみ》鐵砲《てつほう》にても放《はな》つ内《うち》に、早《はや》くかゝる心《こゝろ》なり。早《はや》くかゝれば矢《や》もつがひ難《がた》し、鐵砲《てつほう》も打得《うちえ》ざる心也《こゝろなり》。物毎《ものごと》を敵《てき》のしかくると、其儘《そのまゝ》其理《そのり》を受《うけ》て敵《てき》のする事《こと》を踏《ふん》で勝《か》つ心也《こゝろなり》、又《また》一分《ぶ》の兵法《へいはふ》も敵《てき》の打出《うちだ》す太刀《たち》の後《あと》へ打《う》てば、とたん〳〵となりて、はか行《ゆ》かざる所《ところ》なり、敵《てき》の打《うち》出《だ》す太《た》刀《ち》は足《あし》にて踏《ふ》み付《つく》る心《こゝろ》にして、打《うち》出《だ》す所《ところ》を勝《か》ち二度《ど》目《め》を敵《てき》の打《うち》得《え》ざる様《やう》にすべし、踏《ふむ》と云《い》ふは足《あし》には限《かぎ》る可《べか》らず、身《み》にても踏《ふ》み、心《こゝろ》にても踏《ふ》み、勿《もち》論《ろん》太《た》刀《ち》にても踏《ふ》みつけて二の目《め》を敵《てき》に能《よく》させざる様《やう》に心《こゝろ》得《え》べし、是《これ》則《すなは》ち物《もの》毎《ごと》の先《せん》の心《こゝろ》なり、敵《てき》と一度《ど》にと云《い》ひて行《ゆ》きあたる心《こゝろ》にてはなし、其《その》まゝあとに付《つ》く心《こゝろ》なり能《よく》〳〵吟《ぎん》味《み》あるべし。

一崩《くづ》れを知《し》ると云《い》ふ事《こと》　崩《くづれ》と云《い》ふ事《こと》は物《もの》事《ごと》にある物《もの》なり、其《その》家《いへ》のくづるゝ敵《てき》のくづるゝ事《こと》も、時《とき》のいたりて拍《ひやう》子《し》ちがひになりて崩《くづ》るゝ所《ところ》なり、大《だい》分《ぶん》の兵《へい》法《はふ》にしても、敵《てき》のくづるゝ拍《ひやう》子《し》を得《え》て、其《その》間《ま》をぬかさぬ様《やう》に追《おひ》たつる事《こと》肝《かん》要《えう》なり、崩《くづ》るゝ所《ところ》のいきをぬかしては、たてかへす所《ところ》あるべし、又《また》一分《ぶ》の兵法《へいはふ》にても戰《たゝか》ふ内《うち》に敵《てき》の拍子《ひやうし》ちがひて崩《くづ》れ目《め》のつくものなり。其《その》ほどを油斷《ゆだん》すれば、又《また》たちかへり新《あた》らしくなりて、はか行《ゆ》かざる所也《ところなり》、其《その》崩《くづ》れ目《め》につき、敵《てき》のかほたて直《なほ》さゞる樣《やう》に慥《たしか》に追《おひ》かくる所肝要《ところかんえう》なり、追《おひ》かくるは直《すぐ》に強《つよ》き心也《こゝろなり》。敵《てき》たてかへさゞるやうに打《うち》はなすものなり。打《うち》はなすと云《い》ふ事《こと》能々《よく〳〵》分別《ふんべつ》あるべし、はなれざればしだるき心《こゝろ》あり、工夫《くふう》すべきものなり。

一、敵《てき》になると云《い》ふ事《こと》

敵《てき》になると云《い》ふは、我身《わがみ》を敵《てき》になり替《かはつ》て思《おも》ふべきと云《い》ふ所也《ところなり》。世《よ》の中《なか》を見《み》るに、ぬすみなどして家《いへ》の内《なか》へ取籠《とりこめ》る樣《やう》なるものをも、敵《てき》を強《つよ》く思《おも》ひなすものなり。敵《てき》になりて思《おも》へば、世《よ》の中《なか》の人《ひと》を皆相手《みなあひて》とし、逃《に》げこみて詮《せん》かたなき心《こゝろ》なり、取籠《とりこも》るものは雉子《きじ》なり、打《うち》果《はたし》に入《はい》る人《ひと》は鷹《たか》なり、能々《よく〳〵》工夫《くふう》あるべし、大《おほ》きなる兵法《へいはふ》にしても、敵《てき》と云《い》へば強《つよ》く思《おも》ひて、大事《だいじ》にかくるものなり、よき人数《にんずう》を持《も》ち、兵法《へいはふ》の道理《だうり》を能《よ》く知《し》り、敵《てき》に勝《かつ》と云《い》ふ所《ところ》を能《よ》く受《う》けては氣遣《きづか》ひすべき道《みち》に非《あら》ず、一部《ぶ》の兵法《へいはふ》も敵《てき》になりて思《おも》ふ可《べ》し、兵法《へいはふ》能《よく》心得《こゝろえ》て道理《だうり》強《つよ》く其道《そのみち》達者《たつしや》なるものに於《おい》ては必《かなら》ず負《ま》くると思《おも》ふ所《ところ》なり能々《よく〳〵》吟味《ぎんみ》すべし。

一、四手《て》をはなすと云《い》ふ事《こと》　四手《て》をはなすとは敵《てき》も我《われ》も同《おな》じ心《こゝろ》に張《は》り合《あ》ふ心《こゝろ》になつては戦《たゝかひ》のはか行《ゆ》かざるもの也《なり》。張《は》り合《あ》ふ心《こゝろ》になると思《おも》はゞ其儘《そのまゝ》心《こゝろ》をすてゝ別《べつ》の利《り》にて勝《か》つ事《こと》を知《し》るなり。大分《だいぶ》の兵法《へいはふ》にしても、四手《て》の心《こゝろ》にあれば、果敢《はか》ゆかず人《ひと》の先《せん》する事《こと》なり、早《はや》く心《こゝろ》をすてゝ敵《てき》の思《おも》はざる利《り》にて勝《か》つ事事《こともつぱら》なり、亦《また》一分《ぶ》の兵法《へいはふ》にても、四つ手《て》になると思《おも》はゞ其儘《そのまゝ》心《こゝろ》をかへて敵《てき》の位《くらゐ》を得《え》て格別《かくべつ》替《かは》りたる利《り》を以《もつ》て勝《かち》を辨《わきま》ふる事《こと》肝《かん》要《えう》なり能《よく》〳〵分別《ふんべつ》すべし。

一、陰《いん》を動《うご》かすと云《い》ふ事《こと》　陰《いん》を動《うご》かすと云《い》ふは敵《てき》の心《こゝろ》の見《み》えわかぬ時《とき》の事《こと》なり、大《だい》分《ぶ》の兵《へい》法《はふ》にしても、何共《いづれとも》敵《てき》の位《くらゐ》の見《み》わけざる時《とき》は、我方《わがかた》より強《つよ》く仕《し》かくる様《やう》に見《み》せて、敵《てき》の手段《てだて》を見《み》るものなり、手段《てだて》を見《み》ては格別《かくべつ》の利《り》にて勝《か》つ事《こと》易《やす》き所《ところ》なり。又《また》一方《はう》の兵《へい》法《はふ》にしても敵《てき》うしろに太刀《たち》を構《かま》へ、脇《わき》に構《かま》へたる様《やう》なる時《とき》は、ふつと打《う》たんとすれば敵《てき》思《おも》ふ心《こゝろ》を太刀《たち》に顯《あらは》すものなり、顯《あら》はれ知《し》るゝに於《おい》ては、其儘《そのまゝ》利《り》をうけて慥《たしか》に勝《かち》を知《し》るべきもの也《なり》。油《ゆ》斷《だん》すれば拍《ひやう》子《し》はぬくるものなり、能《よく》〳〵吟《ぎん》味《み》あるべし。

一、影《かげ》を抑《おさ》ふると云《い》ふ事《こと》　影《かげ》を抑《おさ》ふると云《い》ふは、敵《てき》の方《はう》より仕《し》かくる心《こゝろ》の見《み》えたる時《とき》の事《こと》なり。其《そ》の利《り》を抑《おさ》ふる所《ところ》を敵《てき》に強《つよ》く見《み》すれば強《つよ》きに押《お》されて敵《てき》の心《こゝろ》を替《かへ》る事《こと》也《なり》。我《われ》も心《こゝろ》を違《たが》へて、空《くう》なる心《こゝろ》より先《せん》をしかけて勝《か》つ所《ところ》なり、一方《ほう》の兵法《へいはふ》にしても敵《てき》のおこる強《つよ》き氣《き》ざしを利《り》の拍《ひやう》子《し》を以《もつ》て止《や》めさせ、止《や》みたる拍《ひやう》子《し》に我《わが》勝《しよう》利《り》をうけて先《せん》を仕《し》かくるものなり。能《よく》々《く》工《く》夫《ふう》あるべし。

一、移《うつ》らかすと云《い》ふ事《こと》　移《うつ》らかすと云《い》ふは、物《もの》毎《ごと》にあるものなり、或《あるひ》は眠《ねむ》りなども移《うつ》り、或《あるひ》は欠《あく》伸《び》などの移《うつ》るものなり、時《とき》の移《うつ》るもあり、大《だい》分《ぶ》の兵《へい》法《はふ》にして敵《てき》浮《うは》氣《き》にして事《こと》を急《いそ》ぐ心《こゝろ》の見《み》ゆる時《とき》は、少《すこ》しもそれに關《かま》はざる樣《やう》にして如《い》何《か》にもゆるりとなりて見《み》すれば敵《てき》も我《わが》氣《き》に受《う》けてきゝざし、たるむものなり、其《その》移《うつ》りたると思《おも》ふとき、我方《わがかた》より空《くう》の心《こゝろ》にして早《はや》く強《つよ》く仕《し》かけて勝《しよう》利《り》を得《う》るものなり、一方《ほう》の兵法《へいはふ》にしても我身《わがみ》も心《こゝろ》もゆるりとして、敵《てき》のたるみの間《ま》をうけて早《はや》く先《さき》に仕《し》かけて勝《か》つ所《ところ》専《せん》なり。亦《また》よわりと云《いひ》て是《これ》に似《に》たる事《こと》あり、一つは怠屈《たいくつ》の心《こゝろ》、一つは浮《う》かつく心《こゝろ》、一つは弱《よわ》くなる心《こゝろ》、能《よく》々《く》工夫《ふう》あるべし。

一、むかつかすると云《い》ふ事《こと》

むかつかすると云《い》ふは物《もの》毎《ごと》にあり、一つに際《きは》どき心《こゝろ》、二つには無理《むり》なる心《こゝろ》、三つには思《おも》はざる心《こゝろ》、能《よく》吟味《ぎんみ》あるべし、大分《だいぶ》の兵法《へいはふ》にしても敵《てき》の心《こゝろ》をむかつかする事《こと》肝要《かんえう》なり。敵《てき》の思《おも》はざる所《ところ》へ仕《し》かけて、敵《てき》の心《こゝろ》きはまらざる内《うち》に、我利《わがり》を以《も》つて、先《せん》を仕《し》かけて勝《か》つ事《こと》肝要《かんえう》なり、又《また》一方《はう》の兵法《へいはふ》にしても初《はじ》めゆるりと見《み》せて、我《われ》に強《つよ》くかゝり、敵《てき》の心《こゝろ》のめりかかり働《はたら》くに従《したが》ひ息《いき》をぬかさず其儘《そのまゝ》利《り》を受《う》けて勝《かち》を辨《わきま》ふる事《こと》肝《かん》要《えう》なり、能《よく》々《〳〵》吟《ぎん》味《み》あるべきなり。

一劫《おびや》かすと云《い》ふ事《こと》　怯《おび》ゆると云《い》ふ事《こと》、物《もの》事《こと》にある事《こと》なり、思《おも》ひよらぬ事《こと》に怯《おび》ゆる心《こゝろ》なり。大《だい》分《ぶ》の兵《へい》法《はふ》にしても敵《てき》を劫《おびや》かす事《こと》、眼《がん》前《ぜん》の事《こと》のみにあらず、或《あるひ》は物《もの》の聲《こゑ》にても劫《おびや》かし、或《あるひ》は小《せう》を大《だい》にして劫《おびや》かし、又《また》傍《かたは》らよりフト劫《おびや》かす事《こと》、是《これ》怯《おび》ゆる所《ところ》なり、其《その》怯《おび》ゆる拍《ひやう》子《し》を得《え》て、其《その》利《り》を以《もつ》て勝《か》つべし、一方《はう》の兵《へい》法《はふ》にしても、身《み》を以《もつ》て劫《おびや》かし、太《た》刀《ち》を以《もつ》て劫《おびや》かし、聲《こゑ》を以《もつ》て劫《おびや》かし、敵《てき》の心《こゝろ》になき事《こと》を仕《し》かけて抑《おさ》ゆる所《ところ》の利《り》を受《うけ》て、其儘《そのまゝ》勝《かち》を得《う》る事《こと》肝《かん》要《えう》なり、能《よく》々《〳〵》吟《ぎん》味《み》あるべし。

一、まぶるゝと云《い》ふ事《こと》　まぶるゝと云《い》ふは敵《てき》我《わが》手《て》近《ちか》くなつて互《たがひ》に強《つよ》く張《は》りあひて果敢《はか》ゆかざると見《み》れば、其儘《そのまゝ》敵《てき》と一つにまぶれあひて、まぶれあひたる其内《そのうち》に利《り》を以《もつ》て勝《か》つ事《こと》肝要《かんえう》なり、大分《だいぶ》小分《せうぶ》の兵法《へいはふ》にも、敵味方《てきみかた》互《たがひ》に心《こゝろ》はりあひて勝負《しようぶ》つかざる時《とき》は、其儘《そのまゝ》敵《てき》にまぶれて互《たがひ》にわけなくなる様《やう》にして、其内《そのうち》の徳《とく》を得《え》、其内《そのうち》の勝《かち》を知《し》りて、強《つよ》く勝《か》つ事《こと》専也《もつぱらなり》、能々《よくよく》吟味《ぎんみ》あるべし。

一、角《かど》にさはると云《い》ふ事《こと》　角《かど》にさはると云《い》ふは物事《ものごと》強《つよ》き物《もの》をおすに、其儘《そのまゝ》直《すぐ》におしこみがたきものなり、大分《だいぶ》の兵法《へいはふ》にしても敵《てき》の人数《にんずう》を見《み》てはり出《で》強《つよ》き所《ところ》の角《かど》にあたりて其利《そのり》を得《う》べし、角《かど》のめゝるに随《したが》ひ、總《すべ》ても皆《みな》めゝる心《こゝろ》あり、其《その》めゝる内《うち》にも角々《かどかど》に心得《こゝろえ》て勝利《しようり》を受《うく》る事《こと》肝要《かんえう》なり、一部《ぶ》の兵法《へいはふ》にしても、敵《てき》の體《たい》の角《かど》にいたみをつけ、其體《そのたい》少《すこ》しにても弱《よわ》くなり崩《くづ》るゝ體《たい》になりては、勝《か》つ事《こと》やすきものなり、此事《このこと》能々《よく〳〵》吟味《ぎんみ》して勝所《かつところ》を辨《わきま》ふる事《こと》専《もつぱら》也《なり》。

一、うろめかすと云《い》ふ事《こと》　うろめかすと云《い》ふは敵《てき》に慥《たしか》なる心《こゝろ》を持《も》たせざる樣《やう》にする所《ところ》なり、大分《だいぶ》の兵法《へいはふ》にしても戰《たゝかひ》の場《ば》に於《おい》て敵《てき》の心《こゝろ》を計《はか》り、我《わが》兵法《へいはふ》の智力《ちりよく》を以《もつ》て敵《てき》の心《こゝろ》をそこゝとなし、とのかうのと思《おも》はせ、遲《おそ》し早《はや》しと思《おも》はせ、敵《てき》うろめく心《こゝろ》になる拍子《ひやうし》を得《え》て敵《てき》に勝《か》つ所《ところ》を辨《わきま》ふる事《こと》なり、又《また》一方《はう》の兵法《へいはふ》にして、時《とき》にあたりて色々《いろ〳〵》の技《わざ》を仕《し》かけ、或《あるひ》は打《う》つと見《み》せ、或《あるひ》は突《つ》くと見《み》せ、又《また》は入《い》り込《こ》むと思《おも》はせ敵《てき》のうろめく氣《き》ざしを得《え》て自由《じいう》に勝《か》つ所《ところ》是《これ》戰《たゝかひ》の事《せん》也《なり》。能々《よく〳〵》吟味《ぎんみ》あるべし。

一、三つの聲《こゑ》と云《い》ふ事《こと》　三つの聲《こゑ》とは初《しよ》中《ちう》後《ご》の聲《こゑ》と云《いひ》て三つにかけ分《わく》る事《こと》也《なり》。所《ところ》により聲《こゑ》をかけると云《い》ふ事《こと》專《もつはら》也《なり》。聲《こゑ》は勢《いきほひ》なるに依《よ》つて火事《くわじ》などにもかけ、風波《ふうは》にもかけ、聲《こゑ》は勢力《せいりよく》を見《み》するものなり、大分《だいぶ》の兵法《へいはふ》にしても、戰《たゝかひ》の初《はじ》めにかくる聲《こゑ》は、如何程《いかほど》も量《かさ》をかけてかけ、又《また》戰《たゝか》ふ間《あひだ》の聲《こゑ》は、調子《てうし》をひきて底《そこ》より出《いづ》る聲《こゑ》にてかゝり、勝《か》つて後《のち》、あとに大《おほ》きに強《つよ》くかくる、是《これ》三つの聲《こゑ》なり、又《また》一部《ぶ》の兵法《へいはふ》にしても、敵《てき》を動《うご》かさん爲《た》め、打《う》つと見《み》せて頭《あたま》よりエイと聲《こゑ》をかけ、聲《こゑ》の跡《あと》より太刀《たち》を打出《うちだ》すものなり、亦《また》敵《てき》を打《うつ》て跡《あと》に聲《こゑ》をかくる事《こと》、勝《かち》を知《し》らする聲《こゑ》なり、是《これ》を先後《せんご》の聲《こゑ》と云《い》ふ、太刀《たち》と一度《ど》に大《おほ》きに聲《こゑ》をかくる事《こと》なし、若《も》し戰《たゝかひ》の内《うち》にかくるは拍子《ひやうし》に乘《の》る聲《こゑ》、ひきてかくる也《なり》。能々《よく〲》吟味《ぎんみ》あるべし。

一、まぎるゝと云《い》ふ事《こと》　紛《まぎ》るゝと云《い》ふは大分《だいぶ》の戰《たゝかひ》にしては人数《にんずう》を互《たがひ》にたて、合戦《かつせん》の強《つよ》き時《とき》、紛《まぎ》るゝと云《い》ひて、敵《てき》の一方《はう》へかゝり、敵《てき》くづるゝを見《み》ば、捨《す》てゝ又《また》強《つよ》き方《かた》へかゝる大形《おほがた》つゞらをりにかゝる心《こゝろ》なり、一方《はう》の兵法《へいはふ》にしても敵《てき》を大勢《たいぜい》よするも此心専《このこゝろもつはら》なり。一方《はう》をくづしては又《また》一方《はう》強《つよ》き方《はう》へかゝり、敵《てき》の拍子《ひやうし》を得《え》てよき拍子《ひやうし》に左右《さいう》とつゞらをりの心《こゝろ》に思《おも》ひて敵《てき》の色《いろ》を見合《みあはせ》てかゝるものなり、其《その》敵《てき》の位《くらゐ》を得《え》、打《うち》とほるに於《おい》ては少《すこし》も引《ひく》心《こゝろ》なく強《つよ》くかつ利《り》也《なり》、一方《はう》入身《いりみ》の時《とき》も、敵《てき》の強《つよ》きには其《そ》の心《こゝろ》あり、まぎるゝと云《い》ふ事《こと》、一足《あし》も引《ひ》く事《こと》を知《し》らずまぎれ行《ゆ》くと云《い》ふ心《こゝろ》、能々《よく〳〵》分別《ふんべつ》すべし。

一、挫《ひし》ぐと云《い》ふ事《こと》

挫《ひし》ぐと云《い》ふは縦《たとへ》ば敵《てき》を弱《よわ》く見《み》なして我《わ》れ強《つよ》めになつて挫《ひし》ぐと云《い》ふ心事《こゝろせん》也《なり》。大分《だいぶ》の兵法《へいはふ》にしても、敵《てき》に人数《にんずう》の位《くらゐ》を見《み》こなされ、又《また》は大勢《たいぜい》なりとも敵《てき》うろめきて弱《よわ》みつく所《ところ》なれば挫《ひし》ぐと云《いつ》て頭《あたま》よりかさをかけて挫《ひし》ぐ心《こゝろ》なり。挫《ひし》ぐ事《こと》弱《よわ》ければもりかへす事《こと》あり、手《て》の内《うち》に握《にぎ》つて挫《ひし》ぐ心《こゝろ》能々《よく〱》分別《ふんべつ》すべし。又《また》一分《ぶ》の兵法《へいはふ》の時《とき》も我手《わがて》に不足《ふそく》のもの、又《また》は敵《てき》の拍子《ひやうし》違《ちが》ひ、退《すさ》りめになる時《とき》少《すこ》しもいきを呉《く》れず目《め》を見合《みあ》はざる様《やう》になし、眞直《まつすぐ》に挫《ひし》ぎつくる事《こと》肝要《かんえう》なり、少《すこ》しもおきたてさせぬ所《ところ》大切《たいせつ》也《なり》。能《よく》能《よく》吟味《ぎんみ》あるべし。

一、山海《さんかい》のかわりと云《い》ふ事《こと》　山海《さんかい》の心《こゝろ》と云《い》ふは戰《たゝか》ふ内《うち》に同《おな》じ事《こと》を度々《たび〱》する事《こと》悪《あ》しき所《ところ》なり。同《おな》じ事《こと》二度《ど》は是非《ぜひ》に及《およ》ばず三度《たび》するは甚《はなは》だ悪《あし》し、敵《てき》に技《わざ》をしかくるに一度《ど》にてならずば今《いま》一つもせきかけて其利《そのり》に及《およ》ばず各別《かくべつ》替《かは》りたる事《こと》をホツとしかけ、それにも捗《はか》ゆかずば又《また》各《かく》別《べつ》の事《こと》をしかくべし、然《しか》るによつて敵《てき》山《やま》と思《おも》はゞ海《つみ》としかけ、海《うみ》と思《おも》はば山《やま》としかくる心《こゝろ》兵《へい》法《はふ》の道《みち》なり、能《よく》々《く》吟《ぎん》味《み》あるべき事《こと》あり。

一、底《そこ》を抜《ぬ》くと云《い》ふ事《こと》

底《そこ》を抜《ぬ》くと云《い》ふは敵《てき》と戦《たゝか》ふに其《その》道《みち》の理《り》を以《もつ》て上《うへ》は勝《かつ》と見《み》ゆれども、心《こゝろ》をたへさゞるに依《よ》つて、上《うへ》にては敗《ま》け、下《した》の心《こゝろ》は敗《ま》けぬ事《こと》あり、其《その》儀《ぎ》に於《おい》ては、我《われ》俄《にはか》に替《かは》りたる心《こゝろ》になつて敵《てき》の心《こゝろ》を絶《た》やし、底《そこ》より敗《まけ》る心《こゝろ》に敵《てき》のなる所《ところ》見《み》る事《こと》専《もつはら》なり。此《この》底《そこ》を抜《ね》く事《こと》、太《た》刀《ち》にても抜《ねき》、又《また》身《み》にてもぬき、心《こゝろ》にてもぬく所《ところ》あり、一道《だう》には辨《わきま》ふべからず、底《そこ》より崩《くづ》れたる我《わが》心《こゝろ》殘《のこ》すに及《およ》ばず、さなきときは殘《のこ》す心《こゝろ》なり、殘《のこ》す心《こゝろ》あれば敵《てき》崩《くづ》れがたき事《こと》也《なり》。大《だい》分《ぶん》小《せう》分《ぶん》の兵《へい》法《はふ》にしても底《そこ》を抜《ぬ》く所《ところ》能《よく》々《〳〵》鍛《たん》錬《れん》あるべし。

一、新《あら》たになると云《い》ふ事《こと》　新《あら》たになるとは敵《てき》の戦《たゝか》ふ時《とき》、縺《もつ》るゝ心《こゝろ》になつて捗《はか》ゆかざる時《とき》我《わが》氣《き》を振《ふり》捨《す》てゝ物《もの》事《こと》を新《あた》らしく始《はじ》むる心《こゝろ》に思《おも》ひて、其《その》拍《ひやう》子《し》を受《う》けて勝《かち》を辨《わきま》ふる所《ところ》なり、新《あらた》にする事《こと》は何《い》時《つ》も敵《てき》と我《わが》きしむ心《こゝろ》になると思《おも》はゞ其《その》儘《まゝ》心《こゝろ》を替《かへ》て格《かく》別《べつ》の利《り》を以《もつ》て勝《かつ》べきなり、大《だい》分《ぶ》の兵《へい》法《はふ》に於《おい》ても新《あら》たになると云《い》ふ所《ところ》辨《わきま》ふる事《こと》肝《かん》要《えう》なり、兵《へい》法《はふ》の智《ち》力《りよく》にては急《たちま》ち見《み》ゆる所《ところ》也《なり》。能《よく》々《〳〵》吟《ぎん》味《み》あるべし。

一、鼠《そ》頭《とう》午《ご》首《しゆ》と云《い》ふ事《こと》　鼠《そ》頭《とう》午《ご》首《しゆ》と云《い》ふは敵《てき》と戦《たゝか》ふ内《うち》に互《たがひ》に細《こま》かなる所《ところ》を思《おも》ひ合《あつ》て、縺《もつ》るゝ心《こゝろ》になる時《とき》、兵《へい》法《はふ》の道《みち》を常《つね》に鼠《そ》頭《とう》午《ご》首《しゆ》、鼠《そ》頭《とう》午《ご》首《しゆ》と思《おも》ひて、如《い》何《か》にも細《こま》かなる内《うち》に俄《にはか》に大《おほ》きなる心《こゝろ》にして大《だい》を小《せう》にかへる事《こと》、兵《へい》法《はふ》一つの心《こゝろ》だてなり、平生《へいぜい》人《ひと》の心《こゝろ》も鼠頭《そとう》午首《ごしゆ》と思《おも》ふべき所《ところ》、武士《ぶし》の肝心《かんしん》なり、兵法《へいはふ》大分《だいぶん》小分《せうぶん》にしても此心《このこゝろ》を離《はな》るべからず、此事《このこと》能々《よく〳〵》吟味《ぎんみ》あるべきものなり。

一、将卒《しやうそつ》を知《し》ると云《い》ふ事《こと》　将卒《しやうそつ》を知《し》るとは何《いつ》れも戦《たゝかひ》に及《およ》ぶ時《とき》、我《わ》が思《おも》ふ道《みち》に至《いたつ》てはたえず此法《このはふ》を行《おこな》ひ、兵法《へいはふ》の智《ち》力《りよく》を得《え》て我《わが》敵《てき》たるものをば皆《みな》我《わが》卒《そつ》なりと思《おも》ひとつて、なしたきやうになすべしと心得《こゝろえ》、敵《てき》を自由《じいう》にまはさんと思《おも》ふ所《ところ》、我《われ》は将《しやう》なり、敵《てき》は卒《そつ》なり工夫《くふう》あるべし。

一、束《たは》をはなすと云《い》ふ事《こと》　束《たは》をはなすと云《い》ふは色々《いろ〳〵》心《こゝろ》ある事《こと》なり、無刀《むたう》にて勝《か》つ心《こゝろ》あり、又《また》太刀《たち》にて勝《か》たざる心《こゝろ》あり、さま〴〵心《こゝろ》の行《ゆ》く所《ところ》書付《かきつく》る能《あた》はず、能々《よく〳〵》鍛錬《たんれん》すべし。

一、岩尾《いはを》の身《み》と云《い》ふ事《こと》　岩尾《いはを》の身《み》と云《い》ふ事《こと》、兵法《へいはふ》を得道《とくだう》して急《たちま》ち岩《がん》石《せき》の如《ごと》くになつて、萬《ばん》事《じ》あたらざる所《ところ》、うごかざる所《ところ》(口《く》傳《でん》)右《みぎ》書《かき》付《つけ》る所《ところ》一流《りう》劍《けん》術《じゆつ》の場《ば》にしてたえず思《おも》ひよる事《こと》のみ云《い》ひ顯《あら》はし置《おく》ものなり、今《いま》初《はじ》めて此《この》利《り》を書《かき》記《しる》す物《もの》なれば、あとさきと書《か》きまぎるゝ心《こゝろ》ありて、細《こま》やかに云《いひ》はけ難《がた》し、乍去《さりながら》、此《この》道《みち》を學《まな》ぶべき人《ひと》のためには心《こゝろ》しるしになるべきものなり。我《われ》若年《じやくねん》より以《い》來《らい》兵《へい》法《はふ》の道《みち》に心《こゝろ》をかけ、劍《けん》術《じゆつ》一通《とほり》の事《こと》にも手《て》をからし身《み》をからし色《いろ》々《〱》樣《さま》々《〲》の心《こゝろ》になり、他《た》の流《りう》々《〱》を尋《たづ》ね見《み》るに或《あるひ》は口《くち》にて云《い》ひかこつけ、或《あるひ》は手《て》にて細《こま》かなる技《わざ》をし人《ひと》目《め》によき樣《やう》に見《み》すると云《いひ》ても、一つも實《じつ》の心《こゝろ》に有《ある》べからず、勿《もち》論《ろん》かやうの事《こと》しならひても身《み》をきかせならひ、心《こゝろ》をきかせつくる事《こと》と思《おも》へ共《とも》、皆《みな》これ道《みち》の病《やまひ》となりて後《のち》々《〱》までも失《う》せがたくして兵《へい》法《はふ》の直道《ちよくだう》、世《よ》にくちて道《みち》のすたる基《もとゐ》也《なり》。剣《けん》術《じゆつ》實《じつ》の道《みち》になつて敵《てき》と戰《たゝか》ひ勝《か》つ事《こと》、此《この》法《はふ》聊《いさゝ》か替《かは》る事《こと》あるべからず、我《わが》兵《へい》法《はふ》の智《ち》力《りよく》を得《え》て、直《すぐ》なる所《ところ》を行《おこな》ふに於《おい》ては勝《か》つ事《こと》うたがひあるべからざるものり。

武術

最高極意「空の巻」終

大正七年五月一日印刷
大正七年五月五日發行

不許複製

非賣品

編纂兼發行者　東京市芝區芝公園十四號地ノ十四　帝國尙武會
右代表者　東京市芝區芝公園十四號地ノ十四　梅里文武
印刷者　東京市神田區錦町三丁目一番地　中島藤太郎
印刷所　東京市神田區錦町三丁目一番地　神田印刷所

發行所　東京市芝區芝公園十四號地　帝國尙武會
電話芝一七九六番
振替東京一九五七八番

武術最高極意

定価：本体一〇、〇〇〇円＋税

大正七年五月五日　初版発行
平成二十年四月三十日　復刻版発行

監修　野口一威斎

発行所　八幡書店
〒141-0021　東京都品川区上大崎二丁目十三番三十五号
ニューフジビル2F
振替　〇〇一八〇ー一ー九五一七四
電話　〇三（三四四二）八一二九

印刷／互恵印刷
製本・製函／難波製本

ISBN978-4-89350-651-1 C0075 ¥10000E